RAJPAL
CONCISE
HINDI-ENGLISH DICTIONARY

राजपाल
संक्षिप्त
हिन्दी-अंग्रेज़ी शब्दकोश

डॉ. हरदेव बाहरी
एम. ए., एम. ओ. एल., पी-एच.डी., डी. लिट., शास्त्री

राजपाल

डॉ. हरदेव बाहरी के अन्य शब्दकोश

- राजपाल बृहत् हिन्दी-अंग्रेज़ी शब्दकोश (दो भागों में)
- राजपाल बृहत् शिक्षार्थी अंग्रेज़ी-हिन्दी शब्दकोश
- राजपाल हिन्दी शब्दकोश
- राजपाल अंग्रेज़ी-हिन्दी शब्दकोश
- राजपाल हिन्दी-अंग्रेज़ी शब्दकोश
- राजपाल संक्षिप्त हिन्दी शब्दकोश
- राजपाल संक्षिप्त अंग्रेज़ी-हिन्दी शब्दकोश
- राजपाल संक्षिप्त हिन्दी-अंग्रेज़ी शब्दकोश
- राजपाल पॉकेट हिन्दी शब्दकोश
- राजपाल पॉकेट अंग्रेज़ी-हिन्दी शब्दकोश
- राजपाल पॉकेट हिन्दी-अंग्रेज़ी शब्दकोश

₹ 250

ISBN : 9788170285007

RAJPAL CONCISE HINDI-ENGLISH DICTIONARY

by Dr. Hardev Bahri

मुद्रक : वी.के. प्रिन्टर्स, दिल्ली

राजपाल एण्ड सन्ज़

1590, मदरसा रोड, कश्मीरी गेट, दिल्ली-110006

फोन : 011-23869812, 23865483, 23867791

website : www.rajpalpublishing.com

e-mail : sales@rajpalpublishing.com

www.facebook.com/rajpalandsons

Guide to the use of the Dictionary

This Concise Hindi-English Dictionary is primarily meant for those who wish to understand Hindi through the medium of the English language. The meanings and usage of Hindi words are explained in ordinary, everyday English so that even those with a very basic understanding of English can use the Dictionary.

I. Entry

An entry of a Hindi word is given in bold letters starting at the left-most side of the column. All entries are given in alphabetical order, starting from अ.

Pronunciation

Following the Hindi word entry, the pronunciation of the word in Roman script is given within brackets.

Part of speech

The indication of the grammatical part of speech is provided after the bracket. This is in italics in English and a single alphabet or an abbreviation is used to indicate the part of speech. Please see 'Guide to Grammatical Abbreviations used in the Dictionary' for more details.

Meanings

If a word has more than one meaning, then the different meanings are differentiated using, 1, 2, 3.

If a word has more than one grammatical part of speech, then each part of speech is differentiated by I, II, III and within each the various meanings are numbered 1, 2, 3, etc.

Sub-words or derived words

Words derived from the main entry are given in bold letters under the main entry itself. Since the sub-words are derived from the main word, pronunciation of the sub-word is not given.

II. Guide to Pronunciation

Roman Transliteration of Devanāgarī

The pronunciation of Hindi words follows the pattern standardised and approved by the Central Hindi Directorate, Ministry of Human Resource Development, Government of India and is explained in the table below:

अ	a	ऌ	!	क्	k	च्	c	ट्	ṭ	त्	t	प्	p
आ	ā	ए	e	ख्	kh	छ्	ch	ठ्	ṭh	थ्	th	फ्	ph
इ	i	ऐ	ai	ग्	g	ज्	j	ड्	ḍ	द्	d	ब्	b
ई	ī	ओ	o	घ्	gh	झ्	jh	ढ्	ḍh	ध्	dh	भ्	bh
उ	u	औ	au	ङ्	ṅ	ञ्	ñ	ण्	ṇ	न्	n	म्	m
ऊ	ū	य्	y	र्	r	ल्	l	व्	v	क्ष्	kṣ	त्र्	tr
ऋ	ṛ	श्	ś	ष्	ṣ	स्	s	ह्	h	ज्ञ्	jñ	ळ्	!
क़	q	ख़	kh	ग़	g	ज़	z	फ़	f	ड़	ṛ		

Anusvāra and Anunasika = ṁ, Visarga = ḥ, Avagraha (s) =′

III. Guide to Grammatical Abbreviations used in the Dictionary

In Hindi, nouns are classified as either masculine or feminine. If a noun is masculine, then it is indicated by *m.* If a noun is feminine, then it is indicated by *f.*

m.	: noun (masculine)	*pron.*	: pronoun
f.	: noun (feminine)	*pref.*	: prefix
v.i.	: verb intransitive	*suff.*	: suffix
v.t.	: verb transitive	*p.p.*	: past participle
a.	: adjective	*prep.*	: preposition
adv.	: adverb	*interj.*	: interjection

हिन्दी वर्णमाला/Hindi Alphabet

स्वर

अ आ इ ई उ ऊ

ऋ ए ऐ ओ औ अं अः

व्यंजन

क ख ग घ ङ

च छ ज झ ञ

ट ठ ड ढ ण ड़ ढ़

त थ द ध न

प फ ब भ म

य र ल व ळ

श ष स ह

संयुक्त व्यंजन

क्ष त्र ज्ञ श्र

क्रम

Grammatical Abbreviations used in the Dictionary

m.	·	noun (masculine)
f.	·	noun (feminine)
v.i.	·	verb intransitive
v.t.	·	verb transitive
a.	·	adjective
adv.	·	adverb
pron.	·	pronoun
pref.	·	prefix
suff.	·	suffix
p.p.	·	past participle
prep.	·	preposition
interj.	·	interjection

अ

अंक *(aṅk) m.* 1. number, numerical figure 2. marks (as in examination) 3. act (of a play) 4. issue, number (of a publication) 5. numerical position
अंक शास्त्र *m.* statistics
अंकन *(aṅkan) m.* 1. numbering 2. stamping
अँकवार *(aṁkvār) f.* lap, bosom
अंकित *(aṅkit) a.* marked, painted, written, described
अंकुर *(aṅkur) m.* 1. sprout, shoot (of a plant) 2. germ
अंकुरण *(aṅkuraṇ) m.* sprouting, germination
अंकुश *(aṅkuś) m.* 1. iron hook with which elephants are driven, elephant-goad 2. spur, impetus
अंकेक्षक *(aṅkekṣak) m.* auditor
अंकेक्षण *(aṅkekṣaṇ) m.* audit
अँखिया *(aṁkhiyā) f.* eye, glance
अँखुआ *(aṁkhuā) m.* 1. sprout, shoot 2. germ
अंग *(aṅg) m.* 1. limb, part of the body, organ 2. body 3. part 4. division
अंग-प्रत्यंग *m.* entire body
अंगरक्षक *m.* bodyguard
अंग-विन्यास *m.* posture of the body
अंग-सौष्ठव *m.* physical grace or beauty
अँगड़ाई *(aṁgṛāī) f.* twisting or stretching the body (especially the upper part), yawning
अंगद *(aṅgad) m.* 1. armlet, bracelet for upper arm 2. name of Bali's son (in Ramayan)
अँगना *(aṁganā) m.* courtyard, compound
अँगरखा *(aṁgrakhā) m.* a long coat worn by men
अँगरेज़/अँग्रेज़ *(aṁgrez) m.* Englishman
अँगरेज़ियत *(aṁgreziyat) f.* Anglicism, English mentality
अँगरेज़ी/अँग्रेज़ी *(aṁgrezī)* I. *f.* English language II. *a.* of England
अंगार *(aṅgār) m.* burning coal
अंगारा *(aṅgārā) m.* burning charcoal, live coal, embers
अंगी *(aṅgī) a.* having a body
अंगीकरण *(aṅgīkaraṇ) m.* acceptation (as one's own)
अंगीकार *(aṅgīkār) m.* assent

अ

अंगीकृत (*aṅgīkṛt*) *a*. accepted, avowed, confessed

अँगीठी (*aṁgīṭhī*) *f*. portable oven or stove

अंगीभूत (*aṅgībhūt*) *a*. forming a part of the whole, included

अंगीय (*aṅgīya*) *a*. bodily, corporeal length

अंगुल (*aṅgul*) *m*. finger's breadth

अंगुलि/अंगुली (*aṅguli*) *f*. finger, toe

अंगुलि छाप *f*. fingerprint

अंगुष्ठ (*aṅguṣṭha*) *m*. 1. thumb 2. great toe

अँगूठा (*aṁgūṭhā*) *m*. 1.thumb 2. big toe

अँगूठी (*aṁgūṭhī*) *f*. ring

अंगूर (*aṅgūr*) *m*. grape

अंगूरी (*aṅgūrī*) I. *a*. made of grapes II. *f*. wine

अँगोछना (*aṁgochanā*) *v.t*. to wipe with a towel

अँगोछा (*aṁgochā*) *m*. cloth for wiping, towel

अँगोरना (*aṁgornā*) *v.t*. 1. to watch, to guard 2.to wait for

अंचल (*añcal*) *m*. 1. border or end of a garment (of a veil or saree) 2. end 3. region

अंजन (*añjan*) *m*. 1. collyrium 2. antimony

अंजनानंदन (*añjanānandan*) *m*. / अंजनासुत (*añjanāsut*) *m*. name of god Hanuman

अंजनी (*añjanī*) *f*. 1. stye 2. name of god Hanuman's mother

अंजर-पंजर (*añjar-pañjar*) *m*. skeleton, bones and joints

अंजलि (*añjali*) *f*. palms of the hands joined together to form a cup

अंजलिबद्ध *a*. with the palms joined together

अंजाम (*añjām*) *m*. 1. end 2. result

अंजीर (*añjīr*) *f*. fig

अंजुमन (*añjuman*) *f*. 1. association, society 2. meeting

अँटना (*aṁṭanā*) *v.i*. to be contained, to fit in

अंटशंट (*aṅṭśaṅṭ*) *m*. /अंटसंट (*ant-sant*) *m*. meaningless

अंटा (*aṇṭā*) *m*. 1. marble ball 2. pill (as of opium) 3. a large shell or cowrie

अंटाचित (*aṇṭācit*) *a*. dead drunk, excessively intoxicated

अँटाना (*aṁṭānā*) *v.t*. to cram into, to fit into

अँटिया (*aṁṭiyā*) *f*. bundle

अंड (*aṇḍa*) *m*. 1. egg 2. globe, universe 3. testicle

अंडकोश *m*. *f*. testicle, scrotum

अंडज (*aṇḍaj*) *a*. oviparous

अंड-बंड (*aṇḍ-baṇḍ*) *a*. & *m*. nonsense, meaningless

अंडा (*aṇḍā*) *m*. 1. egg 2. bulb

अंडाकार (*aṇḍākār*) *a*. egg-shaped

अंडाशय (*aṇḍāśay*) *m*. ovary

अंडी (*aṇḍī*) *f*. 1. a kind of rough silken cloth 2. castor fruit

अंडी का तेल *m*. castor oil

अंतः (*antaḥ*) *pref*. inner

अंतःपुर *m*. harem, seraglio

अंतःप्रवाह *m*. influx, inflow

अंतःप्रांतीय *a.* inter-provincial
अंतःप्रादेशिक *a.* inter-regional
अंत (*ant*) *m.* 1. end 2. death
अंत समय *m.* last moment, time of death
अंतहीन *a.* endless, infinite
अंतड़ी (*antṛī*) *f.* intestine
अंततः (*antataḥ*) *adv.* ultimately, at last
अंततोगत्वा (*antatogatvā*) *adv.* ultimately, at last
अंतरंग (*antaraṅg*) *a.* 1. interior, internal 2. intimate
अंतर (*antar*) *m.* 1. difference 2. distance 3. interval 4. spacing
अंतरतम (*antartam*) *a.* nearest
अंतरा (*antarā*) *m.* 1. the time between morning and evening 2. (in music) the second line of a composition
अंतरात्मा (*antarātmā*) *f.* inner self, soul
अंतराल (*antarāl*) *m.* 1. interval 2. space 3. gap 4. interior
अंतरिक्ष (*antarikṣa*) *m.* (outer and interplanetary) space
अंतरिक्ष यात्रा *f.* space travel
अंतरिक्ष यात्री *m.* cosmonaut
अंतरिक्ष यान *m.* spaceship
अंतरित (*antarit*) *a.* 1. interior 2. transferred 3. hidden
अंतरिम (*antarim*) *a.* interim
अंतरिम अवधि *f.* interim period
अंतर्कथा (*antarkathā*) *f.* episode
अंतर्गत (*antargat*) *a.* included, contained, within
अंतर्जगत् (*antarjagat*) *m.* inner world, the world within
अंतर्जातीय (*antarjātīya*) *a.* intercaste
अंतर्ज्ञान (*antarjñān*) *m.* intuition, enlightenment
अंतर्देशीय (*antardeśīya*) *a.* inland
अंतर्द्वंद्व (*antardvandva*) *m.* inner conflict
अंतर्धान (*antardhān*) *m.* disappearance
अंतर्धारा (*antardhārā*) *f.* undercurrent
अंतर्निरीक्षण (*antarnirīkṣaṇ*) *m.* introspection
अंतर्निहित (*antarnihit*) *a.* implicit, implied
अतंर्प्रान्तीय (*antarprāntīya*) *a.* inter-provincial
अंतर्प्रादेशिक (*antarprādeśik*) *a.* inter-regional
अंतर्मुखी (*antarmukhī*) *a.* introvert, introspective
अंतर्यामी (*antaryāmī*) *a.* all-pervading, all-knowing
अंतर्राष्ट्रीय (*antarrāṣṭrīya*) *a.* international
अंतर्राष्ट्रीय मुद्राकोष *m.* International Monetary Fund
अंतर्लीन (*antarlīn*) *a.* self-engrossed, absorbed
अंतर्वस्तु (*antarvastu*) *f.* contents
अंतर्वस्त्र (*antarvastra*) *m.* undergarment
अंतर्वाणी (*antarvāṇī*) *f.* inner voice
अंतर्विद्यालयीय (*antarvidyālayīya*) *a.* inter-school
अंतर्विभागीय (*antarvibhāgīya*) *a.*

अ

inter departmental

अंतर्विवाह (*antarvivāh*) *m.* inter-caste marriage

अंतर्हित (*antarhit*) *a.* concealed

अंतस्तल (*antastal*) *m.* 1. base 2. inner heart, soul

अंतिम (*antim*) *a.* last, final

अंतेवासी (*antevāsī*) *m.* a pupil who resides with his teacher

अंत्य (*antya*) *a.* last, end

अंत्यज (*antyaj*) *m.* untouchable, born in the lowest castes

अंत्याक्षरी (*antyākṣarī*) *f.* a verse competition

अंत्यानुप्रास (*antyānuprās*) *m.* rhyme, rhyming of terminal syllables of each line in a stanza

अंत्येष्टि (*antyeṣṭi*) *f.* funeral rites

अंत्र (*antra*) *m.* entrails, intestines

अंदर (*andar*) *adv.* in, inside

अंदरूनी (*andarūnī*) *a.* 1. interior, internal 2. intrinsic

अंदाज़ (*andāz*) *m.* 1. estimate guess 2. style

अंदेशा (*andeśā*) *m.* 1. concern, anxiety 2. fear

अंध (*andh*) *a.* 1. dark 2. blind

अंध परंपरा *f.* blind tradition

अंधभक्त *m.* fanatic

अंधविश्वास *m.* superstition

अंधकार (*andhkār*) *m.* darkness

अंधकारपूर्ण *a.* dark

अंधकार युग *m.* Dark Ages

अंधड़ (*andhaṛ*) *m.* violent dust-storm

अंधता (*andhatā*) *f.* blindness

वर्णांधता *f.* colour blindness

अंधा (*andhā*) *m.* blindman

अंधा कुआँ *m.* hidden or dried well

अंधा मोड़ *m.* blind turning

अंधाधुंध (*andhādhundh*) *adv.* 1. blindly 2. indiscriminately

अंधानुकरण (*andhānukaraṇ*) *m.* blind following

अंधानुयायी (*andhānuyāyī*) *m.* blind follower

अंधानुसरण (*andhānusaraṇ*) *m.* following blindly

अँधेर (*aṁdher*) *m.* 1. oppression, outrage 2. lawlessness

अँधेरखाता *m.* /**अँधेरगर्दी** *f.* unfairness, injustice

अँधेरनगरी *f.* maladministered and lawless town

अंबर (*ambar*) *m.* 1. sky, space 2. cloth

अंबष्ट (*ambaṣṭa*) *m.* / **अंबष्टा** (*ambaṣṭā*) *f.* 1. offspring of a Brahmin from a Vaishya woman 2. elephant-driver, mahout

अंबा (*ambā*) *f.* 1. mother 2. goddess Parvati

अंबार (*ambār*) *m.* 1. heap, pile 2. stock, store

अंबिका (*ambikā*) *f.* mother

अंबु (*ambu*) *m.* water

अंबुज (*ambuj*) *m.* 1. lotus 2. conch 3. water-born

अंबुजाक्ष (*ambujākṣa*) *m.* lotus-eyed

अंबुद (*ambud*) *m.* /**अंबुधर** (*ambudhar*) *m.* cloud, one who/which holds or bestows water

अंबुधि (*ambudhi*) *m.* store-house of water, sea, ocean

अंभ (*ambh*) *m.* water

अंभोज (*ambhoj*) *m.* water-born, lotus

अंभोधर (*ambhodhar*) *m.* cloud, water-holder

अंश (*aṃṣ*) *m.* 1. part, portion 2. degree 3. share

अंशकालिक *a.* part-time

अंशदान *m.* contribution

अंशावतार (*aṃśāvtār*) *m.* partial incarnation of God (particularly of Vishnu)

अंशी (*aṃśı*) *m.* 1. partner 2. shareholder

अंशु (*aṃśu*) *m.* sun-ray

अंशुमान् *m.* sun

अंशुमाली *m.* one who wears the garland of rays, the sun

अकंटक (*akaṇṭak*) *a.* thornless

अकड़ (*akaṛ*) *f.* stiffness, pride

अकथ (*akath*) *a.* 1. unmentionable 2. unutterable

अकथनीय (*akathnīya*) *f.* /**अकथ्य** (*akathya*) *a.* inexpressible, unmentionable

अकथित (*akathit*) *a.* untold

अकबकाना (*akbakānā*) *v.i.* to be perplexed, to be astonished

अकरणीय (*akarṇīya*) *a.* not fit to be done, not worthy of doing

अकर्ता (*akartā*) *m.* non-doer

अकर्म (*akarma*) *m.* 1. inaction 2. a bad act, improper action

अकर्मक (*akarmak*) *a.* 1. intransitive 2. inefficient, unskilled

अकर्मक क्रिया *f.* intransitive verb

अकर्मण्य (*akarmaṇya*) *a.* 1. inactive 2. lazy

अकर्मण्यता (*akārmāṇyatā*) *f.* indolence, laziness, inactivity

अकलुष (*akaluṣ*) *a.* blotless, unblemished

अकस्मात् (*akasmāt*) *adv.* suddenly, unawares, accidentally

अकाट्य (*akāṭya*) *a.* irrefutable, incontrovertible

अकादमी (*akādamī*) *f.* academy

अकारण (*akāraṇ*) *a.* without cause

अकारथ (*akārath*) *a.* 1. unproductive 2. ineffective

अकारांत (*akārānt*) *a.* (word) ending in अ

अकारादि (*akārādi*) *a.* (word) beginning with अ

अकाल (*akāl*) I. *m.* famine, drought II. *a.* untimely

अकाल पुरुष *m.* immortal being, God

अकाल मृत्यु *f.* untimely/premature death

अकाल वृष्टि *f.* untimely rain

अकिंचन (*akiñcan*) *a.* destitute, poor, needy, indigent, pauper

अकुतोभय (*akutobhay*) *a.* 1. fearless, undaunted 2. secure

अकुलाहट (*akulāhaṭ*) *f.* restlessness, uneasiness

अ

अकुशल (*akuśal*) *a.* 1. unskilled 2. inefficient
अकूत (*akūt*) *a.* 1. unlimited 2. unimaginable 3. inestimable
अकृतज्ञ (*akṛtajña*) *a.* ungrateful
अकेतन (*aketan*) *a.* homeless
अकेला (*akelā*) *a.* 1. single, sole, solitary 2. lonely
 अकेला-दम *a.* alone
 अकेला-दुकेला *a.* almost alone
अकेलापन (*akelāpan*) *m.* loneliness, solitude
अक्खड़ (*akkhaṛ*) *a.* unpolished, undisciplined, rude, rough
अक्रांत (*akrānt*) *a.* unsurpassed, unconquered, undefeated
अक़्ल (*aql*) *f.* intelligence, wisdom, understanding, sense
अक़्लमंद (*aqlmand*) *a.* intelligent, wise, sensible
अक़्लमंदी (*aqlmandī*) *f.* wisdom, intelligence, sound sense
अक्लांत (*aklānt*) *a.* untiring
अक्ष (*akṣa*) *m.* 1. dice for gambling 2. axle, axis
अक्षत (*akṣat*) I. *a.* 1. uninjured, unhurt 2. whole II. *m.* whole grain (especially rice)
 अक्षत योनि (a) virgin girl, maiden (b) unblemished
अक्षम (*akṣam*) *a.* incompetent, unable, unfit, incapable
अक्षम्य (*akṣamya*) *a.* unpardonable
अक्षय (*akṣay*) *a.* undecaying, imperishable, inexhaustible
 अक्षय तृतीया *f.* a festival falling in the month of *Vaishakh*
अक्षर (*akṣar*) *m.* 1. letter (of alphabet) 2. syllable 3. the Supreme Being
अक्षरशः (*akṣarśaḥ*) *adv.* to the letter, literally
 अक्षरशः सत्य *m.* literally true
अक्षरांतरण (*akṣarāntaraṇ*) *m.* transliteration, transcription
अक्षरानुवाद (*akṣarānuvād*) *m.* literal translation
अक्षरारंभ (*akṣarārambh*) *m.* beginning of reading and writing
अक्षांतर (*akṣāntar*) *m.* latitude
अक्षांश (*akṣāṁś*) *m.* degrees of latitude
 अक्षांश रेखा *f.* latitudinal or parallel line
अक्षि (*akṣi*) *f.* eye
अक्षुण्ण (*akṣuṇṇa*) *a.* 1. uncurtailed, intact 2. unbroken
अक्षोट (*akṣoṭ*) *m.* walnut tree and its fruit
अक्षौहिणी (*akṣauhiṇī*) *f.* an army
अक्स (*aks*) *m.* reflection, shadow
अक्सर (*aksar*) *adv.* often, frequently
अखंड (*akhaṇḍ*) *a.* 1. whole, entire 2. unbroken, indivisible
 अखंड पाठ *m.* non-stop recitation (especially of a religious book)
अख़बार (*a<u>kh</u>bār*) *m.* newspaper, paper
 अखबारनवीस *m.* journalist
अखरना (*akharnā*) *v.t.* to be disagreeable or displeasing

अखरोट (*akhroṭ*) *m.* walnut

अखाड़ा (*akhāṛā*) *m.* wrestling pit, arena, gymnasium

अखाद्य (*akhādya*) *a.* unfit for eating, uneatable, inedible

अखिल (*akhil*) *a.* entire, whole, all

अखिलात्मा (*akhilātmā*) *f.* the Universal Spirit, God

अखिलेश (*akhileś*) *m.* lord of all, an epithet of Rama and Shiva

अख़्तियार (*akhtiyār*) *m.* 1. power 2. right

अगठित (*agaṭhit*) *a.* unorganised

अगड़म-बगड़म (*agṛam-bagṛam*) *m.* disorder, confusion, mess

अगणित (*agaṇit*) *a.* countless

अगति (*agati*) *f.* want of speed

अगम (*agam*) *a.* unfathomable

अगम्य (*agamya*) *a.* 1. inaccessible 2. unintelligible, difficult

अगर (*agar*) I. *conj.* if, in case II. *a.* aloe tree and its wood

अगरबत्ती *f.* incense stick

अगरु (*agru*) *m.* aloes wood

अगल-बगल (*agal-bagal*) *adv.* 1. here and there 2. side by side

अगला (*aglā*) *a.* 1. next, following, forthcoming 2. foremost

अगवानी (*agvānī*) *f.* 1. reception, welcome 2. leadership

अगस्त्य (*agastya*) *m.* 1. name of a star, Canopus 2. name of a rishi

अगहन (*aghan*) *m.* the ninth month of the Hindu calendar

अगहनी (*agahnī*) *f.* the crop which is reaped in the Hindu month of Agahan

अगिया (*agiyā*) *m.* /**अगिया बैताल** (*agiyābaitāl*) *m.* a ghost who emits fire

अगुआ (*aguā*) *m.* 1. leader, pioneer 2. guide

अगुणी (*aguṇī*) *a.* without virtue or merit, unskilful

अगूढ़ (*agūṛh*) *a.* 1. unconcealed 2. clear 3. easy, simple

अगोचर (*agocar*) *a.* invisible, not apparent, not manifest

अगोत्र (*agotra*) *a.* of a different family or tribe

अगोरना (*agornā*) *v.t.* to watch, to guard, to take care of

अग्नि (*agni*) *f.* fire

अग्नि कुंड *m.* firepan, fireplace

अग्निक्रिया *f.* burning of the dead body, cremation

अग्निगर्भा *f.* the earth

अग्निदेव *m.* fire god

अग्नि-परीक्षा *f.* crucial test

अग्नि वाण *m.* fiery arrow, rocket

अग्नि संस्कार *m.* cremation rites

अग्निहोत्र *m.* oblation to a sacrificial fire

अग्निहोत्री *m.* one who maintains a perpetual fire in his house

अग्न्यास्त्र (*agnyāstra*) *m.* firearms, missile (e.g. cannon), artillery

अग्न्याशय (*agnyāśaya*) *m.* pancreas, an organ near the stomach

अग्र (*agra*) *a.* foremost, forward,

अ

frontal, front
अग्रगण्य *a.* first and foremost
अग्रदूत *m.* herald, harbinger
अग्र भाग *m.* front portion
अग्रज (*agraj*) *m.* elder brother
अग्रजा (*agrajā*) *f.* elder sister
अग्रणी (*agraṇī*) I. *a.* foremost, leading II. *m.* foreman, leader
अग्रता (*agratā*) *f.* priority
अग्रता क्रम *m.* order of precedence
अग्राह्य (*agrāhya*) *a.* 1. unacceptable 2. inadmissible
अग्रिम (*agrim*) I. *m.* advance, earnest money II. *a.* foremost
अग्रेषण (*agreṣaṇ*) *m.* forwarding
अघ (*agh*) *m.* sin, evil
अघट (*aghaṭ*) *a.* impossible
अघटित (*aghaṭit*) *a.* 1. improbable, impossible 2. unprecedented
अघाना (*aghānā*) *v.i.* to be satiated, to be fully satisfied
अघुलनशील (*aghulanśīl*) *a.* insoluble
अघोर (*aghor*) I. *m.* a title of Shiva II. *a.* dreadful
अघोर पंथ *m.* an order or sect of Shaivites who are cannibals
अघोरी (*aghorī*) *m.* a believer in Aghor order, glutton, gormandizer
अघोष (*aghoṣ*) *a.* & *m.* 1. noiseless 2. unvoiced
अघोषित (*aghoṣit*) *a.* undeclared
अघ्रअंत्याक्षरी (*aghra aṅyākṣarī*) *f.* a verse competition
अचंभा (*acambhā*) *m.* wonder
अचकचाना (*ackacānā*) *v.i.* 1. to be surprised 2. to hesitate
अचकन (*ackan*) *m.* a tight-fitting long coat
अचरज (*acraj*) *m.* wonder
अचल (*acal*) *a.* motionless
अचला (*aclā*) *f.* earth
अचानक (*acānak*) *adv.* suddenly, accidentally, all of a sudden
अचार (*acār*) *m.* pickle
अचिंत (*acint*) *a.* 1. thoughtless 2. without anxiety 3. careless
अचिर (*acir*) I. *adv.* recently II. *a.* 1. not lasting 2. new
अचिह्नित (*acihnit*) *a.* unmarked
अचूक (*acūk*) *a.* unerring, unfailing, unmistakable
अचेत (*acet*) *a.* senseless
अचेतन (*acetan*) *a.* unconscious
अचेतनावस्था (*acetnāvasthā*) *f.* unconscious state
अच्छाई (*acchāī*) *f.* good, virtue, goodness, merit
अच्छाई-बुराई *f.* merit-demerit
अच्युत (*acyut*) I. *a.* immortal, eternal II. *m.* God Vishnu
अच्युतानंद (*acyutānand*) I. *a.* having eternal bliss II. *m.* Almighty, Supreme Being
अछूत (*achūt*) *a.* & *m.* untouchable (person)
अछूता (*achūtā*) *a.* 1. untouched 2. pure, undefiled
अछूतोद्धार (*achūtoddhār*) *m.* uplift of the untouchables

अछेद्य (*achedya*) *a.* 1. impenetrable 2. indivisible

अछोर (*achor*) *a.* without a beginning or end

अज (*aj*) *a.* & *m.* self-existent, Supreme Being

अजगर (*ajgar*) I. *m.* python II. *a.* very heavy, ponderous

अजगरी (*ajgarī*) I. *a.* pythonic II. *f.* effortless living

अजगरी वृत्ति *f.* leisurely attitude, sense of inertia

अजनबी (*ajnabī*) I. *m.* stranger, alien, foreigner II. *a.* strange

अजन्मा (*ajanmā*) *a.* 1. unborn, unbegotten 2. eternal

अजपा (*ajapā*) *a.* unpronounced

अजपा जाप *m.* repeating prayers in mind

अजब (*ajab*) I. *m.* wonder, wonderful thing II. *a.* strange

अजय (*ajay*) *a.* undefeatable, unconquerable, invincible

अजर (*ajar*) *a.* not liable to decay, undecaying, ever young

अजर-अमर *a.* free from decay or death, ever young and immortal

अजवायन (*ajvāyan*) *f.* caraway plant and its seeds

अजस्र (*ajasra*) *a.* incessant, perpetual, continuous

अजा (*ajā*) *f.* female goat

अजात (*ajāt*) *a.* 1. unborn 2. illegitimate, bastard

अजातशत्रु *m.* & *a.* one having no enemy

अजान (*ajān*) *a.* 1. ignorant, innocent 2. simple 3. unknown

अज़ान (*azān*) *f.* Muslim call to prayer given from mosque

अजायब (*ajāyab*) *m.* & *pl.* wonders, wonderful things

अजायबघर *m.* museum

अजित (*ajit*) *a.* unconquered

अजिन (*ajin*) *m.* hairy skin of an antelope or tiger, deer skin

अजिर (*ajir*) *m.* 1. courtyard 2. body

अजिल्द (*ajild*) *a.* unbound

अज़ीज़ (*azīz*) I. *a.* dear, loving, respected II. *m.* dear friend

अजीब (*ajīb*) *a.* strange

अजीब-ओ-ग़रीब *a.* strange, peculiar

अजीर्ण (*ajīrṇa*) *m.* indigestion (especially due to overeating)

अजीव (*ajīv*) *a.* lifeless

अजूबा (*ajūbā*) *m.* wonder, wonderful thing

अजेय (*ajey*) *a.* unconquerable

अजैव (*ajaiv*) *a.* inorganic

अजैविक (*ajaivik*) *a.* non-organic

अज्ञ (*ajña*) *a.* 1. without knowledge, ignorant 2. foolish, silly

अज्ञात (*ajñāt*) *a.* unknown

अज्ञातवास *m.* the act of living in secret or secluded place, in hiding

अज्ञान (*ajñān*) I. *a.* 1. ignorant 2. foolish, unwise II *m.* want of knowledge

अज्ञानवश *adv.* through ignorance, unknowingly

अ

अज्ञानी (*ajñānī*) *a.* & *m.* ignorant (person), fool

अज्ञेय (*ajñey*) *a.* unknowable

अटकना (*aṭaknā*) *v.i.* 1. to hesitate 2. to be entangled

अटकल (*aṭkal*) *f.* guess

अटपट (*aṭpaṭ*) *a.* disorderly

अटपटा (*aṭpaṭā*) *a.* strange, odd

अटल (*aṭal*) *a.* 1. immovable 2. fixed 3. steadfast

अटारी (*aṭārī*) *f.* an attic, a garret

अटूट (*aṭūṭ*) *a.* 1. unbreakable, strong 2. unbroken, intact 3. boundless, huge

अट्टालिका (*aṭṭālikā*) *f.* 1. an upper room or building on the roof of a house

अट्ठाईस (*aṭṭhāīs*) *a.* & *m.* twenty-eight

अट्ठानवे (*aṭṭhānve*) *a.* & *m.* ninety-eight

अट्ठावन (*aṭṭhāvan*) *a.* & *m.* fifty-eight

अट्ठासी (*aṭṭhāsī*) *a.* & *m.* eighty-eight

अठखेली (*aṭhkhelī*) *f.* playfulness, merrymaking

अठन्नी (*aṭhannī*) *f.* eight-anna coin, 50 paise, half rupee

अठहत्तर (*aṭhahattar*) *a.* & *m.* seventy-eight

अठानवे (*aṭhānve*) *a.* & *m.* ninety-eight

अठारह (*aṭhārah*) *a.* & *m.* eighteen

अठासी (*aṭhāsī*) *a.* & *m.* eighty-eight

अड़ंगा (*aṛaṅgā*) *m.* 1. obstruction, hindrance 2. barrier

अड़ (*aṛ*) *f.* 1. interruption 2. bar, barrier, barricade

अड़चन (*aṛcan*) *f.* 1. hitch, difficulty 2. obstacle

अड़तालीस (*aṛtālīs*) *a.* & *m.* forty-eight

अड़तीस (*aṛtīs*) *a.* & *m.* thirty-eight

अड़ना (*aṛanā*) *v.i.* 1. to halt 2. to hesitate 3. to be restive

अड़सठ (*aṛsaṭh*) *a.* & *m.* sixty-eight

अड़हुल (*aṛhul*) *m.* a plant and its reddish flower, shoe-flower

अडिग (*aḍig*) *a.* steady, firm

अड़ियल (*aṛiyal*) *a.* stubborn, head-strong, mulish

अड़ियल टट्टू *m.* a restive pony, obstinate person

अड़ोस-पड़ोस (*aṛos-paṛos*) I. *m.* neighbourhood II. *adv.* nearby

अड्डा (*aḍḍā*) *m.* 1. halting place 2. stand (as bus stop)

अढ़ाई (*aṛhāī*) *a.* two and a half

अढ़ैया (*aṛhaiyā*) *f.* multiplication table of 2.5, a weight or measure which is two and a half seer

अणिमा (*aṇimā*) *f.* smallness

अणु (*aṇu*) I. *m.* 1. minute particle 2. molecule, atom II. *a.* micro

अणु परीक्षण *m.* atomic test

अणु बम *m.* atomic bomb

अणु युद्ध *m.* atomic war

अणुवीक्षण यंत्र *m.* microscope

अणुव्रत *m.* a Jain ascetic or sadhu

अणु शक्ति *f.* atomic power

अतएव (*ataev*) *conj.* hence, therefore, whereas, so

अतर (*atar*) *m.* perfume, scent, essence

अतर्क्य (*atarkya*) *a.* 1. beyond reasoning 2. indisputable

अतल (*atal*) *a.* bottomless, very deep

अता-पता (*atā-patā*) *m.* clue, whereabouts

अतार्किक (*atārkik*) *a.* illogical

अति (*ati*) I. *f.* very much, excessive II. *pref.* 1. over 2. super

अतिक्रम (*atikram*) *m.* 1. encroachment 2. infringement

अतिक्रमण (*atikramaṇ*) *m.* 1. infringement, violation 2. encroachment 3. deviation

अतिचार (*aticār*) *m.* 1. trespass 2. defiance 3. violation

अतिथि (*atithi*) *m.* guest

अतिथि गृह *m.* guest house

अतिपातक (*atipātak*) *m.* a heinous sin or crime

अतिमानव (*atimānav*) *m.* superman

अतिमूल्यन (*atimūlyan*) *m.* overvaluation

अतिरंजन (*atirañjan*) *m.* /**अतिरंजना** (*atirañjanā*) *f.* 1. exaggeration 2. overdrawing, hyperbole

अतिरथ (*atirath*) *m.* /**अतिरथी** (*atirathī*) *m.* great warrior

अतिरेक (*atirek*) *m.* excess, exuberance, superfluity

अतिवाद (*ativād*) *m.* 1. extremism 2. exaggeration 3. boasting

अतिवृष्टि (*ativr̥ṣṭi*) *f.* downpour, excessive rain

अतिशय (*atiśay*) I. *a.* much, excessive II. *adv.* exceedingly

अतिशयोक्ति (*atiśayokti*) *f.* exaggeration, hyperbole

अतिसार (*atisār*) *m.* diarrhoea, dysentery, loose motion

अतींद्रिय (*atīndriya*) *a.* beyond the scope of senses, transcendental

अतीत (*atīt*) I. *m.* past II. *a.* past, gone by

अतीव (*atīv*) *a.* much, utmost

अतीस (*atīs*) *m.* a very poisonous root

अतुल (*atul*) *a.* matchless

अतृप्त (*atr̥pta*) *a.* unsatisfied

अतृप्ति (*atr̥pti*) *f.* 1. insatiability 2. want of satisfaction

अत्तार (*attār*) *m.* perfumer, one who prepares and sells oils and perfumes

अत्यंत (*atyant*) *a.* excessive, exceeding, much

अत्यधिक (*atyadhik*) *a.* very much, too much, excessive

अत्यल्प (*atyalpa*) *a.* very little

अत्याचार (*atyācār*) *m.* outrage, oppression, tyranny

अत्याधुनिक (*atyādhunik*) *a.* ultramodern

अ

अत्यावश्यक (*atyāvaśyak*) *a.* urgent, essential, imperative
अत्युत्तम (*atyuttam*) *a.* the very best, very good, superfine
अत्रि (*atri*) *m.* 1. name of a rishi 2. one of the stars of Ursa Major (Great Bear)
अथ (*ath*) I. *adv.* here, now II. *m.* beginning
अथक (*athak*) *a.* unwearing, vigilant
अथर्ववेद (*atharvaved*) *m.* the fourth Veda
अथवा (*athvā*) *conj.* or, either
अथाह (*athāh*) *a.* very deep
अदद (*adad*) *m.* figure, number
अदना (*adnā*) *a.* low, lowly, inferior, insignificant
अदब (*adab*) *m.* regard, respect
अदम (*adam*) *m.* lack, want
अदम्य (*adamya*) *a.* irrepressible
अदरक (*adrak*) *f.* ginger
अदर्शनीय (*adarśanīya*) *a.* 1. not worth looking (at) 2. ugly
अदला-बदला (*adla-badlā*) *m.* 1. exchange 2. barter
अदहन (*adahan*) *m.* water boiled or heated for cooking
अदा (*adā*) I. *f.* carriage, posture II. *m.* discharge, payment
अदाकारी (*adākārī*) *f.* performance
अदायगी (*adāygī*) *f.* payment
अदालत (*adālat*) *f.* court of law
अदालती (*adālatī*) *a.* judicial, legal
अदावत (*adāvat*) *f.* enmity
अदिति (*aditi*) *f.* earth
अदीब (*adīb*) *m.* literary writer
अदृश्य (*adr̥śya*) *a.* invisible
अदृष्ट (*adr̥ṣṭ*) I. *a.* unseen, unforeseen II. *m.* fate, destiny
 अदृष्टपूर्व *a.* not seen before
अदेय (*adeya*) *a.* not fit to be given
अद्धा (*addhā*) I. *a.* half II. *m.* half measure, half bottle
अद्धी (*addhī*) *f.* a fine variety of muslin
अद्भुत (*adbhut*) *a.* wonderful
 अद्भुत रस *m.* the expression of wonder
अद्य (*adya*) *adv.* today, this day
अद्यतन (*adyatan*) *a.* up-to-date, current, modern
अद्वितीय (*advitīya*) *a.* unique
अद्वैत (*advait*) *m.* absence of duality or difference
अध (*adh*) *pref.* half
 अधकचरा *a.* (a) under-cooked (b) immature
 अधकपारी *f.* pain in half the head, hemicrania, migraine
 अधखिला *a.* half-bloomed
 अधमरा *a.* half-dead
अधः (*adhaḥ*) *pref.* down, below, under
 अधःपतन *m.* (a) downfall (b) degradation, deterioration
अधम (*adham*) *a.* mean, base
अधमाधम (*adhamādham*) *a.* lowliest, vilest of the vile
अधर (*adhar*) I. *a.* lower, of the lower portion II. *m.* 1. lower lip, lip 2. space between earth and sky

अ

अधराधर (*adharādhar*) *m.* / **अधरोष्ठ** (*adharoṣṭha*) *m.* lower lip

अधर्म (*adharma*) *m.* 1. wicked, unrighteous 2. sinful act

अधर्मी (*adharmī*) I. *a.* impious, irreligious II. *m.* sinful person

अधार्मिक (*adhārmik*) *a.* 1. irreligious 2. unjust, immoral

अधि- (*adhi*) *pref.* 1. implying superiority in place, quality or quantity, 2. over, above

अधिक (*adhik*) *a.* 1. much 2. many 3. more 4. additional

अधिकतम (*adhikatam*) *a.* most, highest, maximum

अधिकतर (*adhikatar*) I. *a.* more than II. *adv.* usually, generally

अधिकरण (*adhikaraṇ*) *m.* 1. tribunal 2. locative case

अधिकर्ता (*adhikartā*) *m.* official, master

अधिकांश (*adhikāṅś*) *m.* majority, major part, greater part

अधिकांशतः (*adhikāṅśtaḥ*) *adv.* mostly, generally

अधिकाधिक (*adhikādhik*) I. *a.* maximum II. *adv.* at the most

अधिकार (*adhikār*) *m.* 1. right 2. authority 3. command

अधिकारयुक्त *a.* accredited, authorised

अधिकारिक (*adhikārik*) *a.* official

अधिकारी (*adhikārī*) *m.* 1. officer, official 2. authority

अधिकृत (*adhikṛt*) *a.* 1. possessed, occupied 2. authorized

अधिकोष (*adhikoṣ*) *m.* bank

अधिक्रम (*adhikram*) *m.* hierarchy

अधिगत (*adhigat*) *a.* 1. acquired, obtained 2. learnt, mastered

अधिगमन (*adhigaman*) *m.* attainment, achievement

अधिगृहीत (*adhigṛhīt*) *a.* requisitioned, occupied

अधिग्रहण (*adhigrahaṇ*) *m.* acquisition

अधिदेव (*adhideva*) *m.* presiding deity, higher god

अधिनायक (*adhināyak*) *m.* 1. dictator 2. commander, master

अधिनियम (*adhiniyam*) *m.* act (of the legislature)

अधिन्यास (*adhinyās*) *m.* assignment

अधिभार (*adhibhār*) *m.* overweight, encumbrance

अधिमान (*adhimān*) *m.* preference, weightage

अधिमास (*adhimās*) *m.* intercalary month added to lunar calendar every three years

अधिया (*adhiyā*) *f.* half portion, two equal shares

अधियाना (*adhiyānā*) *v.t.* to halve, to reduce to a half

अधिराज (*adhirāj*) *m.* supreme ruler, sovereign, emperor

अधिरोपण (*adhiropaṇ*) *m* raising, mounting

अधिरोहण (*adhirohaṇ*) *m.* ascending, climbing

अधिलाभ (*adhilābh*) *m.* bonus

अधिवक्ता (*adhivaktā*) *m.* advo-

अ

cate

अधिवेशन (*adhiveśan*) *m.* session (of a conference), sitting

अधिशासी (*adhiśāsī*) *a.* & *m.* executive

अधिशासी अभियंता *m.* executive engineer

अधिष्ठान (*adhiṣṭhān*) *m.* 1. abode, residence 2. establishment

अधिष्ठित (*adhiṣṭhit*) *a.* 1. established 2. situated, placed

अधिसंख्य (*adhisaṅkhya*) *a.* supernumerary

अधिसूचना (*adhisūcnā*) *f.* notification

अधिसूचित (*adhisūcit*) *m.* formally notified

अधीक्षक (*adhīkṣak*) *m.* superintendent

अधीन (*adhīn*) *a.* subordinate, under the authority (of)

अधीनस्थ (*adhīnastha*) *a.* 1. subordinate 2. subjugated

अधीर (*adhīr*) *a.* impatient

अधीश (*adhīś*) *m.* /**अधीश्वर** (*adhīśvar*) *m.* 1. lord 2. god of gods, God Almighty 3. king of kings

अधुनातन (*adhunātan*) *a.* up-to-date, latest, recent, current

अधूरा (*adhūrā*) *a.* half-done, unfinished

अधेड़ (*adheṛ*) *a.* middle-aged

अधो (*adho*) *pref.* low, below, down, downward, under

अधोगति (*adhogati*) *f.* downward movement, descent

अधोमुख (*adhomukh*) *a.* with face downwards, shamefaced

अधोहस्ताक्षरित (*adhohastākṣarit*) *a.* undersigned

अधोहस्ताक्षरी (*adhohastākṣarī*) *m.* the undersigned

अध्यक्ष (*adhyakṣa*) *m.* 1. head 2. chairman, president 3. (of Lok Sabha) speaker

अध्यक्ष मंडल *m.* presidium

अध्यक्षता (*adhyakṣatā*) *f.* 1. headship 2. presidentship, chairmanship 3. speakership

अध्यक्षीय (*adhyakṣīya*) *a.* presidential

अध्ययन (*adhyayan*) *m.* study

अध्यवसाय (*adhyavasāya*) *m.* perseverence, diligence

अध्यात्म (*adhyātma*) *m.* spiritual knowledge, knowledge of the supreme soul

अध्यादेश (*adhyādeś*) *m.* ordinance

अध्यापक (*adhyāpak*) *m.* teacher

अध्यापन (*adhyāpan*) *m.* teaching

अध्यापिका (*adyāpikā*) *f.* lady teacher

अध्याय (*adhyāya*) *m.* chapter, lesson

अध्येता (*adhyetā*) *m.* 1. reader, student 2. research fellow

अनंग (*anaṅg*) I. *a.* bodiless II. *m.* god of love

अनंत (*anant*) I. *a.* endless, boundless II. *m.* infinity

अनंत काल *m.* eternity

अनंत वीर्य *a.* having infinite valour

अ

अनंतर (*anantar*) *adv.* after, then, afterward
अन- (*an*) *pref.* not
अनकहा (*ankahā*) *a.* unsaid, unuttered, untold, unspoken
अनखिला (*ankhilā*) *a.* unbloomed
अनखुला (*ankhulā*) *a.* not open
अनगढ़ (*angaṛh*) *a.* 1. unfashioned 2. rough, crude
अनगिनत (*anginat*) *a.* countless
अनघ (*anagh*) *a.* sinless, innocent
अनचाहा (*ancāhā*) *a.* unwanted
अनजान (*anjān*) *a.* unknown, unfamiliar, stranger, unintentional
अनजाने (*anjāne*) *adv.* unknowingly, unwittingly
अनदेखा (*andekhā*) *a.* unseen
अनद्यतन (*anadyatan*) *a.* 1. out of date 2. past
अनधिक (*anadhik*) *a.* not exceeding, not much
अनधिकार (*anadhikār*) *m.* absence of right, want of authority
अनधिकारिक (*anadhikārik*) *a.* 1. unofficial 2. unauthorised
अनधिकृत (*anadhikṛt*) *a.* 1. unauthorised 2. not possessed
अनधुला (*andhulā*) *a.* unwashed
अनध्याय (*anadhyāy*) *m.* intermission in study, off-day
अननुकरणीय (*ananukarṇīya*) *m.* inimitable, not fit for copying
अननुनासिक (*ananunāsik*) *a.* nonnasal
अननुमोदन (*ananumodan*) *m.* disapproval
अनन्य (*ananya*) *a.* 1. exclusive, only 2. unique
अनन्वय (*ananvay*) *m.* want of concord or relationship (a figure of speech)
अनपढ़ (*anpaṛh*) *a.* uneducated, illiterate
अनपेक्षित (*anapekṣit*) *a.* 1. disregarded 2. unexpected
अनबन (*anban*) *f.* rift, discord
अनबूझ (*anbūjh*) *a.* unintelligible
अनभिज्ञ (*anabhijña*) *a.* 1. unaware (of), ignorant 2. unacquainted
अनभिप्रेत (*anabhipret*) *a.* 1. undesired 2. unintended
अनभिलषित (*anabhilaṣit*) *a.* not desired
अनभिव्यक्त (*anabhivyakt*) *a.* unexpressed, implicit
अनभ्यास (*anabhyās*) *m.* lack or want of practice
अनभ्र (*anabhra*) *a.* cloudless
अनमिल (*anmil*) *a.* unsocial
अनमोल (*anmol*) *a.* invaluable, costly, precious
अनर्गल (*anargal*) *a.* 1. unbarred 2. uncontrollable
अनर्थ (*anarth*) I. *a.* meaningless, absurd II. *m.* disaster
अनल (*anal*) *m.* fire
अनलंकृत (*analaṅkṛt*) *a.* 1. undecorated, unadorned 2. without a figure of speech
अनवधि (*anavdhi*) *f.* limitless
अनवरत (*anavarat*) I. *a.* incessant II. *adv.* continuously
अनशन (*anaśan*) *m.* 1. fasting

अ

2. hunger-strike

अनश्वर (*anaśvar*) *a.* imperishable, indestructible

अनसुनी (*ansunī*) *a.* unheard (of)

अनहद नाद (*anahad nād*) *m.* divine melody of sound produced in yoga

अनहोनी (*anhonī*) *f.* the impossible, improbable, unusual

अनाकर्षक (*anākarṣak*) *a.* unattractive

अनाक्रामक (*anākrāmak*) *a.* non-aggressive

अनागत (*anāgat*) *a.* 1. future 2. not come, not arrived

अनाघ्रात (*anāghrāt*) *a.* unsmelt, fresh, not faded

अनाचार (*anācār*) *m.* misconduct, unprincipled

अनाचारी (*anācārī*) *a.* 1. immoral 2. corrupt 3. indecent

अनाज (*anāj*) *m.* grain, cereal

अनाड़ीपन (*anāṛīpan*) *m.* inexperience, inexpertness

अनात्म (*anātma*) *m.* different from spirit or soul

अनात्मवादी *a.* materialist

अनाथ (*anāth*) I. *m.* orphan II. *a.* helpless, poor, destitute

अनाथालय (*anāthālaya*) *m.* orphanage

अनादर (*anādar*) *m.* disrespect

अनादि (*anādi*) *a.* without a beginning or origin, uncreated

अनाधिकारिक (*anādhikārik*) *a.* unofficial

अनाप-शनाप (*anāp-śanāp*) *m.* nonsense, meaningless talk

अनापत्ति (*anāpatti*) *f.* no objection

अनाम (*anām*) *a.* nameless

अनामिका (*anāmikā*) *f.* ring finger

अनायास (*anāyās*) *adv.* 1. without effort 2. easily

अनार (*anār*) *m.* 1. pomegranate (fruit) 2. a kind of fireworks which shoots out sparks

अनारदाना *m.* pomegranate seeds

अनार्य (*anārya*) *a.* 1. non-Aryan 2. low born 3. barbarian

अनावरण (*anāvaraṇ*) *m.* 1. unveiling 2. exposure

अनावर्ती (*anāvartī*) *a.* non-recurring

अनावर्षण (*anāvarṣaṇ*) *m.* lack of rain, drought

अनावश्यक (*anāvaśyak*) *a.* unnecessary, non-essential

अनावृत (*anāvṛt*) *a.* uncovered, unclosed, open, unveiled

अनावृष्टि (*anāvṛṣṭi*) *f.* want of rain, drought

अनासक्त (*anāsakta*) *a.* unattached, detached

अनासक्ति (*anāsakti*) *f.* non-attachment, detachment

अनास्था (*anāsthā*) *f.* 1. want of faith or devotion 2. dishonour

अनाहूत (*anāhūt*) *a.* uninvited

अनिकेत (*aniket*) *a.* homeless

अनिच्छा (*anicchā*) *f.* unwillingness, indifference

अनिच्छुक (*anicchuk*)) *a.* unwilling, uninterested

अनिद्रा (*anidrā*) *f.* sleeplessness
अनिमंत्रित (*animantrit*) *a.* uninvited, uncalled
अनिमेष (*animeṣ*) *a.* without blinking
अनियंत्रित (*aniyantrit*) *a.* uncontrolled, unrestricted
अनियत (*aniyat*) *a.* 1. not fixed 2. irregular 3. casual
अनिरुद्ध (*aniruddha*) *a.* 1. unobstructed 2. self-willed
अनिर्णय (*anirṇaya*) *m.* indecision, non-settlement, uncertainty
अनिर्णीत (*anirṇīt*) *a.* undecided
अनिर्वचनीय (*anirvacanīya*) *a.* unspeakable, inexpressible, indescribable
अनिल (*anil*) *m.* wind, air
अनिल कुमार *m.* /**अनिल सुत** *m.* the god Hanuman
अनिवार्य (*anivārya*) *a.* 1. unavoidable, inevitable 2. compulsory, essential, imperative
अनिवार्यतः (*anivāryataḥ*) *adv.* compulsorily, essentially
अनिवार्यता (*anivāryatā*) *f.* inevitability, unavoidableness
अनिवासी (*anivāsī*) *a.* & *m.* non-resident
अनिश्चय (*aniścaya*) *m.* 1. uncertainty, indecision 2. vacillation 3. doubt
अनिश्चित (*aniścit*) *m.* 1. undecided 2. uncertain, doubtful 3. indefinite, vague
अनिष्ट (*aniṣṭa*) *m.* evil, harm
अनी (*anī*) *f.* point (as of a sharp weapon), tip, end
अनीक (*anīk*) *m.* 1. group, assembly 2. army, troops
अनुकरण (*anukaraṇ*) *m.* imitation, copying, emulation
अनुकूल (*anukūl*) *a.* 1. favourable 2. suitable, agreeable
अनुक्रम (*anukram*) *m.* order, sequence
अनुक्रम सूची *f.* gradation list
अनुगामी (*anugāmī*) I. *a.* 1. following, attending 2. obedient II. *m.* follower, chaser
अनुगूंज (*anugūñj*) *f.* echo
अनुगृहीत (*anugr̥hīt*) *a.* obliged
अनुग्रह (*anugrah*) *m.* favour
अनुचर (*anucar*) *m.* 1. follower 2. servant, attendant
अनुचित (*anucit*) *a.* improper
अनुच्छेद (*anucched*) *m.* 1. paragraph 2. section
अनुज (*anuj*) *m.* younger brother
अनुजा (*anujā*) *f.* younger sister
अनुज्ञप्ति (*anujñapti*) *f.* licence
अनुज्ञापन (*anujñāpan*) *m.* 1. permit 2. permission
अनुताप (*anutāp*) *m.* repentance
अनुत्तीर्ण (*anuttīrṇa*) *a.* unsuccessful (as in examination)
अनुत्पादक (*anutpādak*) *a.* unproductive, infertile
अनुदान (*anudān*) *m.* financial grant or contribution
अनुदेश (*anudeś*) *m.* instruction
अनुदेशक (*anudeśak*) *m.* instructor, tutor
अनुनय (*anunaya*) *f.* 1. entreaty

अ

2. persuasion 3. solicitation
अनुनय विनय *f.* humble solicitation

अनुपकार (*anupkār*) *m.* harm, mischief

अनुपकारी (*anupkārī*) *a.* not beneficial

अनुपम (*anupam*) *a.* matchless, unequalled

अनुपयुक्त (*anupaukta*) *a.* 1. unsuitable, unfit 2. useless

अनुपयोग (*anupyog*) *m.* disuse

अनुपयोगी (*anupyogī*) *a.* 1. unfit, unworthy 2. of no use

अनुपस्थित (*anupasthit*) *a.* not present, absent

अनुपस्थिति (*anupasthitī*) *f.* absence

अनुपात (*anupāt*) *m.* ratio, proportion

अनुपातिक (*anupātik*) *a.* proportional

अनुपान (*anupān*) *m.* drink with a dose of medicine

अनुपालन (*anupālan*) *m.* 1. obedience 2. observance

अनुपूरक (*anupūrak*) *a.* supplementary
अनुपूरक प्रश्न *m.* supplementary question

अनुप्रमाणित (*anupramāṇit*) *a.* attested

अनुप्राणित (*anuprāṇit*) *a.* infused, inspired, animated

अनुप्रास (*anuprās*) *m.* alliteration

अनुप्रेरणा (*anupreraṇā*) *f.* inspiration, exhortation

अनुबंध (*anubandh*) *m.* 1. agreement 2. contract

अनुभव (*anubhav*) *m.* experience

अनुभवी (*anubhavī*) *a.* experienced

अनुभाग (*anubhāg*) *m.* section
अनुभाग अधिकारी *m.* section officer

अनुभूत (*anubhūt*) *a.* 1. felt 2. experienced, empirical

अनुभूति (*anubhūti*) *m.* 1. feeling 2. emotional experience

अनुमति (*anumati*) *f.* 1. permission, leave 2. approval
अनुमति-पत्र *m.* permit, written permission

अनुमान (*anumān*) *m.* 1. guess, conjecture 2. estimate

अनुमानतः (*anumāntaḥ*) *adv.* 1. by guess 2. by estimate

अनुमानित (*anumānit*) *a.* 1. supposed 2. guessed 3. estimated

अनुमोदन (*anumodan*) *m.* 1. endorsement 2. approval

अनुमोदित (*anumodit*) *a.* approved

अनुयायी (*anuyāyī*) *m.* 1. follower 2. supporter 3. disciple

अनुरंजन (*anurañjan*) *m.* entertainment, recreation

अनुरक्त (*anurakt*) *a.* attached to, fond of, addicted to

अनुरक्ति (*anurakti*) *f.* attachment, fondness, addiction

अनुराग (*anurāg*) *m.* 1. love, affection 2. attachment, fondness 3. devotion 4. passion

अनुरागी (*anurāgī*) I. *a.* loving,

devoted, fond of, attached, impassioned II.*m.* lover, passionate admirer

अनुराधा (*anurādhā*) *f.* the seventeenth star or lunar mansion

अनुरूप (*anurūp*) *a.* 1. similar, resembling, like 2. conforming

अनुरूपता (*anurūpatā*) *f.* 1. resemblance, similitude, similarity 2. conformity 3. analogy

अनुरेखित (*anurekhit*) *a.* traced

अनुरोध (*anurodh*) *m.* request, entreaty, solicitation

अनुर्वर (*anurvar*) *a.* 1. not fertile, infertile, barren 2. sterile

अनुलग्न (*anulagna*) *a.* enclosed, attached

अनुलोम (*anulom*) I. *m.* descending method (in mathematics) II. *a.* regular, direct

अनुल्लंघन (*anullaṅghan*) *m.* non-transgression, non-violation

अनुवाद (*anuvād*) *m.* translation

अनुवादक (*anuvādak*) *m.* translator

अनुवाद्य (*anuvādya*) *a.* fit for translation

अनुवृत्ति (*anuvṛtti*) *f.* 1. compliance 2. subsistence, livelihood 3. pension 4. following

अनुशंसा (*anuśaṃsā*) *f.* recommendation

अनुशासन (*anuśāsan*) *m.* discipline

अनुशीलन (*anuśilan*) *m.* careful study

अनुष्ठान (*anuṣṭhān*) *m.* function, celebration (especially religious)

अनुसंधान (*anusandhān*) *m.* research, investigation

अनुसरण (*anusaraṇ*) *m.* following

अनुसार (*anusār*) *m.* according to

अनुसूचित (*anusūcit*) *a.* scheduled

अनुसूचित जनजाति *f.* scheduled tribe

अनुसूची (*anusūcī*) *f.* 1. schedule 2. table of details or items

अनुस्वार (*anusvār*) *m.* a dot above the letter marking a nasal consonant, as संत for सन्त

अनूठा (*anūṭhā*) *a.* uncommon, rare, unique, singular

अनूदित (*anūdit*) *a.* translated

अनेक (*anek*) *a.* more than one, many, numerous

अनेकानेक (*anekānek*) *a.* many and various

अनेकेश्वरवाद (*anekeśvarvād*) *m.* belief in many gods

अनैतिक (*anaitik*) *a.* immoral

अनोखा (*anokhā*) *a.* 1. strange, unusual 2. unique, rare

अनौपचारिक (*anaupacārik*) *a.* 1. informal 2. unofficial

अनौपचारिक शिक्षा *f.* informal education

अन्न (*anna*) *m.* 1. food 2. grain

अन्नकूट *m.* a festival falling in November

अन्नदाता *m.* food-giver, supporter, sustainer, benefactor

अ

अन्नप्राशन *m.* ceremony of feeding an infant solid food for the first time.

अन्य *(anya) a.* other, different

अन्यतम *(anyatam) a.* best

अन्यत्र *(anyatra) adv.* elsewhere

अन्यथा *(anyathā) adv.* otherwise

अन्यथाचार *(anyathācār) a.* wrong course of action

अन्याय *(anyāya) m.* injustice

अन्यायी *(anyāyī) a.* 1. unfair, unjust 2. oppressive

अन्याश्रित *(anyāśrit) a.* depending on another

अन्यासक्त *(anyāsakt) a.* devoted to some other person

अन्योन्याश्रय *(anyonyāśray) m.* mutual dependence

अन्योन्याश्रित *(anyonyāśrit) a.* mutually dependent

अन्वय *(anvaya) m. (gram.)* agreement, concord

अन्वेषक *(anveṣak) m.* 1. investigator 2. explorer

अन्वेषण *(anveṣaṇ) m.* investigation, research

अपंग *(apaṅg) a.* 1. disabled, crippled 2. invalid, infirm

अपकर्म *(apkarma) m.* wrong act, immoral act, wickedness

अपकर्ष *(apkarṣa) m.* 1. deterioration 2. downfall

अपकार *(apkār) m.* wrong, harm

अपकीर्ति *(apkīrti) f.* ill-fame, infamy, disrepute

अपचक्र *(apcakra) m.* vicious circle

अपटु *(apaṭu) a.* 1. unskilled, unskilful 2. inexpert

अपठित *(apaṭhit) a.* uneducated

अपढ़ *(apaṛh) a.* unlettered, illiterate

अपथ्य *(apathya)* I. *a.* 1. unwholesome 2. harmful for health II. *m.* unwholesome food

अपदस्थ *(apadasth) a.* turned out from office, deposed

अपनत्व *(apanatva) m.* feeling of oneness with others, affinity

अपना *(apnā)* I. *adj. & pron.* 1. one's own 2. personal II. *m.* one's own relative or friend

अपनाना *(apnānā) v.t.* 1. to adopt 2. to make one's own

अपनापन *(apnāpan) m.* /**अपनापा** *(apnāpā) m.* feeling of oneness with others, affinity

अपमान *(apmān) m.* disrespect, disgrace, insult

अपमानित *(apmānit) a.* disgraced, insulted, slighted

अपयश *(apyaś) m.* ill-fame, infamy, disrepute, bad name

अपर *(apar) a.* 1. other, another, different 2. additional

अपरा *(aparā) f.* worldly (knowledge)

अपराजित *(aparājit) a.* undefeated

अपराध *(aparādh) m.* 1. crime, offence 2. wrong

अपराधिनी *(aparādhinī) f.* female offender or criminal

अपराधी *(aparādhī) m.* guilty, criminal

अपराह्न (*aparāhna*) *m.* afternoon
अपरिग्रह (*aparigrah*) *m.* non-possession, rejection
अपरिचय (*aparicay*) *m.* want of introduction
अपरिचित (*aparicit*) I. *a.* unfamiliar II. *m.* stranger
अपरिपूर्ण (*aparipūrṇa*) *a.* incomplete, defective
अपरिमित (*aparimit*) *a.* limitless, infinite, boundless
अपरिमेय (*aparimeya*) *a.* immeasurable, enormous, vast
अपरिवर्तित (*aparivartit*) *a.* unchanged
अपरिष्कृत (*apariṣkṛt*) *a.* unrefined, crude, coarse
अपरिहार्य (*aparihārya*) *a.* indispensable, inevitable, unavoidable
अपरीक्षित (*aparīkṣit*) *a.* not examined, untried, untested
अपरूप (*aprūp*) I. *a.* strange, bad-looking II. *m.* deformity
अपर्याप्तता (*aparyāptatā*) *f.* /**अपर्याप्ति** (*aparyāpti*) *f.* insufficiency, inadequacy
अपलक (*apalak*) *a.* unblinking
अपवचन (*apvacan*) *m.* abusive language, bad words
अपवर्तित (*apvartit*) *a.* 1. transferred, changed 2. factorized 3. refracted 4. confiscated
अपवाद (*apvād*) *m.* 1. false accusation, scandal 2. exception (to the rule)
अपवित्र (*apavitra*) *a.* unholy, impure, defiled
अपव्यय (*apvyay*) *m.* 1. wastefulness 2. extravagance
अपव्ययी (*apvyayī*) *a.* extravagant
अपशकुन (*apśakun*) *m.* foreboding, ill-portent, ill-omen, inauspicious omen
अपशब्द (*apśabda*) *m.* abuse, abusive language
अपसेवा (*apsevā*) *f.* disservice
अपहरण (*apharaṇ*) *m.* 1. kidnapping 2. hijacking
अपहर्ता (*aphartā*) *m.* 1. kidnapper, abductor 2. hijacker
अपाच्य (*apācya*) *a.* indigestible
अपाठ्य (*apāṭhya*) *a.* illegible
अपात्र (*apātra*) *a.* undeserving, unworthy, unfit
अपान (*apān*) *m.* intestinal wind
अपान वायु *f.* anus wind, flatus
अपार (*apār*) I. *a.* boundless, limitless II. *m.* the other side
अपार्थिव (*apārthiva*) *a.* unearthly, immaterial
अपावन (*apāvan*) *a.* impure
अपाहिज (*apāhij*) *a.* & *m.* crippled or disabled (person)
अपि (*api*) *adv.* 1. also 2. though
अपुनीत (*apunīt*) *a.* impure, unholy, dirty
अपुष्ट (*apuṣṭa*) *a.* 1. unnourished 2. unconfirmed
अपूरणीय (*apūraṇīya*) *a.* irrecoverable
अपूर्ण (*apūrṇa*) *a.* incomplete, unaccomplished, imperfect

अ

अपेक्षा (*apekṣā*) *f.* 1. expectation, 2. requirement

अपेक्षाकृत (*apekṣākṛt*) *adv.* comparatively

अपेक्षित (*apekṣit*) *a.* required, requisite

अपौरुषेय (*apauruṣeya*) *a.* not man-made, not of human origin, superhuman, of divine origin

अप्रकट (*aprakaṭ*) *a.* unmanifested, not apparent, not evident

अप्रकाशित (*aprakāśit*) *a.* not manifested, not expressed

अप्रचलन (*apracalan*) *m.* disuse, outdatedness

अप्रचलित (*apracalit*) *a.* obsolete, outmoded, out-of-date

अप्रतिम (*apratim*) *a.* matchless, peerless, unequalled

अप्रतिहत (*apratihat*) *a.* uninterrupted, unhampered

अप्रत्यक्ष (*apratyakṣa*) *a.* 1. indirect 2. unapparent, not evident

अप्रत्याशित (*apratyāśit*) *a.* unexpected, unforeseen

अप्रधान (*apradhān*) *a.* 1. secondary, inferior 2. low, minor

अप्रमाणित (*apramāṇit*) *a.* unproved, uncorroborated

अप्रयुक्त (*aprayukta*) *a.* unused, unapplied, obsolete

अप्रशिक्षित (*apraśikṣit*) *a.* untrained

अप्रसन्न (*aprasanna*) *a.* displeased, unhappy, out of sorts

अप्रसिद्ध (*aprasiddha*) *a.* not famous, uncelebrated, unrenowned

अप्रस्तुत (*aprastut*) *a.* 1. absent 2. unprepared, unready

अप्राकृतिक (*aprākṛtik*) *a.* 1. unnatural 2. miraculous

अप्राप्त (*aprāpta*) *a.* unobtained, unachieved, unreceived

अप्राप्य (*aprāpya*) *a.* unavailable, unobtainable

अप्रामाणिक (*aprāmāṇik*) *a.* unauthentic, unconfirmed

अप्रासंगिक (*aprāsaṅgik*) *a.* irrelevant, extraneous, not to the point, out of place

अप्रिय (*apriya*) *a.* unpleasant, disliked, unpopular

अफरा-तफरी (*afrā-tafrī*) *f.* 1. confusion, commotion 2. panic

अफलातून (*aflātūn*) *m.* Plato (Greek philosopher)

अफवाह (*afvāh*) *f.* rumour

अफसर (*afsar*) *m.* officer

अफसाना (*afsānā*) *m.* fiction, story

अफसोस (*afsos*) I. *m.* 1. sorrow, grief 2. regret II. *interj.* ah! alas! what a pity!

अफीम (*afīm*) *f.* opium

अफीमची (*afīmcī*) *m.* opium-addict, opium-eater

अब (*ab*) I. *adv.* now, presently II. *interj.* what now!

अब का *a.* the present, recent, modern

अबरक (*abrak*) *m.* 1. talc 2. mica

अबला (*ablā*) *f.* delicate/weak woman

अबाध (*abādh*) *a.* unobstructed, unrestrained, uninterrupted

अबाधित (*abādhit*) *a.* 1. unobstructed,unrestricted 2. unrefuted

अबाबील (*abābīl*) *f.* swallow (a migratory bird)

अबीर (*abīr*) *m.* a special kind of red mica powder (used during Holi festival)

अबे (*abe*) *interj.* hey, ho there! you fellow!

अबेर (*aber*) *f.* lateness, delay

अबोध (*abodh*) *a.* 1. innocent 2. stupid, silly

अब्द (*abd*) *m.* year

अब्बा (*abbā*) *m.* father (usually among Muslims)

अब्बाजान *m.* father dear

अभंग (*abhaṅg*) I. *a.* unbroken, strong II. *m.* a rhythm or tune in music

अभक्ष्य (*abhakṣya*) I. *a.* uneatable, inedible II. *m.* forbidden food

अभद्र (*abhadra*) *a.* ungentlemanly, unmannerly, impolite

अभद्रता (*abhadratā*) *f.* ungentlemanliness, impoliteness

अभय (*abhaya*) I. *m.* fearlessness II. *a.* fearless

अभयारण्य (*abhayāraṇya*) *m.* sanctuary

अभागा (*abhāgā*) *a.* unlucky, unfortunate, ill-fated

अभाव (*abhāv*) *m.* 1. scarcity 2. non-existence 3. lack

अभि- (*abhi*) *pref.* before, near, close, too much, great

अभिकरण (*abhikaraṇ*) *m.* agency

अभिकर्ता (*abhikartā*) *m.* agent

अभिगत (*abhigat*) *a.* 1. brought near, adjoining 2. acquired

अभिगम (*abhigam*) *m.* approach, access

अभिगमन (*abhigaman*) *m.* 1. approaching, going near/forward 2. acquisition, gain

अभिगम्य (*abhigamy*) *a.* accessible, approachable

अभिग्रहण (*abhigrahaṇ*) *m.* 1. occupation, acquisition, seizure 2. adoption 3. reception

अभिचार (*abhicār*) *m.* black magic, sorcery

अभिचारी (*abhicārī*) *a.* incantatory

अभिजात (*abhijāt*) *a.* 1. noble, well-born, aristocratic 2. classic

अभिज्ञ (*abhijña*) *a.* knowing, well-versed, conversant, aware

अभिज्ञात (*abhijñāt*) *a.* 1. known 2. recognized, identified

अभिज्ञान (*abhijñān*) *m.* recognition, identification

अभिनंदन (*abhinandan*) *m.* ovation, felicitation, homage

अभिनंदन ग्रंथ *m.* felicitation/commemoration volume

अभिनंदन पत्र *m.* address of welcome, letter of felicitation

अभिनंदनीय (*abhinandanīya*) *a.* to be felicitated, laudable

अभिनय (*abhinaya*) *m.* acting, dramatic action

अ

अभिनव (*abhinav*) *a.* new, novel, recent
अभिनीत (*abhinīt*) *a.* acted, played
अभिनेता (*abhinetā*) *m.* actor, player
अभिनेय (*abhineya*) *a.* stageable
अभिन्न (*abhinna*) *a.* 1. not different, not distinct 2. inseparable
अभिप्राय (*abhiprāya*) *m.* intention, purpose, aim, import, intent
अभिप्रेत (*abhipret*) *a.* intended, meant
अभिभावक (*abhibhāvak*) *m.* guardian, patron, protector
अभिभूत (*abhibhūt*) *a.* overwhelmed
अभिमंत्रण (*abhimantraṇ*) *m.* consecration
अभिमंत्रित (*abhimantrit*) *a.* consecrated
अभिमान (*abhimān*) *m.* 1. pride 2. vanity, ego, conceit
अभिमानी (*abhimānī*) *a.* proud, conceited, arrogant, egotist
अभियंता (*abhiyantā*) *m.* engineer
अभियंत्रण (*abhiyantraṇ*) *m.* engineering (work)
अभियान (*abhiyān*) *m.* 1. campaign, expedition 2. inroad
अभियुक्त (*abhiyukt*) *a.* & *m.* accused, charged (person)
अभियोग (*abhiyog*) *m.* accusation, charge
  अभियोग पक्ष *m.* prosecution
  अभियोग पत्र *m.* chargesheet
अभियोजक (*abhiyojak*) *m.* prosecutor, accuser
अभियोजन (*abhiyojan*) *m.* prosecution
अभिराम (*abhirām*) *a.* pretty, handsome, charming, lovely
अभिरुचि (*abhiruci*) *f.* 1. interest 2. taste 3. liking
अभिलाष (*abhilāṣ*) *f.* /**अभिलाषा** (*abhilāṣā*) *f.* 1. desire, wish, longing, craving 2. aspiration
अभिलाषी (*abhilāṣī*) *a.* 1. desirous 2. aspirant 3. covetous
अभिलेख (*abhilekh*) *m.* record
अभिलेखागार (*abhilekhāgār*) *m.* archives
अभिवृद्धि (*abhivṛddhi*) *f.* 1. increase 2. development 3. growth
अभिव्यक्त (*abhivyakt*) *a.* expressed
अभिव्यक्ति (*abhivyakti*) *f.* expression, manifestation
अभिशप्त (*abhīśapt*) *a.* cursed
अभिशाप (*abhiśāp*) *m.* curse, imprecation
अभिषिक्त (*abhiṣikta*) *a.* consecrated, anointed
अभिषेक (*abhiṣek*) *m.* consecration
अभिसंधि (*abhisandhi*) *f.* 1. intrigue, plot, conspiracy 2. fraud
अभिसार (*abhisār*) *m.* rendezvous, (of lovers), meeting
अभिसारिका (*abhisārikā*) *f.* a woman on her journey of love
अभिहित (*abhihit*) *a.* called, designated
अभी (*abhī*) *adv.* at present, presently, just now, immediately

अभीप्सा (*abhīpsā*) *f.* 1. aspiration 2. desire, longing

अभीष्ट (*abhīṣṭa*) *a.* desired, wished (for), longed (for)

अभूत (*abhūt*) *a.* non-existent

अभूतपूर्व (*abhūtpūrva*) *a.* unprecedented

अभेद (*abhed*) *m.* identity, oneness

अभेद्य (*abhedya*) *a.* impregnable, invulnerable, impermeable

अभोग्य (*abhogya*) *a.* unfit for enjoying

अभौतिक (*abhautik*) *a.* non-material, unearthly

अभ्यंतर (*abhyantar*) I. *a.* inner, internal II. *m.* inner part

अभ्यर्थना (*abhyarthanā*) *f.* 1. prayer, entreaty 2. reception

अभ्यर्थी (*abhyarthī*) *m.* candidate

अभ्यस्त (*abhyast*) *a.* practised, habituated, experienced

अभ्यागत (*abhyāgat*) I. *m.* visitor, guest II. *a.* arrived

अभ्यास (*abhyās*) *m.* 1. practice, exercise 2. habit

अभ्यास पुस्तक *f.* exercise book

अभ्युक्ति (*abhyukti*) *f.* statement, dictum, observation

अभ्युत्थान (*abhyutthān*) *m.* 1. rising, getting up 2. elevation 3. prosperity

अभ्युदय (*abhyudaya*) *m.* 1. rise 2. commencement 3. growth

अभ्र (*abhra*) *m.* sky, cloud

अभ्रक (*abhrak*) *m.* mica

अमंगल (*amangal*) *a.* inauspicious, evil

अमचूर (*amcūr*) *m.* dried powder of mango peel

अमन (*aman*) *m.* peace

अमर (*amar*) *a.* immortal, free from death

अमरबेल (*amarbel*) *m.* parasite creeper

अमराई (*amrāī*) *f.* mango-grove

अमरूद (*amrūd*) *m.* guava tree and its fruit

अमर्त्य (*amartya*) *m.* immortal

अमर्ष (*amarṣa*) *m.* 1. anger 2. intolerance 3. impatience

अमल (*amal*) I. *m.* 1. deed, action 2. use II. *a.* clear

अमलतास (*amaltās*) *m.* an Indian medicinal plant

अमला (*amlā*) *m.* staff, paraphernalia, officials and servants

अमली (*amlī*) *a.* practical

अमा (*amā*) *f.* the night of new moon, the last day of the dark fortnight

अमात्य (*amātya*) *m.* minister (in ancient times)

अमानत (*amānat*) *f.* 1. deposit 2. security 3. something given in trust

अमानती (*amānatī*) *a.* deposited, given in trust

अमानवीय (*amānavīya*) *a.* inhuman

अमा-निशा (*amā-niśā*) *f.* dark night of the new moon

अमानुषिक (*amānuṣik*) *a.* inhuman, brutal, beastly

अ

अमान्य (*amānya*) *a.* untenable, invalid, null and void
अमावट (*amāvaṭ*) *f.* dried juice of ripe mango
अमावस (*amāvas*) *f.* /**अमावस्या** (*amāvasyā*) *f.* the dark night of new moon, last day of the dark fortnight
अमिट (*amiṭ*) *a.* indelible
अमित (*amit*) *a.* immeasurable, huge, immense
अमिताभ (*amitābh*) I. *a.* most shining, most glorious II. *m.* a title of Lord Buddha
अमी (*amī*) *m.* nectar
अमीन (*amīn*) *m.* a petty revenue officer, bailiff
अमीर (*amīr*) *a.* rich, wealthy
अमुक (*amuk*) *a.* a certain thing or person
अमूमन (*amūman*) *adv.* generally, usually
अमूर्त (*amūrta*) *a.* formless, shapeless
अमूल्य (*amūlya*) *a.* priceless, invaluable
अमृत (*amṛt*) *m.* 1. nectar 2. anything sweet and pleasant
अमृतोपम (*amṛtopam*) *a.* nectar-like, nectarine, very sweet
अमेरिकी (*amerikī*) *a.* American
अमोघ (*amogh*) *a.* infallible, unfailing
अम्मा (*ammā*) *f.* /**अम्मी** (*ammī*) *f.* mother
अम्ल (*aml*) I. *a.* sour II. *m.* acid
अम्लपित्त *m.* gastric acidity
अम्लान (*amlān*) *a.* 1. not faded or withered 2. joyous, cheerful
अयथार्थ (*ayathārtha*) *a.* 1. unreal, false, untrue 2. inaccurate
अयश (*ayaś*) *m.* infamy
अयाल (*ayāl*) *m.* mane (of a horse)
अयुक्त (*ayukta*) *a.* 1. not united, unlinked, separate 2. foul
अयोग्य (*ayogya*) *a.* 1. unfit, unworthy, worthless 2. ineligible
अयोग्यता (*ayogyatā*) *f.* 1. inability 2. disqualification 3. incompetence
अरंडी (*araṇḍī*) *f.* 1. castor oil seed 2. a castor oil bush
अरक (*arak*) *m.* distilled substance of a medicinal herb
अरक्षित (*arakṣit*) *a.* unprotected, unguarded, insecure
अरगनी (*arganī*) *f.* rope for hanging clothes
अरज (*araj*) *f.* 1. request 2. width, breadth (as of a cloth or piece of land)
अरणि (*araṇi*) *f.* /**अरणी** (*araṇī*) *f.* wood for lighting fire by friction
अरण्य (*araṇya*) *m.* wood, forest
अरथी (*arathī*) *f.* bier, a frame of bamboo on which the Hindus carry their dead to the cremation ground
अरदली (*ardalī*) *m.* peon
अरदास (*ardās*) *f.* prayer
अरना (*arnā*) *m.* wild buffalo
अरना भैंसा *m.* (a) wild buffalo (b) a fat strong man

अरब (*arab*) *m.* 1. one thousand million, billion, name of a country 2. an Arabian

अरबी (*arabī*) I. *f.* Arabic language II. *a.* of Arabia, Arabian

अरमान (*armān*) *m.* longing, yearning, intense desire

अरराना (*ararānā*) *v.i.* to fall or collapse suddenly with a crash

अरविंद (*arvind*) *m.* lotus flower

अरसा (*arsā*) *m.* period, time

अरसिक (*arasik*) *a.* devoid of taste, dull

अरहर (*arahar*) *m.* a variety of cereal or pulse, pigeon pea

अराजक (*arājak*) *a.* anarchical

अराजकता (*arājakatā*) *f.* anarchy, disorder, chaos, lawlessness

अराजपत्रित (*arājpatrit*) *a.* non-gazetted

अरारोट (*arāroṭ*) *m.* arrowroot, flour of arrowroot

अरि (*ari*) *m.* enemy, foe
  अरिदमन/सूदन *m.* suppressor and destroyer of enemies, Lord Krishna

अरिष्ट (*ariṣṭa*) *m.* 1. not hurt 2. name of a demon killed by Lord Krishna

अरुचि (*aruci*) *f.* 1. want of appetite 2. want of interest

अरुण (*aruṇ*) *m.* 1. dawn, rising sun 2. colour of the rising sun

अरुणाभ (*aruṇābh*) *a.* ruddy, reddish

अरुणिमा (*aruṇimā*) *f.* redness, reddish glow

अरुणोदय (*aruṇodaya*) *m.* 1. rising of the sun, sunrise 2. dawn

अरे! (*are*) *interj.* 1. an informal form of addressing male persons 2. an exclamation of surprise

अर्क (*ark*) *m.* the sun

अर्गला (*argalā*) *f.* draw-bar, lock for fastening a door

अर्घ (*argha*) *m.* 1. oblation 2. price, value

अर्चन (*arcan*) *m.* /**अर्चना** (*arcanā*) *f.* adoration, propitiation

अर्ज़ (*arz*) *f.* request

अर्जन (*arjan*) *m.* earning

अर्जित (*arjit*) *a.* earned

अर्ज़ी (*arzī*) *f.* application, petition
  अर्ज़ीदार *m.* applicant, petitioner
  अर्ज़ीनवीस *m.* petition-writer

अर्थ (*artha*) *m.* 1. meaning, sense 2. money, wealth
  अर्थवत्ता *f.* significance
  अर्थ व्यवस्था *f.* economy
  अर्थशास्त्र *m.* economics
  अर्थशास्त्री *m.* economist

अर्थात् (*arthāt*) *conj.* that is (i.e.), that is to say, namely

अर्थाभाव (*arthābhāv*) *m.* 1. dearth of money 2. absence of meaning, meaninglessness

अर्थोपार्जन (*arthopārjan*) *m.* amassing wealth

अर्दली (*ardalī*) *m.* orderly, peon

अर्द्ध (*arddha*) *m.* & *a.* /**अर्ध** (*ardha*) *m.* & *a.* half, semi

अर्द्धकालिक *a.* half-time

अर्द्धचंद्र *m.* half-moon, crescent

अर्द्धनारीश्वर *m.* god who is half woman

अर्द्धनिर्मित *a.* half-made

अर्द्धमासिक *a.* bimonthly

अर्द्धरात्रि *f.* midnight

अर्द्धवार्षिक *a.* half-yearly

अर्द्धविराम *m.* semicolon

अर्धांग (*ardhāṅg*) *a.* 1. half the body 2. palsy affecting half the body

अर्धांगिनी (*ardhāṅginī*) *f.* wife

अर्धेन्दु (*ardhendu*) *m.* half-moon

अर्पण (*arpaṇ*) *m.* 1. offering 2. surrender

अर्पित (*arpit*) *a.* offered, dedicated, surrendered

अर्बुद (*arbud*) *m.* one thousand million, 100 crore

अर्वाचीन (*arvācīn*) *a.* not old, new, modern, recent

अर्श (*arśa*) *m.* 1. piles (disease), hemorrhoids 2. sky, heaven

अर्हता (*arhatā*) *f.* qualification

अलंकरण (*alaṅkaraṇ*) *m.* 1. decoration 2. ornaments

अलंकार (*alaṅkār*) *m.* 1. ornament 2. figure of speech

अलंकार शास्त्र *m.* rhetorics

अलंकृत (*alaṅkṛt*) *a.* ornate, decorated, embellished

अलकतरा (*alakatarā*) *m.* coal tar, tar

अलका (*alakā*) *f.* a girl of eight to ten years

अलकापुरी (*alkāpurī*) *f.* hometown of Kuber (god of wealth)

अलकावली (*alakāvalī*) *f.* locks of hair, ringlets

अलक्षित (*alakṣit*) *a.* unseen, unobserved

अलख निरंजन *m.* the invisible God

अलग (*alag*) *a.* 1. detached, unconnected 2. separate

अलग-थलग *a.* aloof, isolated

अलगनी (*alganī*) *f.* a rope or bamboo to hang clothes on

अलगोज़ा (*algoza*) *m.* a kind of flute, flageolet

अलफ़ाज (*alfāj*) *m.* words

अलबत्ता (*albattā*) *conj.* however, nevertheless, albeit

अलबेला (*albelā*) *a.* 1. playful, sportive, fanciful 2. peculiar

अलभ्य (*alabhya*) *a.* 1. unavailable 2. precious, costly

अलमारी (*almārī*) *f.* almirah

अलमूनियम (*almūniyam*) *m.* aluminium

अलसाना (*alsānā*) *v.i.* to feel sleepy or drowsy

अलसी (*alsī*) *f.* linseed

अलहदा (*alahdā*) *a.* separate

अलाव (*alāv*) *m.* bonfire, campfire

अलावा (*alāvā*) *adv.* besides, excepting, save

अलि (*ali*) *f.* & *m.* 1. bumblebee 2. female friend

अलिफ़ (*alif*) *m.* the first letter of Persian script

अलिफ़ बे ABC

अलोप (*alop*) *a.* disappeared

अलौकिक (*alaukik*) *a.* 1. unworldly, supernatural 2. uncommon

अल्प (*alp*) *a.* small, little, short

अल्पकालिक *a.* ephemeral

अल्पकालीन *a.* temporary

अल्प बचत *f.* small savings

अल्प विराम *m.* comma

अल्पज्ञ (*alpajña*) *a.* having shallow knowledge

अल्पायु (*alpāyu*) *a.* short-lived, of young age

अल्पाहार (*alpāhār*) *m.* light refreshment

अल्ला (*allā*) *m.* /**अल्लाह** (*allāh*) *m.* God

अल्लाहताला *m.* God the great

अल्ला-हो-अकबर God is great

अल्हड़ (*alhaṛ*) *a.* innocent, childlike, simple

अवकाश (*avkāś*) *m.* 1. leave, vacation, recess 2. leisure

अवकाश-ग्रहण *m.* retirement

अवकाश-प्राप्त *a.* retired

अवक्रमण (*avkramaṇ*) *m.* devolution, degradation

अवगत (*avgat*) *a.* apprised, aware

अवगाहन (*avĝāhan*) *m.* 1. bathing 2. immersion

अवगुंठन (*avguṇṭhan*) *m.* veil, mask

अवगुंठित (*avguṇṭhit*) *a.* veiled

अवगुण (*avguṇ*) *m.* demerit, disqualification, defect

अवज्ञा (*avajña*) *f.* defiance, disobedience, insubordination

अवतरण (*avtaraṇ*) *m.* 1. incarnation 2. landing 3. quotation

अवतरित (*avtarit*) *a.* born as incarnation, incarnated

अवतार (*avtār*) *m.* incarnation, embodiment

अवदान (*avdān*) *m.* 1. contribution 2. donation

अवधारणा (*avdhāraṇā*) *f.* concept

अवधि (*avadhi*) *f.* 1. period, time 2. limit, duration

अवधूत (*avdhūt*) I. *m.* a sadhu who has renounced worldly obligations II. *a.* 1. free from worldly attachment 2. naked

अवध्य (*avadhya*) *a.* not to be killed

अवनति (*avnati*) *f.* 1. downfall 2. deterioration, degradation

अवनि (*avni*) *f.* earth

अवनिपति (*avanipati*) *m.* king

अवमान (*avmān*) *m.* insult, disregard, contempt

अवमानना (*avmānanā*) *f.* insult, defamation, contempt

अवमूल्यन (*avmūlyan*) *m.* devaluation

अवयव (*avayav*) *m.* 1. part, portion 2. part of the body, limb

अवयस्क (*avayask*) *a.* under age, minor

अवर (*avar*) *a.* inferior, lower

अवर न्यायाधीश *m.* puisne judge

अवर सचिव *m.* under secretary

अवरुद्ध (*avruddha*) *a.* hindered, restrained, obstructed

अवरोध (*avrodh*) *m.* 1. detention

अ

2. blockade

अवरोह (*avroh*) *m.* 1. descent, coming down 2. descending scale in Indian music (i.e., from a higher tone to a lower tone)

अवर्णनीय (*avarṇīya*) *a.* indescribable, inexpressible

अवलंब (*avlamb*) *m.* support

अवलंबन (*avlamban*) *m.* 1. support, prop 2. dependence

अवलि (*avali*) *f.* /**अवली** (*avalī*) *f.* series. line

अवलुंठन (*avlunṭhan*) *m.* rolling about, wallowing

अवलुंठित (*avlunṭhit*) *a.* rolled, wallowed

अवलेह (*avleh*) *m.* medicinal mixture, jelly

अवलोकन (*avlokan*) *m.* 1. perusal 2. looking (at), beholding

अवलोकित (*avlokit*) *a.* seen, looked at, watched, observed

अवश (*avaś*) *a.* 1. helpless 2. uncontrolled

अवशिष्ट (*avśiṣt*) I. *a.* remaining II. *m.* remnant, residue

अवशेष (*avśeṣ*) *m.* 1. relic, remains 2. remainder, residue

अवशोषित (*avśoṣit*) *a.* absorbed

अवश्यंभावी (*avaśyambhāvī*) *a.* unavoidable

अवश्य (*avaśya*) *adv.* without fail, definitely, certainly

अवसर (*avsar*) *m.* opportunity, occasion

अवसरवाद *m.* opportunism

अवसरवादी *m.* opportunist

अवसाद (*avsād*) *m.* 1. lassitude, dejection 2. sediment

अवसान (*avsān*) *m.* 1. end, termination, close 2. death, demise

अवस्था (*avasthā*) *f.* 1. condition, state 2. position 3. age

अवहेलना (*avhelanā*) *f.* /**अवहेला** (*avhelā*) *f.* 1. disregard, disrespect 2. defiance, flouting

अवांछनीय (*avāñchanīya*) *a.* undesirable

अवांछित (*avāñchit*) *a.* unwanted, unwelcome, undesired

अवांतर (*avāntar*) *a.* 1. extraneous, irrelevant 2. secondary

अवाक् (*avāk*) *a.* speechless

अवाम (*avām*) *m.* general public

अविकल (*avikal*) *a* exact, unimpaired, intact

अविकसित (*avikasit*) *a.* undeveloped

अविचल (*avical*) *a.* motionless

अविचलित (*avicalit*) *a.* motionless

अविच्छिन्न (*avicchinna*) *a.* 1. unseparated 2. unbroken

अविज्ञ (*avijña*) *a.* ignorant, unwise

अविद्या (*avidyā*) *f.* 1. ignorance 2. maya, illusion

अविनीत (*avinīt*) *a.* impolite

अविभक्त (*avibhakt*) *a.* undivided, unbroken, entire, complete

अविभाज्य (*avibhājya*) *a.* indivisible, inseparable

अविरल (*aviral*) *a.* 1. continuous 2. uninterrupted

अविराम (*avirām*) *m.* incessant, non-stop, unremitting

अविलंब (*avilamb*) I. *m.* haste, hurry II. *adv.* without delay, immediately, forthwith

अविवाहित (*avivāhit*) *a.* unmarried, bachelor

अविश्वसनीय (*aviśvasanīya*) *a.* unworthy of belief

अविश्वस्त (*aviśvast*) *a.* untrustworthy, unreliable

अविश्वास (*aviśvās*) *m.* distrust, disbelief

अविश्वास प्रस्ताव *m.* no-confidence motion

अवृष्टि (*avṛṣṭi*) *f.* want of rain, drought

अवेर (*aver*) *f.* delay

अवेर-सवेर *adv.* late or early

अवैतनिक (*avaitanik*) *a.* honorary

अवैध (*avaidh*) *a.* 1. unlawful, illegal 2. illegitimate, illicit

अवैधानिक (*avaidhānik*) *a.* unconstitutional

अव्यक्त (*avyakt*) *a.* not manifest, indistinct

अव्यय (*avyaya*) *a.* indeclinable, eternal

अव्ययी (*avyayī*) *a.* indeclinable, relating to an indeclinable word

अव्यवस्था (*avyavasthā*) *f.* 1. mismanagement 2. lawlessness, chaos 3. disorder, disarrangement

अव्यवस्थित (*avyavasthit*) *a.* 1. mismanaged 2. irregular 3. disordered, out of order

अव्यवहृत (*avyavhṛt*) *a.* 1. unused 2. out of use

अव्यावहारिक (*avyāvhārik*) *a.* impractical, not feasible

अव्याहत (*avyāhat*) *a.* unimpeded, unobstructed

अव्वल (*avval*) I. *a.* first, foremost II. *m.* the first

अशंक (*aśaṅk*) *a.* 1. fearless, bold, undaunted 2. doubtless

अशक्त (*aśakt*) *a.* weak, feeble

अशक्य (*aśakya*) *a.* that which cannot be done or which cannot take place

अशनि (*aśani*) *m.* thunder, flash of lightning, lightning

अशरण (*aśaraṇ*) *a.* without shelter, homeless, destitute

अशरफ़ी (*aśrafī*) *f.* gold coin

अशांत (*aśānt*) *a.* restless

अशांति (*aśānti*) *f.* unrest, disorder, disturbance

अशिक्षित (*aśikṣit*) *a.* uneducated

अशिष्ट (*aśiṣṭ*) *a.* impolite, uncivil, ill-behaved

अशुद्ध (*aśuddha*) *a.* 1. impure, contaminated, unholy 2. incorrect, wrong

अशुद्धि (*aśuddhi*) *f.* mistake, error

अशुद्धि पत्र *m.* table of errata

अशुभ (*aśubh*) I. *a.* inauspicious II. *m.* evil, calamity

अशेष (*aśeṣ*) *a.* 1. endless, boundless, limitless 2. entire, whole

अशोक (*aśok*) I. *m.* 1. the Asoka tree 2. Emperor Asoka II. *a.* sorrowless, cheerful

अ

अशोक चक्र *m.* wheel of Asoka
अशोक स्तंभ *m.* Asoka pillar

अशोभन (*aśobhan*) *a.* unbecoming, undignified, inelegant

अश्क (*aśka*) *m.* tears

अश्रांत (*aśrānt*) *a.* untired, indefatigable

अश्रु (*aśru*) *m.* tear(s)
अश्रु गैस *f.* tear gas

अश्रुत (*aśrut*) *a.* 1. unheard (of) 2. wonderful

अश्लील (*aślīl*) *a.* dirty, nasty, obscene, smutty

अश्व (*aśva*) *m.* horse, stallion
अश्वमेध *m.* horse sacrifice dating back to Vedic period which was performed by a king

अश्वारोही (*aśvārohī*) I. *m.* horseman, cavalier II. *a.* riding a horse

अश्विनी (*aśvinī*) *f.* the first lunar mansion (in Aries)

अश्वेत (*aśvet*) *a.* non-white

अषाढ़ (*aṣaṛh*) *m.* name of a month in Hindu calendar

अष्ट (*aṣṭ*) *m.* & *a.* eight
अष्टगंध *m.* collection of eight perfumes for worship
अष्टछाप *f.* a group of eight poets of Krishna cult
अष्टपद *a.* having eight stanzas
अष्टपदी *f.* song or poem of eight verses
अष्टपाद *m.* octopod, spider
अष्टसिद्धि *f.* eight achievements of yogis

अष्टधा (*aṣṭadhā*) *adv.* in eight ways

अष्टम (*aṣṭam*) *a.* eighth

अष्टमी (*aṣṭamī*) *f.* eighth day of a fortnight

अष्टांग (*aṣṭāṅg*) *m.* eight parts of the body

अष्टादश (*aṣṭādaś*) *a.* & *m.* eighteen

असंख्य (*asaṅkhya*) *a.* innumerable

असंगठित (*asaṅgaṭhit*) *a.* 1. unorganized 2. disunited, loose

असंगत (*asaṅgat*) *a.* 1. incompatible 2. unreasonable

असंतुलन (*asantulan*) *m.* imbalance

असंतुलित (*asantulit*) *a.* unbalanced, erratic

असंतुष्ट (*asantuṣṭ*) *a.* dissatisfied

असंतुष्टि (*asantuṣṭi*) *f.* /**असंतोष** (*asantoṣ*) *m.* dissatisfaction

असंदिग्ध (*asandigdh*) *a.* doubtless

असंबद्ध (*asambaddha*) *a.* unconnected

असंभव (*asambhav*) *a.* impossible

असंभावना (*asambhāvanā*) *f.* improbability, impossibility

असंयत (*asaṃyat*) *a.* unrestrained, unconstrained

असंयम (*asaṃyam*) *m.* indulgence, intemperance, incontinence, excess

असंवैधानिक (*asamvaidhānik*) *a.* unconstitutional

असंस्कृत (*asamskr̥t*) *a.* uncultured

असगंध (*asagandh*) *m.* winter cherry, a medicinal plant

असगुन (*asagun*) *m.* bad omen, inauspicious sign

असफल (*asaphal*) *a.* unsuccessful

असफलता (*asaphaltā*) *f.* unsuccessfulness, failure, fiasco

असबाब (*asbāb*) *m.* luggage, baggage, chattels

असभ्य (*asabhya*) *a.* uncivilized, uncivil, unrefined, rude

असभ्यता (*asabhyatā*) *f.* uncivility

असमंजस (*asamañjas*) *m.* suspense

असमता (*asamatā*) *f.* inequality

असमय (*asamaya*) I. *m.* improper time II. *adv.* out of place III. *a.* untimely, inopportune

असमर्थ (*asamarth*) *a.* incapable, unable

असमर्थता (*asamarthatā*) *f.* disablement, inability

असमान (*asamān*) *a.* 1. unequal 2. unlike, dissimilar

असमानता (*asamāntā*) *f.* 1. inequality 2. dissimilarity, disparity

असम्मत (*asammat*) *a.* 1. unwilling, averse 2. unaccepted

असर (*asar*) *m.* 1. effect 2. influence 3. impression

असल (*asal*) I. *a.* 1. real, true 2. genuine II. *f.* root, origin

असलियत (*asliyat*) *f.* reality, truth, fact

असली (*aslī*) *a.* genuine, pure

असहनीय (*asahnīya*) *a.* intolerable, unbearable, insufferable

असहमत (*asahmat*) *a.* disagreeing

असहमति (*asahmati*) *f.* disagreement, dissent, discordance

असहयोग (*asahyog*) *m.* non-cooperation

असहयोग आंदोलन *m.* non-cooperation movement

असहाय (*asahāya*) *a.* 1. helpless 2. miserable, poor

असहिष्णु (*asahiṣṇu*) *a.* 1. unable to bear, intolerant 2. impatient

असहिष्णुता (*asahiṣṇutā*) *f.* 1. intolerance 2. impatience

असाधारण (*asādhāraṇ*) *a.* uncommon, extraordinary, singular

असाधारण बैठक *f.* extraordinary meeting

असाध्य (*asādhya*) *a.* unmanageable

असामयिक (*asāmayik*) *a.* 1. untimely, inopportune 2. premature

असामयिक मृत्यु *f.* untimely death

असामान्य (*asāmānya*) *a.* uncommon, abnormal, extraordinary, unusual, singular

असामी (*asāmī*) *m.* client

असाम्य (*asāmya*) *m.* dissimilarity, disparity

असार (*asār*) *a.* 1. sapless, pithless 2. hollow 3. unsubstantial

असावधान (*asāvdhān*) *a.* careless

असावधानी (*asāvdhānī*) *f.* carelessness

असि (*asi*) *f.* sword

असिकोष (*asikoṣ*) *m.* sheath

असित (*asit*) *a.* not white, dark

असीम (*asīm*) *a.* 1. unlimited, boundless, endless 2. absolute

अ

असुंदर (*asundar*) *a.* not handsome, ugly

असुर (*asur*) *m.* 1. demon, monster 2. wicked person

असुरक्षा (*asurakṣā*) *f.* insecurity

असुरक्षित (*asurakṣit*) *a.* insecure, unsafe

असुरारि (*asurāri*) *m.* enemy of demons, Vishnu

असूर्यंपश्या (*asūryampaśyā*) *f.* whose beauty is not exposed to the sun

असैनिक (*asainik*) I. *a.* non-military, civil II. *m.* civilian

अस्त (*ast*) *a.* set, sunken, (of the sun) setting

अस्तव्यस्त (*astavyast*) *a.* helter-skelter, rough and tumble

अस्तबल (*astabal*) *m.* stable (for horses)

अस्तर (*astar*) *m.* 1. lining (as for a coat) 2. base (of a painting)

अस्ताचल (*astācal*) *m.* (imaginary) western mountain behind which the sun sets

अस्तित्व (*astitva*) *m.* existence, being, reality

अस्तित्ववाद *m.* existentialism

अस्तित्ववादी *m.* existentialist

अस्तित्वहीन *a.* non-existent

अस्तु! (*astu*) *interj.* all right, then, well!

अस्त्र (*astra*) *m.* missile, weapon

अस्त्रागार (*astrāgār*) *m.* armoury

अस्थायी (*asthāyī*) *a.* provisional, temporary

अस्थि (*asthi*) *f.* bone

अस्थिकलश *m.* urn

अस्थिपंजर *m.* skeleton

अस्थिर (*asthir*) *a.* unsteady, volatile, unstable, fickle

अस्पताल (*aspatāl*) *m.* hospital

अस्पष्ट (*aspaṣṭa*) *a.* not clear, indistinct, equivocal, vague

अस्पृश्य (*aspr̥śya*) *a.* untouchable

अस्पृश्यता (*aspr̥śyatā*) *f.* untouchability

अस्मत (*asmat*) *f.* chastity

अस्मिता (*asmitā*) *f.* pride, vanity

अस्वच्छ (*asvacch*) *a.* dirty

अस्वस्थ (*asvasth*) *a.* unhealthy

अस्वस्थता (*asvasthatā*) *f.* illness, indisposition, sickness

अस्वाभाविक (*asvābhāvik*) *a.* artificial

अस्वाभाविकता (*asvābhāviktā*) *f.* unnaturalness, artificiality

अस्वीकार (*asvīkār*) *m.* refusal, dissent, denial

अस्वीकृत (*asvīkr̥t*) *a.* unaccepted, not admitted, rejected

अस्वीकृति (*asvīkr̥ti*) *f.* non acceptance, denial, refusal, dissent

अस्सी (*assī*) *a.* & *m.* eighty

अहंकार (*ahaṅkār*) *m.* egoism, self-consciousness, pride

अहंकारी (*ahaṅkārī*) *a.* proud, conceited, arrogant

अहम (*aham*) *a.* important, vital, significant

अहमक (*ahamak*) *a.* & *m.* blockhead, idiot, foolish (person)

अहमियत (*ahmiyat*) *f.* significance, importance

अहर्निश (*aharniś*) *m.* day and night

अहसान (*ahasān*) *m.* obligation, favour

अहा! (*ahā*) *interj.* aha, excellent, wonderful (expressing surprise, support), good!

अहिंदी (*ahindī*) *a.* 1. non-Hindi 2. non-Indian

अहिंदीभाषी *m.* non-Hindi speakers

अहिंसा (*ahiṃsā*) *f.* non-violence

अहिंसात्मक (*ahiṃsātmak*) *a.* non-violent

अहि (*ahi*) *m.* snake/serpent

अहीर (*ahīr*) *m.* a community of herdsmen

अहेर (*aher*) *m.* game; hunting

अहेरी (*aherī*) *m.* hunter, stalker

अहेतुक (*ahetuk*) *a.* & *m.* /**अहेतुकी** (*ahetukī*) *a.* & *f.* without a motive or reason

अहो! (*aho*) *interj* oh, O!

आ

आ *(ā) pref.* till, up to, for (as आजीवन)

आँकड़ा *(āṁkṛā) m.* figures, statistics, data

आँकना *(āṁknā) v.t.* to assess, to appraise, to estimate

आँख *(āṁkh) f.* 1. eye 2. vision

आँगन *(āṁgan) m.* courtyard, space adjoining a house

आंग्ल भाषा *(āṅgl bhāṣā) f.* English language

आँच *(āṁc) f.* 1. fire 2. flame 3. heat 4. harm, damage

आँचल *(āṁcal) m.* 1. border or edge of a veil or saree 2. bosom of a woman

आंचलिक *(āñcalik) a.* regional

आंजनेय *(āñjneya) m.* son of mother Anjani, one of the names of Hanuman

आँत *(āṁt) f.* intestine, entrails

आंतरिक *(āntarik) a.* internal

आंत्र *(āntra) m.* intestine

आंदोलन *(āndolan) m.* 1. agitation 2. movement

आंदोलित *(āndolit) a.* agitated

आंधी *(āndhī) f.* dust storm

आँव *(āṁv) f.* mucus voided in cases of dysentery

आँवला *(āṁvlā) m.* the tree myrobalan and its fruit

आँवा *(āṁvā) m.* potter's kiln

आंशिक *(āṁśik) a.* partial, part

आँसू *(āṃsū) m.* tear, tears

आइंदा *(āindā) adv.* in future

आई *(āī) v.i.* coming

आईना *(āīnā) m.* mirror

आकंठ *(ākaṇṭh) a.* brimful

आक *(āk) m.* an Indian plant

आकर *(ākar) m.* 1. mine 2. source
 आकर ग्रंथ *m.* sourcebook

आकर्षक *(ākarṣak) a.* attractive

आकर्षण *(ākarṣaṇ) m.* 1. attraction, fascination 2. charm

आकर्षित *(ākarṣit) a.* attracted

आकलन *(ākalan) m.* estimation

आकस्मिक *(ākasmik) a.&adv.* sudden
 आकस्मिक छुट्टी *f.* casual leave

आकांक्षा *(ākāṅkṣā) f.* 1. strong desire, longing 2. aspiration

आकांक्षित *(ākāṅkṣit) a.* wished for, craved, aspired

आकांक्षी *(ākāṅkṣī) a.* 1. desirous, expectant 2. ambitious

आका *(āka) m.* master, lord

आकार *(ākār) m.* form, shape

आकाश *(ākāś) m.* 1. sky 2. space
 आकाशगंगा *f.* milky way,

galaxy
आकाशगामी *a.* sky faring
आकाशदीप *m.* lamp suspended in space
आकाशवाणी *f.* divine call
आकीर्ण (*ākīrṇa*) *a.* diffused, scattered
आकुल (*ākul*) *a.* 1. eager, anxious 2. restless, uneasy 3. worried
आकृति (*ākṛti*) *f.* 1. appearance, form, shape 2. body, figure
आकृष्ट (*ākṛṣṭa*) *a.* 1. attracted 2. enticed, allured
आक्रमण (*ākramaṇ*) *m.* attack
आक्रमणकारी I. *m.* aggressor, invader II. *a.* attacking
आक्रांत (*ākrānt*) *a.* 1. attacked, assaulted 2. troubled
आक्रामक (*ākrāmak*) I. *a.* aggressive II. *m.* aggressor
आक्रोश (*ākroś*) *m.* 1. anger, wrath 2. resentment
आक्षेप (*ākṣep*) *m.* blame
आखिर (*ākhir*) I. *adv.* at last, after all II. *m.* end
आखिरकार *adv.* at last, ultimately
आखिरी (*ākhirī*) *a.* last, final, ultimate
आखेट (*ākheṭ*) *m.* hunting, chasing and killing (wild beasts)
आखेटक (*ākheṭak*) *m.* hunter
आख्यान (*ākhyān*) *m.* 1. narration, description 2. myth
आख्यायिका (*ākhyāyikā*) *f.* short narrative, short tale or story
आगन्तुक (*āgantuk*) visitor, guest
आग (*āg*) *f.* fire
आग धधकना fire to blaze
आगज़नी (*āgzanī*) *f.* arson
आगत (*āgat*) I. *a.* arrived, reached, come II. *m.* guest
आगम (*āgam*) *m.* 1. future 2. earning, income
आगमन (*āgaman*) *m.* 1. arrival, coming, advent 2. attainment
आगर (*āgar*) *m.* 1. mine 2. store, stock 3. house, abode 4. heap
आगा (*āgā*) *m.* front, front of the body, front of a house
आगा-पीछा *m.* (a) front and stern (b) pros and cons
आगामी (*āgāmī*) *a.* forthcoming, future, next, following
आगामी कल *m.* & *adv.* tomorrow
आगामी परसों day after tomorrow
आगार (*āgār*) *m.* 1. house, abode 2. store
आगाह (*āgāh*) *a.* informed
आगाही (*āgāhī*) *f.* awareness, vigilance, intelligence
आगे (*āge*) *adv.* 1. ahead, onward 2. before, previously 3. in front 4. further
आग्नेय (*āgneya*) *a.* 1. pertaining to fire, igneous, fiery 2. volcanic
आग्नेय अस्त्र *m.* firearms
आग्रह (*āgrah*) *m.* insistence
आग्रहपूर्वक *adv.* insistently
आग्रही (*āgrahī*) *a.* 1. persistent, insistent 2. desirous
आघात (*āghāt*) *m.* 1. blow, per-

cussion 2. injury, hurt 3. shock
आघात-प्रत्याघात *m.* blow and counterblow

आघ्रात (*āghrāt*) *a.* smelled, scented

आचमन (*ācaman*) *m.* the act of sipping a little water from the palm of the hand by way of purification before meals or religious ceremonies

आचरण (*ācaraṇ*) *m.* 1. conduct, behaviour 2. character
आचरण संहिता *f.* moral code, code of coduct

आचार (*ācār*) *m.* 1. conduct, manner of life 2. usage, practice, custom, established rule
आचारनिष्ठ *a.* devoted to established practice, religious
आचारहीन *a.* characterless

आचार्य (*ācārya*) *m.* a spiritual guide, founder of a sect, professor, guru, a learned person, principal of a school/college

आच्छन्न (*ācchanna*) *a.* 1. covered, overcast 2. concealed

आच्छादन (*ācchādan*) *m.* 1. covering, cover 2. roof (especially thatched roof) 3. concealing

आच्छादित (*ācchādit*) *a.* 1. covered 2. concealed, hidden

आज (*āj*) *adv.* today, this day
आजकल *adv.* today or tomorrow, presently, nowadays

आजन्म (*ājanma*) *adv.* since (one's) birth, for life

आज़माइश (*āzmāiś*) *f.* 1. trial, test 2. experiment

आज़माना (*āzmānā*) *v.t.* to try, to test, to experiment

आजा (*ājā*) *m.* paternal grandfather

आज़ाद (*āzād*) *a.* free, independent

आज़ादी (*āzādī*) *f.* freedom, liberation, independence

आजानु (*ājānu*) *adv.* reaching up to the knees
आजानुबाहु *a.* having (long) arms extending to the knees

आजिज़ (*ājiz*) *a.* 1. lacking power, weak 2. dejected, frustrated

आजी (*ājī*) *f.* grandmother

आजीवन (*ājīvan*) *adv.* as long as life lasts, for life, till death

आजीविका (*ājīvikā*) *f.* means of livelihood, subsistence

आजू-बाजू (*ājū-bājū*) *adv.* hereabout, around

आज्ञा (*ājñā*) *f.* 1. order 2. permission
आज्ञाकारी *a.* obedient, dutiful

आज्ञाधीन (*ājñādhīn*) *a.* obedient, docile, submissive

आज्ञानुरूप (*ājñānurūp*) *a.* following an order

आज्ञानुसार (*ājñānusār*) *adv.* according to orders

आटा (*āṭā*) *m.* flour

आठ (*āṭh*) *a.* & *m.* eight

आडंबर (*āḍambar*) *m.* pomp, show, ostentation, affectation

आड़ (*āṛ*) *f.* 1. cover 2. safety

आड़ा (*āṛā*) *a. adj.* oblique

आड़ा-तिरछा *a.* criss-cross
आड़ू (*āṛū*) *m.* peach (tree and its fruit)
आढ़त (*āṛhat*) *f.* agency, brokerage, business of weighing or selling the merchandise of dealers
आढ़तिया (*āṛhatiyā*) *m.* commission agent, broker, factor
आणविक (*āṇavik*) *a.*/**आण्विक** (*āṇvik*) *a.* atomic, molecular
आतंक (*ātaṅk*) *m.* terror, panic
आतंकवादी *m.* terrorist
आतंकित (*ātaṅkit*) *a.* terrified
आततायी (*ātatāyī*) *m.* 1. tyrant, oppressor 2. murderer
आतप (*ātap*) *m.* heat (of the sun), sunshine, sunlight
आतश (*ātaś*) *f.* /**आतिश** (*ātiś*) *f.* fire, heat
आतश/आतिशबाजी *f.* fireworks
आतशी आईना (*ātaśī āīnā*) *m.* magnifying glass
आता (*ātā*) *a.* coming
आतिथेय (*ātitheya*) *m.* 1. hospitality 2. host
आतिथ्य (*ātithya*) *m.* hospitality
आतुर (*ātur*) *a.* 1. restless, impatient 2. eager
आतुरता (*āturatā*) *f.* restlessness, disturbance, eagerness
आत्म (*ātm*) *a.* pertaining to the soul, own, self
आत्मकथा *f.* / **आत्मचरित** *m.* autobiography
आत्म-गौरव *m.* self-respect
आत्मग्लानि *f.* remorse
आत्मघात *m.* suicide
आत्मघातक *a.* /**आत्मघाती** *a.* suicidal
आत्मज *m.* son, self-begotten
आत्मजा *f.* daughter
आत्मज्ञानी *m.* one who has spiritual knowledge
आत्मतुष्टि *f.* self-satisfaction
आत्मदाह *m.* self-immolation by burning
आत्म-नियंत्रण *m.* self-control
आत्म-निरीक्षण *m.* introspection, self-observation
आत्मनिर्भर *a.* self-sufficient
आत्मनिर्भरता *f.* self-reliance
आत्मबल *m.* spiritual power
आत्मबोध *m.* self-knowledge
आत्म-विकास *m.* self-development
आत्म-संतोष *m.* self-satisfaction
आत्म-संयम *m.* self-restraint
आत्म-समर्पण *m.* surrender
आत्म-सम्मान *m.* self-respect
आत्मस्वीकृति *f.* confession
आत्महत्या *f.* suicide
आत्मा (*ātmā*) *f.* soul, spirit
आत्मानुभूति (*ātmānubhūti*) *f.* self-experience
आत्मानुशासन (*ātmānuśāsan*) *m.* self-discipline
आत्मावलंबी (*ātmāvlambī*) *a.* self-sufficient, self-reliant
आत्मिक (*ātmik*) *a.* psychic, pertaining to the soul, spiritual
आत्मीय (*ātmīya*) I. *a.* related to one's own self or family, own

आ

II. *m.* friend, relative

आत्मीयता (*ātmīyatā*) *f.* relationship, kinsmanship, intimacy

आत्मोत्कर्ष (*ātmotkarṣa*) *m.* self-improvement, self-elevation

आत्मोत्सर्ग (*ātmotsarga*) *m.* self-sacrifice, self-dedication

आत्मोद्धार (*ātmoddhār*) *m.* self-upliftment, self-improvement

आत्मोन्नति (*ātmonnati*) *f.* self-elevation, self-advancement

आदत (*ādat*) *f.* habit, nature, custom, practice

आदतन (*ādatan*) *adv.* by habit, habitually, by nature

आदम (*ādam*) *m.* 1. Adam, the first man 2. man

आदमक़द *m.* & *a.* life-size, of human size

आदमख़ोर *a.* & *m.* man-eater, cannibal

आदमियत (*ādamiyat*) *f.* humaneness, civility, good breeding

आदमी (*admī*) *m.* 1. man, human being 2. individual, person 3. husband

आदर (*ādar*) *m.* respect, esteem, honour, regard

आदरसूचक *a.* honorific

आदरणीय (*ādarṇīya*) *a.* respectable, esteemable, respected

आदर्श (*ādarś*) *m.* 1. ideal, model 2. sample, specimen

आदर्शवादी *m.* idealist

आदान (*ādān*) *m.* receiving, taking

आदान-प्रदान *m.* bargaining, mutual taking and giving

आदाब (*ādāb*) *m.* compliments, respects, greetings

आदि (*ādi*) I. *a.* first, initial, primitive, original II. *m.* beginning

आदि-अंत, आद्यंत *a.* the first and the last, from beginning to end

आदि कवि *m.* the first poet, a title of Valmiki

आदिकालीन *a.* primitive

आदिवासी *m.* aborigines

आदिशक्ति *f.* the primeval power, goddess Durga

आदित्य (*āditya*) *m.* 1. sons of goddess Aditi 2. the sun

आदिम (*ādim*) *a.* 1. primitive 2. aboriginal

आदिष्ट (*ādiṣṭa*) *a.* ordered, advised, directed

आदी (*ādī*) *a.* habitual, habituated, accustomed

आदृत (*ādṛt*) *a.* honoured, respected

आदेश (*ādeś*) *m.* instruction, order, pointing out, command, directive, writ

आदेशानुसार (*ādeśānusār*) *adv.* as per order

आद्य (*ādya*) *a.* 1. primitive, prior, initial 2. original

आद्या (*ādyā*) *f.* the primary goddess, Durga

आद्या शक्ति *f.* the primordial power or goddess

आद्योपांत (*ādyopānt*) *adv.* from beginning to end, from A to Z

आध (*ādh*) *a.* /**आधा** (*ādhā*) *a.&m.* half

आधार (*ādhār*) *m.* base, basis

आधारभूत *a.* fundamental

आधारशिला *f.* foundation stone

आधार-स्तंभ *m.* mainstay, backbone

आधारहीन *a.* baseless

आधि (*ādhi*) I. *f.* 1. mental agony 2. pledge II. *pref.* above

आधिदैविक *a.* supernatural

आधिभौतिक *a.* physical

आधि-व्याधि *f.* mental and physical agonies or ailments

आधिकारिक (*ādhikārik*) *a.* 1. authoritative 2. official

आधिक्य (*ādhikya*) *m.* excess, abundance

आधिपत्य (*ādhipatya*) *m.* 1. supremacy 2. mastery

आधुनिक (*ādhunik*) *a.* new, recent, modern

आधृत (*ādhṛt*) *a.* based, supported, held

आध्यात्मिक (*ādhyātmik*) *a.* spiritual, belonging to the Supreme Spirit

आध्यात्मिकता (*ādhyātmikatā*) *f.* spirituality, metaphysics

आनंद (*ānand*) *m* merriment, joy, delight, happiness

आनंदकंद *m.* root or source of joy/happiness, God

आनंददायक *a.* /**आनंदप्रद** *a.* pleasant, cheerful

आनंदित (*ānandit*) *a.* pleased, delighted, cheerful

आनंदी (*ānandī*) *a.& m.* 1. joyful, 2. a happy or cheerful person

आन (*ān*) *f.* 1. prestige, dignity 2. promise 3. moment

आनबान *f.* grace and elegance

आनन (*ānan*) *m.* face

आना (*ānā*) I. *m.* an old coin II. *a.* to come, to reach

आना-जाना visiting

आनाकानी (*ānākāni*) *f.* 1. evasion, turning a deaf ear 2. putting off through pretexts

आनुपातिक (*ānupātik*) *a.* proportional

आनुमानिक (*ānumānik*) *a.* inferential, conjectural

आनुवंशिक (*ānuvaṃśik*) *a.* 1. hereditary, inherited 2. genetic

आनुवंशिकी (*ānuvaṃśikī*) *f.* genetics

आनेवाला (*ānevālā*) *m.* comer

आन्वीक्षिकी (*ānvīkṣikī*) *f.* 1. logic, dialectics 2. metaphysics 3. investigation, inquiry

आप (*āp*) *pron.* 1. you (honorific), he (honorific) 2. self

आपका (*āpkā*) *a.& pron.* your, yours

आपबीती (*āpbītī*) *f.* story of one's own experiences

आपत् (*āpat*) *f.* calamity, emergency

आपत्काल (*āpatkāl*) *m.* time of adversity, days of misery, emergency

आपत्कालीन (*āpatkālīn*) *a.* emergent

आ

आपत्ति (*āpatti*) *f.* 1. calamity 2. objection
आपत्तिजनक *a.* objectionable
आपत्य (*āpatya*) *a.* relating to children
आपद् (*āpad*) *f.* calamity, emergency
आपद् धर्म *m.* a course of action usually regarded as improper but allowed in distress
आपदा (*āpadā*) *f.* calamity
आपराधिक (*āprādhik*) *a.* criminal
आपस (*āpas*) *f.* reciprocity, mutual relationship
आपस का *a.* between two or more persons, mutual
आपा (*āpā*) I. *m.* self, ego II. *f.* elder sister
आपाधापी *f.* (a) self-seeking, selfishness (b) confusion
आपात (*āpāt*) *m.* casualty, contingency, emergency
आपातस्थिति *f.* emergency
आपादमस्तक (*āpādmastak*) *a.* from head to foot, from top to toe
आपूर्ति (*āpūrti*) *f.* supply
आपूर्ति मंत्री minister of supplies
आप्त (*āpta*) *a.* reached, arrived
आप्तकाम *a.* self-satisfied
आप्तवचन/वाक्य *m.* authoritative statement
आप्यायित (*āpyāyit*) *a.* 1. delighted 2. contented, gratified
आप्रवास (*āpravās*) *m.* /**आप्रवासन** (*āpravāsan*) *m.* immigration
आप्रवासी (*āpravāsī*) *a.* & *m.* immigrant
आप्लावित (*āplāvit*) *a.* /**आप्लुत** (*āplut*) *a.* inundated, overflowed
आफ़त (*āfat*) *f.* calamity, distress, trouble
आब (*āb*) I. *m.* 1. water 2. wine II. *f.* 1. honour 2. brilliance
आबद्ध (*ābaddha*) *a.* bound
आबनूस (*ābnūs*) *m.* ebony (tree and wood)
आबरू (*ābrū*) *f.* honour, respect
आबहवा (*ābhavā*) *f.* climate
आबाद (*ābād*) *a.* 1. (of place) inhabited, populated 2. (of person) prosperous, happy
आबादी (*ābādī*) *f.* 1. inhabited place 2. population
आबाल (*ābāl*) *adv.* including children
आबाल-वृद्ध *adv.* the young and the old
आबी घोड़ा (*ābī ghoṛā*) *m.* hippopotamus, seahorse
आबोदाना (*ābodānā*) *m.* livelihood
आभा (*ābhā*) *f.* lustre, glow, splendour, brightness
आभामंडल *m.* halo
आभार (*ābhār*) *m.* gratefulness, gratitude, thankfulness
आभारी (*ābhārī*) *a.* grateful
आभास (*ābhās*) *m.* 1. appearance, likeness 2. hint
आभिजात्य (*ābhijātya*) *m.* noble birth, blue blood, nobility
आभीर (*ābhīr*) *m.* the name of a

community of cowherds

आभूषण (*ābhūṣaṇ*) *m.* ornament, jewellery

आभूषित (*ābhūṣit*) *a.* ornamented, decorated with jewels

आभ्यंतरिक (*ābhyantarik*) *a.* internal, inner, interior

आमंत्रण (*āmantraṇ*) *m.* 1. calling, sending for 2. invitation

आमंत्रित (*āmantrit*) *a.* sent for, called, invited

आम (*ām*) I. *m.* mango (tree as well as fruit) II. *a.* general, common, ordinary, usual

आमद (*āmad*) *f.* 1. coming, approach, arrival 2. income

आमदनी (*āmdanī*) *f.* 1. income, receipts 2. returns, profit

आमना-सामना (*āmnā-sāmnā*) *m.* encounter, confrontation, coming face to face

आमने-सामने (*āmne-sāmne*) *adv.* opposite, face to face

आमरण (*āmaraṇ*) *a.* till death

आमरण अनशन *m.* fast unto death

आमरस (*āmras*) *m.* mango-juice

आमवात (*āmvāt*) *f.* nettlerash, gout, rheumatism

आमला (*āmlā*) *m.* the tree myrobalan and its fruit

आमादा (*āmādā*) *a.* prepared

आमाशय (*āmāśay*) *m.* stomach

आमिष (*āmiṣ*) *m.* flesh, meat

आमिष भोजन non-vegetarian meal

आमीन! (*āmīn*) *interj.* amen, be it so!

आमुख (*āmukh*) *m.* 1. commencement, beginning 2. preamble

आमूल (*āmūl*) *a.* to or from the root, fundamental, radical

आमूलचूल *a.* & *adv.* root and branch

आमूलचूल परिवर्तन *m.* /**आमूल परिवर्तन** *m.* radical change

आमोद (*āmod*) *m.* 1. pleasure, joy, fun 2. joyousness

आमोद-प्रमोद *m.* gaiety, jollity

आम्र (*āmra*) *m.* mango tree and its fruit

आम्र कानन *m.* mango grove/garden

आयंदा (*āyandā*) *adv.* in future

आय (*āy*) *f.* income, receipts

आय कर *m.* income tax

आयव्ययक *m.* budget

आयत (*āyat*) *f.* words or sayings from the Quran

आयतन (*āyatan*) *m.* 1. volume, bulk 2. extent, length and breadth

आयताकार (*āyatākār*) *a.* rectangular

आया (*āyā*) *f.* nurse, female attendant of children

आयात (*āyāt*) *m.* import

आयात-निर्यात *m.* import and export

आयात शुल्क *m.* import duty

आयातित (*āyātit*) *a.* imported

आयाम (*āyām*) *m.* dimension

आयु (*āyu*) *f.* lifetime, age

आयु सीमा *f.* age-limit

आ

आयुक्त (*āyukta*) I. *m.* commissioner II. *a.* appointed
आयुध (*āyudh*) *m.* weapon
आयुर् (*āyur*) *f.* lifetime, duration of life, age
आयुर्विज्ञान *m.* medical science
आयुर्वेद *m.* India's ancient system of mediciine
आयुष् (*āyūṣ*) *f.* lifetime, duration of life, age
आयुष्मती *f.* & *a.* /आयुष्मान् *a.* & *m.* long-lived
आयुष्मान भव may you live long!
आयोग (*āyog*) *m.* commission
आयोजक (*āyojak*) *m.* organizer
आयोजन (*āyojan*) *m.* arrangement
आयोजित (*āyojit*) *a.* 1. planned 2. organised
आरंभ (*ārambh*) *m.* beginning, commencement, start
आरंभिक (*ārambhik*) *a.* 1. initial 2. elementary 3. starting
आर-पार (*ār-pār*) *adv.* across
आरक्त (*ārakta*) *a.* red, rosy, reddish
आरक्षक (*ārakṣak*) *m.* protector
आरक्षण (*ārakṣaṇ*) *m.* 1. reservation 2. guarding, protecting
आरक्षित (*ārakṣit*) *a.* reserved
आरक्षी (*ārakṣī*) *m.* policeman, constable
आरक्षी दल *m.* police picket
आरजू (*ārzū*) *f.* wish, desire
आरण्यक (*āraṇyak*) I. *m.* name of treatises of Vedic philosophy and literature composed by rishis II. *a* of or pertaining to a forest, wild
आरती (*ārtī*) *f.* hymns recited in adoration of God
आरसी (*ārsī*) *f.* mirror, looking glass
आरा (*ārā*) *m.* 1. saw 2. shoemaker s knife or awl
आराधन (*ārādhan*) *m.* /आराधना (*ārādhanā*) *f.* worship, religious service
आराध्य (*ārādhya*) *a.* to be worshipped, adorable
आराम (*ārām*) *m.* 1. rest 2. garden
आरामतलब *a.* idle, lazy
आरामदेह *a.* comfortable
आरी (*ārī*) *f.* 1. a small saw 2. shoemaker's awl
आरूढ़ (*ārūṛh*) *a.* mounted
आरोग्य (*ārogya*) *m.* healthfulness, freedom from disease
आरोप (*ārop*) *m.* allegation, accusation, charge
आरोप-पत्र *m.* charge-sheet
आरोह (*āroh*) *m.* 1. ascent, elevation 2. (in music) ascending mode
आरोह-अवरोह *m.* (a) ascent and descent (b) (in music) cadence, modulation
आरोहण (*ārohaṇ*) *m.* 1. rising, ascending 2. riding
आर्जव (*ārjav*) *m.* straightforwardness
आर्त (*ārt*) *a.* distressed, pained
आर्तनाद *m.* cry of distress

आर्थिक (*ārthik*) *a.* 1. economic 2. monetary 3. financial
आर्थिक वर्ष *m.* financial year
आर्द्र (*ārdra*) *a.* wet, moist, humid, damp
आर्य (*ārya*) *m.* & *a.* Arya, Aryan, of noble/good family or breed, respectable person
आर्यपुत्र *m.* husband (as addressed in Sanskrit dramas)
आर्य समाज *m.* a socio-religious society founded by Swami Dayanand Saraswati
आर्यावर्त (*āryāvarta*) *m.* abode of the Aryans, Northern India
आर्ष (*ārṣa*) *a.* belonging to or authorised by ancient sages
आर्ष ग्रंथ *m.* the books revealed to ancient sages, the Vedas
आर्ष वचन *m.* statement emanating from authority
आलंबन (*ālamban*) *m.* support, dependence
आलंबित (*ālambit*) *a.* supported
आलथी-पालथी (*ālthī-pālthī*) *f.* mode of sitting on hams, squatting with crossed legs
आलम (*ālam*) *m.* 1. the world, universe 2. crowd, gathering, multitude 3. state, condition
आलमगीर *m.* conqueror of the world
आलमपनाह *m.* emperor
आलय (*ālay*) *m.* 1. abode, dwelling, residence 2. shelter
आलस (*ālas*) *m.* laziness, sloth
आलसी (*ālasī*) *a.* & *m.* lazy, indolent, slothful
आला (*ālā*) I. *m.* a small recess in a wall II. *a.* fine, best
आलाप (*ālāp*) *m.* talk, speaking, conversation
आलिंगन (*āliṅgan*) *m.* embracing
आलिम (*ālim*) *m.* a learned man
आली (*ālī*) I. *a.* high, eminent II. *f.* (a woman's) female friend
आलीशान *a.* magnificent, grand
आलू (*ālū*) *m.* potato
आलूबुखारा (*ālūbukhārā*) *m.* plum
आलेख (*ālekh*) *m.* writing, script
आलोक (*ālok*) *m.* 1. light, illumination 2. enlightenment
आलोकित (*ālokit*) *a.* lighted, illuminated, bright, lit
आलोचक (*ālocak*) *m.* critic
आलोचन (*ālocan*) *m.* /**आलोचना** (*ālocanā*) *f.* 1. criticism 2. review
आलोचनात्मक (*ālocanātmak*) *a.* critical
आलोड़ित (*āloṛit*) *a.* 1. stirred up, shaken, agitated 2. investigated
आल्हा (*ālhā*) *m.* 1. the name of a warrior/hero, and his heroic deeds 2. a long poetic narrative
आवंटन (*āvaṇṭan*) *m.* allotment
आवंटित (*āvaṇṭit*) *a.* allotted
आवक (*āvak*) I. *m.* receipt II. *a.* inward, incoming
आवधिक (*āvdhik*) *a.* durative,

आ

periodical
आवधिक जमा *m.* term deposit
आवभगत (*āvbhagat*) *f.* hospitality, welcome, reception
आवरण (*āvaraṇ*) *m.* 1. covering, cover 2. concealment 3. shield
आवरण पृष्ठ *m.* cover page of a book
आवर्तक (*āvartak*) *a.* recurrent
आवर्ती (*āvartī*) *a.* 1. recurring 2. periodical 3. revolving
आवश्यक (*āvaśyak*) *a.* necessary
आवश्यकता (*āvaśyakatā*) *f.* need, necessity
आवागमन (*āvāgaman*) *m.* coming and going
आवाजाही (*āvājāhī*) *f.* coming and going, interchange of visits
आवारा (*āvārā*) *a.* vagrant, wanderer, loafer
आवारागर्दी *f.* loafing, loitering
आवास (*āvās*) *m.* 1. abode, dwelling, residence 2. home
आवास गृह *m.* residential house
आवासीय (*āvāsīya*) *a.* residential
आवाहन (*āvāhan*) *m.* 1. act of calling 2. call
आविर्भाव (*āvirbhāv*) *m.* manifestation, appearance (as of a deity)
आविर्भूत (*āvirbhūt*) *a.* appeared, revealed, manifested
आविष्कार (*āviṣkār*) *m.* invention
आविष्कारक (*āviṣkārak*) *m.* inventor
आविष्कृत (*āviṣkṛt*) *a.* invented
आविष्ट (*āviṣṭa*) *a.* absorbed
आवृत्त (*āvṛtt*) *a.* 1. covered, veiled 2. repeated, recurring
आवृत्ति (*āvṛtti*) *f.* repetition, recurrence, frequency
आवेग (*āveg*) *m.* 1. impulse, emotion 2. hurry/haste
आवेदक (*āvedak*) *m.* 1. applicant, suitor, petitioner 2. reporter
आवेदन (*āvedan*) *m.* 1. application, petition 2. request
आवेदन-पत्र *m.* written application, petition
आवेष्टन (*āveṣṭan*) *m.* 1. wrapping, rolling round 2. wrapper, envelope
आवेष्टित (*āveṣṭit*) *a.* surrounded, enclosed, wrapped
आशंका (*āśaṅkā*) *f.* 1. doubt, suspicion 2. terror, fear
आशंकित (*āśaṅkit*) *a.* 1. apprehensive, afraid 2. doubted
आशनाई (*āśnāī*) *f.* illicit love, intimacy
आशय (*āśaya*) *m.* 1. intent, sense, meaning 2. receptacle
आशा (*āśā*) *f.* hope, expectation
आशाजनक *a.* hopeful
आशाप्रद *a.* filled with hope
आशावाद *m.* optimism
आशावादी *a.* & *m.* optimist
आशातीत (*āśātīt*) *a.* beyond hope or expectation
आशान्वित (*āśānvit*) *a.* hopeful
आशिक़ (*āśiq*) *m.* lover, suitor
आशियाना (*āśiyānā*) *m.* nest, home
आशिष (*āśiṣ*) *f.* blessing, benediction

आशीर्वाद (*āśīrvād*) *m.* blessing, benediction

आशु (*āśu*) *a.* quick, speedy

आशुलिपि *f.* shorthand

आश्चर्य (*āścarya*) *m.* wonder, surprise

आश्चर्यजनक *a.* wonderful

आश्रम (*āśram*) *m.* 1. hermitage 2. shelter, home 3. one of the four stages in the life of a Hindu

आश्रय (*āśraya*) *m.* shelter, resort, retreat, asylum

आश्रित (*āśrt*) *a.* 1. sheltered 2. dependant, supported

आश्लेष (*āśleṣ*) *m.* embrace, intimate connecion

आश्वस्त (*āśvasta*) *a.* assured

आश्वस्ति (*āśvasti*) *f.* 1./assurance 2. warranty

आश्वासन (*āśvāsan*) *m.* assurance

आश्विन (*āśvin*) *m.* the Hindu month (Sept.-Oct.) commonly known as *Kuwar*

आषाढ़ (*āṣāṛh*) *m.* name of a month in Hindu calendar (June and July)

आसकती (*āskatī*) *a.* inactive, lazy

आसक्त (*āsakta*) *a.* fond, addicted, devoted, attached

आसक्ति (*āsakti*) *f.* intimate connection, attachment

आसन (*āsan*) *m.* 1. seat 2. posture 3. yogic exercise

आसनी (*āsanī*) *f.* a small carpet

आसन्न (*āsanna*) *a.* near, close

आसन्न मृत्यु *f.* approaching death

आस-पास (*ās-pās*) I. *m.* vicinity, neighbourhood II. *adv.* around, about, nearabout

आसमान (*āsmān*) *m.* sky

आसमानी (*āsmānī*) *a.* 1. airy, belonging to the sky 2. heavenly 3. (of colour) sky blue, azure

आसरा (*āsrā*) *m.* 1. support 2. means of protection, shelter, refuge

आसव (*āsav*) *m.* liquor, wine

आसान (*āsān*) *a.* 1. easy, simple, facile 2. feasible 3. convenient

आसानी (*āsānī*) *f.* 1. easiness 2. convenience

आसामी (*āsāmī*) *m.* 1. accused 2. debtor 3. customer 4. tenant

आसार (*āsār*) *m.* signs, symptoms, indications

आसावरी (*āsāvarī*) *f.* a particular mode of Indian music sung early in the morning

आसीन (*āsīn*) *a.* seated

आसुर (*āsur*) I. *a.* of or pertaining to a demon

आसुरी विवाह *m.* a form of marriage in which the bridegroom abducts or purchases the bride

आस्तिक (*āstik*) *a.* & *m.* (one) who believes in God

आस्तिकता (*āstikatā*) *f.* theism, belief in God

आस्तीन (*āstīn*) *f.* sleeve

आस्वाद (*āsvād*) *m.* 1. flavour 2. relish

आ

आस्वादन (*āsvādan*) *m.* 1. tasting 2. relishing, enjoying

आह (*āh*) I. *interj.* ah! alas! (an expression of pain, sorrow, etc.) II. *m.* sigh

आहट (*āhaṭ*) *f.* approaching sound of footsteps

आहत (*āhat*) *a.* 1. hurt, wounded, injured 2. struck

आहर्ता (*āhartā*) *m.* 1. collector 2. drawing officer

आहा (*āhā*) *interj.* 1. aha! denoting pleasure 2. O! bravo! excellent!, well done! wonderful!

आहार (*āhār*) *m.* food, meal, diet

आहारविद् *m.* dietician

इ

इंक़लाब (*inqalāb*) *m.* revolution
इंगला (*iṅglā*) *f.* one of the three nerves described in yoga
इंगित (*iṅgit*) *m.* hint, sign
इंगुद (*iṅgud*) *m.* /**इंगुदी** (*iṅgudī*) *f.* a medicinal tree
इंगुर (*iṅgur*) *m.* vermilion
इंगुरौटी (*iṅgurauṭī*) *f.* a small box for keeping vermilion
इंतक़ाल (*intaqāl*) *m.* death
इंतज़ाम (*intazām*) *m.* management
इंतज़ार (*intazār*) *m.* waiting
इंतहा (*intahā*) *f.* 1. end 2. limit
इंतहाई (*intahāī*) *a.* extreme
इंदराज (*indarāj*) *m.* putting or writing in, insertion, entry
इंदिरा (*indirā*) *f.* 1. goddess of wealth, Lakshmi 2. charm
इंदीवर (*indīvar*) *m.* blue lotus
इंदु (*indu*) *m.* moon
इंद्र (*indra*) *m.* Indra, the god of rain and the king of the gods
  इंद्रचाप/धनुष *m.* rainbow
  इंद्रजाल *m.* magic, witchcraft
  इंद्रलोक *m.* heaven, paradise
इंद्रासन (*indrāsan*) *m.* throne of Indra
इंद्रिय (*indriya*) *f.* organs, senses
इंद्रियातीत (*indriyātīt*) *a.* transsensual, beyond the senses
इंद्रियासक्ति (*indriyāsakti*) *m.* attachment to sensual pleasures
इंशा-अल्ला(ह) (*iṃśā-allāh*) *adv.* God-willing
इंसान (*iṃsān*) *m.* human being, man
इंसानियत (*iṃsāniyat*) *f.* 1. humanity, human nature 2. civility
इंसाफ़ (*iṃsāf*) *f.* justice, equity, fairness
इक (*ik*) *a.* one
  इकतरफ़ा *a.* one-sided, ex parte
  इकतारा *m.* one-stringed instrument
इकट्ठा (*ikaṭṭhā*) *a.* collected
इकतालीस (*iktālīs*) *a.* forty-one
इकतीस (*iktīs*) *a.* thirty-one
इक़रार (*iqrār*) *m.* promise, vow
  इक़रारनामा *m.* agreement
इकलौता (*iklautā*) *a.* single, only
इकसठ (*iksath*) *a.* sixty-one
इकहत्तर (*ikhattar*) *a.* & *m.* seventy-one
इकाई (*ikāī*) *f.* unit
इकानवे (*ikānve*) *a.* & *m.* ninety-one
इक्का (*ikkā*) I. *a.* one, alone, single II. *m.* a one-horse vehicle

इक्का-दुक्का *a.* very few, stray
इक्कीस (*ikkīs*) *a.* & *m.* twenty-one
इक्केवान (*ikkevān*) *m.* coachman
इक्यानवे (*ikyānve*) *a.* & *m.* ninety-one
इक्यावन (*ikyāvan*) *a.* & *m.* fifty-one
इक्यासी (*ikyāsī*) *a.* & *m.* eighty-one
इक्षु (*ikṣu*) *m.* sugar-cane
इच्छा (*icchā*) *f.* desire, wish
इच्छाशक्ति *f.* will power
इच्छानुसार (*icchānusār*) *adv.* according to one's desire
इच्छुक (*icchuk*) *a.* desirous
इजलास (*ijlās*) *m.* 1. sitting, session 2. court of justice
इज़हार (*izahār*) *m.* expression
इजाज़त (*ijāzat*) *f.* permission
इज़ाफ़ा (*izāfā*) *m.* addition
इजारबंद (*izārband*) *m.* waist-string for pyjamas
इज़्ज़त (*izzat*) *f.* honour, prestige
इज़्ज़तदार (*izzatdār*) *a.* respectable, honourable
इठलाना (*iṭhlānā*) *v.i.* 1. to strut 2. to behave conceitedly
इड़ा (*iṛā*) *f.* one of the three nerves described in yoga
इडली (*idlī*) *f.* a rice preparation
इतबार (*itbār*) *m.* trust, confidence
इतमीनान (*itmīnān*) *m.* 1. satisfaction, content 2. peace, rest
इतर (*itar*) *a.* 1. inferior 2. other
इतराना (*itrānā*) *v.i.* to behave in a boastful and arrogant way
इतवार (*itvār*) *m.* Sunday
इतस्ततः (*itastataḥ*) *adv.* here and there, hither and thither
इति (*iti*) *f.* end, conclusion
इतिवृत्त (*itivṛtta*) *m.* narrative
इतिश्री (*itisrī*) *f.* end, finish
इतिहास (*itihās*) *m.* history
इतिहासकार *m.* historian
इत्तफ़ाक़ (*ittafāq*) *m.* chance
इत्तफ़ाक़न (*ittafāqan*) *adv.* by chance, suddenly, accidentally
इत्तला (*ittalā*) *f.* information
इत्यादि (*ityādi*) *a.* so on and so forth, et cetera, and others
इत्र (*itra*) *m.* perfume, scent
इत्रदान *m.* a vessel for keeping scent
इत्रफरोश *m.* perfumer
इधर (*idhar*) *adv.* hither, here
इधर-उधर *adv.* here and there
इन (*in*) *pron.*& *pl.* these, them,their
इनकार (*inkār*) *m.* /इन्कार (*inkār*) *m.* denial
इनाम (*inām*) *m.* prize, reward
इनायत (*ināyat*) *f.* favour
इने-गिने (*ine-gine*) *a.* a few
इन्हीं (*inhīṁ*) *pl.*& *pron.* these
इन्हें (*inheṁ*) *pl.*& *pron.* them, these
इन्होंने (*inhoṁne*) *pl.* & *pron.* they
इफ़रात (*ifrāt*) *f.* plenty, abundance
इबादत (*ibādat*) *f.* worship
इब्तिदा (*ibtidā*) *f.* beginning, start
इमरती (*imartī*) *f.* a kind of sweetmeat
इमली (*imlī*) *f.* tamarind tree and its fruit
इमाम (*imām*) *m.* (Muslim) religious leader

इमामबाड़ा *(imāmbāṛā) m.* the place where the *taziya* is kept in the month of Muharram

इमारत *(imārat) f.* building

इम्तहान *(imtahān) m.* 1. trial, test 2. examination

इरा *(irā) f.* /**इला** *(ilā) f.*one of the three nerves described in yoga

इरादा *(irādā) m.* intention

इर्द-गिर्द *(ird-gird) adv.* all about, all around, on all sides

इलज़ाम *(ilzām) m.* blame

इलाक़ा *(ilāqā) m.* area, region

इलाज *(ilāj) m.* 1. remedy, medical treatment 2. cure

इलायची *(ilāyacī) f.* cardamom

इलाही *(ilāhī) a.* God

इल्म *(ilm) m.* knowledge

इशारा *(iśārā) m.* hint, signal

इश्क़ *(iśq) m.* love, fondness

इश्तहार *(iśtahār) m.* 1. advertisement 2. poster

इषु *(iṣu) m.* arrow

इष्ट *(iṣṭa) m.* 1. personal deity 2. goal 3. desire, wish

इष्टदेवता *m.* tutelary deity

इष्टमित्र *m.* close friends

इस *(is) pron.* this

इसराइली *(isrāilī) a.* Israeli, Jew

इसरार *(isrār) m.* insistence

इसलाम *(islām) m.* /**इस्लाम** *(islām) m.* religion of Muslims

इसी *(isī) a.* exactly this, this very

इस्तीफ़ा *(istīfā) m.* resignation

इस्पात *(ispāt) m.* steel

इह *(ih) a.* this

इहलीला *f.* this worldly existence

इहलोक *m.* this world

ई

ईंगुर (*īṁgur*) *m.* vermilion, red lead

ईंट (*īṁt*) *f.* brick

ईंधन (*īṁdhan*) *m.* fuel, firewood

ईक्षण (*īkṣaṇ*) *m.* 1. supervision, care 2. sight, observation

ईक्षा (*īkṣā*) *f.* 1. vision, glimpse 2. observation

ईख (*īkh*) *m.* sugar-cane

ईजाद (*ījād*) *f.* invention

ईद (*īd*) *f.* Id, a Muslim festival
 ईद उल-जुहा *f.* a Muslim festival in the month of Zilhji
 ईद उल-फ़ितर *f.* a Muslim festival falling in the month of Shawwal
 ईदगाह *f.* place where the Id prayers are held

ईप्सा (*īpsā*) *f.* desire or wish to obtain

ईमान (*īmān*) *m.* 1. faith, trustworthiness 2. faith, belief (particularly in God and Quran Sharif) 3. honesty
 ईमानदार I. *a.* honest, faithful II. *m.* believer
 ईमानदारी *f.* honesty, fidelity

ईर्ष्या (*īrṣyā*) *f.* jealousy, envy

ईर्ष्यालु (*īrṣyālu*) *a.* 1. envious, jealous 2. spiteful, malicious

ईश (*īś*) *m.* 1. lord, master 2. God

ईशान (*īśān*) *m.* north-east (region)
 ईशान कोण *m.* north-east corner

ईश्वर (*īśvar*) *m.* 1. God, Supreme Being 2. lord, master

ईश्वरीय (*īśvarīya*) *a.* divine

ईश्वरोपासना (*īśvaropāsanā*) *f.* worship of God

ईषणा (*īṣaṇā*) *f.* desire, longing, eagerness

ईसाई (*īsāī*) *a.* & *m.* Christian
 ईसाई धर्म *m.* Christian religion, Christianity

ईस्टर (*īsṭar*) *m.* Easter (festival)

ईस्वी (*īsvī*) *a.* Christian
 ईस्वी पूर्व *adv.* before Christ
 ईस्वी सन् *m.* Christian era

ईहा (*īhā*) *f.* craving, longing, strong desire
 ईहामृग *m.* animal of fancy, chimaera

उ

उँगली (*uṁglī*) *f.* finger
  उँगली छाप *f.* fingerprint
उंचास (*uñcās*) *a.* & *m.* forty-nine
उऋण (*uṛṇ*) *a.* free from debt
उकड़ूँ (*ukṛuṁ*) *a.* sitting on hams with soles of the feet on the ground
उकताना (*uktānā*) *v.i.* to be fed up, to be tired or bored
उकसाना (*uksānā*) *v.t.* to instigate, to incite, to provoke
उकार (*ukār*) *m.* the letter उ
उकेरना (*ukernā*) *v.t.* to carve, to engrave
उक्त (*ukta*) *a.* spoken, said
उक्ति (*ukti*) *f.* utterance, statement, dictum, saying
उखड़ना (*ukharṇā*) *v.i.* to be rooted out, to be pulled out
उखाड़ना (*ukhārṇā*) *v.t.* to uproot
उगना (*ugnā*) *v.i.* to grow
उगलना (*ugalnā*) *v.i.* 1. to spit out 2. to vomit
उगाना (*ugānā*) *v.t.* to grow
उगाहना (*ugāhanā*) *v.t.* 1. to collect 2. to raise money
उग्र (*ugra*) *a.* aggressive, violent
  उग्रपंथी *m.* /**उग्रवादी** *m.* extremist
  उग्रवाद *m.* extremism
उग्रता (*ugratā*) *f.* aggressiveness
उघड़ना (*ugharṇā*) *v.i.* 1. to be unveiled 2. to be uncovered
उघाड़ना (*ughārṇā*) *v.t.* to unveil, to uncover, to denude
उचंत (*ucant*) *m.* suspense
  उचंत खाता *m.* suspense account
उचकना (*ucaknā*) *v.i.* 1. to jump up 2. to stand on tiptoe
उचक्का (*ucakkā*) *m.* & *a.* swindler, shop-lifter, pickpocket
उचटना (*ucaṭnā*) *v.i.* to turn away from, to withdraw
उचाट (*ucāṭ*) *a.* wearied
उचित (*ucit*) *a.* proper, fair
उच्च (*ucca*) *a.* high, lofty, tall
  उच्च न्यायालय *m* high court
  उच्च वर्ग *m.* high class
  उच्च शिक्षा *f.* higher education
  उच्च सदन *m.* upper house
उच्चतम (*uccatam*) *a.* highest
उच्चता (*uccatā*) *f.* height
उच्चरित (*uccarit*) *a.* pronounced
उच्चाटन (*uccāṭan*) *m.* eradication, extirpation, uprooting
उच्चायोग (*uccāyog*) *m.* High Commission
उच्चारण (*uccāraṇ*) *m.* pronuncia-

उ

tion, articulation

उच्छिन्न (*ucchinna*) *a*. ruined, destroyed, laid waste

उच्छृंखल (*ucchr̥ṅkhal*) *a*. 1. undisciplined 2. unrestrained

उच्छ्वास (*ucchvās*) *m*. 1. long-drawn breath 2. deep sigh

उछल-कूद (*uchal-kūd*) *f*. leaping and jumping, romping

उछलना (*uchalnā*) *v.i*. 1. to leap, to jump 2. to dance about

उछाल (*uchāl*) *f*. leap, jump, hop

उछालना (*uchālnā*) *v.t*. to toss up, to throw up

उजड़ना (*ujaṛnā*) *v.i*. to be ruined, to become deserted

उजला (*ujlā*) *a*. 1. white 2. clean

उजागर (*ujāgar*) *a*. 1. shining, bright 2. famous

उजाड़ (*ujāṛ*) *a*. desolate, ruined

उजाड़ना (*ujāṛnā*) *v.t*. to ruin

उजाला (*ujālā*) *m*. 1. brightness 2. light

उज्ज्वल (*ujjval*) *a*. bright, shining

उज्र (*uzra*) *m*. objection

उठक-बैठक (*uṭhak-baiṭhak*) *f*. an exercise involving sitting and standing, knee-bends

उठता (*uṭhtā*) *a*. rising

उठना (*uṭhnā*) *v.i*. 1. to rise, to get up 2. to rise up 3. to wake up

उठवाना (*uṭhvānā*) *v.t*. to cause to be lifted or raised

उठाईगीर (*uṭhāīgīr*) *m*. pilferer, petty thief

उठाईगीरी (*uṭhāīgīrī*) *f*. pilferage, shop-lifting

उठाऊ (*uṭhāū*) *a*. portable

उठाना (*uṭhānā*) *v.t*. 1. to lift, to raise 2. to pick up 3. to erect

उड़न (*uṛan*) *a*. flying

उड़न खटोला *m*. flying bedstead, a 'magic carpet'

उड़न तश्तरी *f*. flying saucer

उड़नदस्ता *m*. flying squad

उड़ना (*uṛnā*) *v.i*. 1. to fly 2. to run fast

उड़वाना (*uṛvānā*) *v.t*. to cause to fly, to cause to squander

उड़ान (*uṛān*) *f*. 1. flight 2. range of a flight

उड़ानपट्टी *f*. runway

उड़ाना (*uṛānā*) *v.t*. to fly (an aircraft), to let fly (a bird)

उड़िया (*uṛiyā*) I. *f*. Oriya language II. *m*. inhabitant of Orissa

उडु (*uḍu*) *m*. star

उडुगण *m*. stars

उडुप (*uḍup*) *m*. raft, boat

उड्डयन (*uḍḍayan*) *m*. flying, aviation

उढ़ाना (*uṛhānā*) *v.t*. to cover with a sheet or quilt

उतना (*utnā*) *a*. that much, as much as that

उतरन (*utaran*) *f*. used clothes

उतरना (*utarnā*) *v.i*. to get down

उतराना (*utarānā*) *v.i*. to float

उतराव (*utarāv*) *m*. slope

उतार (*utār*) *m*. 1. descent 2. dismounting 3. disembarkment

उतार-चढ़ाव *m*. fluctuation, ups and downs

उतारना (*utārnā*) *v.t*. 1. to take

down/off 2. to remove
उतारू (*utārū*) *a.* 1. determined, bent upon 2. ready
उतावला (*utāvalā*) *a.* hasty, rash
उत्कंठा (*utkaṇṭhā*) *f.* eagerness
उत्कट (*utkaṭ*) *a.* 1. intense, excessive 2. strong
उत्कर्ष (*utkarṣa*) *m.* 1. elevation 2. rise, progress
उत्कीर्ण (*utkīrṇa*) *a.* 1. engraved, carved 2. cut out
उत्कृष्ट (*utkr̥ṣṭa*) *a.* 1. elevated 2. outstanding 3. excellent
उत्कृष्ट कृति *f.* masterpiece
उत्कृष्टता (*utkr̥ṣṭatā*) *f.* excellence
उत्कोच (*utkoc*) *m.* bribe, hush money, illegal gratification
उत्खनन (*utkhanan*) *m.* 1. digging, excavation 2. rooting out
उत्तप्त (*uttapta*) *a.* 1. heated, hot 2. highly excited 3. worried
उत्तम (*uttam*) *a.* 1. best 2. fine, finest, excellent, grand
उत्तम पुरुष *m.* first person (I, we)
उत्तमता (*uttamatā*) *f.* excellence
उत्तमोत्तम (*uttamottam*) *a.* the very best, choicest, excellent
उत्तर (*uttar*) I. *m.* reply, answer II. *m.* north (direction)
उत्तरदायित्व (*uttardāyitvā*) *m.* responsibility
उत्तरदायी (*uttardāyī*) *a.* responsible
उत्तरकालीन (*uttarkālīn*) *a.* of later time
उत्तराधिकारी (*uttarādhikārī*) *m.* heir, successor
उत्तरापेक्षी (*uttarāpekṣī*) *a.* expecting a reply
उत्तरायण (*uttarāyaṇ*) *m.* summer solstice
उत्तरार्ध (*uttarārdha*) *m.* latter half
उत्तरीय (*uttarīya*) *m.* covering veil, upper garment
उत्तरोत्तर (*uttarottar*) *a.* successive, gradual
उत्तल (*uttal*) *a.* convex
उत्ताप (*uttāp*) *m.* intense heat
उत्ताल (*uttāl*) *a.* 1. high, tall 2. violent, fierce 3. huge, vast
उत्ताल तरंग *f.* high wave, billow
उत्तीर्ण (*uttīrṇa*) *a.* passed (examination)
उत्तुंग (*uttuṅg*) *a.* high, tall, lofty
उत्तेजक (*uttejak*) I. *a.* provocative II. *m.* exciting
उत्तेजना (*uttejanā*) *f.* excitement, encouragement
उत्तेजित (*uttejit*) *a.* excited
उत्थान (*utthān*) *m.* 1. elevation, rise 2. uplift
उत्थान-पतन *m.* rise and fall
उत्पत्ति (*utpatti*) *f.* origin, birth
उत्पन्न (*utpanna*) *a.* 1. born 2. originated, created
उत्पल (*utpal*) *m.* blue lotus
उत्पात (*utpāt*) *m.* 1. disturbance 2. violence, riot
उत्पाती (*utpātī*) *a.* 1. mischievous 2. oppressive 3. violent
उत्पाद (*utpād*) *m.* product, yield, output, produce

उत्पादक (*utpādak*) I. *m.* producer II. *a.* productive, fertile
उत्पादकता (*utpādakatā*) *f.* productivity, fecundity, fertility
उत्पादन (*utpādan*) *m.* production
उत्पादित (*utpādit*) *a.* produced
उत्पीड़क (*utpīṛak*) I. *m.* oppressor II. *a.* oppressive
उत्पीड़न (*utpīṛan*) *m.* 1. oppression 2. harassment
उत्पीड़ित (*utpīṛit*) *a.* oppressed
उत्प्रेरक (*utprerak*) I. *a.* catalytic II. *m.* catalysing agent
उत्फुल्ल (*utphulla*) *a.* 1. blown wide open 2. fully grown up
उत्स (*utsa*) *m.* 1. source 2. fountain, spring
उत्सर्ग (*utsarga*) *m.* 1. detaching 2. giving up 3. dedication
उत्सव (*utsav*) *m.* festival
उत्साह (*utsāh*) *m.* 1. enthusiasm, zeal 2. encouragement
 उत्साहपूर्ण *a.* enthusiastic
 उत्साहवर्धक *a.* encouraging
उत्साहित (*utsāhit*) *a.* encouraged
उत्सुक (*utsuk*) *a.* keen, eager
उत्सुकता (*utsukatā*) *f.* eagerness
उथल-पुथल (*uthal-puthal*) *f.* upheaval, turmoil, chaos
उदक (*udak*) *m.* water
उदग्र (*udagra*) *a.* 1. pointing upwards, vertical 2. high, tall 3. violent, furious, formidable
उदधि (*udadhi*) *m.* ocean, sea
उदय (*uday*) *m.* rise
 उदयगिरि पर्वत *m.* the eastern mountain from which the sun rises
उदर (*udar*) *m.* belly, abdomen, stomach
 उदरपरायण *a.* voracious, gluttonous, greedy
उदरस्थ (*udarastha*) *a.* devoured, eaten, swallowed
उदात्त (*udātta*) *a.* 1. high, lofty, elevated 2. great, noble
उदात्तीकरण (*udāttīkaraṇ*) *m.* sublimation
उदान (*udān*) *m.* one of the five vital winds, guttural air
उदार (*udār*) *a.* generous, liberal
उदारता (*udāratā*) *f.* generosity
उदास (*udās*) *a.* sad, depressed
उदासी (*udāsī*) *f.* sadness
उदासीन (*udāsīn*) *a.* apathetic
उदासीनता (*udāsīnatā*) *f.* indifference, disinterestedness
उदाहरण (*udāharaṇ*) *m.* example
 उदाहरणस्वरूप *adv.* for example
उदाहरणार्थ (*udāharaṇārtha*) *adv.* for instance, for example
उदित (*udit*) *a.* risen, ascended
उदीयमान (*udīyamān*) *a.* 1. rising, prospering 2. promising
उदुंबर (*udumbar*) *m.* the fig tree
उद्गम (*udgam*) *m.* 1. source, origin 2. birth
 उद्गम-स्थल *m.* /**उद्गम-स्थान** *m.* place of origin, birthplace
उद्गाता (*udgātā*) *m.* 1. singer 2. one of the four priests who chants mantras while performing a sacrifice
उद्गार (*udgār*) *m.* expression of

inner feelings

उद्गीत (*udgīt*) *m.* anthem, Samvedic mantras, chant

उद्ग्रीव (*udgrīv*) *a.* having the neck turned upwards

उद्घाटन (*udghāṭan*) *m.* inauguration, opening, uncovering

उद्घोष (*udghoṣ*) *m.* announcement, declaration

उद्घोषक (*udghoṣak*) *m.* announcer, proclaimer

उद्घोषणा (*udghoṣaṇā*) *m.* proclamation, announcement

उद्दंड (*uddaṇḍ*) *a.* 1. unruly, rude 2. bold, courageous

उद्दाम (*uddām*) *a.* 1. unrestrained 2. violent, intense, strong

उद्दीपक (*uddīpak*) *a.* 1. flaming 2. stimulating, exciting

उद्दीपन (*uddīpan*) *m.* 1. stimulus 2. inciting 3. kindling

उद्देश्य (*uddeśya*) *m.* aim, object, motive, purpose, goal

उद्धत (*uddhat*) *a.* ill-behaved, rude, impertinent, insolent

उद्धरण (*uddharaṇ*) *m.* quotation

उद्धरणीय (*uddharaṇīya*) *a.* to be cited or quoted

उद्धार (*uddhār*) *m.* deliverance, emancipation, rescue

उद्धृत (*uddhṛt*) *a.* quoted, cited

उद्भट (*udbhaṭ*) *a.* great, eminent

उद्भव (*udbhav*) *m.* 1. birth, descent, origin 2. growth, rise

उद्भासित (*udbhāsit*) *a.* 1. enlightened 2. revealed, appeared

उद्भिज (*udbhij*) *m.* vegetation, trees and plants in general

उद्भूत (*udbhūt*) *a.* 1. produced, created 2. manifested

उद्भ्रांत (*udbhrānt*) *a.* bewildered, perplexed, confounded

उद्यत (*udyat*) *a.* ready, prepared

उद्यम (*udyam*) *m.* 1. enterprise 2. diligence 3. effort

उद्यमी (*udyamī*) *a.* enthusiastic, enterprising, diligent

उद्यान (*udyān*) *m.* garden, park

उद्योग (*udyog*) *m.* 1. industry 2. endeavour, venture

उद्योग-धंधा *m.* industry

उद्योग-पति *m.* industrialist

उद्योगी (*udyogī*) *a.* industrious

उद्योगीकरण (*udyogīkaraṇ*) *m.* industrialization

उद्विग्न (*udvigna*) *a.* 1. perturbed, agitated 2. worried

उद्वेग (*udveg*) *m.* 1. agitation, perplexity 2. restlessness

उद्वेलित (*udvelit*) *a.* 1. ebullient, overflowed 2. perturbed

उधर (*udhar*) *adv.* 1. there, thither, that way 2. on that side

उधार (*udhār*) *m.* loan, credit

उधारखाता *m.* credit account

उधेड़ना (*udheṛnā*) *v.t.* 1. to open 2. to undo

उधेड़बुन (*udheṛbun*) *f.* 1. confusion 2. dilemma 3. undecidedness

उन (*un*) *pron.* those

उनचास (*uncās*) *a.& m.* forty-nine

उनतालीस (*untālīs*) *a.& m.* thirty-nine

उनतीस (*untīs*) *a.& m.* twenty-

उ

nine
उनसठ (*unsaṭh*) *a.& m.* fifty-nine
उनहत्तर (*unhattar*) *a.& m.* sixty-nine
उनासी (*unāsī*) *a.& m.* seventy-nine
उनींदा (*unīṁdā*) *a.* drowsy
उन्नत (*unnat*) *a.* 1. elevated 2. advanced 3. improved
उन्नति (*unnati*) *f.* progress, advancement, development
उन्नयन (*unnayan*) *m.* 1. lifting up, uplifting 2. development
उन्नायक (*unnāyak*) *a.* uplifter, leader
उन्निद्र (*unnidra*) *a.* sleepless
उन्निद्र रोग *m.* insomnia
उन्नीस (*unnīs*) *a.& m.* nineteen
उन्मत्त (*unmatta*) *a.* 1. mad, amuck, insane, lunatic 2. intoxicated
उन्मन (*unman*) *a.* /**उन्मनस्क** (*unmanask*) *a.* 1. excited 2. perplexed 3. worried
उन्माद (*unmād*) *m.* 1. madness 2. excessive fondness
उन्मीलित (*unmīlit*) *a.* 1. opened (eyes) 2. made visible
उन्मुक्त (*unmukta*) *a.* 1. let loose, set free 2. open
उन्मुख (*unmukh*) *a.* 1. looking up/at, facing 2. eager, anxious
उन्मूलन (*unmūlan*) *m.* 1. uprooting, eradication 2. abolition
उन्मेष (*unmeṣa*) *m.* 1. appearance 2. rise (of a thought)
उन्यासी (*unyāsī*) *a.& m.* seventy-nine
उन्हीं (*unhīṁ*) *pron.* they alone
उन्हें (*unheṁ*) *pron.* them
उप- (*up*) *pref.* 1. sub, under 2. deputy, assistant
उपकरण (*upkaraṇ*) *m.* 1. apparatus 2. equipment
उपकार (*upkār*) *m.* favour, kindness, beneficence
उपकारी (*upkārī*) *a.* beneficent
उपकुलपति (*upkulpati*) *m.* vice-chancellor
उपकृत (*upkr̥t*) *a.* 1. benefited 2. obliged, grateful
उपक्रम (*upkram*) *m.* 1. beginning 2. preparation (for a journey) 3. undertaking
उपक्रमणिका (*upkramaṇikā*) *f.* preface, introduction
उपग्रह (*upgrah*) *m.* satellite, an artificial satellite
उपचर्या (*upcaryā*) *f.* 1. nursing 2. medical treatment
उपचार (*upcār*) *m.* 1. medical treatment, remedy 2. nursing
उपचेतन (*upcetan*) *a.* subconscious
उपज (*upaj*) *f.* produce, crop
उपजना (*upajnā*) *v.i.* 1. to be produced 2. to sprout, to shoot out, to spring up 3. to grow
उपजाऊ (*upjāū*) *a.* fertile, productive
उपजाति (*upjāti*) *f.* sub-caste
उपजाना (*upjānā*) *v.t.* 1. to produce 2. to cause to grow
उपत्यका (*upatyakā*) *f.* land at the

foot of a mountain, lowland
उपदंश (*updaṃś*) *m.* syphilis (disease
उपदिष्ट (*updiṣṭa*) *a.* instructed
उपदेश (*updeś*) *m.* 1. sermon 2. advice
उपदेशक (*updeśak*) *m.* 1. sermonizer, preacher 2. adviser
उपद्रव (*upadrav*) *m.* 1. disturbance, turmoil 2. riot
उपद्रवी (*upadravī*) I. *a.* turbulent II. *m.* rioter
उपनयन (*upnayan*) *m.* ceremony of wearing sacred thread
उपनाम (*upnām*) *m.* nickname, alias, family name
उपनिवेश (*upniveś*) *m.* new settlement, colony
उपनिषद् (*upniṣad*) *f.* the philosophical books on spiritual knowledge of the Vedas
उपन्यास (*upanyās*) *m.* novel
उपन्यासकार *m.* novelist
उपन्यासिका (*upanyāsikā*) *f.* novelette, short novel
उपपत्नी (*uppatnī*) *f.* concubine, mistress
उपबंध (*upbandh*) *m.* provision
उपभोक्ता (*upbhoktā*) *m.* consumer
उपभोग (*upbhog*) *m.* 1. consumption, use 2. enjoyment
उपमंत्री (*upmantrī*) *m.* deputy minister
उपमा (*upamā*) *f.* 1. likeness 2. simile (figure of speech)
उपमान (*upmān*) *m.* object of comparison
उपमेय (*upmeya*) I. *m.* subject of comparison II. *a.* comparable
उपयुक्त (*upyukta*) *a.* suitable
उपयोग (*upyog*) *m.* usefulness
उपयोगिता (*upyogitā*) *f.* 1. usefulness, utility 2. suitability
उपयोगी (*upyogī*) *a.* useful
उपरांत (*uparānt*) *adv.* after
उपराज्यपाल (*uprājyapāl*) *m.* lieutenant-governor
उपराष्ट्रपति (*uprāṣṭrapati*) *m.* vice-president
उपरोक्त (*uparokta*) *a.* /**उपर्युक्त** (*uparyukta*) *a.* above-mentioned
उपल (*upal*) *m.* 1. pebble 2. hailstone
उपलक्ष्य (*uplakṣya*) *m.* occasion, sign
उपलब्ध (*uplabdha*) *a.* 1. available 2. obtained, got, attained
उपलब्धि (*uplabdhi*) *f.* attainment, achievement
उपला (*uplā*) *m.* dried cow-dung cake (used as fuel)
उपवन (*upvan*) *m.* garden, a grove
उपवास (*upvās*) *m.* fast
उपशमन (*upśaman*) *m.* pacification, tranquilization
उपसंहार (*upsaṃhār*) *m.* 1. conclusion, end 2. summary
उपसचिव (*upsaciv*) *m.* deputy secretary
उपसमिति (*upsamiti*) *f.* sub-committee
उपसर्ग (*upsarga*) *m.* prefix

उ

उपस्थापक (*upsthāpak*) *m.* mover, proposer, introducer
उपस्थापित (*upsthāpit*) *a.* placed
उपस्थित (*upasthit*) *a.* present
उपस्थिति (*upasthiti*) *a.* presence
उपहार (*uphār*) *m.* gift, present
उपहास (*uphās*) *m.* ridicule
उपहासास्पद (*uphāsāspad*) I. *a.* ridiculous II. *m.* object of laughter, butt of ridicule
उपांग (*upāṅg*) *m.* organ/limb, minor organ, accessory
उपाख्यान (*upākhyān*) *m.* 1. episode, anecdote 2. legend
उपादान (*upādān*) *m.* 1. substance, material 2. factor
उपादेय (*upādeya*) *a.* 1. accepted, admissible 2. useful
उपादेयता (*upādeyatā*) *f.* 1. admissibility 2. usefulness, utility
उपाधि (*upādhi*) *f.* 1. title 2. degree
उपाध्यक्ष (*upādhyakṣa*) *m.* deputy chairman, deputy speaker
उपाध्याय (*upādhyāya*) *m.* 1. teacher 2. spiritual preceptor 3. a subcaste of Brahmins
उपानह (*upānah*) *m.* shoe, slipper
उपाय (*upāya*) *m.* 1. plan 2. means, course 3. remedy 4. device
उपायुक्त (*upāyukta*) *m.* deputy commissioner
उपार्जन (*upārjan*) *m.* earning
उपार्जित (*upārjit*) *a.* earned
उपालंभ (*upālambha*) *m.* 1. complaint, grievance 2. censure
उपासक (*upāsak*) *m.* worshipper
उपासना (*upāsanā*) *f.* worship
उपास्य (*upāsya*) *a.* worthy of worship, adorable
उपाहार (*upāhār*) *m.* light refreshment
उपेंद्र (*upeṃdra*) *m.* an epithet of Varuna
उपेक्षणीय (*upekṣaṇīya*) *a.* negligible, fit to be ignored
उपेक्षा (*upekṣā*) *f.* 1. neglect, negligence 2. apathy
उपेक्षित (*upekṣit*) *a.* 1. neglected, disregarded 2. ignored
उफ़ (*uf*) *interj.* oh! alas!
उफनना (*uphananā*) *v.t.* to boil over, to seethe with rage
उफान (*uphān*) *m.* boiling up, froth
उबकाई (*ubkāī*) *f.* feeling of vomiting, nausea
उबटन (*ubaṭan*) *m.* paste (composed of gram-flour, turmeric, etc.) for applying on skin
उबरना (*ubarnā*) *v.i.* to be saved/relieved (from difficulty or worry)
उबलना (*ubalnā*) *v.i.* to boil
उबाना (*ubānā*) *v.i.* to bore
उबारना (*ubārnā*) *v.t.* to save from a difficult situation
उबाल (*ubāl*) *m.* boiling, seething
उभड़ना (*ubhaṛnā*) *v.i.* to rise, to spring up, to emerge
उभय (*ubhay*) *a.* both, the two
  उभयचर *a.* amphibious
  उभयनिष्ठ *a.* common to both sides
उभरता (*ubhartā*) *a.* rising

उभरना (*ubharnā*) *v.i.* to rise, to spring up, to emerge
उभार (*ubhār*) *m.* 1. swelling 2. rising or development (of the bosom of girls)
उमंग (*umang*) *f.* excessive joy
उमड़ना (*umaṛnā*) *v.i.* 1. to swell up (tears, crowd, love) 2. to overflow (stream)
उमर (*umar*) *f.* /**उम्र** (*umra*) *f.* 1. age 2. lifetime
उमस (*umas*) *f.* sultriness, stuffiness
उम्दा (*umdā*) *a.* nice, fine, excellent
उम्मत (*ummat*) *f.* 1. people of the same faith or race 2. sect
उम्मीद (*ummīd*) *f.* hope
उम्मीदवार (*ummīdvār*) *m.* candidate
उर (*ur*) *m.* heart, breast, chest
उरग (*urag*) *m.* snake, serpent
उरद (*urad*) *m.* /**उड़द** (*uṛad*) *m.* (a pulse) black pulse
उरु (*uru*) *m.* thigh
उरोज (*uroj*) *m.* /**उरोरुह** (*uroruh*) *m.* the female breast
उर्दू (*urdū*) *f.* Urdu (language)
उर्फ़ (*urfa*) *m.* alias
उर्वर (*urvar*) *a.* fertile
उर्वरक (*urvarak*) *m.* fertilizer
उर्वरा (*urvarā*) *a.*& *f.* fertile
उर्स (*ursa*) *m.* Muslim saint's demise or his death anniversary
उलझन (*uljhan*) *f.* 1. complication, intricacy 2. imbroglio
उलझना (*ulajhna*) *v.i.* 1. to be entangled 2. to be involved
उलझाना (*uljhānā*) *v.t.* 1. to entangle 2. to complicate
उलटना (*ulaṭnā*) *v.t.* 1. to overturn, to turn upside down, to turn inside out 2. to invert
उलटा (*ulṭā*) *a.* /**उल्टा** (*ulṭā*) *a.* 1. inverse, inverted 2. reverse, contrary
उलटाना (*ulṭānā*) *v.t.* 1. to reverse 2. to return 3. to turn (pages)
उलटी (*ulṭī*) *f.* vomiting
उलाहना (*ulāhnā*) *m.* complaint
उलूक (*ulūk*) *m.* owl
उल्का (*ulkā*) *f.* meteor
  उल्का-पात *m.* falling of a meteor
  उल्का-पिंड *m.* meteorite
उल्था (*ulthā*) *m.* rendition, translation, rendering
उल्लंघन (*ullanghan*) *m.* violation, infringement, contravention, transgression
उल्लसित (*ullasit*) *a.* elated with joy, jubilant, delighted
उल्लास (*ullās*) *m.* 1. elation 2. merriment, ecstasy
उल्लिखित (*ullikhit*) *a.* 1. written above 2. above-mentioned
उल्लू (*ullū*) *m.* 1. owl 2. a stupid fellow, blockhead
उल्लेख (*ullekh*) *m.* mention, reference
उल्लेखनीय (*ullekhanīya*) *a.* /**उल्लेख्य** (*ullekhya*) *a.* mentionable, worth mentioning, noteworthy, notable, remarkable
उषा (*uṣā*) *f.* dawn, daybreak

उ

उषापान *m.* first drink of water in the morning

उष्ट्र (*uṣṭra*) *m.* camel

उष्ण (*uṣṇa*) *a.* hot

उष्णकाल *m.* summer

उष्णता (*uṣṇatā*) *f.* heat, warmth

उस (*us*) *pron.* it, he, she, that

उसका his, her, its

उसकाना (*uskānā*) *v.i.* to instigate, to incite, to provoke

उसूल (*usūl*) *m.* principle

उस्तरा (*ustarā*) *m.* /**उस्तुरा** (*usturā*) *m.* razor

उस्ताद (*ustād*) 1. master, skilful man, adept, expert 2. teacher, tutor 3. clever person

ऊ

ऊ

ऊँघ (*ūṁgh*) *f.* doze, snooze, drowsiness

ऊँघना (*ūṁghnā*) *v.i.* to doze, to snooze, to feel drowsy, to nap

ऊँचा (*ūṁcā*) *a.* high, tall, lofty

ऊँचाई (*ūṁcāī*) *f.* 1. height, loftiness 2. elevation 3. altitude 4. greatness, nobility

ऊँट (*ūṁṭ*) *m.* camel

ऊँटनी (*ūṁṭnī*) *f.* female camel

ऊँहूँ (*ūṁhūṁ*) *interj.* nay! no, no! no, never!

ऊख (*ūkh*) *a.* sugar-cane

ऊखल (*ūkhal*) *m.* mortar of stone or wood

ऊटपटांग (*ūṭpaṭāṅg*) *a.* 1. haphazard, random 2. useless

ऊदबिलाव (*ūdbilāv*) *m.* otter

ऊधम (*ūdham*) *m.* 1. noise, uproar, row 2. disturbance

ऊनी (*ūnī*) *a.* made of wool, woollen

ऊपर (*ūpar*) *adv.* up, atop, above, over, on, upon

ऊपर वाला *m.* the Supreme Being

ऊपरी (*ūprī*) *a.* 1. upper 2. superficial, cursory 3. showy 4. overhead 5. additional, extra

ऊब (*ūb*) *f.* feeling of aversion

ऊबड़-खाबड़ (*ūbaṛ-khābaṛ*) *a.* rough, rugged

ऊबना (*ūbnā*) *v.i.* to be bored, to feel fed up or tired

ऊरु (*ūru*) *m.* thigh, shank

ऊर्जस्विता (*ūrjasvitā*) *f.* energy, vitality, power, strength

ऊर्जा (*ūrjā*) *f.* energy, vigour

ऊर्ध्व (*ūrdhva*) *a.* 1. high, lofty 2. vertical, upward

ऊर्ध्व श्वास *m.* last breath, deep breath

ऊर्मि (*ūrmi*) *f.* 1. wave, surge, billow 2. current, flow

ऊषा (*ūṣā*) *f.* dawn, early morning, daybreak

ऊष्म (*ūṣma*) I. *a.* hot II. *m.* heat

ऊष्मा (*ūṣmā*) *f.* heat

ऊसर (*ūsar*) I. *a.* (of land) barren, unproductive II. *m.* fallow land, deserted soil

ऊहापोह (*ūhāpoh*) *m.* consideration of the pros and cons of a question

ऋ

ऋ

ऋकार (*r̥kār*) *m.* the letter and sound ऋ

ऋक् (*r̥k*) *m.* /**ऋग्** (*r̥g*) *m.* Vedic hymn, a verse of the Rigveda

ऋग्वेद (*r̥gveda*) *m.* Rigveda, the earliest and most important of the four Vedas, which contains ten books and 1,017 hymns

ऋचा (*r̥cā*) *f.* Vedic hymn, verse, stanza, text (especially of the Rigveda)

ऋजु (*r̥ju*) *a.* 1. straight, upright 2. sincere, honest 3. direct

ऋजुता (*r̥jutā*) *f.* 1. straightness, uprightness, rectitude 2. straight forwardness, honesty, sincerity

ऋण (*r̥ṇ*) *m.*1. debt, loan 2. obligation 3. minus, negative quantity

ऋणात्मक (*r̥ṇātmak*) *a.* negative

ऋणी (*r̥ṇī*) I. *a.* 1. indebted, in debt 2. obliged, under obligation II. *m.* debtor

ऋतंभर (*r̥tambhar*) I. *a.* placid, sober, tranquil II. *m.* God

ऋतंभरा (*r̥tambharā*) *f.* placid intellect, soberiety

ऋत (*r̥t*) *m.* divine law, truth, righteousness, truth personified

ऋतु (*r̥tu*) *f.* 1. season, weather 2. monthly course (of a woman), menstrual discharge

ऋत्विक (*r̥tvik*) *m.* /**ऋत्विज** (*r̥tvij*) *m.* priest in yagya (sacrifice), Vedic Brahmin

ऋद्धि (*r̥ddhi*) *f.* 1. growth, affluence, prosperity 2. good fortune

ऋद्धि-सिद्धि *f.* prosperity and accomplishment or success

ऋषभ (*r̥ṣabh*) *m.* 1. bull 2. eminent, the best 3. (music) the second note of the Indian musical scale

ऋषि (*r̥ṣi*) *m.* sage, seer

ऋषिकल्प *a.* saintlike, saintly

ए

ए

एक (*ek*) *a.* 1. one 2. single, solitary 3. united 4. same
एकचित्त *a.* single-minded, attentive
एकछत्र *a.* having undisputed sway, supreme
एकछत्र राज्य *a.* absolute monarchy
एकजुट *a.* united
एकटक *a.* with fixed look
एकतंत्र *m.* monarchy, autocracy
एकतरफ़ा *a.* unilateral, ex parte
एकतला *a.* having only one floor, single-storeyed
एकतारा *m.* single-stringed instrument
एकदम *adv.* all at once, all of a sudden
एक न चलना to be helpless
एकनिष्ठ *a.* devoted to only one, loyalty to one only
एकपक्षीय *a.* one-sided
एकपत्नीव्रत *m.* monogamic
एकपाद *a.* single-footed, lame
एकमंज़िला *a.* one-storeyed
एकमत *a.* unanimous
एकमात्र *a.* only one, single, sole
एकमुश्त *a.* (a) lump sum, handful (b) in full payment
एक-सा *a.* alike, similar

एकता (*ektā*) *f.* 1. unity, oneness 2. identity, sameness

एकत्र (*ekatra*) *a.* collected together

एकत्रित (*ekatrit*) *a.* gathered, collected, together

एकल (*ekal*) *a.* sole, single, lonely, alone, solitary, isolated

एकांकी (*ekāṅkī*) I. *a.* one act II. *m.* one-act play

एकांगी (*ekāṅgī*) *a.* one-sided

एकांत (*ekānt*) I. *a.* 1. secluded, solitary 2. private II. *m.* solitude
एकांत-वास *m.* solitude, seclusion

एका (*ekā*) *m.* unity, unison

एकाएक (*ekāek*) *adv.* suddenly, all of a sudden

एकाकार (*ekākār*) *a.* 1. of the same shape or form, similar, alike 2. united, intermingled

एकाकिनी (*ekākinī*) *a.&f.* alone (woman), solitary

एकाकी (*ekākī*) *a.* 1. lonely, single, solitary 2. isolated

एकाक्ष (*ekākṣa*) *a.* one-eyed, blind

ए

of one eye
एकाग्र (*ekāgra*) *a.* closely attentive, concentrated
एकाग्रता (*ekāgratā*) *f.* concentration (of mind)
एकात्म (*ekātma*) I. *m.* 1. very intimate or close 2. integrated II. *m.* universal spirit
एकात्मवाद *m.* doctrine of universal spirit
एकादश (*ekādaś*) *a.*& *m.* eleven
एकादशी (*ekādaśī*) *f.* eleventh day of a lunar fortnight
एकाध (*ekādh*) *a.* one or two
एकाधिक (*ekādhik*) *a.* more than one, many
एकाधिपत्य (*ekādhipatya*) *m.* 1. sole and absolute right/sovereignty 2. autocracy
एकार (*ekār*) *m.* the letter ए
एकीकरण (*ekīkaraṇ*) *m.* unification, integration
एकेश्वर (*ekeśvar*) *m.* only one God
एकेश्वरवाद *m.* monotheism
एटम (*etam*) *m.* atom
एटम शक्ति *f.* atomic power
एड़ (*eṛ*) *f.* 1. heel 2. spur
एड़ी (*eṛī*) *f.* heel (of foot), heel of a shoe
एतद् (*etad*) *pron.* this
एतद्द्वारा *adv.* through this
एतबार (*etbār*) *m.* faith, confidence, trust
एतराज़ (*etrāz*) *m.* objection
एतवार (*etvār*) *m.* Sunday
एरंड (*eraṇḍ*) *m.* castor oil plant and seed
एलान (*elān*) *m.* public declaration or announcement
एवं (*evaṁ*) *conj.* as well as, also, and
एवज़ी (*evazī*) *a.* officiating, substitute
एशियन (*eśiyan*) *a.* /**एशियाई** (*eśiyāī*) *a.* Asian
एषणा (*eṣṇā*) *f.* ardent desire
एहतियात (*ehtiyāt*) *f.* precaution, care
एहतियातन (*ehtiyātan*) *adv.* by way of precaution
एहसान (*ehsān*) *m.* obligation, favour
एहसान-फ़रामोश *a.* ungrateful
एहसानमंद *a.* obliged, grateful
एहसास (*ehsās*) *m.* 1. feeling 2. consciousness

ऐ

ऐंच (*aiṁc*) *f.* 1. pulling, dragging 2. stretching, tightening 3. scarcity

ऐंचातानी (*aiṁcātānī*) *f.* stretching and straining, tugging and pulling

ऐंठ (*aiṁṭh*) *f.* 1. twist 2. conceit

ऐंठन (*aiṁthan*) *f.* 1. twist, coil, contortion 2. cramp, spasm

ऐंठना (*aiṁṭhnā*) *v.i.* & *v.t.* 1. to twist, to distort, to convulse, to writhe 2. to tighten

ऐंद्रजालिक (*aiṁdrajālik*) I. *a.* magical II. *m.* magician, conjurer

ऐकिक (*aikik*) *a.* unitary

ऐक्य (*aikya*) *m.* 1. union, unity 2. harmony 3. uniformity

ऐच्छिक (*aicchik*) *a.* voluntary, optional

ऐच्छिक विषय *m.* optional subject

ऐतिहासिक (*aitihāsik*) *a.* historical

ऐतिहासिकता (*aitihāsikatā*) *f.* historical genuineness

ऐन (*ain*) *a.* exact, just

ऐनक (*ainak*) *f.* spectacles, eyeglasses, looking glass

ऐब (*aib*) *m.* 1. fault, defect 2. vice, shortcoming

ऐयार (*aiyār*) I. *m.* spy, secret service agent II. *a.* crafty, cunning

ऐयारी (*aiyārī*) *f.* 1. espionage 2. wickedness 3. fraud

ऐयाश (*aiyāś*) I. *a.* lewd, voluptuous, libidinous II. *m.* sexy person, debauch

ऐयाशी (*aiyāśī*) *f.* debauchery, voluptuousness, lewdness

ऐलान (*ailān*) *m.* public declaration or announcement

ऐश (*aiś*) *f.* 1. merrymaking, enjoyment 2. luxury

ऐश्वर्य (*aiśvarya*) *m.* 1. godliness, divinity 2. prosperity, affluence

ऐश्वर्यशाली *a.* prosperous, wealthy, opulent, majestic

ऐसा (*aisā*) *a.* such, like this

ऐहिक (*aihik*) *a.* worldly

ओ

ओ

ओं (*oṁ*) *m.* mystic name of God

ओंकार (*oṁkār*) *m.* the symbol Om, the incantation 'Om'

ओंठ (*oṁth*) *m.* lip

ओकाई (*okāī*) *f.* nausea, vomiting sensation

ओखली (*okhlī*) *f.* mortar

ओछा (*ochā*) *a.* 1. mean, low, vulgar, frivolous 2. shallow

ओज (*oj*) *m.* 1. vigour, power, prowess, vitality 2. lustre
  ओजपूर्ण *a.* vigorous

ओजस्विता (*ojasvitā*) *f.* 1. vigour, might, strength 2. lustre

ओजस्वी (*ojasvī*) *a.* 1. vigorous, powerful, valiant 2. lustrous

ओझल (*ojhal*) *a.* 1. hidden, concealed 2. out of sight

ओझा (*ojhā*) *m.* 1. sorcerer, wizard 2. a caste of Brahmins

ओट (*oṭ*) *f.* 1. hiding place 2. protection 3. concealment

ओटना (*oṭnā*) *v.t.* to pick or separate seeds (from cotton)

ओड़ा (*oṛā*) *m.* basket

ओढ़ना (*oṛhnā*) *v.t.* to cover with a cloth, to put on

ओढ़नी (*oṛhnī*) *f.* a woman's veil

ओढ़ाना (*oṛhānā*) *v.t.* to cover with a sheet

ओत-प्रोत (*ot-prot*) *a.* 1. cross-threaded 2. warp and woof

ओफ़ (*of*) *interj.* oh! ah me! (expression of pain, grief, wonder)

ओम् (*om*) *m.* mystic name of God
  ओम् नमः I salute God

ओर (*or*) *f.* side, direction
  ओर-छोर *m.* the two ends, beginning and the end

ओला (*olā*) *m.* hailstone

औषधि (*auṣadhi*) *f.* /औषधी (*auṣadhī*) *f.* medicine, medicinal herb

ओष्ठ (*oṣṭha*) *m.* lip

ओस (*os*) *f.* dew

ओसारा (*osārā*) *m.* penthouse, porch, verandah

ओह (*oh*) *interj.* oh! ha!

ओहदा (*ohdā*) *m.* rank, office

औ

औंधा (*auṁdhā*) *a.* with the face turned downwards, overturned

औक़ात (*auqāt*) *f.* 1. status, position 2. capacity 3. wealth

औगुन (*augun*) *m.* disqualification, defect, fault

औघड़ (*aughaṛ*) *a.* ill-formed, awkward

औचक (*aucak*) *adv.* unexpectedly, suddenly, accidentally

औचित्य (*aucitya*) *m.* aptness

औटना (*auṭnā*) *v.i.* to boil

औटाना (*auṭānā*) *v.t.* to boil

औढर (*auḍhar*) *a.* 1. self-willed 2. easily propitiated
औढरदानी *m.* bountiful donor, liberal giver, Lord Shiva

औत्सुक्य (*autsukya*) *m.* 1. curiosity, anxiety 2. ardent desire

औदार्य (*audārya*) *m.* liberality, generosity, nobility

औद्योगिक (*audyogik*) *a.* industrial
औद्योगिक क्रांति *f.* industrial revolution

औद्योगीकरण (*audyogīkaraṇ*) *m.* industrialization

औपचारिक (*aupcārik*) *a.* formal
औपचारिक शिक्षा *f.* formal education

औपचारिकता (*aupcārikatā*) *f.* formality

औपनिषदिक (*aupniṣadik*) *a.* of or pertaining to the Upnishads

औपसर्गिक (*aupsargik*) *a.* 1. relating to a prefix 2. ominous

और (*aur*) I. *conj.* and II. *pron.* other, another III. *a.* more
और तो और not only that

औरत (*aurat*) *f.* 1. woman, lady 2. wife

औरस (*auras*) *a.* legitimate

औलाद (*aulād*) *f.* progeny, offspring, children

औलिया (*auliyā*) *m.* Muslim saint, apostle

औषधालय (*auṣadhālaya*) *m.* 1. pharmacy 2. dispensary

औषधि (*auṣadhi*) *f.* medicinal herb, medicine

औसत (*aūsat*) *m.* average, mean

औसतन (*ausatan*) *adv.* on an average

औसाना (*ausānā*) *v.t.* to winnow

क

क

कंकड़ (*kaṅkaṛ*) *m.* stone particles
कंकड़ी (*kaṅkaṛī*) *f.* /**कंकरी** (*kaṅkarī*) *f.* small pebble
कंकड़ीला (*kaṅkaṛīlā*) *a.* stony
कंकण (*kaṅkaṇ*) *m.* 1. bracelet 2. marriage thread
कंकर (*kaṅkar*) *m.* coarse limestone, nodule of limestone
कंकाल (*kaṅkāl*) *m.* skeleton
कंगन (*kaṅgan*) *m.* bracelet, bangle
कंगारू (*kaṅgārū*) *m.* kangaroo, an animal found in Australia
कंगाल (*kaṅgāl*) *a.* & *m.* poor
कंगाली (*kaṅgālī*) *f.* poverty
कंगूरा (*kaṅgūrā*) *m.* parapet
कंघा (*kaṅghā*) *m.* comb
कंघी (*kaṅghī*) *f.* a small comb
कंचन (*kañcan*) *m.* gold
कंचुकी (*kañcukī*) *m.* bodice
कंज (*kañj*) *m.* lotus
कंजा (*kañjā*) *a.* blue-eyed
कंजूस (*kañjūs*) *m.*& *a.* miser, niggardly
कंजूसी (*kañjūsī*) *f.* miserliness
कंटक (*kaṇṭak*) *m.* thorn
कंटकाकीर्ण (*kaṇṭakākīrṇa*) *a.* thorny, prickly
कँटीला (*kaṁṭīḷā*) *a.* thorny, prickly
कंटोप (*kaṇṭop*) *m.* a cap which covers the ears
कंठ (*kaṇṭh*) *m.* throat, larynx
 कंठगत *a.* committed to memory
 कंठहार *m.* necklace
कंठा (*kaṇṭhā*) *m.* necklace of large beads
कंठाग्र (*kaṇṭhāgra*) *a.* learned by rote, committed to memory
कंठी (*kaṇṭhī*) *f.* necklace of small beads
कंडाल (*kaṇḍāl*) *m.* trough
कंडी (*kaṇḍī*) *f.* a piece of dried cow-dung
कंत (*kant*) *m.* 1. lover 2. husband
कंद (*kand*) *m.* bulb, tuber
 कंदमूल *m.* rootlet, rhizome
कंदरा (*kandarā*) *f.* cavern, cave,
कंदर्प (*kandarpa*) *m.* god of sex, Cupid
कंदुक (*kanduk*) *m.* ball
कंधा (*kandhā*) *m.* shoulder
कंप (*kamp*) *m.* trembling, tremor
कँपकँपी (*kaṁpkaṁpī*) *f.* shivering
कंपन (*kampan*) *m.* trembling
कंपमान (*kampmān*) *a.* trembling
कंपायमान (*kampāymān*) *a.*

1. wavering 2. trembling, shivering
कंपित (*kampit*) *a.* shaken
कंबख़्त (*kambakhta*) *a.* wretched
कंबल (*kambal*) *m.* blanket, rug
कई (*kaī*) *pron.* several
ककड़ी (*kakṛī*) *f.* cucumber
ककहरा (*kakahrā*) *m.* 1. Indian syllabary 2. the alphabet, ABC
कक्ष (*kakṣa*) *m.* room
कक्षा (*kakṣā*) *f.* 1. class 2. orbit
कगार (*kagār*) *f.* 1. cornice 2. overhanging section of cliff or bank
कचड़ा (*kacṛā*) *m.* rubbish
कचनार (*kacnār*) *m.* a tree bearing edible flowers and beans
कचरना (*kacarnā*) *v.t.* to crush
कचहरी (*kacahrī*) *f.* court of law
कचालू (*kacālū*) *m.* an edible root
कचूमर (*kacūmar*) *m.* 1. jam of a fruit 2. anything crushed
कचोट (*kacoṭ*) *f.* searing pain
कचोटना (*kacoṭnā*) I. *v.i.* to ache II. *v.t.* to pinch
कचौड़ी (*kacauṛī*) *f.* a variety of fried pastry
कच्चा (*kaccā*) *a.* raw, unripe
  कच्चा-पका *a.* half-cooked
कच्छ (*kaccha*) *f.* 1. land bordering on water 2. marsh
कच्छप (*kacchap*) *m.* tortoise
कछार (*kachār*) *f.* marshy land
कछुआ (*kachuā*) *m.* turtle, tortoise
कजरारी (*kajrārī*) *f.* blackness
  कजरारी आँखें *a.* jet black eyes
कजरी (*kajrī*) *f.* a type of folk song sung in rainy season
कटकटाना (*kaṭkaṭānā*) *v.i.* to grind the teeth
कटखना (*kaṭkhanā*) *a.* prone to bite
  कटखना कुत्ता *m.* biting dog
कटघरा (*kaṭgharā*) *m.* 1. large cage 2. witness box
कटहल (*kaṭhal*) *m.* jackfruit
कटाई (*kaṭāī*) *f.* 1. cutting, clipping 2. harvesting 3. harvest
कटाक्ष (*katākṣa*) *m.* sarcasm
कटा-फटा (*kaṭā-phaṭā*) *a.* torn/mutilated (as currency note)
कटार (*kaṭār*) *f.* /**कटारी** (*kaṭārī*) *f.* dagger, stiletto
कटि (*kaṭi*) *f.* waist, loins
  कटिबद्ध *a.* gird up, ready
कटिया (*kaṭiyā*) *f.* 1. fishing hook 2. female calf of a buffalo
कटीला (*kaṭīlā*) *a.* sharp-edged
कटु (*kaṭu*) *a.* 1. pungent 2. bitter
कटुता (*kaṭutā*) *f.* bitterness
कटैया (*kaṭaiyā*) *m.* one who cuts the crop, reaper
कटोरा (*kaṭorā*) *m.* /**कटोरी** (*kaṭorī*) *f.* a small metal bowl
कटौती (*kaṭautī*) *f.* 1. abatement, deduction 2. discount, rebate
  कटौती प्रस्ताव *m.* cut motion
कट्टर (*kaṭṭar*) *a.* strict
  कट्टरपंथी *a.* & *m.* orthodox
कट्टरता (*kaṭṭartā*) *f.* fanaticism
कठघरा (*kaṭhgharā*) *m.* wooden cage
कठपुतली (*kaṭhputlī*) *f.* puppet, a wooden doll
कठमुल्ला (*kaṭhmullā*) *m.* 1. crude

क

man 2. bigot, fanatic
कठिन (*kaṭhin*) *a.* difficult, hard
कठिनता (*kaṭhintā*) *f.* /**कठिनाई** (*kaṭhināī*) *f.* difficulty
कठोर (*kaṭhor*) *a.* 1. hard, stiff 2. strict, rigid 3. unkind, cruel
कठौता (*kaṭhautā*) *m.* wooden tub
कठौती (*kaṭhautī*) *f.* wooden bowl or dish
कड़क (*kaṛak*) *f.* loud sound
कड़कड़ (*kaṛkaṛ*) *f.* /**कड़कड़ाहट** (*karkaṛāhaṭ*) *f.* 1. cracking sound 2. clap of thunder
कड़कना (*kaṛaknā*) *v.i.* to thunder
कड़वा (*kaṛvā*) *a.* bitter
कड़ा (*kaṛā*) *a.* 1. hard 2. rigid
कड़ाई (*kaṛāī*) *f.* stiffness, hardness, strictness, toughness
कड़ाह (*kaṛāh*) *m.* deep pan, cauldron
कड़ाही (*kaṛāhī*) *f.* small deep frying pan
कड़ी (*kaṛi*) *f.* 1. hard, tough 2. ring, circular object made of iron 3. link 4. beam rafter
कड़ुआ (*kaṛuā*) *a.* bitter
कढ़ाई (*kaṛhāī*) *f.* 1. embroidery 2. deep frying pan
कढ़ी (*kaṛhī*) *f.* curry prepared with curd and spices
कण (*kaṇ*) *m.* 1. particle 2. drop
कतरन (*kataran*) *f.* 1. cutting, clipping 2. scrap
कतरना (*katarnā*) *v.t.* to cut
कतरनी (*katarnī*) *f.* scissors
कतराना (*katrānā*) *v.i.* to fight shy of, to elude, to avoid
कताई (*katāī*) *f.* spinning
क़तार (*qatār*) *f.* line, row
कतिपय (*katipaya*) *a.* some, a few, several
कत्थई (*katthaī*) *a.* dark red in colour
कत्थक (*katthak*) *m.* a variety of North Indian classical dance
क़त्ल (*qatl*) *m.* murder
  कत्ल-ए-आम *m.* manslaughter
कथन (*kathan*) *m.* statement
कथनानुसार (*kathanānusār*) *adv.* according to one's statement
कथनी (*kathanī*) *f.* anything said
कथनीय (*kathanīya*) *a.* to be said
कथा (*kathā*) *f.* story, tale
  कथाकार *m.* story writer
  कथा साहित्य *m.* fiction
कथात्मक (*kathātmak*) *a.* containing a story, narrative
कथानक (*kathānak*) *m.* plot of a story, drama, novel
कथित (*kathit*) *a.* said, uttered
कथोपकथन (*kathopkathan*) *m.* dialogue, conversation
कथ्य (*kathya*) *m.* subject matter
कदंब (*kadamb*) *m.* a tree and its bell-shaped flower
क़द (*qad*) *m.* height, size
क़दम (*qadam*) *m.* footstep, step
  क़दम-क़दम *adv.* step by step
क़दर (*qadar*) *f.* 1. value 2. regard
कदली (*kadlī*) *m.* plantain, banana plant
कदाचार (*kadācār*) *m.* misconduct, misbehaviour

कदाचारी (*kadācārī*) *a.* wicked
कदाचित् (*kadācit*) *adv.* scarcely, hardly ever, sometimes
कदापि (*kadāpi*) *adv.* at any account
कद्दू (*kaddū*) *m.* pumpkin, gourd
कद्रदान (*kadradān*) *a.* & *m.* (one) knowing the worth/value, a good judge
कनक (*kanak*) *m.* gold
कनकनाना (*kankanānā*) *v.i.* to be disgusting
कनखजूरा (*kankhajūrā*) *m.* centipede
कनखी (*kanakhī*) *f.* corner of the eye
कनटोप (*kanṭop*) *m.* a cap which covers the ears as well
कनपटी (*kanpaṭī*) *f.* temple
कनफटा (*kanphaṭā*) *a.* & *m.* a person with slit ears
कनफूल (*kanphūl*) *m.* an ear-ornament shaped like a flower
कनात (*kanāt*) *f.* an enclosure of canvas, tent wall
कनिष्ठ (*kaniṣtha*) *a.* 1. youngest 2. junior
कनिष्ठिका (*kanisṭhikā*) *f.* little/last finger
कनीय (*kanīya*) *a.* junior
कन्या (*kanyā*) *f.* 1. unmarried girl 2. sixth zodiac sign, Virgo
 कन्यादान *m.* giving away one's daughter in marriage
 कन्या पाठशाला *f.* girls school
कप (*kap*) *m.* cup
कपट (*kapaṭ*) *m.* deception, fraud
कपड़ा (*kapṛā*) *m.* 1. cloth 2. garment
 कपड़ा उद्योग *m.* textile industry
 कपड़ा-लत्ता *m.* clothes, clothing
कपर्दिका (*kapardikā*) *f.* small shell or cowrie
कपाट (*kapāṭ*) *m.* door
कपाल (*kapāl*) *m.* skull bone
 कपाल-क्रिया *f.* the rite of breaking the skull when burning the dead body
कपाली (*kapālī*) *m.* 1. a sadhu wearing human skull(s) 2. wearing skull(s)
कपास (*kapās*) *f.* cotton plant and its flower
 कपास ओटना *v.t.* to gin cotton
कपि (*kapi*) *m.* ape, monkey
कपित्थ (*kapittha*) *m.* the wood-apple tree
कपिल (*kapil*) *a.* 1. reddish brown 2. brown-haired
कपिला (*kapilā*) *f.* cow
कपूत (*kapūt*) *m.* bad or undutiful son, wicked son
कपूर (*kapūr*) *m.* camphor
कपोत (*kapot*) *m.* 1. pigeon 2. dove
कपोल (*kapol*) *m.* cheek
कपोल-कल्पित (*kapol-kalpit*) *a.* false, unreal
कप्तान (*kaptān*) *m.* captain
कप्तानी (*kaptānī*) *f.* captaincy
कफ (*kaph*) *m.* cough, phlegm
कफ़न (*kafan*) *m.* shroud
कबंध (*kabandh*) *m.* headless
कब (*kab*) *adv.* when
 कबका (a) of what time

(b) since long, since when

कबाड़ (*kabāṛ*) *m.* broken or rejected pieces of things, junk

कबाड़खाना *m.* junkyard

कबाड़ा (*kabāṛā*) *m.* mess

कबाड़िया (*kabāṛiyā*) *m.* /**कबाड़ी** (*kabāṛī*) *m.* a dealer in old or rejected articles

कबाब (*kabāb*) *m.* roasted meat

कबीर (*kabīr*) I. *m.* saint Kabir II. *a.* big, great

कबीर पंथ *m.* the sect founded after saint Kabir

क़बीला (*qabīlā*) *m.* tribe, family

कबूतर (*kabūtar*) *m.* pigeon

कबूल (*kabūl*) *m.*1. acceptance 2. confession, admission

क़ब्ज़ (*qabz*) *f.* constipation

कब्जा (*kabzā*) *m.* possession

क़ब्र (*qabra*) *f.* grave, tomb

क़ब्रिस्तान (*qabristān*) *m.* graveyard, burial ground, cemetery

कभी (*kabhī*) *adv.* ever, some time or other, sometimes

कभी-कभार *adv.* /**कभी-कभी** *adv.* now and then, occasionally

कमंडल (*kamaṇḍal*) *m.* /**कमंडलु** (*kamaṇḍalu*) *m.* a pot or vessel with a spout

कमंद (*kamand*) *f.* 1. a scaling ladder, rope 2. lasso

कम (*kam*) *a.* 1. less 2. short, scanty

कमअक्ल *a.* of little wit or sense, stupid, foolish

कमउम्र *a.* of young age

कमज़ोर (*kamzor*) *a.* weak, feeble

कमनीय (*kamanīya*) *a.* comely, seemly, lovely

कमर (*kamar*) *f.* waist

कमरतोड़ *a.* back-breaking, arduous, toilsome

कमरबंद *m.* waistband, belt

कमरा (*kamrā*) *m.* room

कमल (*kamal*) *m.* lotus

कमलगट्टा *m.* seed of lotus

कमलनयन *a.* lotus-eyed

कमला (*kamalā*) *f.* 1. beautiful lady 2. an epithet of goddess Lakshmi

कमलाक्ष (*kamalākṣa*) *a.* lotus-eyed

कमली (*kamlī*) *f.* small blanket

कमाई (*kamāī*) *f.* earning

कमाऊ (*kamāū*) *a.* industrious

कमान (*kamān*) *f.* 1. bow 2. command (of an army)

कमान खींचना *v.t.* to draw a bow

कमाना (*kamānā*) *v.t.* 1. to earn 2. to clean latrines

कमाल (*kamāl*) *m.* 1. wonderful work 2. excellence

कमी (*kamī*) *f.* 1. lack, scarcity, shortage 2. shortcoming

कमीज़ (*kamīz*) *f.* shirt

कमीना (*kamīnā*) *a.* low, mean

कमोड (*kamoḍ*) *m.* commode

क़यामत (*qayāmat*) *f.* 1. catastrophe, doom 2. Last Judgement, the day of resurrection

क़यामत का दिन *m.* doomsday, day of Last Judgement

क़यास (*qayās*) *m.* 1. guess, conjecture 2. imagination

कर (*kar*) *m.* 1. hand 2. tax

करतल *a.* palm of the hand

करतल-ध्वनि *f.* clapping, cheers

करदाता *m.* tax-payer

करकरा (*karkarā*) *a.* 1. harsh, unkind 2. crisp

करकराना (*karkarānā*) *v.i.* to crackle

करघा (*karghā*) *m.* loom

करछी (*karchī*) *f.* ladle

करणीय (*karaṇīya*) *a.* fit to be done

करतब (*kartab*) *m.* 1. art, skill 2. wonderful performance

करतार (*kartār*) *m.* God

करतूत (*kartūt*) *f.* evil deed

करधनी (*kardhanī*) *f.* girdle

करना *(Karna) v.t.* 1. to do 2. to perform 3. to make 4. to act

करनी (*karnī*) *f.* 1. deed 2. misdeed

करम (*karam*) *m.* fate, luck

करवट (*karvaṭ*) *f.* the position of lying or sleeping on one's side

करवा चौथ (*karvā cauth*) *m.* fourth day of the dark fortnight in Kartik month when married women fast for the welfare of their husbands

करामात (*karāmāt*) *f.* miracle

क़रार (*qarār*) *m.* agreement

क़रारनामा *m.* written agreement

करारा (*karārā*) *a.* 1. crisp (as a biscuit) 2. hard hitting (as a blow or slap)

कराल (*karāl*) *a.* dreadful

कराह (*karāh*) *f.* moaning sound

कराहना (*karāhnā*) *v.i.* to moan, to cry in pain

करिश्मा (*kariśmā*) *m.* miracle

क़रीब (*qarīb*) *adv.* near, close

क़रीब-क़रीब (a) almost, approximately (b) adjacent

करीर (*karīr) m.* /**करील** (*karīl*) *m.* a thorny leafless shrub

करुण (*karuṇ*) *a.* 1. sad 2. pitiful

करुण रस *m.* pathos

करुणा (*karuṇā*) *f.* pity, pathos

करुणानिधान *a.* full of compassion or pity, merciful, God

करुणार्द्र (*karuṇārdra*) *a.* moved with pity, melted with pity

करेला (*karelā*) *m.* bitter gourd (vegetable)

करैत (*karait*) *m.* a kind of poisonous snake

करोड़ (*karoṛ*) *a.* & *m.* crore, ten million, 1,00,00,000

करोड़पति *m.* a multi-millionaire

कर्क (*kark*) *m.* crab

कर्क राशि *f.* the sign of Cancer in the zodiac

कर्क रेखा *f.* Tropic of Cancer

कर्क संक्रांति *f.* summer solstice

कर्कटी (*karkaṭī*) *f.* 1. female crab 2. cucumber

कर्कश (*karkaś*) *a.* 1. harsh 2. (of a person) rude, impolite

कर्कशा (*karkaśā*) *f.* violent-tempered or quarrelsome woman

क़र्ज़ (*qarz*) *m.* debt, loan

क़र्ज़दार *m.* debtor, borrower

क

कर्ण (*karṇ*) *m.* ear
कर्ण-कटु *a.* harsh, jarring
कर्णधार *m.* boatman
कर्णप्रिय *a.* pleasing to the ear
कर्णेंद्रिय (*karṇendriya*) *f.* organ of hearing, ear
कर्तब (*kartab*) *m.* 1. deed 2. feat
कर्तव्य (*kartavya*) *m.* duty
कर्तव्यनिष्ठ *a.*/ **कर्तव्यपरायण** *a.* devoted to duty, dutiful
कर्तव्यपालन *m.* performance of duty
कर्तव्यविमुख *a.* averse to duty, negligent of duty
कर्ता (*kartā*) *m.* 1. doer 2. maker 3. Creator, God
कर्ता-धर्ता *m.* sole managing member of a family or institution
कर्तार (*kartār*) *m.* Creator, God
कर्दम (*kardam*) *m.* mud, clay
कर्नल (*karnal*) *m.* colonel
कर्पूर (*karpūr*) *m.* camphor
कर्पूर-गौर *a.* white as camphor
कर्म (*karma*) *m.* deed, action
कर्मकांड *m.* rituals
कर्मकुशल *a.* expert in work
कर्मक्षेत्र *m.* place of activity
कर्मचारी *m.* employee, worker
कर्मनिष्ठ *a.* devoted to one's duty, dutiful
कर्मप्रधान (वाक्य) a sentence wherein the object dominates
कर्मफल *m.* result of one s actions/deeds, nemesis
कर्म फोड़ना *v.i.* fate taking adverse course
कर्मभूमि *f.* field of action
कर्मयोग *m.* philosophy of detached action
कर्मवीर *m.* untiring worker
कर्मशील *a.* active, laborious
कर्मस्थल *m.* /**कर्मस्थली** *m.* place of work
कर्महीन *a.* luckless, unlucky
कर्माधीन (*karmādhīn*) *a.* depending on one's actions, destined
कर्मानुरूप (*karmānurūp*) *a.* conforming to an action
कर्मठ (*karmaṭh*) *a.* working diligently, industrious
कर्मणा (*karmaṇā*) *adv.* by action
कर्मण्यता (*karmaṇyatā*) *f.* diligence, devotion to work
कर्मी (*karmī*) *m.* worker, labourer
कर्ष (*karṣa*) *m.* 1. drawing, pulling 2. tilling, cultivating
कर्षण (*karṣaṇ*) *m.* 1. tilling, cultivating 2. traction
कलंक (*kalaṅk*) *m.* 1. spot, stain, stigma 2. blemish, ignominy
कलंकित (*kalaṅkit*) *m.* disgraced, defamed, defiled, blemished
कलंकिनी (*kalaṅkinī*) *f.* unchaste or impure woman, a woman of bad character
कलंकी (*kalaṅkī*) I. *a.* blemished II. *m.* disreputed person, a man of bad repute
कलंदर (*qalandar*) *m.* 1. monkey or bear dancer 2. Muslim mendicant of wandering nature
कल (*kal*) I. *adv.* 1. yesterday 2. tomorrow II. *f.* 1. rest

2. calm, peace 3. machine
कल-कारख़ाना *m.* factory
कलपुर्जे *m.* parts of a machine
कलनाद *m.* melodious sound
कलमुँहा *a.* black-faced, blemished, stigmatised, unlucky
कलरव *m.* twittering of the birds

क़लई (*qalaī*) *f.* 1. tin-plating of utensils 2. plating 3. whitewash

कलकल (*kalkal*) *f.* melodious murmuring sound (as of running water)

कलक्टरी (*kalakṭarī*) *f.* office or regime of a collector

कलगी (*kalgī*) *f.* 1. crest, plume, red fleshy comb of a fowl 2. an ornament for the head

कलछा (*kalchā*) *m.* a large spoon or ladle with a big handle

कलत्र (*kalatra*) *m.* wife, woman

कलपना *(kalapnā) v.i.* to grieve, to wail, to lament

कलफ़ (*kalaf*) *m.* starch

क़लम (*qalam*) *f.* 1. pen 2. brush 3. graft
कलम-दवात *f.* pen and ink-pot
कलमदान *m.* penholder
कलमबंद *a.* penned, noted down

कलमा (*kalmā*) *m.* (Muslim) prayer, confessional words

कलमी (*kalmī*) *a.* grown or produced from graft, grafted

कलवार (*kalvār*) *m.* 1. wine merchant 2. dealer in liquors

कलश (*kalaś*) *m.* 1. water jar, pitcher 2. pinnacle of a temple

कलह (*kalah*) *m.* quarrel, fray
कलहप्रिय *a.* quarrelsome

कला (*kalā*) *f.* 1. art 2. phase of the moon 3. degree
कलाकृति *f.* a work of art
कला-केंद्र *m.* art centre
कला-कौशल *m.* artistic skill
कलादीर्घा *f.* art gallery
कलानिधि *m.* the moon
कलापारखी *m.* /**कलामर्मज्ञ** *m.* connoisseur of art
कलाबाज़ी *f.* somersault
कला संकाय *m.* arts faculty

कलाई (*kalāī*) *f.* wrist
कलाई घड़ी *f.* wristwatch

क़लाक़ंद (*qalāqand*) *m.* a sweetmeat of condensed milk

कलात्मक (*kalātmak*) *a.* artistic

कलाम (*kalām*) *m.* 1. word 2. conversation 3. poetic work

कलाल (*kalāl*) *m.* distiller and seller of liquor

कलियुग (*kaliyug*) *m.* /**कलयुग** *(kalyug) m.* the present fourth age of the world according to Hindu mythology

कलियुगी *(kaliyugī) a.* of the present (fourth)

कलिका (*kalikā*) *f.* bud

कली (*kalī*) *f.* 1. flower bud 2. new feather

कलुष (*kaluṣ*) *m.* 1. filth 2. stain, black spot 3. sin 4. impurity

कलुषित (*kaluṣit*) *a.* 1. defiled 2. tarnished

कलेजा (*kalejā*) *m.* 1. liver 2. heart

क

कलेजी (*kalejī*) *f.* 1. liver (of animals especially goat or sheep) 2. flesh of the heart
कलेवर (*kalevar*) *m.* body
कलेवा (*kalevā*) *m.* light morning meal, breakfast
कलौंजी (*kalauñjī*) *f.* the black aromatic seed of onion
कलोल (*kalol*) *f.* play, sport, frolic, gambol
कल्कि (*kalki*) *m.* the tenth incarnation of Vishnu
कल्प (*kalpa*) *m.* 1. rule, practice 2. age, era, period
  कल्पवास *m.* leading a religious life on the banks of Ganga in the month of Magh (Jan.-Feb.)
कल्पना (*kalpanā*) *f.* imagination
कल्पनातीत (*kalpanātīt*) *a.* beyond imagination, unimaginable
कल्पनीय (*kalpanīya*) *a.* to be imagined, imaginable
कल्पांत (*kalpānt*) *m.* 1. end of an era 2. end of the world
कल्पांतर (*kalpāntar*) *m.* 1. another era 2. from one era to another
कल्पित (*kalpit*) *a.* 1. imagined, fancied 2. fictitious
कल्मष (*kalmaṣ*) *m.* 1. dirt, filth 2. stain, spot 3. sin 4. impurity
कल्याण (*kalyāṇ*) *m.* welfare, good
  कल्याणकारी *a.* beneficial
कल्याणी (*kalyāṇī*) *f.* 1. a woman harbinger of good luck and prosperity 2. auspicious cow
कल्लोल (*kallol*) *m.* 1. surging wave 2. roaring of the sea 3. joy
कल्लोलिनी (*kallolinī*) *f.* river with big waves, river
कवच (*kavac*) *m.* armour
कवयित्री (*kavayitrī*) *f.* poetess
कवलित (*kavalit*) *a.* devoured, eaten, swallowed down
क़वायद (*qavāyad*) *f.* drill, parade
कवि (*kavi*) *m.* poet
  कवि-कर्म *m.* versification, composition of poems
  कवि-गुरु *m.* chief among poets
  कवि-राज *m.* (a) prince among poets (b) a title of Ayurvedic physicians
कविता (*kavitā*) *f.* poem, poetry
कवित्त (*kavitta*) *m.* a particular form and metre of verse
कवित्व (*kavitva*) *m.* 1. poetic quality, poetic talent 2. poetry
कवीन्द्र (*kavīndra*) *m.* /**कवीश्वर** (*kavīśvar*) *m.* king among poets, the poet lord
क़व्वाल (*qavvāl*) *m.* a singer/musician who sings religious songs (usu. a Muslim)
क़व्वाली (*qavvālī*) *f.* a form of group song in praise of God
कश (*kaś*) *m.* 1. inhalation 2. puff of smoke
कशमकश (*kaśmakaś*) *f.* 1. struggle 2. hesitation
कशा (*kaśā*) *f.* 1. whip 2. rope
कशाघात (*kaśāghāt*) *m.* whipping, lashing, scourging
कशिश (*kaśiś*) *f.* attraction
कशीदा (*kaśīdā*) *m.* /**कशीदाकारी** (*kaśīdākārī*) *f.* embroidery

कश्ती (*kaśtī*) *f.* boat, vessel
कश्मीरी (*Kaśmīrī*) I. *a.* of Kashmir II. *m.* Kashmiri inhabitant
कश्शाफ (*kaśśāf*) *a.* very clear, explicit
कषाय (*kaṣāy*) *a.* of astringent taste or flavour
कष्ट (*kaṣṭa*) *m.* 1. affliction, pain 2. trouble 3. suffering
  कष्टकर *a.* /**कष्टप्रद** *a.* painful
कसक (*kasak*) *f.* 1. throbbing pain 2. longing, craving
कसन (*kasan*) *f.* 1. tightening 2. tying, fastening
कसना (*kasnā*) *v.t.* 1. to tie, to bind, to fasten 2. to tighten
कसबा (*kasbā*) *m.* small town
क़सम (*qasam*) *f.* oath
कसमसाना (*kasmasānā*) *v.i.* 1. to writhe 2. to become restless 3. to hesitate
कसर (*kasar*) *f.* 1. lack, shortcoming 2. fraction
कसरत (*kasrat*) *f.* physical exercise
कसरती (*kasratī*) I. *m.* athlete, gymnastic II. *a.* stout, sturdy
कसवाना (*kasvānā*) *v.t.* to cause to be tightened or fastened
क़साइन (*qasāin*) *f.* 1. woman-butcher 2. wife of a butcher
क़साई (*qasāī*) *m.* 1. butcher 2. seller of flesh or meat
  क़साईख़ाना *m.* slaughter house
कसार (*kasār*) *m.* flour fried in ghee and mixed with sugar
क़साव (*qasāv*) *m.* tightness
कसूर (*kasūr*) *m.* 1. fault 2. offence, guilt
  कसूरवार *a.* guilty, at fault
कसेरा (*kaserā*) *m.* bronze smith
कसैला (*kasāilā*) *a.* astringent
कसौटी (*kasaūṭī*) *f.* touchstone
कस्तूरी (*kastūrī*) *f.* musk
  कस्तूरी-मृग *m.* musk-deer
क़स्बा (*qasbā*) *m.* town, township
कहकशां (*kahkaśāṁ*) *m.* the galaxy, Milky Way
कहकहा (*kahkahā*) *m.* loud laugh
कहना (*kahnā*) I. *v.t.* to say, tell II. *m.* 1. word 2. advice
क़हर (*qahar*) *m.* calamity
क़हवा (*qahvā*) *m.* coffee
कहाँ (*kahāṁ*) *adv.* where, at which place
कहा (*kahā*) I. *a.* said, told II. *m.* advice, instruction
  कहा-सुना *m.* remark
  कहासुनी *f.* wordy altercation
कहानी (*kahānī*) *f.* story, tale
  कहानीकार *m.* story writer
कहार (*kahār*) *m.* member of a caste of Hindus whose business is to carry palanquins or do domestic chores, water carrier/bearer.
कहावत (*kahāvat*) *f.* proverb
कहीं (*kahīṁ*) *adv.* 1. anywhere, at any place 2. wherever
काँइयाँ (*kāṁiyāṁ*) *a.* crafty, cunning, crooked
कांक्षा (*kāṅkṣā*) *f.* desire, wish
कांक्षी (*kāṅkṣī*) I. *a.* desirous, long-

ing, expecting II. *m.* expectant

काँख (*kāṁkh*) *f.* armpit

काँखना (*kāṁkhnā*) *v.i.* to grunt, to moan, to cry in pain or grief

काँगड़ी (*kāṁgṛī*) *f.* an earthen ware pot of coals carried by Kashmiris to provide warmth

कांग्रेस दल (*kāṅgres dal*) *m.* Congress party

कांग्रेसी (*kāṅgresī*) *m.* Congressman

काँच (*kāṁc*) *m.* 1. glass 2. anal membrane

काँजी (*kāṁjī*) *f.* sour, gruel of mustard and salt

कांजीघर (*kāñjīghar*) *m.* a pound for cattle

काँटा (*kāṁṭā*) *m.* 1. thorn 2. nail 3. fish-bone 4. balance, scale

काँटेदार *a.* thorny, prickle

काँटी (*kāṁṭī*) *f.* 1. small nail 2. hook

काँठा (*kāṁṭhā*) *m.* throat

कांड (*kāṇḍ*) *m.* 1. chapter of a book 2. untoward happening

कांत (*kānt*) I. *a.* lovely, handsome II. *m.* 1. husband 2. lover

कांता (*kāntā*) *f.* 1. beloved 2. wife

कांतार (*kāntār*) *m.* dense wood or forest

कांति (*kānti*) *f.* 1. brightness, brilliance 2. beauty

काँपना (*kāṁpnā*) *v.i.* to tremble

काँय-काँय (*kāṁykāṁy*) *f.* /**काँव-काँव** (*kāṁv-kāṁv*) *f.* 1. cawing of a crow 2. noise

काँवर (*kāṁnvar*) *f.* a bamboo pole with baskets on both ends used for carrying water from sacred rivers

काँवरी *m.* one who carries the *kanvar*

काँस (*kāṁs*) *f.* a tall species of grass

काँसा (*kāṁsā*) *m.* bronze, an amalgam of zinc and copper

का (*kā*) *prep.* of, belonging to

काइयाँ (*kāiyāṁ*) *a.* shrewd

काई (*kāī*) *f.* moss, scum

काक (*kāk*) *m.* crow

काक-चेष्टा *f.* alertness like that of a crow

काकभुशुंडी *m.* a devotee of Ram who was turned into a crow

काकरेज (*kākrej*) *m.* purple colour

काकलि (*kākali*) *f.* low sweet voice or sound, pleasing tone

काका (*kākā*) *m.* 1. paternal uncle, father's younger brother 2. child

काकातुआ (*kākātuā*) *m.* cockatoo, a species of large parrot

काकी (*kākī*) *f.* wife of father's younger brother

काग (*kāg*) *m.* 1. crow 2. cork

कागज (*kāgaz*) *m.* 1. paper 2. hand-note, document

कागज़-पत्र *m.* documents

कागज़ी नीबू (*kāgazī nībū*) *m.* a variety of lemon which has thin skin

कागज़ी बादाम (*kāgazi bādām*) *m.*

almond with thin crust

काछा (*kāchā*) *m.* drawers coming up to the knees

काज (*kāj*) *m.* 1. work 2. button-hole

काजल (*kājal*) *m.* collyrium

क़ाज़ी (*qāzī*) *m.* 1. a judge in Islam 2. Muslim priest

काजू (*kājū*) *m.* cashew-nut

काट (*kāṭ*) *f.* cut, slash

काटकूट *f.* cancellation

काटछाँट *f.* pruning

काटना (*kāṭnā*) *v.t.* to cut, to chop

काठ (*kāṭh*) *m.* 1. timber 2. wood

काठी (*kāṭhī*) *f.* 1. saddle 2. physique, body, bodily strength

काढ़ना (*kāṛhnā*) *v.t.* 1. to draw (out) 2. to embroider

कातना (*kātnā*) *v.t.* to spin

कातर (*kātar*) *a.* 1. afflicted, distressed 2. impatient, restless

कातिक (*kātik*) *m.* /**कार्तिक** (*kārtik*) *m.* the eighth month of Hindu calendar

कातिब (*kātib*) *m.* 1. writer of documents 2. scribe

क़ातिल (*qātil*) *m.* murderer

क़ातिलाना (*qātilānā*) *a.* murderous

कादंबरी (*kādambarī*) *f.* 1. wine made of kadamb flowers 2. cuckoo 3. an epithet of Goddess Saraswati

कादंबिनी (*kādambinī*) *f.* 1. mass of clouds 2. a mode

कान (*kān*) *m.* ear

कानखजूरा (*kānkhajūrā*) *m.* centipede

कानन (*kānan*) *m.* forest, grove

काना (*kānā*) *a.* one-eyed

क़ानून (*qānūn*) *m.* 1. law 2. rule

क़ानूनगो (*qānūngo*) *m.* a petty revenue officer

क़ानूनन (*qānūnan*) *adv.* legal

क़ानूनी (*qānūnī*) *a.* legal, lawful

क़ानूनी सलाहकार *m.* legal adviser

कान्हड़ा (*kānhaṛā*) *m.* a mode of Indian music

कापालिक (*kāpālik*) *m.* 1. worshipper of Shiva 2. having to do with a skull

कापुरुष (*kāpuruṣ*) *m.* coward

क़ाफ़िया (*qāfiyā*) *m.* rhyme, rhyming syllable in (Urdu poems)

क़ाफ़िर (*kāfir*) *m.* unbeliever, infidel, non-Muslim

काफ़िला (*kāfilā*) *m.* caravan

काफ़ी (*kāfī*) *a.* enough, adequate

काबली चने (*kāblī cane*) *m.* white gram

क़ाबिल (*qābil*) *a.* able, capable

काबुली (*kābulī*) *a.* of or belonging to Kabul

क़ाबू (*qābū*) *m.* control, hold

काम (*kām*) 1. work, task, job 2. business 3. sex

काम कला *f.* art of sexual practice

कामकाज *m.* business

कामगार *m.* worker

कामचलाऊ *a.* provisional

कामचोर *m.* shirker

कामदा *f.* /**कामधेनु** *f.* the mytho-

क

logical cow that fulfils any wish

कामदेव *m.* god of love, Cupid

कामधंधा *m.* occupation

कामयाब *a.* successful

कामयाबी *f.* success

कामशास्त्र *m.* sexual science, sexology

कामना (*kāmnā*) *f.* desire, wish

कामांगना (*kāmāṅgnā*) *f.* woman with sexual attraction

कामांध (*kāmāṅdh*) *a.* blinded by lust or sex

कामिनी (*kāminī*) *f.* beautiful woman, charming lady

कामुक (*kāmuk*) *a.* sexy, full of sexual desire, lustful

कामेंद्रिय (*kāmendriya*) *f.* sex organ

काम्य (*kāmya*) *a.* desirable

क़ायदा (*qāydā*) *m.* 1. rule 2. method 3. manner

क़ायम (*qāyam*) *a.* 1. established 2. firm, fixed

कायर (*kāyar*) *a.* & *m.* coward, timid, cowardly person

क़ायल (*qāyal*) *a.* 1. convinced 2. confessing

काया (*kāyā*) *f.* body

कायाकल्प *m.* rejuvenation

कायिक (*kāyik*) *a.* physical

कार (*kar*) I. *m.* 1. action 2. business II. *f.* (motor) car

कारख़ाना *m.* factory, mill

कारबार *m.* work, business

कारक (*kārak*) *m.* 1. factor 2. agent

कारगर (*kārgar*) *a.* 1. effective 2. useful 3. active

कारण (*kāraṇ*) *m.* cause, reason

कारणवश *adv.* due to a certain cause

कारतूस (*kartūs*) *m.* cartridge

कारवाँ (*kāravāṁ*) *m.* caravan, a large company of travellers

कारा (*kārā*) *f.* /**कारागार** (*kārāgār*) *f.* prison, jail, gaol

काराधीक्षक (*kārādhīkṣak*) *m.* superintendent of a prison

कारीगर (*kārīgar*) *m.* mechanic, artisan, craftsman

कारुणिक (*kāruṇik*) *a.* compassionate, merciful, pitiful

कारोबार (*kārobār*) *m.* business

कार्तिक (*kārtik*) *m.* seventh month of Hindu calendar

कार्पण्य (*kārpaṇya*) *m.* miserliness

कार्मिक (*kārmik*) *m.* personnel

कार्य (*kārya*) *m.* 1. work 2. deed

कार्यकर्ता *m.* worker, agent

कार्यकलाप *m.* activities

कार्यक्षम *a.* capable, competent

कार्यक्षमता *f.* capacity to work

कार्यवाही *f.* (a) action (b) proceedings

कार्य-स्थगन प्रस्ताव *m.* adjournment motion

कार्यान्वयन (*kāryānvayan*) *m.* implementation, execution

कार्यान्वित (*kāryānvit*) *a.* implemented, executed

कार्यालय (*kāryālaya*) *m.* office

कार्रवाई (*kārravāī*) *f.* 1. action 2. proceedings

काल (*kāl*) *m.* 1. time, period

2. age 3. Yama, the god of death 4. death, demise
कालक्रमानुसार *adv.* chronologically
कालचक्र *m.* wheel of time
कालजयी *a.* one who has become immortal
कालपुरुष *m.* Yama
कालसूचक *a.* temporal

कालकूट (*kālkūṭ*) *m.* deadly poison/venom

कालांतर (*kālāntar*) *m.* interval of time

काला (*kālā*) *a.* black
काला-कलूटा *a.* jet black
काला जादू *m.* black magic
काला पानी *m.* prison in Andaman Islands constructed by British for prisoners from mainland (India)
काला सागर *m.* Black Sea

कालातीत (*kālātīt*) *a.* 1. time-barred, lapsed 2. beyond time

कालानुक्रम (*kālānukram*) *m.* sequence of time, chronology

कालावधि (*kālāvadhi*) *f.* 1. time limit 2. period 3. duration

कालिंदी (*kālindī*) *f.* the river Yamuna

कालिका (*kālikā*) *f.* goddess Kali, Durga

कालिख (*kālikh*) *f.* 1. lamp-black, soot 2. black spot

कालिमा (*kālimā*) *f.* 1. blackness 2. black spot, stain, blot

काली (*kālī*) *f.* goddess Kali, Durga

क़ालीन (*qālīn*) *m.* carpet

कालुष्य (*kāluṣya*) *m.* 1. foulness, filthiness 2. impurity

काल्पनिक (*kālpanik*) *a.* imaginary

काव्य (*kāvya*) *m.* poetry
काव्यकृति *f.* poetic work
काव्य शास्त्र *m.* poetics

काव्यात्मक (*kāvyātmak*) *a.* poetic

काव्यानुभूति (*kāvyānubhūti*) *f.* poetic experience

काश (*kāś*) *interj.* denoting wish or desire, would that

काशीफल (*kāśīphal*) *m.* pumpkin, gourd

काश्त (*kāśta*) *f.* cultivating

काश्मीरा (*kāśmīrā*) *m.* a sort of woollen cloth

काश्मीरी (*kāśmīrī*) I. *a.* of or relating to Kashmir II. *m.* inhabitant of Kashmir

काषाय (*kāṣāy*) I. *a.* dyed in saffron colour II. *m.* saffron dress

काष्ठ (*kāṣṭha*) *m.* wood, timber

कास (*kās*) *m.* cough

काहिल (*kāhil*) *a.* lazy, idle

किंकर (*kiṁkar*) *m.* servant

किंकर्तव्यविमूढ़ (*kiṁkartavyavimūṛh*) *a.* in a fix, at wit's end, uncertain what to do

किंकिणी (*kiṁkiṇī*) *f.* a girdle with small bells

किंचित (*kiṁcit*) *a.* & *adv.* some, a little

किंतु (*kiṁtu*) *conj.* but, however

किंवदंती (*kiṁvadantī*) *f.* rumour

कि (*ki*) *conj.* that, in order that

किचकिच (*kickic*) *f.* 1. squabble

क

2. grittiness, grating
किटकिट (*kiṭkiṭ*) *f.* quarrel
कितना (*kitnā*) *adv.* how much
किताब (*kitāb*) *f.* book
किधर (*kidhar*) *adv.* where, whither, in what direction
किनारा (*kinārā*) *m.* 1. edge 2. bank, shore 3. border
किनारी (*kinārī*) *f.* 1. lace 2. border
किन्नर (*kinnar*) *m.* a mythical class of celestial persons
किफ़ायत (*kifāyat*) *f.* thrift
किरकिरी (*kirkirī*) *f.* grittiness
किरण (*kiraṇ*) *f.* beam (of light)
किरमिच (*kirmic*) *m.* canvas
किराएदार (*kirāedār*) *m.* tenant
किरात (*kirāt*) *m.* a sub-Himalayan tribe and its members
किराना (*kirānā*) *m.* grocery
किरानी (*kirānī*) *m.* clerk
किराया (*kirāyā*) *m.* 1. rent 2. fare
किरायानामा *m.* rent deed
किरासन (*kirāsan*) *m.* kerosene
किरिच (*kiric*) *f.* bayonet
किरीट (*kirīṭ*) *m.* tiara, coronet
किरीटधारी/माली *m.* one wearing a coronet, king, prince
किरीटी (*kirīṭī*) *a.* crested, crowned 2. title of Arjuna
किलक (*kilak*) *f.* joyful outcry
किलकारी (*kilkārī*) *f.* sound of joy (especially a child's)
क़िला (*qilā*) *m.* fort, castle
क़िलाबंदी *f.* fortification, ramparts
क़िलेदार *m.* commander of a fort, keeper of a fort
किलो (*kilo*) *m.* kilogram
किलोल (*kilol*) *m.* gambolling, play
क़िल्लत (*qillat*) *f.* 1. scarcity, paucity, shortage 2. want
किल्विष (*kilviṣ*) *m.* offence
किवाड़ (*kivāṛ*) *m.* door
किवाड़ी (*kivāṛī*) *f.* a small door
किशमिश (*kiśmiś*) *f.* dried grapes
किशोर (*kiśor*) I. *m.* juvenile, teenager II. *a.* adolescent, young
किशोरी (*kiśorī*) *f.* teenaged girl, adolescent girl, maid
किश्त (*kiśta*) *f.* checkmate (in chess)
किश्ती (*kiśtī*) *f.* boat
किस (*kis*) *pron.* who, what, which
किसलय (*kislay*) *m.* sprout, shoot, young leaf
किसान (*kisān*) *m.* farmer, ploughman, peasant, cultivator
किसी (*kisī*) *pron.* any
किसे (*kise*) *pron.* (to) whom, which
क़िस्त (*qist*) *f.* 1. instalment 2. premium
किस्म (*qism*) *f.* 1. kind, type, sort 2. variety, quality 3. category
क़िस्मत (*qismat*) *f.* luck, fortune
क़िस्सा (*qissā*) *m.* story, tale, fable
क़िस्सा-कहानी *f.* fiction
क़िस्सागो *m.* story-teller
कीच (*kīc*) *m.* /**कीचड़** (*kīcaṛ*) *m.* mud, grime, mire
कीट (*kīṭ*) *m.* worm, maggot
कीटनाशक दवा *f.* insecticide
कीटाणु (*kīṭāṇu*) *m.* germ, bacillus, bacteria

कीड़ा (*kīṛā*) *m.* worm, insect
क़ीमत (*qīmat*) *f.* price, value
कीमती (*qīmtī*) *a.* costly
क़ीमा (*qīmā*) *m.* minced meat
कीर (*kīr*) *m.* 1. parrot 2. hunter
कीर्तन (*kīrtan*) *m.* congregational singing (of hymns), carol
  कीर्तनकार *m.* performer of prayers or praise
कीर्ति (*kīrti*) *f.* 1. fame, renown, reputation 2. prestige, honour
कीर्तिमान् (*kīrtimān*) *a.* renowned, famous
कील (*kīl*) *f.* 1. nail 2. nose-pin (an ornament) 3. pimple
कुँअर (*kuṁar*) *m.* 1. son, boy 2. prince
कुँअरी (*kuṁarī*) *f.* 1. daughter, girl, virgin 2. princess
कुँआ (*kuṁa*) *m.* well
कुँआरा (*kuṁārā*) I. *a.* unmarried II. *m.* bachelor
कुंकुम (*kuṅkum*) *m.* saffron
कुंचित (*kuñcit*) *a.* shrunk
  कुंचित केश *m.* curled hair
कुंज (*kuñj*) *m.* bower, grove
  कुंजगली *f.* path covered by creepers
  कुंजबिहारी *m.* an epithet of Lord Krishna
कुँजड़ा (*kuṁjṛā*) *m.* vegetable-grower, greengrocer
कुंजर (*kuñjar*) *m.* elephant
कुंजी (*kuñjī*) *f.* 1. key 2. annotation of a book
कुंठा (*kuṇṭhā*) *f.* 1. (psychological) complex 2. frustration
कुंठित (*kuṇṭhit*) *a.* frustrated, disappointed
कुंड (*kuṇḍ*) *m.* 1. pond 2. reservoir 3. basin, cistern, trough
कुंडल (*kuṇḍal*) *m.* 1. coil 2. an ornament of the ears
कुंडलिनी (*kuṇḍalinī*) *f.* a serpent-like coiled vein in the body
कुंडली (*kuṇḍalī*) *f.* 1. horoscope 2. coil 3. loop
कुंडा (*kuṇḍā*) *m.* 1. hasp (of a door) 2. large water bowl
कुंडी (*kuṇḍī*) *f.* a small hasp or chain for a door
कुंतल (*kuntal*) *m.* lock of hair
कुंद (*kund*) I. *a.* 1. blunt 2. dull II. *m.* lotus flower
कुंदन (*kundan*) *m.* pure gold
कुंदा (*kundā*) *m.* 1. block of wood, log 2. butt of a gun
कुंभ (*kumbh*) *m.* 1. water pot 2. Aquarius (sign of the zodiac) 3. a Hindu religious festival
कुंभकार (*kumbhkār*) *m.* potter
कुंभी (*kumbhī*) *f.* a small jar
कुआँ (*kuāṁ*) *m.* well
कुई (*kuī*) *f.* water lily
कुकर्मी (*kukarmī*) I. *m.* evil-doer, malefactor II *a.* wicked
कुकुर (*kukur*) *m.* dog
  कुकुर खाँसी *f.* whooping cough
  कुकुरमुत्ता *m.* mushroom
कुक्कुट (*kukkuṭ*) *m.* cock
कुक्षि (*kukṣi*) *f.* 1. belly 2. womb
कुख्यात (*kukhyāt*) *a.* notorious
कुच (*kuc*) *m.* female breast

क

कुचक्र (*kucakra*) *m.* 1. vicious circle 2. intrigue, conspiracy
कुचलना (*kucalnā*) *v.t.* to suppress
कुचाग्र (*kucāgra*) *m.* nipple (of a woman's breast)
कुछ (*kuch*) *pron.* 1. some, any 2. somewhat, a little
  कुछ-कुछ somewhat, a little
कुजाति (*kujāti*) *f.* low caste
कुज्झटिका (*kujjhaṭikā*) *f.* fog, mist
कुटकी (*kuṭkī*) *f.* a tree and its medicinal root
कुटना (*kuṭnā*) *v.i.* to be beaten
कुटनी (*kuṭnī*) *f.* procuress, bawd
कुटाई (*kuṭāī*) *f.* beating
कुटिया (*kuṭiyā*) *f.* hutment, cottage
कुटिल (*kuṭil*) *a.* crooked, bent
कुटिलता (*kuṭiltā*) *f.* 1. crookedness 2. perversity, hypocrisy
कुटी (*kuṭī*) *f.* /कुटीर (*kuṭīr*) *m.* hut, cottage
  कुटीर उद्योग *m.* cottage industry
कुटुंब (*kuṭumb*) *m.* kinsfolk, kith and kin, near relatives
कुटुंबी (*kuṭumbī*) *m.* kinsman
कुठार (*kuṭhār*) *m.* axe, hatchet
कुठाराघात (*kuṭhārāghāt*) *m.* violent blow
कुड़क (*kuṛak*) *f.* cacle, clucking, the call of a hen to her chickens
  कुड़क मुर्गी *f.* clucking hen
कुड़की (*kuṛakī*) *f.* confiscation
कुढ़न (*kuṛhan*) *f.* jealousy, envy
कुतरना (*kutarnā*) *v.t.* to gnaw, to nibble, to cut with the teeth
कुतर्क (*kutarka*) *m.* false argument, wrong reasoning, bad logic
कुतिया (*kutiyā*) *f.* 1. bitch 2. an abuse
कुतुब (*kutub*) *m.* 1. books 2. pole star
  कुतुबख़ाना *m.* library
  कुतुबनुमा *m.* compass
कुतूहल (*kutūhal*) *m.* curiosity
कुत्ता (*kuttā*) *m.* dog
कुत्सा (*kutsā*) *f.* 1. scandal, slander, calumny 2. disgust
कुत्सित (*kutsit*) *a.* disgusting, nasty
कुदकना (*kudaknā*) *v.i.* to jump
क़ुदरत (*qudrat*) *f.* nature
कुदान (*kudān*) *f.* jump, leap
कुदाल (*kudāl*) *m.* a tool for loosening soil, hoe
कुदृश्य (*kudṛśya*) *m.* bad sight
कुदृष्टि (*kudṛṣṭi*) *f.* evil eye
कुनकुना (*kunkunā*) *a.* warm, tepid, lukewarm (water)
कुपंथ (*kupanth*) *m.* /कुपथ (*kupath*) *m.* evil course (of conduct)
कुपथ्य (*kupathya*) *m.* bad diet
कुपात्र (*kupātra*) *a.* & *m.* unfit or undeserving (person)
कुपित (*kupit*) *a.* angry
कुपुत्र (*kuputra*) *m.* unworthy son
कुपोषण (*kupoṣaṇ*) *m.* malnutrition
कुप्पा (*kuppā*) *m.* large leathern vessel (for oil or ghee)

क

कुप्रचार (*kupracār*) *m.* vicious propaganda
कुप्रथा (*kuprathā*) *f.* evil custom
कुप्रभाव (*kuprabhāv*) *m.* evil effect, ill-effect
कुबड़ा (*kubṛā*) *a.* & *m.* hunchbacked (person)
कुब्ज (*kubja*) *a.* & *m.* hunchback
कुब्जा (*kubjā*) *a.* & *f.* hunchbacked woman or a female character associated with Lord Krishna
कुमार (*kumār*) *m.* 1. bachelor 2. boy 3. prince
कुमारी (*kumārī*) *f.* 1. unmarried girl, virgin 2. princess
कुमार्ग (*kumārga*) *m.* evil path
कुमुद (*kumud*) *m.* white water lily
कुमुदिनी (*kumudinī*) *f.* lily plant
कुम्हड़ा (*kumhaṛā*) *m.* pumpkin
कुम्हलाना (*kumhalānā*) *v.i.* to wither, to fade, to wilt
कुम्हार (*kumhār*) *m.* potter
कुरंग (*kuraṅg*) *m.* 1. antelope 2. bad colour 3. bad feature
कुरकी (*kurkī*) *f.* attachment (of property), confiscation
कुरकुरा (*kurkurā*) *a.* crisp, brittle
कुरता (*kurtā*) *m.* a loose full-sleeved shirt worn usually over pyjamas
कुरती (*kurtī*) *f.* 1. jacket, a waistcoat 2. bodice
कुरबान (*qurbān*) *a.* sacrificed
कुरबानी (*qurbānī*) *f.* sacrifice
कुरसी (*kursī*) *f.* chair
कुरान (*qurān*) *m.* the holy Quran
कुरूप (*kurūp*) *m.* ugly
कुरेद (*kured*) *f.* search, investigation
कुरेदना (*kuredanā*) *v.t.* to scratch
कुर्क (*qurq*) *a.* attached, confiscated, forfeited
कुर्की (*qurqī*) *f.* confiscation
कुर्मी (*kurmī*) *m.* member of a backward class of Hindus
कुर्सी (*kursī*) *f.* chair
कुलंभर (*kulambhar*) *m.* one who maintains family traditions
कुल (*kul*) I. *m.* 1. family 2. clan 3. descent II. *a.* all, entire
कुलगुरु *m.* family priest
कुलदीप/दीपक *m.* the light or glory of a family (a son)
कुल देवता *m.* family god
कुलपति *m.* (a) head of the family (b) vice-chancellor
कुलवधू *f.* a woman of a noble/ dignified family
कुलकुल (*kulkul*) *m.* bubbling
कुलक्षण (*kulakṣaṇ*) *m.* ill-omen, unlucky sign
कुलक्षणी (*kulakṣaṇī*) *f.* a woman of vile disposition
कुलटा (*kulṭā*) *f.* unchaste or impure woman, harlot
कुलफा (*kulfā*) *m.* a leafy vegetable
कुलफी (*kulfī*) *f.* a variety of ice-cream
कुलबुलाना (*kulbulānā*) *v.i.* to be restless or uneasy
कुलवंती (*kulvāntī*) *f.* a woman of noble family
कुलांगना (*kulāṅgnā*) *f.* chaste and

क

virtuous woman

कुलाँच (*kulāṁc*) *f.* long jump (as a deer makes)

कुलाधिपति (*kulādhipati*) *m.* chancellor (of a university)

कुलाबा (*kulābā*) *m.* hinge, hasp

कुलिश (*kuliś*) *m.* axe, hatchet

कुली (*kulī*) *m.* coolie, porter

कुलीन (*kulīn*) *a.* of high or noble family or descent

कुलीन तंत्र *m.* aristocracy

कुलीनता (*kulīntā*) *f.* nobility of descent

कुल्ला (*kullā*) *m.* rinsing or washing the mouth

कुल्हड़ (*kulhaṛ*) *m.* small earthen bowl

कुल्हाड़ा (*kulhaṛā*) *m.* axe, hatchet

कुल्हिया (*kulhiyā*) *f.* small earthen pot

कुश (*kuś*) *m.* a sacrificial grass

कुशल (*kuśal*) *a.* 1. expert, skilful 2. well-being 3. prosperity 4. good fortune

कुशलपूर्वक *adv.* safely

कुशलता (*kuśaltā*) *f.* 1. skill 2. well-being

कुशाग्र (*kuśāgra*) *m.* the sharp point of reed grass, sharp

कुशाग्र बुद्धि *f.* keen intellect

कुश्ती (*kuśtī*) *f.* wrestling

कुष्ठ (*kuṣṭha*) *m.* leprosy

कुसंग (*kusaṅg*) *m.* evil company

कुसंगति (*kusaṅgati*) *f.* bad company

कुसुम (*kusum*) *m.* flower

कुसुमांजलि (*kusumāñjali*) *f.* an offering of flowers

कुसुमित (*kusumit*) *a.* flowered

कुसूर (*qusūr*) *m.* fault, guilt

कुहक (*kuhak*) I. *f.* cooing of a cuckoo II. *m.* magic, jugglery

कुहनी (*kuhanī*) *f.* elbow

कुहरा (*kuharā*) *m.* fog

कुहराम (*kuhrām*) *m.* 1. outcry, furore, tumult 2. lamentation

कुहासा (*kuhāsā*) *m.* fog, mist

कुहू (*kuhū*) *f.* warble of a cuckoo

कूँचना (*kūṁcanā*) *v.t.* to crush

कूँचा (*kūṁcā*) *m.* broom

कूँची (*kūṁcī*) *f.* painting brush

कूँज (*kū ṁj*) *f.* a species of crane

कूक (*kūk*) *f.* 1. cooing or chattering of a cuckoo 2. warble

कूकना (*kūknā*) *v.i.* to coo

कूच (*kūc*) *f.* (especially of troops) marching

कूचा (*kucā*) *m.* 1. lane, street 2. weaver's brush

कूट (*kūṭ*) I. *a.* fraudulent, tricky II. *m.* peak of a mountain

कूटनीति *f.* deceitful policy, diplomacy, stratagem

कूट प्रश्न *m.* puzzle

कूट भाषा *f.* code language

कूटना (*kūṭnā*) *v.t.* to pound, to crush, to thrash, to beat

कूटस्थ (*kūṭastha*) *a.* standing at the top

कूड़ा (*kūṛā*) *m.* rubbish

कूड़ा-करकट *m.* trash, rubbish

कूड़ादान *m.* dustbin

कूतना (*kūtnā*) *v.t.* to estimate, to make a guess

कूद (*kūd*) *f.* jump, spring, leap
कूदना (*kūdanā*) *v.i.* to jump, to leap, to hop
कूप (*kūp*) *m.* well
कूबड़ (*kūbaṛ*) *m.* hunch, hump
कूर्म (*kūrma*) *m.* tortoise, turtle
कूर्मावतार (*kūrmāvtār*) *m.* the second incarnation of Vishnu in the form of a tortoise
कूल (*kūl*) *m.* bank, shore, coast
कूल्हा (*kūlhā*) *m.* haunch, hip
कूवत (*kūvat*) *f.* physical strength
कूष्मांड (*kūṣmāṇḍ*) *m.* gourd
कृत् (*kr̥t*) *a.* done, performed
कृतकार्य *a.* (one) who has accomplished his task, who has succeeded in attaining his object
कृतकृत्य *a.* (a) satisfied (b) (one) who has accomplished his purpose
कृतघ्न (*kr̥taghna*) *a.* ungrateful
कृतघ्नता (*kr̥taghnatā*) *f.* ungratefulness, ingratitude
कृतज्ञ (*kr̥tajña*) *a.* grateful
कृतज्ञता (*kr̥tajñatā*) *f.* gratefulness, gratitude, thankfulness
कृतार्थ (*kr̥tārtha*) *a.* 1. obliged 2. satisfied, gratified
कृति (*kr̥ti*) *f.* 1. act 2. written work 3. creation
कृतिकार *m.* author
कृतित्व (*kr̥titva*) *m.* 1. creation 2.competence, ability 3. accomplishment
कृती (*kr̥tī*) I. *a.* successful II. *m.* 1. composer 2. author
कृत्य (*kr̥tya*) *m.* deed, work
कृत्यका (*kr̥tyakā*) *f.* enchantress, witch
कृत्या (*kr̥tyā*) *f.* female magician
कृत्रिम (*kr̥trim*) *a.* 1. artificial, synthetic 2. unnatural, unreal
कृत्रिमता (*kr̥trimatā*) *f.* 1. artificiality 2. unnaturalness
कृपण (*kr̥paṇ*) *a.* miserly
कृपणता (*kr̥paṇtā*) *f.* miserliness
कृपया (*kr̥payā*) *adv.* please, kindly
कृपा (*kr̥pā*) *f.* kindness, favour, grace
कृपाण (*kr̥pāṇ*) *m.* sword
कृपालु (*kr̥pālu*) *a.* kind, compassionate, tender-hearted
कृमि (*kr̥mi*) *m.* worm, insect
कृमिनाशक *m.* insecticide
कृश (*kr̥ś*) *a.* lean, thin, feeble
कृशकाय *a.* /**कृशतनु** *a.* lean, emaciated
कृषक (*kr̥ṣak*) *m.* farmer, peasant
कृषि (*kr̥ṣi*) *f.* agriculture, farming, cultivation
कृषि मंत्री *m.* Minister of Agriculture
कृष्ण (*kr̥ṣṇa*) *a.* black, incarnation of Lord Vishnu
कृष्ण पक्ष *m.* dark fortnight of lunar month
कृष्णाष्टमी (*kr̥ṣṇāṣṭamī*) *f.* 1. eighth day of dark fortnight in the month of Bhadon 2. the birthday of Lord Krishna

क

केंकड़ा (*keṁkaṛa*) *m.* crab
केंचुआ (*keṁcuā*) *m.* earthworm
केंचुल (*keṁcul*) *f.* /केंचुली (*keṅchulī*) *f.* slough or skin of a snake
केंद्र (*kendra*) *m.* 1. centre 2. station 3. bureau
केंद्र निदेशक *m.* station director
केंद्रित (*kendrit*) *a.* centred
केंद्रीय (*kendrīya*) *a.* central
केतकी (*ketkī*) *f.* screw pine plant and flower
केतु (*ketu*) *m.* 1. meteor 2. flag, banner 3. sign, mark
केदार (*kedār*) *m.* 1. field 2. famous place of pilgrimage in the Himalayas
केयूर (*keyūr*) *m.* bracelet
केला (*kelā*) *m.* banana, plantain and its fruit
केलि (*keli*) *f.* 1. game, play 2. frolic 3. art of love
केवट (*kevaṭ*) *m.* 1. oarsman, boatman 2. fisherman
केवड़ा (*kevṛā*) *m.* screw pine and its strong scented flower
केवल (*keval*) *adv.* only, solely, merely, exclusively
केश (*keś*) *m.* hair
केश-विन्यास *m.* hair-dressing
केशव (*keśav*) *m.* 1. one having long pretty hair 2. an epithet of Vishnu or Lord Krishna
केसर (*kesar*) *m.* saffron
केसरिया (*kesariyā*) *a.* dyed with saffron or yellow colour
केसरी (*kesarī*) *m.* lion
कैंची (*qaiṁcī*) *f.* scissors
कै (*qai*) *f.* vomiting
कैथ (*kaith*) *m.* /कैथा (*kaithā*) *m.* wood-apple, and its fruit
कैद (*qaid*) *f.* imprisonment
कैदखाना *m.* prison, jail
कैदी (*qaidī*) *m.* prisoner, captive
कैफीयत (*kaifīyat*) *f.* 1. statement, account 2. explanation
कैबिनेट (*kaibineṭ*) *f.* 1. an almirah with drawers 2. *m* cabinet, council of ministers
कैरव (*kairav*) *m.* white water lily or lotus
कैवल्य (*kaivalya*) *m.* absolute identity with divinity
कैशोर्य (*kaiśorya*) *m.* youth, adolescence, teenage
कैसा (*kaisā*) *a.* how, what sort/kind of, of what manner
कैसे (*kaise*) *adv.* 1. how, in what manner 2. by what means
कोंच (*koṁc*) *f.* prick, thrust, stab
कोंचना (*koṁcnā*) *v.t.* to prick
कोंपल (*koṁpal*) *f.* a new leaf just sprouting, sprout, shoot
कोंहड़ा (*koṁhṛā*) *m.* gourd, sweet pumpkin
को (*ko*) *p.p.* to, for, in, on, at
कोई (*koī*) *pron.* any, anyone
कोक (*kok*) *m.* 1. flower (species) 2. goose
कोकशास्त्र (*kokśāstrā*) *m.* a treatise on sexology
कोका (*kokā*) *a.* not real
कोका पंडित *m.* unlearned Brahmin
कोकिल (*kokil*) *f.* /कोकिला (*kokilā*)

f. black Indian cuckoo
कोकिला कंठ *a.* sweet-voiced like cuckoo
कोकी (*kokī*) *f.* female goose
कोख (*kokh*) *f.* 1. abdomen 2. womb
कोचना (*kocnā*) *v.t.* to pierce, to rip, to tear, to lacerate
कोट (*koṭ*) *m.* fort, stronghold
कोटपीस (*koṭpīs*) *m.* a game of cards
कोटर (*koṭar*) *m.* 1. hollow of a tree 2. cavity 3. socket
कोटि (*koṭi*) *f.* 1. category 2. grade, rank 3. ten million
कोटिशः (*koṭiśaḥ*) *adv.* millions, many
कोठरी (*koṭharī*) *f.* a small dark room
कोठा (*koṭhā*) *m.* 1. flat top or roof of a house 2. upper storey 3. brothel 4. stomach
कोठेवाली (*koṭhevālī*) *f.* prostitute
कोठार (*koṭhār*) *m.* 1. store-room 2. corn-bin, granary
कोठी (*koṭhī*) *f.* 1. large building, bungalow, mansion 2. barn
कोड़ना (*koṛnā*) *v.t.* to dig up/out
कोड़ा (*koṛā*) *m.* lash, whip
कोड़ाई (*koṛāī*) *f.* act of digging
कोढ़ (*koṛh*) *m.* leprosy
कोढ़ी (*koṛhī*) *m.* leper
कोण (*koṇ*) *m.* 1. angle 2. corner
कोतवाल (*kotvāl*) *m.* kotwal, chief police officer of a town
कोताह (*kotāh*) *a.* short, brief
कोदंड (*kodaṇḍ*) *m.* 1. bow 2. eye-brow
कोदों (*kodoṁ*) *m.* coarse grain (like millet)
कोना (*konā*) *m.* corner
कोप (*kop*) *m.* anger, rage
कोफ़्त (*koft*) *f.* 1. trouble, difficulty 2. disgust
कोफ़्ता (*koftā*) *m.* ball of minced and fried meat or vegetable
कोमल (*komal*) *a.* soft, tender
कोमलता (*komaltā*) *f.* softness
कोमलांगी (*komalāṅgī*) *f.* a frail and graceful woman
कोयल (*koyal*) *f.* cuckoo, nightingale
कोयला (*koyalā*) *m.* coal
कोया (*koyā*) *m.* 1. eyeball 2. cocoon 3. seed of jackfruit
कोर (*kor*) *f.* 1. point, tip 2. edge
कोर-कसर *f.* flaw, deficiency
कोरदार *a.* having a corner
कोरक (*korak*) *m.* bud
कोरा (*korā*) *a.* 1. unused 2. plain, blank
कोरा कागज *m.* blank/plain paper
कोर्निश (*korniś*) *f.* salutation
कोलाहल (*kolāhal*) *m.* uproar, loud noise, tumult, hubbub
कोल्हू (*kolhū*) *m.* crusher, oil press
कोविद (*kovid*) *a.* & *m.* 1. learned man 2. skilled person
कोश (*koś*) *m.* 1. dictionary 2. shell, sac
कोशकार *m.* lexicographer
कोशिका (*kośikā*) *f.* cell, pocket
कोशिश (*kośiś*) *f.* effort, attempt

क

कोष (*koṣ*) *m.* 1. treasury 2. store
कोषागार (*koṣāgār*) *m.* treasury
कोषाध्यक्ष (*koṣādhyakṣa*) *m.* treasurer
कोष्ठ (*koṣṭha*) *m.* 1. apartment 2. booth 3. storehouse
कोष्ठबद्ध *m.* /**कोष्ठबद्धता** *f.* constipation
कोष्ठक (*koṣṭhak*) *m.* 1. bracket, parenthesis 2. cell 3. column
कोसना (*kosnā*) *v.t.* to curse
कोहँड़ा (*kohaṁṛā*) *m.* pumpkin
कोहनूर (*kohnūr*) *m.* 1. a world famous diamond 2. mountain of light
कोहनी (*kohanī*) *f.* elbow
कोहरा (*koharā*) *m.* fog, haze
कोहराम (*kohrām*) *m.* tumult
कौंध (*kāuṁdh*) *f.* flash, dazzling light
कौआ (*kauā*) *m.* /**कौवा** (*kauvā*) *m.* crow, raven
कौटिल्य (*kauṭilya*) *m.* also known as Chanakya, author of Arthashastra, a book on statecraft
कौटुंब (*kauṭumb*) *m.* household
कौटुंबिक (*kauṭumbik*) *a.* of or relating to family relationship
कौड़ी (*kauṛī*) *f.* a small shell
कौतुक (*kautuk*) *m.* 1. wonder 2. trick, fun
कौतूहल (*kautūhal*) *m.* curiosity
कौन (*kaun*) *pron.* who
कौपीन (*kāupīn*) *f.* small loincloth
क़ौम (*qaum*) *f.* 1. race, caste, tribe 2. people, community, nation
कौमार्य (*kaumārya*) *m.* 1. celibacy 2. virginity
क़ौमी (*qaumī*) *a.* national, communal, racial, tribal
कौमुदी (*kaumudī*) *f.* 1. moonlight 2. the full moon (especially in the month of Ashwin or Kartik)
कौर (*kaur*) *m.* morsel
कौरव (*kaurav*) *m.* a descendant of the King Kuru
क़ौल (*qaul*) *m.* vow, promise
कौशल (*kauśal*) *m.* 1. skill, skilfulness 2. efficiency
कौशेय (*kauśeya*) *m.* 1. silk 2. silken cloth or garment
क्या (*kyā*) *pron.* & *a.* what
क्यारी (*kyārī*) *f.* flower bed, vegetable plot
क्यों (*kyoṁ*) *adv.* 1. why 2. for this reason, that's why
क्योंकि *conj.* because, for
क्रंदन (*krandan*) *m.* lamentation
क्रम (*kram*) *m.* order, grade, serial
क्रमबद्ध *a.* in order, serial, systematic
क्रमशः (*kramśaḥ*) *adv.* step by step, gradually
क्रमांक (*kramāṅk*) *m.* serial number
क्रमिक (*kramik*) *a.* 1. successive 2. gradual
क्रय (*kray*) *m.* purchase, buying
क्रय-विक्रय *m.* marketing
क्रय-शक्ति *f.* purchasing power

क्रांति (*krānti*) *f.* 1. revolution 2. total change
क्रांतिकारी *a.* & *m.* revolutionary
क्रिया (*kriyā*) *f.* 1. act, action 2. religious rite/duty 3. verb
क्रियाकर्म *m.* funeral rites
क्रियाकलाप *m.* (a) activity (b) religious rites, ceremonies
क्रियान्वयन (*kriyānvayan*) *m.* implementation, putting into effect
क्रियान्वित (*kriyānvit*) *a.* implemented, put into effect
क्रीड़ा (*krīṛā*) *f.* 1. play, sport, game 2. pastime 3. frolic
क्रीत (*krīt*) *a.* bought, purchased
क्रुद्ध (*kruddha*) *a.* angry, wrathful, displeased, irritated
क्रूर (*krūr*) *a.* 1. cruel 2. fearful
क्रूरता (*krūrtā*) *f.* cruelty
क्रेता (*kretā*) *m.* purchaser, buyer
क्रोड़ (*kroṛ*) *m.* 1. bosom, lap 2. core 3. hollow of a tree
क्रोध (*krodh*) *m.* anger, wrath
क्रोधालु (*krodhālu*) *a.* wrathful by temperament, passionate
क्रोधित (*krodhit*) *a.* angry
क्रोधी (*krodhī*) *a.* hot-tempered
क्रोधोन्मत्त (*krodhonmatta*) *a.* insensate with anger
क्रौंच (*krauṁc*) *m.* (a bird) heron
क्लर्की (*klarkī*) *f.* clerical profession
क्लांत (*klānt*) *a.* fatigued, wearied, tired
क्लांति (*klānti*) *f.* fatigue, wearisomeness
क्लिष्ट (*kliṣṭa*) *a.* difficult, obscure, hard (to understand)
क्लीव (*klīv*) *a.* impotent
क्लेश (*kleś*) *m.* mental pain, anguish, affliction, distress
क्लैव्य (*klaivya*) *m.* 1. impotency, imbecility 2. cowardness
क्वाँरा (*kvāṁrā*) *a.* & *m.* bachelor
क्वारा (*kvārā*) *a.* & *m.* unmarried (person), bachelor
क्वारी (*kvārī*) *a.* & *f.* unmarried (woman), virgin
क्षण (*kṣaṇ*) I. *m.* instant, moment II. *adv.* for a moment
क्षणभंगुर *a.* momentary
क्षणिक (*kṣaṇik*) *a.* momentary
क्षत (*kṣat*) *m.* wound, injury
क्षति (*kṣati*) *f.* 1. damage, loss 2. injury, hurt
क्षति पूर्ति *f.* compensation
क्षत्र (*kṣatra*) *m.* 1. power, might 2. warrior, Kshatriya
क्षत्रपति *m.* king, emperor
क्षत्रप (*kṣatrap*) *m.* prince, king, the title of Kushan kings
क्षत्राणी (*kṣatrāṇī*) *f.* a woman of the Kshatriya class
क्षत्रिय (*kṣatriya*) *m.* a man or member of the Kshatriya class
क्षम (*kṣam*) *a.* 1. competent, capable, fit 2. tolerant
क्षमता (*kṣamtā*) *f.* capacity
क्षमा (*kṣamā*) *f.* 1. pardon, forgiveness 2. patience
क्षमाप्रार्थी *a.* & *m.* (one) who

seeks forgiveness
क्षम्य (*kṣamya*) *a.* pardonable, forgivable, excusable
क्षय (*kṣay*) *m.* 1. loss, waste 2. tuberculosis
क्षर (*kṣar*) *a.* 1. melting away, perishing 2. perishable
क्षांति (*kṣānti*) *f.* forbearance
क्षार (*kṣār*) *m.* 1. alkali 2. ash
क्षिति (*kṣiti*) *f.* 1. abode, dwelling, habitation, the earth 2. loss
क्षितिज (*kṣitij*) *m.* horizon
क्षिप्र (*kṣipra*) *a.* fast, quick
क्षिप्रता (*kṣipratā*) *f.* speed
क्षीण (*kṣiṇ*) *a.* 1. weak, lean and thin 2. diminished
क्षीर (*kṣir*) *m.* milk
क्षीर निधि *m.* ocean of milk
क्षुद्र (*kṣudra*) *a.* mean, low, vile
क्षुधा (*kṣudhā*) *f.* hunger
क्षुधातुर (*kṣudhātur*) *a.* oppressed with hunger, very hungry
क्षुब्ध (*kṣubdha*) *a.* agitated
क्षुर (*kṣur*) *m.* 1. razor 2. hoof
क्षेत्र (*kṣetra*) *m.* 1. area 2. region 3. field (of study specialisation)
क्षेत्रीय (*kṣetrīy*) *a.* territorial
क्षेम (*kṣem*) *m.* well-being
क्षोभ (*kṣobh*) *m.* distress
क्षौर (*kṣaur*) *m.* shave
क्ष्मा (*kṣmā*) *f.* the earth

ख

ख

खँखार (*khaṁkhār*) *m.* the sound of clearing the throat, the rattling of phlegm in the throat
खँखारना (*khaṁkhārnā*) *v.i* to expectorate, to cough
खंग (*khaṅg*) *m.* sword
खँचिया (*khaṁciyā*) *f.* small basket
खंज (*khañj*) *a.*& *m.* lame (person)
खंजन (*khañjan*) *m.* wagtail (bird)
खंजर (*khañjar*) *m.* dagger
खंजरी (*khañjarī*) *f.* tambourine
खंड (*khaṇḍ*) *m.* a piece, bit, section, chapter (of a book)
  खंडकाव्य *m.* partial narrative in poetry
खंडन (*khaṇḍan*) *m.* contradiction
  खंडन-मंडन *m.* polemics, discussion of pros and cons
खंडसारी (*khaṇḍsārī*) *f.* raw sugar, unprocessed sugar
खंडहर (*khaṇḍhar*) *m.* ruins (of a house), debris
खंडित (*khṇḍit*) *a.* 1. broken 2. divided
खंदक़ (*khandaq*) *f.* 1. moat, deep ditch 2. burrow pit
खंबा (*khambā*) *m.* /**खंभा** (*khambhā*) *m.* 1. pillar, column 2. stake, post, pole
खग (*khag*) *m.* 1. bird 2. star, planet 3. cloud 4. arrow
खगेन्द्र (*khageṁdra*) *m.* /**खगेश** (*khageś*) *m.* king of birds, Garuda, eagle
खगोल (*khagol*) *m.* celestial sphere
  खगोल विज्ञानी *m.* astronomer
  खगोल विद्या *f.* astronomy
खग्रास (*khagrās*) *m.* total eclipse (of the sun or the moon)
खचाखच (*khacākhac*) *a.* 1. crowded 2. thick, dense
खचित (*khacit*) *a.* embedded
खच्चर (*khaccar*) *m.* mule
ख़ज़ानची (*k͟hazāncī*) *m.* 1. treasurer 2. cashier 3. accountant
ख़ज़ाना (*k͟hazānā*) *m.* treasure
खजुली (*khajulī*) *f.* itch, scabies
खजूर (*khajūr*) *f.* 1. date tree 2. date (fruit)
खजूरी (*khajūrī*) *a.* of or pertaining to date palm
खट (*khaṭ*) *f.* knocking or rapping sound, knock, rap, clatter
  खटमल *m.* bedbug
  खटराग *m.* uproar, tumult
खटकना (*khaṭaknā*) *v.i.t.* 1. to rattle

ख

2. to clatter 3. to prick

खटका (*khaṭkā*) *m.* 1. rattling sound, knock, rap 2. bolt

खटखट (*khaṭkhaṭ*) *f.* knocking sound, clatter, rap

खटखटाना (*khaṭkhaṭānā*) *v.t.* to knock or rap at (a door)

खटना (*khaṭnā*) *v.i.* 1. to hold fast 2. to work hard

खटपट (*khaṭpaṭ*) *f.* wrangling, quarrel, squabbling

खटाई (*khaṭāī*) *f.* sourness

खटाखट (*khaṭākhaṭ*) I. *f.* continuous rattle II. *adv.* quickly

खटाना (*khaṭānā*) I. *v.t.* to make somebody work hard II. *v.i.* to get sour

खटास (*khaṭās*) *f.* sourness

खटिक (*khaṭik*) *m.* a person of a class of people who grow and sell vegetables, fruits, etc.

खटिया (*khaṭiyā*) *f.* small bedstead

खटोला (*khaṭolā*) *m.* small bedstead or flying-bedstead

खट्टा (*khaṭṭa*) *a.* sour, tart, acrid

खड़ंजा (*khaṛañjā*) *m.* a row or layer laid upright or on edge (especially of bricks)

खड (*khaḍ*) *f.* /**खड्ड** (*khaḍḍ*) *f.* chasm, fissure

खड़कना (*khaṛknā*) *v.i.* (door) to rattle, to clatter

खड़खड़ (*khaṛkhaṛ*) *f.* hustle, bustle

खड़बड़ाहट (*khaṛbaṛāhaṭ*) *f.* 1. clattering (sound) 2. perplexity

खड़ा (*khaṛa*) *a.* standing

खड़ी पाई (*khaṛi pāī*) *f.* full stop

खड़ाऊँ (*khaṛāuṁ*) *f.* wooden shoe, wooden sandal

खड़िया (*khaṛiyā*) *f.* 1. chalk 2. white clay, pipe clay

खड्ग (*khaḍga*) *m.* sword

खड्गहस्त *a.* ready to strike with a sword

खड्ड (*khaḍḍa*) *f.* chasm, fissure

ख़त (*k͟hat*) *m.* letter, handwriting

ख़त-ओ-किताबत *f.* correspondence

ख़तना (*k͟hatnā*) *m.* circumcision, cutting the foreskin of the male genital organ

ख़तरा (*k͟hatrā*) *m.* danger, peril

ख़तरनाक (*k͟hatarnāk*) *a.* dangerous, hazardous, perilous

ख़ता (*k͟hatā*) *f.* 1. fault, guilt 2. mistake, error

खतियान (*khatiyān*) *m.* ledger-posting, entry

ख़त्म (*k͟hatma*) *a.* finished, concluded, ended

खत्री (*khatrī*) *m.* a caste of non-Brahmin Hindus

खदबद (*khadbad*) *f.* sound of boiling or bubbling

खदबदाना (*khadbadānā*) *v.i.* to bubble, to boil, to simmer

खदान (*khadān*) *f.* mine, clay-pit

खदिर (*khadir*) *m.* the tree *Mimosa catechu*

खदेड़ना (*khadeṛnā*) *v.t.* 1. to chase away 2. to drive away

खद्दर (*khaddar*) *m.* hand-spun

coarse cloth

खद्योत *(khadyot) m.* 1. glow-worm, firefly 2. a light in the sky

खन *(khan) f.* clink, jingle, tinkle

खन-खन *f.* tinkle-tinkle

खनक *(khanak) f.* tinkling sound

खनकना *(khanaknā) v.i.* to clink, to chink, to ring, to jingle

खनन *(khanan) m.* the act of digging, mining

खनन-उद्योग *m.* mining industry

खनना *(khanana) v.t.* to dig, to excavate

खनिज *(khanij) m.* mineral

खनिज अयस्क *m.* mineral ore

खनिज संपदा *f.* mineral resources

खपची *(kapci) f.* /**खपच्ची** *(kapaccī) f.* splint, splinter

खपड़ा *(khapṛā) m.* 1. roofing tile 2. earthen begging pot

खपड़ी *(khapṛī) f.* 1. a small earthen pot for parching grain 2. skull

खपत *(khapat) f.* 1. consumption (of goods) 2. demand

खपना *(khapnā) v.i.* 1. to be wiped out 2. (goods) to be sold

खपाना *(khapānā) v.t.* to destroy

खप्पर *(khappar) m.* 1. skull, cranium 2. skull used by beggars as bowl

ख़फ़ा *(khafā) a.* angry, enraged

ख़बर *(khabar) f.* 1. news 2. fresh information 3. report

ख़बरनवीस *m.* news reporter

ख़बरदार *(khabardār) a.* wary, cautious, watchful

ख़ब्त *(khabta) m.* 1. craze, fatuity, eccentricity 2. madness

ख़म *(kham) m.* bend, curve, twist

ख़मियाज़ा *(khamiyāzā) m.* retribution, loss

ख़मीर *(khamīr) m.* yeast, leaven

ख़याल *(khayāl) m.* 1. thought, idea, notion 2. opinion, view

ख़याली *(khayālī) a.* imaginary

खर *(khar)* I. *m.* 1. an ass, donkey 2. grass, straw II. *a.* 1. hard, harsh 2. rough, rugged

खरपतवार *f.* weedings, cuttings

खरगोश *(khargoś) m.* hare, rabbit

खरच *(kharac) m.* 1. expenses, expenditure 2. charge

खरचीला *(kharcīlā) a.* lavish, expensive, extravagant

खरब *(kharab) a.& m.* hundred billion, ten thousand crores

ख़रबूजा *(kharbūjā) m.* musk-melon

खरहरा *(kharahrā) m.* curry-comb (for horses)

खरहा *(kharhā) m.* hare, rabbit

खरा *(kharā) a.* 1. genuine, real 2. good, excellent 3. pure

ख़राद *(kharād) f.* lathe

ख़राब *(kharāb) a.* 1. bad, vitiated 2. faulty, defective

ख़राबी *(kharābī) f.* fault, defect

ख़रीद *(kharīd) f.* 1. purchase 2. the thing purchased

ख़रीदार *m.* purchaser, buyer

ख़रीदना *(kharīdnā) v.t.* to buy, to purchase

ख

खरीफ (<u>kh</u>arif) *f.* 1. autumnal crops 2. autumn
खरोंच (*kharoñc*) *f.* scratch, graze
खर्च (<u>kh</u>arca) *m.* 1. expenses, expenditure 2. charge 3. price
खर्चा (<u>kh</u>arcā) *m.* /खर्ची (<u>kh</u>arcī) *f.* /खर्चीला (<u>kh</u>archīlā) *adv.* expenses, cost, cost price
खर्व (*kharv*) *a.* & *m.* hundred billion, ten thousand crore
खर्राटा (*kharraṭa*) *m.* snoring
खल (*khal*) *a.* & *m.* mean or vile fellow
खलनायक *m.* villain
खलना (*khalnā*) *v.t.* 1. to offend, to hurt 2. to be disgusting
खलबल (*khalbal*) *f.* /खलबली (*khalbalī*) *f.* 1. stir, commotion 2. tumult, turmoil, hubbub
ख़लल (<u>kh</u>alal) *m.* interruption, interference, obstruction
ख़लास (<u>kh</u>alās) *a.* 1. finished 2. free, released 3. redeemed
ख़लासी (<u>kh</u>alāsī) *f.* 1. release, liberation 2. cleaner of a bus or engine
खलियान (*khaliyān*) *m.* threshing floor
खली (*khalī*) *f.* oil-cake, dregs of crushed oil-seeds
ख़लीफ़ा (*khalīfā*) *m.* successor of Prophet Mohammed, caliph
खल्वाट (*khalvat*) *a.* bald
ख़वास (<u>kh</u>avās) *m.* personal attendant of landlords
ख़स (<u>kh</u>as) *f.* a fragrant grass
ख़सख़स (<u>kh</u>as<u>kh</u>as) *f.* poppy-seed
ख़सम (<u>kh</u>asam) *m.* husband, master (among mystics) 1. soul 2. God
ख़सरा (<u>kh</u>asrā) *m.* village map (especially of fields)
खसरा (<u>kh</u>asrā) *m.* measles
ख़सी (<u>kh</u>asī) *a.* castrated male-goat
खसोट (*khasoṭ*) *f.* 1. plucking, tearing out 2. pilfering
ख़स्ता (<u>kh</u>astā) *a.* crisp, brittle,
खाँ (*khaṁ*) *m.* a title used by Pathans chief, lord,
खाँचा (*khāṁcā*) *m.* a big basket
खाँची (*khāṁcī*) *f.* a small basket
खाँड़ (*khāṁṛ*) *f.* unrefined sugar
खाँड़सारी *f.* a refiner of sugar
खाँसना (*khṁsnā*) I. *v.i.* to cough II. *m.* coughing
खाँसी (*khṁsī*) *f.* cough
खाई (*khāī*) *f.* ditch, trench, moat
खाऊ (*khāū*) *a.* 1. gluttonous 2. (one) who takes bribes
ख़ाक (<u>kh</u>āk) *f.* dust, earth
ख़ाकसार *a.* & *m.* humble servant
ख़ाका (*khākā*) *m.* 1. sketch, layout, map 2. plan
ख़ाकी (<u>kh</u>ākī) I. *m.* almond coloured cloth II. *a.* of the dust, earthy
खाज (*khāj*) *f.* itch, scabies
खाजा (*khājā*) *m.* 1. a kind of sweetmeat 2. food
खाट (*khāṭ*) *f.* bedstead, cot, charpoy
खाड़ी (*khāṛī*) *f.* gulf, bay

खाता (*khātā*) *m.* 1. account 2. accounts book, ledger 3. eating

ख़ातिर (*kh̲ātir*) *f.* 1. hospitality 2. respect, consideration regard

ख़ातिरदारी *f.* hospitality, consideration, gratification,

ख़ातून (*kh̲ātūn*) *f.* lady

खाद (*khād*) *f.* manure, compost

ख़ादिम (*kh̲ādim*) *m.* servant, attendant

खाद्य (*khādya*) I. *a.* fit to be eaten, eatable, edible II. *m.* food

खाद्यान्न (*khādyānna*) *m.* food-grains (as wheat, gram, barley, rice, etc.)

खान (*khān*) I. *f.* 1. mine, quarry 2. store II. *m.* 1. chief, lord 2. title of Pathan

खानसामा (*khānsāmā*) *m.* cook, steward, storekeeper

ख़ानकाह (*kh̲ānkāh*) *f.* /ख़ानगाह (*kh̲āṅgāh*) *f.* Muslim shrine where faquirs live

ख़ानगी (*kh̲aṅgī*) I. *a.* domestic, household II. *f.* prostitute

ख़ानदान (*kh̲āndān*) *m.* 1. family 2. lineage, descent

खाना (*khānā*) I. *v.t.* to eat, II. 1. houses, dwelling 2. place (of business)

खाना तलाशी *f.* search of a house

खानापूरी *f.* formal action

खानाबदोश *a.* & *m.* nomadic, nomad, gypsy, nomadic tribe

ख़ाब (*kh̲āb*) *m.* dream

ख़ामख़ाह (*kh̲āmkh̲āh*) *adv.* without any rhyme or reason, for nothing, unnecessarily

ख़ामी (*kh̲āmī*) *f.* 1. fault, defect 2. deficiency

ख़ामोश (*kh̲āmoś*) *a.* silent, quiet

ख़ामोशी (*khāmośī*) *f.* silence, calmness, quiet(ness)

खार (*khār*) *f.* 1. alkali 2. potash 3. ashes 4. grudge, malice

खारा (*khārā*) *a.* alkaline

ख़ारिज़ (*kh̲āriz*) *a.* 1. dismissed 2. rejected 3. discharged

खाल (*khāl*) *f.* skin, hide

ख़ालसा (*kh̲ālsā*) *m.* 1. the Sikh religion established by Guru Govind Singh, the tenth Guru of Sikhs 2. (in mediaeval times) crown land, reserved land

ख़ाला (*kh̲ālā*) *f.* mother's sister, aunt

ख़ालिक़ (*kh̲āliq*) *m.* creator, God

ख़ालिस (*kh̲ālis*) *a.* 1. pure, unadulterated 2. genuine

ख़ाली (*kh̲āli*) *a.* 1. empty 2. vacant 3. free 4. unemployed

ख़ालू (*kh̲ālū*) *m.* husband of mother's sister

ख़ाविंद (*kh̲āvind*) *m.* 1. lord, master 2. husband

ख़ास (*kh̲ās*) *a.* 1. special 2. particular 3. main 4. private

खासा (*kh̲āsā*) I. *a.* 1. enough 2. good II. *adv.* quite

ख़ासियत (*kh̲āsiyat*) *f.* speciality,

ख

peculiarity, special feature
ख़ाहिश (*khāhiś*) *f.* desire, wish
खिंचना (*khiṁcana*) *v.i.* to be drawn, to be pulled
खिचड़ी (*khicṛī*) *f.* a dish of rice mixed with pulse
खिचड़ी भाषा *f.* mixed language
खिजना (*khijnā*) *v.i.* to be vexed
ख़िजाँ (*khijāṁ*) *f.* autumn, fall
ख़िज़ाब (*khizāb*) *m.* hair-dye
खिझ (*khijh*) *f.* vexation
खिझना (*khijhnā*) *v.i.* to fret, to get vexed, to get teased
खिझाना (*khijhānā*) *v.t.* to tease, to assail playfully
खिड़की (*khiṛkī*) *f.* window
ख़िताब (*khitāb*) *m.* title
ख़िदमत (*khidmat*) *f.* service, attendance
खिन्न (*khinna*) *a.* 1. distressed, suffering from pain or uneasiness 2. displeased, unhappy
ख़िलअत (*khilaát*) *f.* robe of honour (bestowed by a ruler)
खिलखिल (*khilkhil*) *f.* 1. giggling, tithering 2. burst of laughter
खिलखिलाना (*khilkhilānā*) *v.i.* to burst out laughing
खिलखिलाहट (*khilkhilāhaṭ*) *f.* guffaw, burst of laughter
खिलना (*khilnā*) *v.i.* to bloom, to blossom, to flower
खिलवाड़ (*khilvāṛ*) *m.* & *a.* 1. play, sport 2. fun 3. an easy matter
खिला (*khilā*) *a.* blossomed
खिलाड़ी (*khilāṛī*) *m.* 1. player, sportsman 2. gambler
खिलाना (*khilānā*) *v.t.* 1. to cause to eat, to give food 2. to cause to play 3. to cause to bloom/blossom
ख़िलाफ़ (*khilāf*) *a.* contrary
ख़िलौना (*khilaūnā*) *m.* toy
खिल्ली (*khillī*) *f.* fun, jest, joke
खिसकाना (*khiskānā*) *v.t.* to move something away, to carry off
खिसारी (*khisārī*) *f.* a pulse
खींच (*khīṁc*) *f.* pull, draw
खींचतान *f.* tugging, twisting
खींचना (*khīṁcnā*) *v.t.* 1. to pull, to draw 2. attract 3. to stretch
खींच-तान के *adv.* with difficulty
खींचातानी (*khīṁcātānī*) *f.* pulling and hauling
खीर (*khīr*) *f.* dish of rice cooked in milk with sugar
खीरा (*khīrā*) *m.* cucumber
खीस (*khīs*) *f.* grin, showing of teeth in bashfulness
खुंभी (*khumbhī*) *f.* (eatable) mushroom, agaric
खुक्खड़ी (*khukkhaṛī*) *f.* /**खुखड़ी** (*khukhaṛī*) *f.* 1. roll of thread turned out from the spindle 2. Gurkha's knife
खुगीर (*khugīr*) *m.* saddle
खुजलाना (*khujlānā*) *v.i.* to scratch, to feel an itching sensation
खुजली (*khujlī*) *f.* itch, scabies
ख़ुद (*khud*) *pron.* self (myself, yourself, himself, herself, etc.)
ख़ुदकुशी (*khudkuśī*) *f.* suicide
ख़ुदग़र्ज़ी (*khudgarzī*) *f.* selfishness

खुद-बखुद (*khud-bákhud*) *adv.* of or by oneself

खुदना (*khudnā*) *v.i.* to be dug (out), to be excavated

खुदरा (*khudrā*) I. *a.* retail II. *m.* small change

खुदरा दाम *m.* retail price

खुदवाई (*khudvāī*) *f.* digging

खुदा (*khudā*) *m.* God Almighty

खुदा हाफ़िज़ God, goodbye

खुद्दी (*khuddī*) *f.* small particles of rice, pulse, etc.

खुफ़िया (*khufiyā*) *a.* secret

खुमार (*khumār*) *m.* 1. intoxication 2. effect of intoxication

खुर (*khur*) *m.* hoof

खुरदरा (*khurdarā*) *a.* rough

खुरपा (*khurpā*) *m.* hoe (for weeding grass), weeding knife

खुरपी (*khurpī*) *f.* small hoe or weeding knife

खुरमा (*khurmā*) *m.* 1. a kind of sweetmeat prepared from wheat flour 2. dry date

खुराक (*khurāk*) *f.* 1. dose of medicine food 2. diet

खुराफ़ात (*khurāfāt*) *f.* 1. mischief 2. trivial talk, nonsense

खुर्द (*khurda*) *a.* small, little

खुर्दबीन (*khurdbīn*) *f.* microscope

खुर्राट (*khurraṭ*) *a.* 1. cunning, clever 2. old and experienced

खुलना (*khulnā*) *v.i.* 1. to open 2. to expand 3. to start

खुला (*khulā*) *a.* 1. open, unclosed 2. uncovered

खुला अधिवेशन *m.* plenary session

खुलासा (*khulāsā*) I. *a.* open, wide II. *m.* gist, abstract

खुलेआम (*khuleām*) *adv.* openly, publicly

खुल्लम-खुल्ला (*khullam-khullā*) *adv.* openly, publicly

खुश (*khuś*) *a.* happy, glad

खुशकिस्मत *a.* lucky, fortunate

खुशगवार *a.* agreeable, fine

खुशहाल *a.* prosperous, well-to-do, in easy circumstances

खुशबू (*khuśabū*) *f.* perfume, fragrance

खुशामद (*khuśāmad*) *f.* flattery

खुशी (*khuśī*) *f.* joy, happiness

खुशी-खुशी *adv.* cheerfully, happily, with pleasure, willingly

खुश्क (*khuśka*) *a.* dry

खुश्की (*khuśkī*) *f.* dryness, aridity

खुसर-फुसर (*khusar-phusar*) *f.* whispering

खूँ (*khūṁ*) *m.* blood

खूँख़ार (*khūṁkhār*) *a.* 1. cruel 2. ferocious

खूँट (*khūṁṭ*) *m.* 1. side, quarter, direction 2. corner, nook

खूँटा (*khūṁṭā*) *m.* 1. stump 2. stake, wooden peg

खूँटी (*khūṁṭī*) *f.* 1. peg, cog 2. stump or stubble

खून (*khūn*) *m.* 1. blood 2. murder

खूनी (*khūnī*) I. *m.* murderer II. *a.* 1. bloody 2. full of blood

खूब (*khūb*) I. *adv.* (very) well, excellently II. *interj.* well done! bravo! III. *a.* good, very much

ख

ख़ूबसूरत *a.* beautiful, handsome

ख़ूबसूरती *f.* beauty

ख़ूबी (*khūbī*) *f.* 1. quality 2. goodness, excellence

खूसट (*khūsaṭ*) *a.* 1. lazy, old 2. decrepit

खेचर (*khecar*) *m.* 1. the sun and planets (moving in the sky) 2. clouds 3. birds

खेत (*khet*) *m.* 1. field 2. farm

खेती (*khetī*) *f.* agriculture, cultivation, husbandry, tillage

खेती बाड़ी *f.* farming, husbandry

खेती भूमि *f.* agricultural land

खेती मजदूर *m.* agricultural labour

खेतिहर (*khetihar*) *m.* farmer

खेतीहर (*khetīhar*) *m.* farmer, peasant, cultivator

खेद (*khed*) *m.* regret, grief

खेदजनक *a.* regrettable

खेदना (*khednā*) *v.t.* to chase, to drive away

खेदा (*khedā*) *m.* 1. chase, hunt 2. prey

खेना (*khena*) *v.t.* to row a boat

खेमा (*khemā*) *m.* tent, camp

खेल (*khel*) *m.* game, sport

खेलकूद *m.* sports, games

खेल संवाददाता *m.* sports correspondent/reporter

खेलना (*khelnā*) *v.i.* to play

खेलाड़ी (*khelāṛī*) *m.* 1. player, sportsman 2. gambler

खेलाना (*khelānā*) *v.t.* to engage somebody in playing

खेवनहार (*khevanhār*) *m.* 1. oarsman 2. saviour 3. God

ख़ैर (*khair*) I. *f.* well-being II. *m.* the catechu tree

खैरसार *m.* catechu extract

ख़ैरख़्वाह *m.* well-wisher

ख़ैरात (*khairāt*) *f.* charity, alms, largesse

ख़ैरियत (*khairiyat*) *f.* 1. well-being, welfare 2. safety

खोंखना (*khoṁkhnā*) *v.i.* to cough

खोंखी (*khoṁkhī*) *f.* cough

खोंचा (*khoṁcā*) *m.* a thrust, a stab, prick

खोंचिया (*khoṁciyā*) *m.* 1. beggar

खोंटना (*khoṁṭnā*) *v.t.* to pluck

खोंता (*khoṁtā*) *m.* nest

खोंपा (*khoṁpa*) *m.* 1. shed for storing grass or straw 2. (woman's) hair-knot

खोंसना (*khoṁsna*) *v.t.* to insert, to thrust in, to tuck in

खोआ (*khoa*) *m.* milk condensed and thickened by boiling

खोखला (*khokhlā*) *a.* 1. hollow 2. empty

खोखलापन *m.* hollowness, emptiness

खोखा (*khokhā*) *m.* 1. stall, booth 2. boy

खो-खो (*kho-kho*) *f.* a game played by two teams

खोज (*khoj*) *f.* 1. search, quest, investigation 2. research 3. discovery 4. trace, clue

खोजना (*khojnā*) *v.t.* 1. to search

for, seek, to investigate 2. to explore, to research

खोजा (*khojā*) *m.* 1. eunuch 2. eunuch employed in Mohammedan harems

खोट (*khoṭ*) *f.* 1. vice, evil, wickedness 2. fault, flaw, defect

खोटा (*khoṭā*) *a.* false, forged

खोदना (*khodnā*) *v.i.* to dig, to excavate

ख़ोदाई (*k͟hodāī*) *f.* 1. act of digging 2. engraving 3. carving

खोनचा (*khoncā*) *m.* tray or large dish containing some commodities carried by a peddlar for sale

खोना (*khonā*) *v.t.* to lose, to get lost

खोपड़ा (*khopṛā*) *m.* 1. brain 2. kernel of a coconut

खोपड़ी (*khopṛī*) *f.* skull, cranium

खोपा (*khopā*) *m.* side of the house facing the road

खोभना (*khobhnā*) *v.t.* to prick

खोया (*khoyā*) *v.i.* lost

खोल (*khol*) *m.* 1. outer covering, case, shell 2. covering cloth (as pillowcase)

खोलना (*kholnā*) *v.t.* 1. to open 2. to loosen 3. to unfold

खोली (*kholī*) *f.* cell, closet

खोवा (*khovā*) *m.* a thickened milk product

खोह (*khoh*) *f.* 1. cave, cavern, den 2. deep pit

ख़ौफ़ (*k͟haūf*) *m.* fear, dread, terror

ख़ौफ़ खाना *v.t.* to become dreaded/terrorised

ख़ौफ़नाक (*k͟haūfnāk*) *a.* 1. dreadful, terrifying 2. ferocious

खौरहा (*khaurhā*) *a.* 1. baldheaded 2. patient of mange 3. affected with bad itch

खौलता (*khaūltā*) *a.* boiling, boiling hot

खौलना (*khaūlnā*) *v.i.* 1. to boil, to seethe 2. to be enraged, to get angry

ख्यात (*khyāt*) *a.* 1. known 2. well-known, famous, reputed, renowned

ख्याति (*khyāti*) *f.* renown, fame, repute, reputation

ख़्याल (*k͟hyāl*) *m.* 1. thought, idea 2. a mode of Indian music

ख़्रीष्ट (*k͟hrīsṭ*) *m.* Jesus Christ

ख़्वाजा (*k͟hvājā*) *m.* 1. master 2. a venerable Muslim ascetic 3. eunuch working in Mohammedan harems

ख़्वान (*k͟hvān*) *m.* large flat metal tray for meals

ख़्वाब (*k͟hvāb*) *m.* dream

ख़्वाह (*k͟havh*) *a.* wishing, desiring

ख़्वाहमख़्वाह *adv.* for no rhyme or reason

ग

ग

गंगा (*gaṅgā*) *f.* the river Ganga
गंगा-जमुनी *a.* (a) mixed water of Ganga and Yamuna (b) mixed (colours) (c) mixed hair
गंगाजल *m.* the sacred water of the Ganga
गंगासागर *m.* the place where the Ganga meets the sea in the Bay of Bengal
गंगोदक (*gaṅgodak*) *m.* Ganga water
गंजा (*gañjā*) *a.* bald
गंजी (*gañjī*) *f.* man's underwear
गँजेड़ी (*gaṁjeṛī*) *m.* a person addicted to smoking hemp leaves
गँठजोड़ (*gaṁthjoṛ*) *m.* /**गँठबंधन** (*gaṁthbandhan*) *m.* 1. nuptial knot 2. wedding
गँठिया (*gaṁṭhiyā*) *m.* rheumatism, a disease marked by pain and inflammation in the joints
गंड (*gaṇḍ*) *m.* 1. cheek 2. temple (of the ear)
गंडक (*gaṇḍak*) *m.* /**गंडा** (*gaṇḍā*) *m.* 1. an aggregate of four 2. a river of this name
गंडक, गंडा-तावीज़ *m.* amulet
गँडासा (*gaṁḍāsā*) *m.* chopper small axe
गंतव्य (*gantavya*) I. *m.* destination II. *a.* to be reached
गंदगी (*gandgī*) *f.* filth, rubbish
गंदा (*gandā*) *a.* dirty, filthy
गंध (*gandh*) *f.* smell, odour
गंधहीन *a.* odourless
गंधक (*gandhak*) *m.* sulphur
गंधराज (*gandhrāj*) *m.* sandalwood
गंधर्व (*gandharva*) *m.* heavenly musician
गंधी (*gandhī*) *m.* manufacturer or seller of perfumes
गंभीर (*gambhīr*) *a.* 1. serious, grave 2. profound 3. deep
गंभीरता (*gambhīrtā*) *f.* 1. depth, profoundness 2. seriousness
गँवई (*gaṁvaī*) *a.&m.* villager
गँवाना (*gaṁvānā*) *v.t.* 1. to lose 2. to miss
गँवार (*gaṁvār*) *m.* rustic, countryman
गई (*gaī*) *f.* went
गगन (*gagan*) *m.* sky, heaven
गगनचर/गगनचारी I. *a.* moving in the sky/space II. *m.* bird
गगनचुंबी *a.* sky-high
गगनभेदी *a.* (a) piercing the

space (b) very high

गगनविहारी I. *a.* moving in the sky II. *m.* celestial being or God

गगरिया (*gagariyā*) *f.* /**गगरी** (*gagarī*) *f.* small water pot

गच्चा (*gaccā*) *m.* deception

गज (*gaj*) *m.* elephant

गजगामिनी *f.* (a woman) walking gracefully

गजमुक्ता *f.* the fabled pearl produced in the head of an elephant

गजवदन *m.* the god having the face of an elephant, Ganesh

गज़ (*gaz*) *m.* 1. yard 2. yardstick 3. yard as a measure

गज़ब (*gazab*) *m.* 1. wonder 2. tyranny

गजरा (*gajrā*) *m.* 1. wreath of flowers 2. bracelet, wrist ornament

ग़ज़ल (*gazal*) *f.* an amatory poem

गजानन (*gajānan*) *m.* one having the face of an elephant, god Ganesh

गट (*gaṭ*) *f.* sound of liquid when poured from a bottle

गटगट *f.* the repeated sound of gulping

गटकना (*gaṭaknā*) *v.t.* to gulp down, to swallow

गटरगूँ (*gaṭargūṁ*) *f.* /**गुटरगूँ** (*gutargūṁ*) *f.* cooing of a pigeon

गट्टी (*gaṭṭī*) *f.* reel

गट्ठर (*gaṭṭhar*) *m.* large bundle, bale (of cloth), pack

गठन (*gaṭhan*) *f.* 1. constitution of the body, build 2. structure

गठबंधन (*gaṭhbandhan*) *m.* 1. nuptial knot 2. wedding

गठरी (*gaṭhrī*) *f.* bundle, pack

गठवाना (*gaṭhvānā*) *v.t.* 1. to get mended 2. to get united 3. to cause to be tied

गठा (*gaṭhā*) *a.* of good build or physique

गठा बदन *m.* well-built or muscular body

गठित (*gaṭhit*) *a.* 1. constituted 2. knotted together 3. stitched

गड़गड़ाना (*gaṛgaṛānā*) *v.i.* 1. to make a gurgling sound 2. to rumble, to make a thundering sound

गड़ना (*gaṛnā*) *v.i.* 1. to pierce 2. to be buried

गड़पना (*gaṛapnā*) *v.t.* to swallow, to gulp

गड़बड़ (*gaṛbaṛ*) *f.* 1. disorder 2. welter, utter confusion

गड़बड़ी (*gaṛbaṛī*) *f.* 1. commotion 2. mess 3. fault

गडमड (*gaḍmaḍ*) *a.* mixed up

गड़रिया (*gaṛariyā*) *m.* shepherd

गड़वाना (*gaṛvānā*) *v.t.* to cause to be buried

गड़ा (*gaṛā*) *a.* pricked, buried

गड़ारी (*gaṛārī*) *f.* 1. pulley 2. reel

गड़ुआ (*gaṛuā*) *m.* round-shaped water pot of metal

गड़ेरी (*gaṛerī*) *f.* small piece of sugar-cane

ग

गड्ड (*gaḍḍa*) *m.* heap, pile
गड्ड-मड्ड (*gaḍḍa-maḍḍa*) *a.* 1. jumbled 2. in confusion
गड्डी (*gaḍḍī*) *f.* pack, wad (of cards, currency notes, etc.)
गड्ढा (*gaḍḍhā*) *m.* hole, pit
गढ़ंत (*gaṛhant*) *f.* concoction (of a story), forging
गढ़ (*gaṛh*) *m.* fort, citadel
गढ़न (*gaṛhan*) *f.* 1. concoction (of a story) 2. form
गढ़ना (*gaṛhnā*) *v.t.* 1. to coin, to concoct 2. to fabricate
गढ़ा (*gaṛhā*) *m.* 1. hole 2. cavity 3. pit 4. concoct
गढ़ाई (*gaṛhāī*) *f.* moulding or carving
गढ़ी (*gaṛhī*) *f.* fortress, citadel
गण (*gaṇ*) *m.* 1. group 2. class 3. attendants (of god Shiva or god Ganesh particularly)
  गणतंत्र *m.* republic
  गणपूर्ति *f.* quorum
गणना (*gaṇnā*) *f.* counting
गणित (*gaṇit*) *m.* mathematics
गणितज्ञ (*gaṇitajña*) *m.* mathematician
गण्य (*gaṇya*) *a.* 1. requiring calculation 2. respectable
  गण्यमान्य *a.* distinguished and respectable
गत (*gat*) I. *a.* last II. *a.* gone
गतांक (*gataṅk*) *m.* last issue (of a paper or magazine)
गतायु (*gatāyu*) *a.* 1. over-age 2. very old, dead
गति (*gati*) *f.* 1. movement 2. speed 3. state, condition
  गतिरोध *m.* deadlock
  गतिशील *a.* dynamic
गतिक (*gatik*) *a.* dynamic
गतिमान (*gatimān*) *a.* moving, in motion
गत्ता (*gattā*) *m.* cardboard
गत्यवरोध (*gatyavrodh*) *m.* stalemate, deadlock
गदका (*gadkā*) *m.* the sport of fencing with clubs
ग़दर (*gadar*) *m.* 1. mutiny 2. revolt, rebellion
गदराना (*gadrānā*) *v.i.* 1. to ripen or bloom 2. to attain youth
गदला (*gadlā*) *a.* (of water) dirty
गदहा (*gadhā*) *m.* 1. donkey 2. stupid fellow
गदा (*gadā*) *f.* mace
  गदाधर *m.* mace-bearer, an epithet of Vishnu/Lord Krishna
गद्गद (*gadgad*) *a.* overjoyed with emotion
गद्दा (*gaddā*) *m.* heavy mattress
ग़द्दार (*ġaddār*) *m.* traitor
ग़द्दारी (*ġaddārī*) *f.* treachery
गद्दी (*gaddī*) *f.* 1. cushion 2. merchant's seat of business 3. royal seat
  गद्दीनशीन *m.* person who sits on the throne as a king
गद्य (*gadya*) *m.* prose
  गद्य काव्य *m.* prose poem
गधा (*gadhā*) *m* 1. ass, donkey 2. stupid fellow, idiot
  गधा-पचीसी *f.* age up to twenty-five years characterised by

childishness

गनगौर (*gangaur*) *m.* a ladies festive day in Chait (March) for worshipping Ganesh and Gauri

ग़नी (*ganī*) I. *a.* rich II. *m.* a rich person

ग़नीमत (*ganīmat*) *f.* 1. booty 2. good fortune

गन्ना (*gannā*) *m.* sugar-cane

गप (*gap*) *f.* /**गप्प** (*gapp*) *f.* gossip

गपकना (*gapaknā*) *v.t.* to gulp down, to swallow

गपशप (*gapśap*) *f.* gossip

ग़फ़लत (*gaflat*) *f.* unmindfulness, heedlessness, negligence

ग़बन (*gaban*) *m.* 1. fraud 2. embezzlement

ग़म (*gam*) *m.* grief, sorrow

ग़मख़ोर *a.& m.* one who patiently suffers

ग़मगीन *a.* grieved, sad

गमक (*gamak*) *f.* 1. deep tone (in music) 2. scent, odour

गमकना (*gamaknā*) *v.i.* to emit sweet smell

गमछा (*gamchā*) *m.* thin towel

गमन (*gaman*) *m.* going

गमला (*gamlā*) *m.* earthen flower-pot

ग़मी (*gamī*) *f.* 1. bereavement 2. mourning

गयंद (*gayand*) *m.* high and noble elephant

गया (*gayā*) *v.i.* went, gone

ग़रक़ (*garaq*) *a.* 1. sunk, immersed 2. ruined

ग़रज (*garaj*) *f.* thundering sound, roar

ग़रज़मंद (*garazmand*) *a.* needy, interested

गरजन (*garjan*) *m.* thundering sound (of clouds)

गरजना (*garajnā*) *v.i.* 1. to thunder 2. (of person) to shout

गरद (*garad*) *f.* dust

गरदन (*gardan*) *f.* neck

गरदनिया (*gardaniyā*) *f.* neck

गरल (*garal*) *m.* poison, venom

गरारा (*garārā*) *m.* 1. gargle 2. trousers worn by women 3. tent

गरिमा (*garimā*) *f.* glory, dignity, majesty, greatness

गरिष्ठ (*gariṣṭha*) *a.* excessively heavy

गरी (*garī*) *f.* 1. copra, kernel (of a coconut) 2. pulp

ग़रीब (*garīb*) *a.&m.* poor

गरीबखाना *m.* humble dwelling, my house (said out of modesty)

गरीबनवाज़ *a.* courteous and kind to the poor, God

गरीबान (*garībān*) *m.* portion of the garment resting on the chest and below the neck

ग़रीबी (*garībī*) *f.* poverty

गरुड़ (*garuṛ*) *m.* eagle (known as chief of the feathered beings)

गरुड़ ध्वज *a.* an eponym of Lord Vishnu

गरुड़ पुराण *m.* one of the eighteen Puranas

ग़रूर (*garūr*) *m.* pride

ग

गरोह (*garoh*) *m.* group
ग़र्क़ (*g̲arqa*) *a.* 1. sunk, immersed 2. inundated
ग़र्ज़ (*g̲arz*) *f.* compelling need, necessity
गर्जन (*garjan*) *m.* roar, thundering sound
  गर्जन-तर्जन *m.* use of violent language
गर्जना (*garjanā*) *v.i.* 1. to thunder 2. (of person) to shout
गर्त (*gart*) *m.* deep or large pit
गर्द (*gard*) *f.* dust
गर्दभ (*gardabh*) *m.* ass, donkey
गर्दिश (*gardiś*) *f.* 1. adversity, misfortune 2. trouble
गर्भ (*garbha*) *m.* 1. foetus, pregnancy 2. womb, uterus
  गर्भ निरोधक *a.* contraceptive
  गर्भस्राव *m.* abortion
गर्भाधान (*garbhādhān*) *m.* impregnation
गर्भाशय (*garbhāśay*) *m.* womb
गर्भित (*garbhit*) *a.* impregnated
गर्म (*garm*) *a.* hot
गर्मी (*garmī*) *f.* 1. summer 2. hot weather, heat
गर्व (*garv*) *m.* pride, conceit
गर्वीला (*garvīlā*) *a.* proud in nature, conceited, haughty
गर्वोक्ति (*garvokti*) *f.* arrogant remarks
गर्हित (*garhit*) *a.* temptible
गल (*gal*) *m.* 1. throat 2. neck
  गलगंड *m.* enlargement of the glands of the neck, goitre
  गलबहियाँ *f.* /**गलबाही** *f.* an embrace, embracing
ग़लत (*g̲alat*) *a.* wrong
  गलतफ़हमी *f.* misunderstanding
ग़लती (*g̲alatī*) *f.* 1. mistake, error 2. fault 3. slip
गलना (*galnā*) *v.i.* 1. to melt 2. to dissolve 3. to be cooked till soft
गलवाना (*galvānā*) *v.t.* to cause to be melted or dissolved
गला (*galā*) *m.* 1. throat 2. neck
  गले का हार *m.* (a) garland for the neck (b) necklace
गलाना (*galānā*) *v.t.* to melt
गलित (*galit*) *a.* 1. melted 2. rotten
  गलित कुष्ठ *m.* putrefied leprosy
गलियारा (*galiyārā*) *m.* 1. gangway 2. corridor
गली (*galī*) *f.* lane, street
गलीचा (*galīcā*) *m.* carpet
गल्प (*galp*) *f.* 1. fictitious story, tale, fable 2. gossip
गल्ला (*gallā*) *m.* grain, corn
गवाक्ष (*gavākṣ*) *m.* 1. ventilator 2. window, fenestra
गवार (*gavār*) *suff.* agreeable
गवारा (*gavārā*) *a.* agreeable, tolerable
गवाह (*gavāh*) *m.* witness
गवेक्षक (*gavekṣak*) *m.* /**गवेषक** (*gaveṣak*) *m.* 1. searcher, investigator 2. explorer
गवेषण (*gaveṣaṇ*) *m.* search
गवैया (*gavaiyā*) *m.* singer

ग

गव्य (*gavya*) I. *a.* produced from cow (such as milk, curd, cow dung) II. *m.* milk

ग़श (*g̲aś*) *m.* faint, swoon, fit

गश्त (*gaśt*) *f.* patrolling, round or beat taken by police to keep guard

गहन (*gahan*) *a.* deep, profound

गहमागहमी (*gahmāgahmī*) *f.* hustle and bustle

गहरा (*gahrā*) *a.* 1. deep, profound 2. far-reaching

गहरे पैठना *v.i.* to go deep into a matter

गहराई (*gahrāī*) *f.* depth

गह्वर (*gahvar*) *m.* 1. cave 2. cavity, hole 3. chasm

गाँजा (*gāṁjā*) *m.* 1. hemp plant 2. intoxicant prepared from hemp leaves

गाँठ (*gāṁṭh*) *f.* 1. knot 2. (of cloth) bale 3. joint 4. gland

गाँठ गोभी *f.* one of the species of cabbage

गाँठना (*gāṁṭhnā*) *v.t.* 1. to fasten, to tie 2. to cobble

गाँडर (*gāṁḍar*) *f.* a long grass

गांडीव (*gānḍīv*) *m.* the bow of Arjun

गांधार (*gāndhār*) *m.* name of people and country known as Gandhar

गांधारी (*gāndhārī*) *f.* 1. a mode of music 2. princess of Gandhar the mother of Duryodhan in Mahabharat

गाँधी (*gāṁdhī*) *m.* a Gujarati trading community

गाँधीवाद *m.* Gandhism

गांभीर्य (*gāmbhīrya*) *m.* 1. seriousness 2. depth

गाँव (*gāṁv*) *m.* village

गागर (*gāgar*) *f.* a vessel for storing water

गागरी (*gāgarī*) *f.* a small pitcher

गाज (*gāj*) *f.* thunderbolt

गाजर (*gājar*) *f.* carrot

गाजा-बाजा (*gājā-bājā*) *m.* a band with musical instruments

ग़ाज़ी (*g̲āzī*) *m.* warrior who fights with enemies of Islam

गाड़ना (*gāṛnā*) *v.t.* 1. to bury 2. (of tent) to pitch

गाड़ी (*gāṛī*) *f.* 1. cart, car 2. bullock cart 3. train

गाड़ीवान *m.* driver

गाढ़ा (*gāṛhā*) *a.* 1. thick, dense 2. compact 3. (of friend) intimate, close

गात (*gāt*) *m.* /**गात्र** (*gātra*) *m.* 1. body 2. limb

गाथा (*gāthā*) *f.* tale, story

गाद (*gād*) *f.* sediment (of dirty water), dregs

गान (*gān*) *m.* 1. song 2. singing

गाना (*gānā*) *v.i.* to sing

ग़ाफ़िल (*g̲āfil*) *a.* unmindful, heedless, careless

गाभिन (*gābhin*) *f.* pregnant (animal), cow, buffalo, etc.

गाय (*gāy*) *f.* cow

गायक (*gāyak*) *m.* singer

गायत्री (*gāyatrī*) *f.* 1. the goddess Savitri 2. a Vedic metre of 24

गा

syllables
गायन (*gāyan*) *m.* singing
ग़ायब (*gāyab*) *a.* 1. invisible, out of sight 2. absent
गायिका (*gāyikā*) *f.* female singer
ग़ारद (*gārad*) *f.* guard
गारना (*gārnā*) *v.t.* 1. to squeeze, to wring out 2. to milk
गारा (*gārā*) *m.* mortar, thick mud
गार्हपत्य (*gārhpatya*) *a.* of or belonging to a householder
गार्हस्थ्य (*gārhasthya*) *m.* domestic
गाल (*gāl*) *m.* cheek
ग़ालिब (*gālib*) *a.* 1. overpowering, prevailing 2. famous Urdu poet of the same name
ग़ालिबन (*gāliban*) *adv.* perhaps, probably
गाली (*gālī*) *f.* abuse, dirty words
गाह (*gāh*) *suff.*& *f.* 1. place 2. time (as गाहबगाह)
गाहक (*gāhak*) *m.* customer
गाही (*gāhī*) *f.* a group of five, an aggregate of five
गिंजना (*gimjanā*) *v.t.* to be crumpled (as clothes)
गिजगिजा (*gijgijā*) *a.* 1. soft 2. fleshy 3. flimsy, feeble
ग़िज़ा (*gizā*) *f.* 1. diet (especially nutritious diet) 2. food
गिटपिट (*giṭpiṭ*) *f.* meaningless words
गिट्टी (*giṭṭī*) *f.* grit, ballast, gravel
गिड़गिड़ाना (*giṛgiṛānā*) *v.i.* to beseech, to entreat
गिद्ध (*giddh*) *m.* vulture
गिनती (*gintī*) *f.* counting
गिनना (*ginanā*) *v.t.* to count, to calculate, to number
गिना (*ginā*) *v.t.* counted
गिनाना (*ginānā*) *v.t.* to make somebody count
गिनी (*ginī*) *f.* /गिन्नी (*ginnī*) *f.* guinea, a gold coin
गिने-चुने (*gine-cune*) *a.* selected few, singled out
गिरगिट (*girgiṭ*) *f.* chamelion, tree lizard
गिरजा (*girjā*) *m.* church
गिरता (*girtā*) *a.* & *past p.* falling
गिरधर (*girdhar*) *m.* /गिरधारी (*girdhārī*) *m.* 1. an epithet of Lord Krishna 2. supporter or holder of a hill
गिरना (*girnā*) *v.i.* 1. to fall (down) 2. to decline 3. to collapse
गिरफ़्त (*girafta*) *f.* catch, hold
गिरफ़्तार (*giraftār*) *a.* arrested
गिरफ़्तारी (*giraftārī*) *f.* arrest
गिरमिटिया (*girmiṭiyā*) *m.* indentured labourer (in British colonies)
गिरवी (*girvī*) *f.* pledge, pawn
गिरह (*girah*) *f.* knot, joint
गिरहकट (*girahkat*) *m.* pickpocket
गिरा (*girā*) I. *v.i.* fell II. *f.* 1. speech 2. an epithet of goddess Saraswati
गिराना (*girānā*) *v.t.* 1. to cause to fall, to fell 2. demolish
गिराव (*girāv*) *m.* fall, decline
गिरावट (*girāvaṭ*) *f.* decline
गिरि (*giri*) *m.* mountain, hill

गिरि कंदर *m.* mountain cave

गिरिजा *f.* (a) a woman born in the mountain (b) an epithet of goddess Parvati

गिरि नंदिनी *f.* an epithet of goddess Parvati

गिरि राज *m.* a name of the Himalayas

गिरी (*girī*) *f.* kernel of a nut

गिरीश (*girīś*) *m.* 1. lord of the mountain, god Shiva 2. the Himalayas

गिरोह (*giroh*) *m.* group, gang

गिर्जाघर (*girjāghar*) *m.* church

गिर्द (*girda*) *adv.* around, about

गिलट (*gilaṭ*) *m.* nickel, a silver-white metal

गिलटी (*gilṭī*) *f.* 1. gland 2. glandular swelling

गिला (*gilā*) *m.* complaint, reproach

गिलाफ़ (*gilaf*) *m.* 1. covering 2. wrapper 3. covering cloth

गिलास (*gilas*) *m.* tumbler

गिलोय (*giloy*) *f.* a medicinal creeper

गिल्ली (*gillī*) *f.* /गुल्ली (*gullī*) *f.* wooden toggle

गिल्ली-डंडा/गुल्ली-डंडा *m.* the game of tip-cat

गींजना (*gīṁjanā*) *v.t.* to crumple

गीत (*gīt*) *m.* song

गीतकार *m.* composer or writer of a song

गीता (*gītā*) *f.* sermon of Lord Krishna to Arjun in Mahabharat (Bhagavad Gita)

गीदड़ (*gīdaṛ*) *m.* jackal

गीदड़ भभकी *f.* false threat, bravado

गीर (*gīr*) *suffix.* supporter

गीला (*gīlā*) *a.* damp, wet

गुंजा (*guñjā*) *f.* a creeper and its red seed

गुंजाइश (*guñjāiś*) *f.* 1. space, room 2. capacity

गुंजार (*guñjār*) *m.* humming sound, buzzing

गुंजित (*guñjit*) *a.* 1. echoed 2. uttered in a low voice

गुंडई (*guṇḍaī*) *f.* hooliganism

गुंडा (*guṇḍā*) *m.* hooligan, bully

गुंडागर्दी *f.* bullyism

गुँथना (*guṁthanā*) *v.i.* 1. to be strung (as a garland) 2. to fight hand to hand

गुँधना (*guṁdhanā*) *v.i.* to knead dough

गुँधा आटा (*guṁdh ātā*) *m.* dough

गुंफन (*gumphan*) *m.* 1. entanglement of threads 2. stringing

गुंफित (*gumphit*) *a.* strung, threaded, wreathed

गुंबज (*gumbaj*) *m.* /गुंबद (*gumbad*) *m.* dome, vault, cupola

गुग्गुल (*guggul*) *m.* the tree *Amyris agallochum*

गुच्छ (*gucch*) *m.* bunch

गुजर (*guzar*) *m.* 1. livelihood 2. passing of time

गुज़र-बसर *m.* subsisting, getting by

गुजरना (*guzarnā*) *v.i.* to pass

गुजारा (*guzārā*) *m.* means of existence, maintenance

ग

गुज़ारिश (*guzāriś*) *f.* request
गुझिया (*gujhiyā*) *f.* a kind of sweet patty
गुट (*guṭ*) *m.* 1. faction 2. group
  गुट निरपेक्षता *f.* non-alignment
गुटका (*guṭkā*) *m.* pocket book, round pebble, block
गुटरगूँ (*guṭargūṁ*) *f.* cooing (of a pigeon)
गुठली (*guṭhlī*) *f.* stone (of a fruit)
गुड़ (*guṛ*) *m.* jaggery
गुड़गुड़ (*guṛguṛ*) *f.* rumbling sound as in a hookah or stomach
गुड़गुड़ाना (*guṛguṛānā*) *v.i.* to rumble (as hookah)
गुड़गुड़ी (*guṛguṛī*) *f.* a small hookah
गुड़च (*guṛac*) *f.* a medicinal plant
गुड़हल (*guṛhal*) *m.* shoe-flower
गुड़ाई (*guṛāī*) *f.* hoeing
गुड़िया (*guṛiyā*) *f.* doll
गुड्डा (*guḍḍā*) *m.* 1. doll 2. effigy
गुड्डी (*guḍḍī*) *f.* 1. doll 2. a paper kite
गुण (*guṇ*) *m.* quality, attribute
  गुणगान *m.* praise, eulogy
  गुणदायक *a.* beneficial
  गुण-दोष *m.* merits and demerits, virtues and vices
गुणज्ञ (*guṇajña*) *m.* connoisseur, appreciator of merit
गुणता नियंत्रण (*guṇtā niyantraṇ*) *m.* quality control
गुणन (*guṇan*) *m.* multiplication
  गुणनखंड *m.* factor
  गुणनफल *m.* product of multiplication
गुणातीत (*guṇātīt*) *a.* above all attributes, absolute
गुणात्मक (*guṇātmak*) *a.* qualitative
गुणानुवाद (*guṇānuvād*) *m.* 1. laudation 2. extolling
गुणी (*guṇī*) *a.* qualified
गुत्थमगुत्था (*gutthamgutthā*) *m.* combat, scuffle
गुत्थी (*gutthī*) *f.* 1. puzzle, riddle 2. problem
गुथना (*guthnā*) *v.i.* 1. to be entangled 2. to clash with
गुथवाना (*guthvānā*) *v.t.* to get hair braided
गुदगुदा (*gudgudā*) *a.* fleshy, plump
गुदगुदाना (*gudgudānā*) *v.t.* to tickle, to titillate
गुदगुदाहट (*gudgudāhaṭ*) *f.* tickling
गुदगुदी (*gudgudī*) *f.* titillation
गुदड़ी (*gudaṛī*) *f.* beggar's tattered garment, rags
गुदना (*gudnā*) *v.i.* 1. to be tattooed 2. to be pricked
गुदवाना (*gudvānā*) *v.t.* to get tattooed, to cause to be tattooed
गुदा (*gudā*) *f.* anus
गुनगुन (*gungun*) *f.* buzzing, humming sound
गुनगुना (*gungunā*) *a.* lukewarm
गुनगुनाना (*gungunānā*) *v.i.* to buzz, to hum
गुनहगार (*gunahgār*) *a.&m.* sinner, sinful, guilty
-गुना (*gunā*) *suff.* a multiplicative quantity
गुपचुप (*gupcup*) *adv.* 1. secretly 2. boy's game

गुप्त (*gupta*) *a.* 1. hidden, concealed 2. secret
 गुप्तचर *m.* spy, detective
 गुप्त दान *m.* anonymous gift or donation
 गुप्त मतदान *m.* secret voting

गुप्तांग (*guptāṅg*) *m.* private organs

गुप्ती (*guptī*) *f.* a hidden sword (in a stick), a sword-stick

गुफा (*guphā*) *f.* cave, cavern

गुफ़्तगू (*guftgū*) *f.* conversation, chit-chat

गुबार (*gubār*) *m.* dust, affliction

गुबारा (*gubārā*) *m. m.* balloon, gas balloon

गुम (*gum*) *a.* lost, missing
 गुमनाम *a.* anonymous
 गुमशुदा *a.* lost

गुमटी (*gumṭī*) *f.* 1. small tumour-like swelling 2. cabin for a policeman, watchman 3. stall

गुमान (*gumān*) *m.* pride, vanity

गुमाश्ता (*gumāśtā*) *m.* agent

गुरगा (*gurgā*) *m.* henchman, rascal

गुरदा (*gurdā*) *m.* kidney

गुरमुखी (*gurmukhī*) *f.* script mainly used for writing in Panjabi, Gurmukhi

गुरिल्ला युद्ध (*gurillā yuddha*) *m.* guerilla warfare

गुरु (*guru*) *m.* preceptor, teacher, master
 गुरुकुल *m.* guru's place of residence, a school seminary
 गुरुग्रंथ साहिब *m.* the Sikh scripture mainly edited by Guru Arjun Dev

गुरुत्व (*gurutva*) *m.* gravity, gravitation

गुरुत्वाकर्षण (*gurutvākarṣaṇ*) *m.* gravitation

गुरुवार (*guruvār*) *m.* Thursday

गुर्जर (*gurjar*) *m.* inhabitant of Gujarat

गुर्राना (*gurrānā*) *v.i.* 1. to growl 2. to snarl, to speak angrily

गुल (*gul*) *m.* flower
 गुलचीं *m.* gardener
 गुलज़ार *m.* garden
 गुलदस्ता *m.* bouquet of flowers

गुलछर्रा (*gulcharrā*) *m.* merry-making, revelry

गुलनार (*gulnār*) *m.* flower of pomegranate

गुलशन (*gulśan*) *m.* a flower garden

गुलाब (*gulāb*) *m.* rose

गुलाब जामुन (*gulāb jāmun*) *m.* a kind of sweetmeat like *rasa-gulla*

गुलाबी (*gulābī*) *a.* 1. of roses 2. of the colour of a rose

गुलाम (*gulām*) *m.* 1. slave, bondsman 2. servant, attendant

गुलामी (*gulāmī*) *f.* slavery

गुलाल (*gulāl*) *m.* red powder which Hindus apply and throw about in Holi festival

गुलू (*gulū*) *m.* neck, throat

गुलूबंद (*gulūband*) *m.* muffler

गुलेल (*gulel*) *f.* pellet-bow, catapult

गुल्म (*gulma*) *m.* cluster or clump of plants

ग

गुल्लक (*gullak*) *f.* earthen cash-box

गुसलख़ाना (*gusalkhānā*) *m.* bathroom

गुसाईं (*gusāīṁ*) *m.* 1. God 2. lord 3. saint, sage, holy man

गुस्ताख़ (*gustākh*) *a.* arrogant, insolent, impudent, rude

गुस्ताख़ी (*gustākhī*) *f.* arrogance

गुस्सा (*gussā*) *m.* anger, rage

गुह (*guh*) *m.* human excreta

गुहा (*guhā*) *f.* cave, cavern

गुहा मानव *m.* caveman

गुहावासी *m.* cave-dweller

गुहार (*guhār*) *f.* 1. call 2. shouting, bawling 3. alarm

गुह्य (*guhya*) *a.* hidden, esoteric

गूँगा (*gūṁgā*) *a.* dumb, mute

गूँथना (*gūṁthnā*) *v.t.* to thread

गू (*gū*) *m.* human excreta

गूगल (*gūgal*) *m.* /गूगुल (*gūgul*) *m.* *Commiphora mukul* tree, exudation of this tree, gum, resin

गूजर (*gūjar*) *m.* milkman, cowherd

गूढ़ (*gūṛh*) *a.* 1. secret, mystic 2. concealed, hidden

गूढ़ार्थ (*gūṛhārtha*) *a.* of obscure meaning

गूदा (*gūdā*) *m.* pith, pulp

गूलर (*gūlar*) *m.* wild fig

गृह (*gṛh*) *m.* house, home

गृह उद्योग *m.* cottage industry

गृहमंत्री *m.* Home Minister

गृहयुद्ध *m.* civil war

गृह विज्ञान *m.* home science

गृह सचिव *m.* Home Secretary

गृहस्थ (*gṛhasth*) *m.* householder, yeoman, family man

गृहस्थ आश्रम *m.* the second or domestic stage of life

गृहिणी (*gṛhiṇī*) *f.* housewife

गेंडा (*geṁḍā*) *m.* rhino

गेंद (*geṁd*) *f.* ball

गेय (*gey*) *a.* to be sung or chanted

गेय काव्य *m.* recitative poetry

गेरुआ (*geruā*) *a.* ochre-coloured, dark orange

गेरू (*gerū*) *f.* red

गेसू (*gesū*) *m.* lock (of hair)

गेहुँअन (*gehuṁan*) *m.* a venomous snake of brown colour

गेहुआँ (*gehuāṁ*) *a.* wheat-coloured, yellowish brown

गेहूँ (*gehūṁ*) *m.* wheat

गैंती (*gāiṁtī*) *f.* pick, pickaxe

ग़ैर (*gāir*) *a.* 1. other 2. non-related, unknown

ग़ैर इंसाफ़ी *f.* injustice, inequity

ग़ैरहाज़िर *a.* absent

ग़ैरत (*gāirat*) *f.* modesty, shame

गोंइठा (*goṁiṭhā*) *m.* small cake of cow-dung

गोंद (*goṁd*) *f.* gum

गो (*go*) *f.* 1. cow 2. ray

गोकुल *m.* herd of cows, abode of baby Krishna

गोचर *a.* 1. within the reach of senses, perceptible 2. pasturage

गो-चारण *m.* pasturing or feeding of cows

गोधूलि *f.* dusk, evening twilight

गोपाल *m.* an epithet of Lord Krishna
गोरस *m.* cow's milk
गोटा (*goṭa*) *m.* gold or silver lace
गोटेदार *a.* fitted with gold or silver
गोटी (*goṭī*) *f.* roundish small stone or wooden block for indoor games
गोठ (*goṭh*) *f.* 1. cowhouse 2. seminar 3. picnic
गोड़ (*goṛ*) *m.* foot, leg
गोड़ना (*goṛnā*) *v.t.* to dig, to hoe
गोड़ाई (*goṛāī*) *f.* digging
गोता (*gotā*) *m.* dive, plunge, dip
गोताखोर *m.* diver
गोतिया (*gotiyā*) /गोती (*gotī*) *m.* person having the same lineage, kinsman
गोत्र (*gotra*) *m.* 1. race, clan 2. lineage, family stock
गोद (*god*) *f.* 1. lap, bosom 2. adoption of a child
गोदना (*godanā*) *v.t.* 1. to tattoo 2. to prick, to pierce, to puncture
गोधा (*godhā*) *f.* /गोधिका (*godhikā*) *f.* lizard
गोप (*gop*) *m.* 1. cowherd, milkman 2. a kind of necklace
गोपनीय (*gopanīya*) *a.* secret, confidential, private
गोपनीय रिपोर्ट *f.* confidential report
गोपांगना (*gopāṅgnā*) *f.* woman of the cowherd class, milkmaid
गोपाल (*gopāl*) *m.* 1. cowherd 2. an epithet of Lord Krishna
गोपाष्टमी (*gopāṣṭamī*) *f.* a festival on eighth day of the light half of Kartik (November)
गोपी (*gopī*) *f.* wife of a milkman
गोपीनाथ (*gopīnath*) *m.* Lord Krishna
गोबर (*gobar*) *m.* cow-dung, dung
गोबरैला (*gobarāilā*) *m.* dung-beetle
गोभी (*gobhi*) *f.* cauliflower
गोमेद (*gomed*) *m.* agate (gem)
गोया (*goyā*) *conj.* as if
गोरखा (*gorakhā*) *m.* 1. a person from Nepal 2. name of a tribe
गोरा (*gorā*) *a.* fair, of fair complexion
गोरी (*gorī*) lovely or charming woman
गोलंबर (*golambar*) *m.* 1. dome 2. arch 3. cupola 4. round portico (especially in a garden)
गोल (*gol*) I. *a.* round, circular II. *m.* goal (in a field game)
गोल बाँधना *v.t.* to form a circle
गोलमेज़ परिषद round table council or assembly
गोलक (*golak*) 1. eyeball 2. globe 3. dome 4. wooden ball
गोलमाल (*golmāl*) *m.* confusion
गोलकी (*golakī*) *m.* goalkeeper
गोला (*golā*) *m.* 1. globe 2. round
गोलाबारी (*golābārī*) *f.* bombardment, cannonade
गोलाबारूद (*golābārūd*) *m.* ammunition
गोलाई (*golāī*) *f.* roundness

ग

गोलाकार (*golākār*) *a.* global, circular
गोलार्ध (*golārdha*) *m.* hemisphere
गोली (*golī*) *f.* 1. a marble (for playing) 2. bullet 3. a pill
गोलोक (*golok*) *m.* heaven
गोलोकवासी *m.* resident of heaven, deceased
गोविंद (*govind*) *m.* a popular epithet of Lord Krishna
गोश्त (*gośt*) *m.* flesh, meat
गोष्ठ (*goṣṭha*) *f.* 1. plot 2. meeting
गोष्ठी (*goṣṭhī*) *f.* meeting
गोस्वामी (*gosvāmī*) *m.* 1. owner of cows 2. one who controls the senses, ascetic
गोहार (*gohār*) *f.* call for help
गौ (*gau*) *f.* cow
गौशाला *f.* (a) cowhouse, cowshed (b) dairy
गौड़ (*gaur̥*) *m.* one of the ten classes of Brahmins
गौड़ी (*gaur̥ī*) *f.* name of a musical mode
गौण (*gauṇ*) *a.* unimportant
गौना (*gaunā*) *m.* ceremony of bride's going to her husband's house after a post-marriage interval
ग़ौर (*gaur*) *m.* deep thought
ग़ौरतलब *a.* deserving consideration, requiring thinking
गौरव (*gaurav*) *m.* 1. glory 2. dignity 3. pride 4. importance
गौरवशाली *a.* (a) glorious (b) honoured (c) venerable
गौरवर्ण (*gaurvarṇa*) *m.* white colour
गौरवान्वित (*gauravānvit*) *a.* highly esteemed, honoured
गौरांग (*gaurāṅg*) I. *a.* white-complexioned II. *m.* an epithet of the sage Mahaprabhu Chaitanya
गौरा (*gāurā*) *f.*/**गौरी** (*gaurī*) *f.* 1. a fair-complexioned woman 2. goddess Parvati
गौरैया (*gauraiyā*) *f.* sparrow
ग्यारह (*gyārah*) *a.&m.* eleven
ग्रंथ (*granth*) *m.* 1. book 2. volume
ग्रंथकर्ता *m.* /**ग्रंथकार** *m.* author
ग्रंथ साहब *m.* the Sikh scripture Guru Granth Sahib
ग्रंथ सूची *m.* bibliography
ग्रंथावलि (*granthāvali*) *f.* /**ग्रंथावली** (*granthāvalī*) *f.* complete works of an author
ग्रंथि (*granthi*) *f.* 1. gland 2. joints of the body 3. knot
ग्रंथी (*granthī*) *m.* 1. one who has a large number of books 2. reader of scriptures
ग्रसना (*grasnā*) *v t.* 1. to eclipse 2. to catch 3. to swallow
ग्रस्त (*grast*) *a.* swallowed, devoured
ग्रह (*grah*) *m.* planet
ग्रह दशा *f.* position of the planets
ग्रहण (*grahaṇ*) *m.* 1. acceptance 2. understanding 3. eclipse
ग्राम (*grām*) *m.* village
ग्राम पंचायत *f.* village council

ग्रामवासी *m.* villager

ग्रामसभा *f.* village assembly

ग्रामीण (*grāmīṇ*) I. *m.* villager II. *a.* 1. rural 2. rustic

ग्राम्य (*grāmya*) *a.* rural

ग्राम्य जीवन *m.* country life

ग्राह (*grāh*) *m.* 1. eclipse 2. hold 3. alligator

ग्राह्य (*grāhya*) *a.* 1. admissible 2. acceptable

ग्रीवा (*grīvā*) *f.* neck

ग्रीष्म (*grīṣma*) *m.* summer, hot season

ग्रीष्म ऋतु *f.* summer season

ग्रीष्मावकाश (*grīṣmāvkāś*) *m.* summer vacation

ग्लानि (*glāni*) *f.* compunction

ग्वाल (*gvāl*) *m.* milkman

ग्वाल बाल *m.* boys of the cowherd class

ग्वाला (*gvālā*) *m.* cowherd

ग्वालिन (*gvālin*) *f.* woman of the cowherd class, cowgirl, milkmaid

घ

घ

घंटा (*ghanṭā*) *m.* 1. hour 2. bell
घंटाघर *m.* clock-tower
घंटी (*ghanṭī*) *f.* 1. tiny bell 2. ring
घघरा (*ghaghrā*) *m.* a variety of petticoat or frock
घट (*ghaṭ*) *m.* 1. pitcher, water-pot 2. body
घट स्थापन *m.* placing a water-pot for worship
घटक (*ghaṭak*) *m.* 1. constituent, component 2. agent
घटती (*ghaṭatī*) *f.* decrease
घटना (*ghaṭnā*) I. *f.* event, happening II. *v.i.* to lessen
घटनाक्रम *m.* sequence of events
घटनाचक्र *m.* cycle of events
घटनास्थल *m.* place of occurrence, site/scene of accident
घटा (*ghaṭā*) *f.* dark and dense clouds, mass of dark clouds
घटाटोप *m.* overcasting/gathering of dark, dense clouds
घटाना (*ghaṭānā*) *v.i.* 1. to lessen 2. to subtract, to deduct
घटाव (*ghaṭāv*) *m.* 1. decrease 2. fall, decline 3. receding
घटित (*ghaṭit*) *a.* happened, occurred
घटिया (*ghaṭiyā*) *a.* of low quality or standard
घटी (*ghaṭī*) *f.* 1. decrease, reduction 2. deficiency 3. loss
घड़घड़ाहट (*ghaṛghaṛāhaṭ*) *f.* rattle, rumbling, rattling sound
घड़ा (*ghaṛā*) *m.* earthen water-pot, pitcher
घड़ियाल (*ghaṛiyāl*) *m.* 1. alligator 2. gong, bell
घड़ी (*ghaṛī*) *f.* watch, clock
घड़ीसाज *m.* watch-maker, horologist
घन (*ghan*) *m.* 1. big hammer 2. cloud 3. solid cube
घनघोर (*ghanghor*) *a.* very dense
घन क्षेत्र *m.* length and breadth
घन फल *m.* cube, cubic capacity (maths)
घनश्याम (ghanśyam) *m.* (a) dark cloud (b) an epithet of Lord Krishna
घनघन (*ghanghan*) *f.* tinkling sound, jingle
घनघनाना (*ghanghanānā*) *v.i.* to make a tinkling sound
घनघोर (*ghanghor*) *a.* fierce
घनता (*ghanatā*) *f.* 1. thickness, density 2. solidity
घना (*ghanā*) thick, dense

घनाक्षरी (*ghanākṣarī*) *f.* 1. written or printed in very close characters 2. a musical mode
घनिष्ठ (*ghaniṣṭha*) *a.* 1. intimate 2. very thick
घनिष्ठता (*ghaniṣṭhatā*) *f.* 1. closeness 2. thickness, density
घनीभूत (*ghanībhūt*) *a.* thickened
घपला (*ghaplā*) *m.* 1. bungling 2. fraud
घबड़ाना (*ghabṛānā*) *v.i.* /घबराना *ghabrānā*) *v.i.* to be nervous, to become restless
घमंड (*ghamaṇḍ*) *m.* pride, vanity
घमंडी (*ghamaṇḍī*) *a.* proud, conceited, haughty
घमासान (*ghamāsān*) *a.* fierce
घर (*ghar*) *m.* house, home
घरद्वार *m.* /घरबार *m.* dwelling place
घरघराना (*ghargharānā*) *v.i.* to produce a whirring sound
घरघराहट (*ghargharāhaṭ*) *f.* rattling sound (as of a grinding mill)
घरनी (*gharnī*) *f.* mistress of the house, wife
घराना (*gharānā*) *m.* family
घरेलू (*gharelū*) *a.* domestic
घरेलू उद्योग *m.* cottage industry
घरेलू युद्ध *m.* civil war
घरौंदा (*gharaūṁdā*) *m.* 1. small house 2. toy-house
घर्घर (*gharghar*) *f.* rattling sound, rumble
घर्म (*gharma*) *m.* 1. heat, warmth 2. sultriness 3. sweat
घर्षक (*gharṣak*) *m.* 1. cleaner, polisher, varnisher 2. filer
घर्षण (*gharṣan*) *m.* 1. rubbing, friction, abrasion 2. cleaning
घसिटना (*ghasiṭnā*) *v.i.* to be dragged
घसियारा (*ghasiyārā*) *m.* grass-cutter
घसीट (*ghasīṭ*) *f.* 1. dragging or trailing 2. hastily done handwriting
घसीटना (*ghasīṭnā*) *v.t.* 1. to drag, to haul 2. to scribble
घहराना (*ghaharānā*) *v.i.* to surge (of cloud)
घाघ (*ghāgh*) *a.* & *m.* 1. cunning, shrewd 2. old (man)
घाट (*ghāṭ*) *m.* 1. landing place, on a river bank, ferry 2. harbour
घाटवाल (*ghāṭvāl*) *m.* wharfinger, a ferryman who performs various services at the landing place
घाटा (*ghāṭā*) *m.* 1. deficit 2. deficiency 3. loss
घाटी (*ghāṭī*) *f.* valley
घात (*ghāt*) *f.* murder, killing
घातक (*ghātak*) I. *a.* fatal, lethal II. *m.* murderer, killer
घाती (*ghāṭī*) *a.* 1. killing, murderous 2. destructive
घानी (*ghānī*) *f.* 1. oil press 2. sugar-cane press 3. lime mill
घाम (*ghām*) *m.* 1. heat of the sun, sunshine 2. heat, warmth

घ

घायल (*ghāyal*) *a.* wounded, injured

घालमेल (*ghālmel*) *m.* jumble, hotchpotch, mess

घाव (*ghāv*) *m.* wound, injury

घास (*ghās*) *f.* grass

घासलेट (*ghāsleṭ*) *m.* kerosene oil

घिग्घी (*ghigghī*) *f.* 1. choking sensation in the throat 2. throat, larynx

घिघियाना (*ghighiyānā*) *v.i.* 1. to falter in speaking 2. to make humble entreaty, to implore

घिचपिच (*ghicpic*) I. *f.* over crowding II. *a.* clumsy, crowded, illegible, jumbled

घिन (*ghin*) *f.* hate, hatred, dislike, nausea, abhorrence

घिनौना (*ghinaunā*) *a.* hateful, abhorrent, repulsive

घिया (*ghiyā*) *m.* gourd, bottle - gourd (vegetable)

घियाकश *m.* grater, grating device

घिरना (*ghirnā*) *v.i.* to be surrounded, to be enclosed

घिरनी (*ghirnī*) *f.* 1. pulley 2. wheel for making ropes

घिरा (*ghirā*) *a.* 1. besieged 2. surrounded 3. inbound

घिसटना (*ghisaṭnā*) *v.i.* 1. to be dragged 2. to move roughly

घिसना (*ghisnā*) I. *v.t.* 1. to rub, to rub off/away 2. to grind down II. *v.i.* to be rubbed

घिसा (*ghisā*) *a.* rubbed, abraded

घिसा-पिटा *a.* stereotyped, hackneyed

घिसाई (*ghisāī*) *f.* 1. abrasion, rubbing, smoothing, grinding 2. wages for rubbing, polishing

घी (*ghī*) *m.* ghee, clarified butter

घुँइयाँ (*ghuṁiyāṁ*) *f.* a vegetable root

घुंघनी (*ghuṅghanī*) *f.* fried and seasoned grains

घुँघराला (*ghuṁghrālā*) *a.* curly

घुँघराले बाल *m.* curly hair

घुँघरू (*ghuṁgharū*) *m.* a string of small bells worn around the ankles or wrists

घुंडी (*ghuṇḍī*) *f.* 1. knob 2. loop 3. knot-like button made of cloth

घुग्घू (*ghugghū*) *m.* 1. owl 2. fool, stupid fellow

घुटन (*ghuṭan*) *f.* suffocation

घुटना (*ghuṭanā*) I. *m.* knee II. *v.i.* 1. to be suffocated, to be choked 2. to be shaved clean

घुट्टी (*ghuṭṭī*) *f.* digestive medicine or tonic given to infants

घुड़ (*ghuṛ*) *m.* horse

घुड़दौड़ *f.* horse-race

घुड़सवार *m.* horse-rider

घुड़साल *f.* stable, equerry

घुड़कना (*ghuṛaknā*) *v.t.* to reprimand, to rebuke

घुड़की (*ghuṛkī*) *f.* 1. sharp reprimand 2. growling, snarling

घुण (*ghuṇ*) *m.* wood worm

घुन (*ghun*) *m.* 1. weevil 2. rancour, malice, spite

घुनना (*ghunnā*) *v.i.* to be blighted by weevils, (*fig.*) to be weakend by a wasting disease

घुन्ना (*ghunnā*) *a.* & *m.* malicious, spiteful

घुप्प (*ghupp*) *a.* dense

घुमक्कड़ (*ghumakkaṛ*) I. *a.* fond of wandering or travelling II. *m.* wanderer

घुमड़ना (*ghumaṛnā*) *v.i.* (clouds) to gather, to overcast

घुमरी (*ghumrī*) *f.* whirlpool, eddy

घुमवाना (*ghumvānā*) *v.t.* to cause to be moved back or around

घुमाना (*ghumānā*) *v.t.* 1. to revolve, to turn round 2. to brandish (of a sword)

घुमाव (*ghumāv*) *m.*1. turning, bend 2. curve

घुरघुर (*ghurghur*) *f.* 1. growling, snorting of a cat or pig 2. coughing sound in throat

घुरघुराना (*ghurghurānā*) *v.i.* to gruntle, to growl, to snarl

घुलन (*ghulan*) *f.* 1. melting, dissolving 2. jealousy
  घुलनशील *a.* soluble

घुलाना (*ghulānā*) *v.i.* to melt, to dissolve

घुस (*ghus*) *f.* entering
  घुसपैठ *f.* forcible entrance

घुसना (*ghusnā*) *v.i.* 1. to penetrate, to pierce 2. to be thrust

घुसपैठिया (*ghuspāiṭhiyā*) *m.* intruder, infiltrator

घुसाना (*ghusānā*) *v.t.* 1. to thrust in 2. to pierce 3. to penetrate

घुसेड़ना (*ghuseṛnā*) *v.t.* 1. to thrust or plunge into 2. to pierce

घूँघट (*ghūṁghaṭ*) *f.* veil covering or wrapper for the face

घूँट (*ghūṁṭ*) *m.* sip, gulp

घूँसा (*ghūṁsā*) *m.* a blow with the fist

घूँसेबाज (*ghūṁsebāj*) *m.* boxer

घूम (*ghūm*) *m.* turning, bend

घूमता (*ghūmtā*) *a.* revolving

घूमना (*ghūmnā*) *v.i.* 1. to stroll 2. to revolve, to turn

घूर (*ghūr*) *m.* 1. dunghill 2. rubbish, sweepings

घूरना (*ghūrnā*) *v.t.* to stare at, to gaze intently on

घूर्ण (*ghūrṇa*) I. *m.* wandering, roaming II. *a.* revolving

घूस (*ghūs*) *f.* bribe, graft
  घूसखोर *a.*& *m.* (one) who takes bribes

घृणा (*ghr̥ṇā*) *f.* hatred, aversion

घृणास्पद (*ghr̥ṇāspad*) *a.* hateful, abhorrent, loathsome

घृणित (*ghr̥ṇit*) *a.* hated

घृत (*ghr̥t*) *m.* clarified butter

घेंघा (*gheṁghā*) *m.* /**घेघा** (*gheghā*) *m.* goitre, tumour

घेरना (*ghernā*) *v.t.* 1. to besiege 2. to put a boundary 3. to surround

घेरा (*gherā*) *m.* enclosure, fence
  घेरा डालना *v.t.* to besiege, to cordon off, to blockade

घेराव (*gherāv*) *m.* blockade

घोंघा (*ghoṁghā*) *m.* 1. cockle snail,

घ

oyster 2. conch, conch shell

घोंटना (*ghomtnā*) *v.t.* 1. to pestle (in a mortar) 2. to learn by heart

घोंपना (*ghompnā*) *v.t.* to pierce, to penetrate, to stab

घोंसला (*ghomslā*) *m.* nest

घोखना (*ghokhnā*) *v.t.* to learn by heart, to cram up

घोटना (*ghoṭnā*) I. *v.t.* to pulverise, to pound II. *m.* 1. muller 2. polishing stone

घोटनी (*ghoṭnī*) *f.* muller, rubber

घोटाई (*ghoṭāī*) *f.* 1. pestling 2. polishing

घोटाला (*ghoṭālā*) *m.* 1. bungling 2. scam 3. disorder

घोड़ा (*ghoṛā*) *m.* 1. horse 2. trigger/hammer of a gun

घोड़ी (*ghoṛī*) *f.* 1. mare 2. marriage songs by ladies of the groom's family

घोर (*ghor*) *a.* 1. awful, terrific, formidable 2. grave

घोल (*ghol*) *m.* 1. solution 2. mixture

घोलना (*gholnā*) *v.t.* 1. to dissolve 2. to mix

घोष (ghoṣ) *m.* 1. indistinct noise 2. sound 3. slogan

घोषणा (*ghoṣṇā*) *f.* declaration, proclamation, promulgation **घोषणा-पत्र** *m.* manifesto, written proclamation

घोषित (*ghoṣit*) *a.* declared, announced, promulgated

घ्राण (*ghrāṇ*) *m.* 1. smelling 2. nose **घ्राण-शक्ति** *f.* power of smelling

घ्राणेंद्रिय (*ghrāṇendriya*) *f.* nose, sense of smelling

च

च

चंगा (caṅgā) *a.* healthy, good
चंगुल (caṅgul) *m.* claw (of a wild beast), clutch or grasp
चंचरी (cañcarī) *f.* /चंचरीक (cañcarīk) *m.* buzzing bee
चंचल (cañcal) *a.* restless, unsteady, transient, unstable, wavering
चंचलता (cañcaltā) *f.* 1. fickleness 2. instability 3. restlessness
चंचला (cañcalā) *f.* 1. lightning 2. an epithet of Lakshmi (goddess of wealth)
चंचु (cañcu) *f.* beak, bill (of a bird)
चंट (caṇṭ) *a.* cunning, knave
चंड (caṇḍ) *a.* 1. sharp, keen, acrid 2. intense, violent, strong
चंडाल (caṇḍāl) I. *m.* most degraded person, a man of the lowest Shudra class among Hindus II. *a.* wicked
चंडिका (caṇḍikā) *f.* 1. a cruel woman 2. an epithet of Durga
चंडी (caṇḍī) *f.* an epithet of goddess Durga
चंडोला (caṇḍolā) *m.* palanquin
चंद (cand) *a.* some, a few
चंदन (candan) *m.* sandal, sandal wood, sandal tree
चंदवा (candvā) *m.* small canopy, awning
चंदा (candā) *m.* 1. moon 2. subscription
चंदोवा (candovā) *m.* canopy
चंद्र (candra) *m.* moon
चंद्रकांत (मणि) *m.* moon-stone (a gem)
चंद्रचूड़ *m.* one who bears the moon on his hair (i.e. Lord Shiva)
चंद्रमा (candramā) *m.* the moon
चंद्रिका (candrikā) *f.* moonlight
चंद्रोदय (candroday) *m.* moonrise
चंपई (campaī) *a.* of the colour of champa flower (yellow)
चंपक (campak) *m.* the plant and its flower
चंपत (campat) *a.* absconded
चंपा (campā) *m.* the plant
चंवर (caṁvar) *m.* fly-whisk
चक (cak) *m.* 1. large plot of land 2. small village
चकबंदी *f.* consolidation of holdings
चकई (cakaī) *f.* a disc-shaped

च

whirling toy
चकई-चकवा *(cakaī-cakvā) m.* female and male ruddy goose
चकचकाना (*cakcakānā*) *v.i.* to glitter, to shine
चकत्ता (*cakattā*) *m.* (skin) rash
चकनाचूर *(cakanācūr) a.* broken/shattered to pieces
चकमक (*cakmak*) *m.* flint
चकमा (*cakmā*) *m.* fraud, trick
चकराना (*cakrānā*) I. *v.i.* 1. to feel giddy 2. to be perplexed II. *v.t.* to be confused
चकरी (*cakrī*) *f.* stone mill
चकला (*caklā*) *m.* 1. a circular wooden or stone disc for rolling out dough 2. brothel
चकल्लस (*cakallas*) *m.* fun, jocularity
चकवा (*cakvā*) *m.* ruddy goose
चकाचौंध (*cakācaumdh*) *f.* dazed, dazzling effect
चकित (*cakit*) *a.* surprised
चकोर (*cakor*) *m.* red-legged partridge
चक्कर (*cakkar*) *m.* 1. wheel 2. circle 3. circular passage
चक्का (*cakkā*) *m.* wheel
  चक्का जाम *a.* traffic jam
चक्की (*cakkī*) *f.* millstone
चक्कू (*cakkū*) *m.* knife, pen knife
चक्र (*cakra*) *m.* 1. wheel 2. circular object, disc
  चक्रपाणि *m.* one who holds chakra in his hand, Lord Vishnu and Krishna
  चक्रवत् *a.* circular, wheel-like
चक्रवर्ती *(cakravartī) a.* universal
  चक्रवर्ती राजा *m.* ruler of a vast empire, emperor
चक्रवात *(cakravāt) m.* cyclone
चक्रवृद्धि ब्याज *(cakravṛdhi byāj) f.* compound interest
चक्राकार *(cakrākār) a.* /**चक्राकृति** *cakrākṛti*) *a.* round, circular, wheel-shaped
चक्षु (*cakṣu*) *m.* eye
  चक्षु गोचर *a.* visible
चखचख (*cakhcakh*) *f.* noisy dispute, altercation
चखना (*cakhnā*) *v.t.* to taste
चचा (*cacā*) *m.* paternal uncle
चचिया (*caciyā*) *a.* related with paternal uncle
  चचिया ससुर *m.* uncle-in-law
चट (*caṭ*) I. *adv.* at once, quickly, hurriedly II. *f.* sound of breaking
चटक (*caṭak*) I. *f.* 1. a. crack, snap 2. brightness II. *m.* sparrow
  चटकदार *a.* bright, brilliant
  चटक-मटक *f.* gaudiness
चटकना (*caṭaknā*) *v.i.* to give forth a cracking sound
चटकनी (*caṭakanī*) *f.* bolt (of a door), latch
चटकाना (*caṭkānā*) *v.t.* 1. to snap (the fingers) 2. to crack
चटकारा (*caṭkārā*) *m.* /**चटख़ारा** (*caṭk͟hārā*) *m.* sound made by tongue against the palate on tasting something luscious

चटकीला (*caṭkīlā*) *a.* (of colour) gaudy, brilliant, bright

चटखनी (*caṭakhnī*) *f.* bolt (of a door), latch

चटनी (*caṭnī*) *f.* sauce

चटपटा (*caṭpaṭā*) *a.* pungent, spicy

चटाई (*caṭāī*) *f.* mat

चटाना (*caṭānā*) *v.t.* to cause to lick

चटुल (*caṭul*) *a.* trembling

चटोर (*caṭor*)*a.* /**चटोरा** (*caṭorā*) *a.* greedy, gluttonous

चट्टा (*caṭṭā*) *m.* a mat of bamboo

चट्टान (*caṭṭān*) *f.* rock

चड्डी (*caḍḍī*) *f.* lower under garment

चढ़त (*caṛhat*) I. *f.* offerings made to a deity or a priest in a temple, II. *a.* ascending

चढ़ना (*caṛhanā*) *v.i.* 1. to climb (as on a tree, stairs) 2. to go up (a hill) 3. to ride, to mount (as on horseback) 4. to rise (as the sun, prices)

चढ़वाना (*caṛhvānā*) *v.t.* 1. cause to be mounted 2. cause to be ascended/raised

चढ़ा-ऊपरी (*caṛhā-ūparī*) *f.* (spirit of) rivalry

चढ़ाई (*caṛhāī*) *f.* 1. climb, ascent, rise 2. invasion 3. riding

चढ़ान (*caṛhān*) *f.* climb, ascent

चढ़ाना (*caṛhānā*) *v.t.* 1. to cause to climb or ascend 2. to make an offering to a deity

चढ़ाव (*caṛhāv*) *m.* ascent

चढ़ावा (*caṛhāvā*) *m.* any religious offering, present from bride-groom to bride to be worn at marriage

चतुर (*catur*) *a.* 1. clever 2. wise

चतुर्थ (*caturtha*) *a.* fourth

चतुर्थी (*caturthī*) *f.* fourth day of the lunar fortnight

चतुर्दशी (*caturdaśī*) *f.* fourteenth day of the lunar fortnight

चतुर्दिक (*caturdik*) *f.*/**चतुर्दिश** (*catur-diś*) *f.* four sides, on all the four sides

चतुर्भुज (*caturbhuj*) *f.* four-armed, title of god Vishnu

चतुर्मास (*caturmās*) *m.* the four months of rainy season (June to September)

चतुर्मुख (*caturmukh*) I. *a.* four-faced II. *m.* an epithet of Brahma

चतुर्वर्ण (*caturvarṇa*) *m.* four main classes of Hindus-Brahmin, Kshatriya, Vaishya and Shudra

चतुर्वेद (*caturved*) *m.* the four Vedas-Rigveda, Yajurveda Samveda, and Atharvaveda

चतुर्वेदी (*caturvedī*) *m.* 1. scholar of the four Vedas 2. a Brah-min sub-community

चतुष्कोण (*catuṣkoṇ*) I. *m.* quad-rangle II. *a.* quadrangular

चतुष्पद (*catuṣpad*) *m.* quadru-ped

चद्दर (*caddar*) *f.* sheet (of cloth, iron, etc.)

च

चनचनाना (*cancanānā*) *v.i.* 1. to crackle 2. to throb
चना (*canā*) *m.* chick-pea or gram
चपकना (*capaknā*) *v.i.* 1. to stick 2. to be compressed
चपटना (*capaṭnā*) *v.i.* to be pressed flat
चपटा (*capṭā*) *a.* compressed flat
चपड़ा (*capṛā*) *m.* lac
चपत (*capat*) *f.* 1. slap 2. loss
चपरास (*caprās*) *f.* metal badge or plate worn by peons or orderlies
चपरासी (*caprāsī*) *m.* peon
चपल (*capal*) *a.* 1. fickle 2. unsteady
चपला (*capalā*) *f.* 1. lightning 2. an epithet of goddess Lakshmi
चपाती (*capātī*) *f.* thin cake of unleavened dough
चपेट (*capeṭ*) *f.* within striking range
चप्पल (*cappal*) *f.* sandal, slipper
चप्पा (*cappā*) *m.* small amount of land, a measure of four fingers
चप्पा-चप्पा *m.* every inch of ground
चप्पू (*cappū*) *m.* oar, paddle
चबाना (*cabānā*) *v.t.* to chew, to masticate, to munch
चबूतरा (*cabūtrā*) *m.* raised platform, terrace, rostrum
चबेना (*cabenā*) *m.* parched grain
चमक (*camak*) *f.* glitter, shine
चमक-दमक *f.* glamour
चमकना (*camaknā*) *v.i.* to shine
चमकाना (*camakānā*) *v.t.* to cause to shine or glitter
चमकीला (*camakīlā*) *a.* brilliant, luminous, shining
चमगादड़ (*camgādaṛ*) *m.* bat
चमच (*camac*) *m.* spoon
चमचम (*camcam*) I. *m.* a kind of Bengali sweet made of cottage cheese II. *a.* glittering
चमचमाना (*camcamānā*) I. *v.i.* to glitter II. *v.t.* to polish
चमचा (*camcā*) *m.* big spoon
चमड़ा (*camṛā*) *m.* leather, hide, skin
चमड़ी (*camṛī*) *f.* skin
चमत्कार (*camatkār*) *m.* wonder
चमत्कारी (*camtkārī*) *m.* wonderful or amazing person
चमत्कृत (*camtkṛt*) *a.* astonished, amazed
चमन (*caman*) *m.* garden
चमर (*camar*) *m.* 1. yak 2. tail of yak used as flywhisk, also a sign of royalty
चमरौटी (*camrauṭī*) *f.* inhabitation or dwelling of *chamar* (shoemaker)
चमरौधा (*camraudhā*) *m.* an indigenous type of heavy and sturdy shoe
चमाचम (*camācam*) *adv.* brightly, gaudily, brilliantly
चमार (*camār*) *m.* shoemaker
चमू (*camū*) *f.* a division of army

चमेली (*camelī*) *f.* jasmine flower
चयन (*cayan*) *m.* selection
चर (*car*) I. *a* movable. II. *m.* 1. spy 2. (maths) variable
  चर-अचर *a.* movable and immovable
चरक (*carak*) *m.* white leprosy
चरकटा (*carkaṭā*) *m.* chaff-cutter, fodder-cutter
चरखा (*carkhā*) *m.* spinning wheel
चरखी (*carkhī*) *f.* 1. spool 2. reel
चरचर (*carcar*) *f.* crackling sound
चरचराना (*carcarānā*) *v.i.* 1. to chatter 2. to crackle
चरण (*caraṇ*) *m.* 1. foot, feet 2. (in poetry) quarter of a stanza 3. phase, stage
  चरण कमल *m.* lotus-like feet
  चरणचिह्न *m.* footprints
  चरण तल *m.* sole of the foot
  चरण पादुका *f.* a wooden shoe
चरणांबुज (*carnāmbuj*) *m.* lotus-like feet, beautiful feet
चरणामृत (*carṇāmṛt*) *m.* 1. water in which the feet of a deity have been washed 2. sacred water mixed with milk, curd, sugar
चरणारविंद (*carṇārvind*) *m.* lotus-like feet
चरना (*carnā*) *v.t.* to graze
चरपरा (*carparā*) *a.* pungent
चरबांक (*carbāṅk*) *a.* clever
चरम (*caram*) *a.* 1. extreme, utmost 2. absolute 3. ultimate
  चरमपंथी *m.* extremist
  चरम सीमा *f.* climax
चरमर (*carmar*) *f.* creaking sound
चरमराना (*carmarānā*) *v.i.* to creak, to squeak (as of leaves, as of a door)
चरमोत्कर्ष (*caramotkarṣa*) *m.* climax, pinnacle
चरवाहा (*carvāhā*) *m.* 1. cowherd 2. shepherd 3. grazier
चरस (*caras*) *f.* intoxicant from hemp flowers, hashish
चराई (*carāī*) *f.* grazing
चरागाह (*carāgāh*) *m.* pasture, grazing ground
चराचर (*carācar*) I. *a.* movable and immovable II. *m.* the entire creation
चरितार्थ (*caritārtha*) *a.* successful in an undertaking
चरित्र (*caritra*) *m.* character
  चरित्रहीन *a.* characterless
चरु (*caru*) *m.* an oblation of rice or barley and pulse boiled with butter and milk
चर्खा (*carkhā*) *m.* spinning wheel
चर्च (*carc*) *m.* place of worship of Christians
चर्चा (*carcā*) *f.* discussion
चर्चित (*carcit*) *a.* 1. discussed 2. mentioned
चर्बी (*carbī*) *f.* /**चरबी** (*carabī*) *f.* fat, grease
चर्म (*carma*) *m.* skin, hide, leather
  चर्मकार *m.* shoemaker, cobbler
चर्या (*caryā*) *f.* 1. routine 2. prac

च

tice, usage, custom

चर्राना (*carrānā*) *v.i.* to make cracking or creaking sound

चर्वण (*carvaṇ*) *m.* masticating

चल (*cal*) *a.* movable

चलचित्र *m.* bioscope, movie, motion picture

चलचलाव (*calcalāv*) *m.* 1. feeble-minded 2. leaving and going

चलन (*calan*) *m.* 1. movement, motion 2. custom, usage

चलना (*calnā*) *m.* 1. to go 2. to walk 3. big sieve

चलनी (*calnī*) *f.* 1. sieve 2. strainer

चला (*calā*) *v.i.* walked, gone

चलाऊ (*calāū*) *a.* 1. lasting, durable 2. adequate 3. makeshift

चलान (*calān*) *m.* consignment

चलाना (*calānā*) *v.t.* 1. to cause to move 2. to start 3. to drive 4. to operate 5. to fire

चलायमान (*calāymān*) *a.* going, moving

चलावा (*calāvā*) *m.* custom

चलित्र (*calitra*) *m.* locomotive

चलो (*calo*) *interj.* away ! be gone!

चवन्नी (*cavannī*) *f.* four-anna, twenty-five paise (coin)

चवालीस (*cavālīs*) *a.* forty-four

चश्म (*caśma*) *f.* eye

चश्मदीद *a.* seen, witnessed

चश्मदीद गवाह *m.* eye-witness

चश्मबददूर ! may an evil eye be not cast on you !

चश्मा (*caśmā*) *m.* 1. spectacles, eye-glasses 2. fountain, spring

चषक (*caṣak*) *m.* 1. cup, goblet 2. wine-glass 3. wine, liquor

चस्का (*caskā*) *m.* compelling fondness, temptation

चस्पाँ (*caspāṁ*) *a.* stuck, fixed

चहक (*cahak*) *f.* chirping

चहकना (*cahaknā*) *v.i.* /**चहचहाना** (*cahcahānā*) to chirp

चहल (*cahal*) *f.* 1. merriment 2. festivity

चहलकदमी *f.* a short walk

चहल-पहल *f.* (a) activity (b) stir

चहलुम (*cahlum*) *m.* the fortieth day of mourning (after Muharram)

चहार (*cahār*) *a.* four

चहारदीवारी *f.* the four walls

चहुँ (*cahuṁ*) *a.* four

चहुँओर *adv.* on all four sides, all around

चहेता (*cahetā*) *a.* beloved, dear

चांचल्य (*cāñcalya*) *m.* unsteadiness

चांटा (*cāṇṭā*) *m.* slap

चांडाल (*cāṇḍāl*) *m.* most degraded person, a man of the lowest Shudra class

चांडालिनी (*cāṇḍālinī*) *f.* /**चांडाली** (*cāṇḍālī*) *f.* woman of the Chandal class

चाँद (*cāṁd*) *m.* the moon

चाँदनी (*cāṁdnī*) *f.* 1. moonlight 2. a white cloth spread over a carpet

चाँदी (*cāṁdī*) *f.* silver

चांद्रायण (*cāndrāyaṇ*) *m.* a religious observance

चाँपना (*cāṁpnā*) *v.t.* to press
चाइयां (*cāiyāṁ*) *a.* shrewd
चाक (*cāk*) *m.* potter's wheel
चाकर (*cākar*) *m.* servant
चाकरी (*cākrī*) *f.* service
चाकू (*cākū*) *m.* knife
चाक्षुष (*cākṣuṣ*) *a.* of or pertaining to the eyes
चाचा (*cācā*) *m.* father's younger brother
चाची (*cācī*) *f.* paternal aunt
चाट (*cāṭ*) *f.* a spicy preparation of chopped fruits, vegetables
चाटना (*cāṭnā*) *v.t.* to lick
चाटुकार (*cāṭukār*) *m.* flatterer
चाटुकारिता (*cāṭukāritā*) *f.* flattery
चातक (*cātak*) *m.* pied cuckoo
चातुर्य (*cāturyā*) *m.* cleverness
चातुर्वर्ण्य (*cāturvarṇya*) I. *a.* pertaining to the four castes of Hindu II. *m.* four castes
चादर (*cādar*) *f.* 1. sheet (of cloth) 2. bed-linen
चाप (*cāp*) *m.* 1. arch, arc 2. bow 3. rainbow
चापलूस (*cāplūs*) *m.* flatterer
चापलूसी (*cāplūsī*) *f.* flattery
चापल्य (*cāpalya*) *m.* unsteadiness
चाफंद (*cāphand*) *m.* a kind of fishing-net
चाबना (*cābna*) *v.t.* to chew, to masticate
चाबी (*cābī*) *f.* /चाभी (*chābhī*) *f.* key
चाबुक (*cābuk*) *m.* whip, lash
चाम (*cām*) *m.* skin, hide, leather
चाय (*cāy*) *f.* tea
  चाय-पानी *m.* light refreshment
चार (*cār*) *a.* & *m.* four
  चार कदम *m.* short distance
  चार धाम *m.* four places of pilgrimage of the Hindus-Badrinath, Rameshwaram, Dwarka and Jagannath Puri
  चारपाई *f.* cot, bedstead
  चारपाया *m.* quadruped
चारण (*cāraṇ*) *m.* 1. a wandering minstrel, bard, 2. grazing
चारा (*cārā*) *m.* 1. food for cattle, fodder 2. bait
चारित्रिक (*cāritrik*) *a.* of or pertaining to character
चारु (*cāru*) *a.* lovely, charming
चार्वाक (*cārvāk*) *m.* 1. name of an Indian philosopher 2. a follower of Charvak
  चार्वाक दर्शन *m.* Charvak philosophy of eat, drink and be merry
चाल (*cāl*) *f.* 1.manner of walking 2. plot 3. trick
  चाल-चलन *m.* character
  चालबाज *a.* trickster
चालक (*cālak*) *m.* driver
चालना (*cālnā*) *v.t.* to sift, to sieve
चालाक (*cālāk*) *a.* clever
चालाकी (*cālākī*) *f.* dexterity, cunning
चालान (*cālān*) *m.* prosecution, committal of an accused to a magistrate
चाली (*cālī*) *f.* deceit, fraud

च

च

चालीस (*cālīs*) *a.& m.* forty
चालीसा (*cālīsā*) *m.* 1. an aggregate of forty articles, stanzas, etc. (as Hanuman *chalisa*) 2. a period of forty days
चालू (*cālū*) *a.* 1. cunning 2. current
चालू वर्ष *m.* current year
चाव (*cāv*) *m.* 1. longing, craving 2. zest 3. fondness
चावल (*cāval*) *m.* rice
चाशनी (*cāśnī*) *f.* treacle, viscous syrup
चास (*cās*) *f.* ploughing, tilling
चाह (*cāh*) *f.* desire, longing
चाहत (*cāhat*) *f.* love, affection, liking
चाहे (*cāhe*) *conj.* 1. either/ 2. though
चिंगारी (*ciṅgārī*) *f.* spark (of fire)
चिंघाड़ (*ciṅghāṛ*) *f.* trumpeting of (an elephant) trumpet
चिंघाड़ना (*ciṅghārnā*) *v.t.* 1. to scream 2. to shriek
चिंतन (*cintan*) *m.* thinking
चिंतनीय (*cintanīya*) *a.* 1. serious, grave 2. to be thought of
चिंता (*cintā*) *f.* anxiety, worry
चिंतित (*cintit*) *a.* 1. preoccupied 2. perturbed, worried
चिंदी (*cindī*) *f.* a small piece
चिआँ (*ciāṁ*) *f.* seed of tamarind
चिउँटा (*ciuṁṭā*) *m.* a big black species of ant
चिउँटी (*ciuṁṭī*) *f.* ant
चिउड़ा (*ciuṛā*) *m.* parched and beaten rice
चिक (*cik*) *f.* a hanging screen made of split bamboos or reeds
चिकन (*cikan*) *m.* a particular mode of embroidery
चिकना (*ciknā*) *a.* 1. oily, greasy 2. smooth, polished
चिकनाई (*ciknāī*) *f.* 1. oiliness, greasiness 2. smoothness
चिकित्सा (*cikitsā*) *f.* medical or surgical treatment, therapy
चिकित्सा विज्ञान *m.* medical science
चिकित्सालय (*cikitsālaya*) *m.* hospital, dispensary
चिकीर्षा (*cikīrṣā*) *f.* desire to do a thing, intention, wish
चिकीर्षु (*cikīrṣu*) *a.* desirous of doing
चिकोटी (*cikoṭī*) *f.* pinch, tweak
चिक्कट (*cikkaṭ*) *a.* oiled, greasy
चिचिंड़ा (*cicinṛā*) *m.* snake gourd (a vegetable)
चिट्टा (*ciṭṭā*) *a.* white, fair
चिट्ठा (*ciṭṭhā*) *m.* detailed account
चिट्ठी (*ciṭṭhī*) *f.* letter
चिड़चिड़ा (*ciṛciṛā*) *a.* peevish, irritable, short-tempered
चिड़ा (*ciṛā*) *m.* cock-sparrow
चिड़िया (*ciṛiyā*) *f.* 1. bird 2. house-sparrow
चिड़ियाखाना/घर *m.* zoo, aviary
चिड़ी (*ciṛī*) *f.* hen-sparrow
चिढ़ (*ciṛh*) *f.* irritation
चिढ़ना (*ciṛhnā*) *v.i.* to be irritated, to be vexed

चिढ़ाना (*ciṛhānā*) *v.t.* to vex
चित (*cit*) I. *a.* lying flat on the back, prostrate II. *m.* 1. consciousness 2. intuition 3. mind
चितकबरा (*citkabrā*) *a.* variegated, spotted
चितवन (*citvan*) *f.* a glance, look
चिता (*citā*) *f.* pile of wood on which Hindus cremate their dead, funeral pyre
चितेरा (*citerā*) *m.* painter, artist
चित्त (*citta*) *m.* 1. mind 2. heart
चित्तल (*cittal*) *a.* spotted
चित्ताकर्षक (*cittākarṣak*) *a.* pleasing or appealing to the heart or mind, enchanting
चित्र (*citra*) *m.* picture, photo, painting, portrait
  चित्रकला *f.* art of painting
  चित्रकार *m.* painter, artist
  चित्रकारी *f.* painting
  चित्रदीर्घा *f.* art gallery
  चित्रपट *m.* canvas, screen
चित्रण (*citraṇ*) *m.* 1. act of painting, drawing 2. portrayal
चित्रांकन (*citrāṅkan*) *m.* 1. drawing 2. portrayal
चित्रात्मक (*citrātmak*) *a.* 1. of or pertaining to a picture 2. like a picture
चित्रित (*citrit*) *a.* 1. painted 2. depicted, portrayed
चिथड़ा (*cithṛā*) *m.* shred, rag
चिदाकाश (*cidākāś*) *m.* the all-pervading spirit
चिदानंद (*cidānand*) *m.* ultimate bliss, beatitude
चिनगारी (*cingārī*) *f.* spark
चिनना (*cinanā*) *v.t.* to build up
चिनिया (*ciniyā*) *a.* 1. of or belonging to China 2. small
चिह्न (*cinh*) *m.* sign, mark
चिपकना (*cipaknā*) *v.i.* to stick
चिपकाना (*cipakānā*) *v.t.* to stick, to glue, to paste
चिपचिपा (*cipcipā*) *a.* sticky, gummy, clinging
चिपटना (*cipaṭnā*) *v.i.* 1. to stick 2. to embrace 3. to adhere
चिपटा (*cipṭā*) *a.* compressed flat, flattened
चिबुक (*cibuk*) *f.* chin
चिमटा (*cimṭā*) *m.* tongs, pincers, forceps, nippers
चिमटाना (*cimṭānā*) *v.t.* 1. to cause to adhere 2. to embrace
चिमटी (*cimṭī*) *f.* 1. small pincers, forceps 2. pinch, nip
चिरंजीवी (*cirañjīvī*) *a.* long living, blessed with long life
चिरंतन (*cirantan*) *a.* always new, ever green, everlasting
चिर (*cir*) *a.* (of time) long, lasting, ever, perpetual
  चिर काल *m.* long time
  चिरनिद्रा *f.* death
चिरकुट (*cirkuṭ*) *m.* bit, piece
चिरना (*cirnā*) I. *v.i.* 1. to be sawed 2. to be split, to be torn II. *m.* sawing, splitting
चिराग़ (*cirāg*) *m.* lamp
चिराना (*cirānā*) *v.t.* to get sawed, to get opened or lanced
चिरायंध (*cirāyandh*) *f.* smell of

च

burning leather or hair

चिरायता (*cirāytā*) *m.* bitter medicinal plant

चिरायु (*cirāyu*) *a.* long living

चिरौंजी (*cirāuṁjī*) *f.* the tree *buchanania latifolia* and its nut

चिरौरी (*cirāurī*) *f.* beseeching, requesting

चिलगोज़ा (*cilgozā*) *m.* nut of the Himalayan pine tree and its kernel

चिलचिलाता (*cilcilātā*) *a.* hot, scorching

चिलम (*cilam*) *f.* earthen or metallic bowl on top of hubble-bubble in which tobacco is kept

चिलमन (*cilaman*) *f.* a screen or blind made of bamboo strips

चिल्लड़ (*cillaṛ*) *m.* 1. louse 2. small coins, change

चिल्लपों (*cillapoṁ*) *f.* screaming noise

चिल्लाना (*cillānā*) *v.i.* 1. to shriek, to yell, to cry 2. to shout

चिहुँक (*cihuṁk*) *f.* startling

चिहुँकना (*cihuṁknā*) *v.i.* to be startled

चिह्न (*cihna*) *m.* 1. sign, mark 2. trace 3. symptom 4. symbol

चिह्नित (*cihnit*) *a.* marked

चीं (*cīṁ*) *f.* warbling, chirping, chirping sound

चीं-चीं *f.* (a) warbling, etc. (of birds) (b) squeaking (c) creaking (of a wheel)

चींटा (*cīṁṭā*) *m.* big ant

चींटी (*cīṁṭī*) *f.* ant

चीकू (*cīkū*) *m.* sapodilla tree and its fruit

चीख़ (*cīkh*) *f.* scream, screech

चीख़ना (*cīkhnā*) *v.i.* to cry out

चीज़ (*cīz*) *f.* 1. thing 2. item

चीड़ (*cīṛ*) *m.* pine tree and its wood

चीता (*cītā*) *m.* 1. leopard 2. spotted panther

चीत्कार (*cītkār*) *f.* outcry, shriek, shout, scream of pain

चीनी (*cīnī*) I. *f.* sugar II. *a.* belonging to China

चीर (*cīr*) *m.* 1. clothing, piece of cloth or garment 2. rind/bark of a tree 3. cut, slit, cleavage

चीरना (*cīrnā*) *v.t.* to tear, to cleave, to saw, to dissect

चील (*cīl*) *f.* kite (bird)

चीवर (*cīvar*) *m.* garment of a mendicant

चुंगी (*cuṅgī*) *f.* octroi, terminal tax

चुंबक (*cumbak*) *m.* magnet

चुंबकीय (*cumbakīya*) *a.* magnetic

चुंबन (*cumban*) *m.* kissing, kiss

चुंबित (*cumbit*) *a.* kissed

चुंबी (*cumbī*) *suff.* as touching the sky (as गगनचुंबी)

चुआई (*cuāī*) *f.* dripping

चुकंदर (*cukandar*) *m.* beetroot, sugar-beet

चुकना (*cuknā*) *v.i.* to be finished

चुकाना (*cukānā*) *v.t.* 1. to settle 2. to finish

च

चुग़द (*cugad*) *m.* 1. owl 2. slow-witted person

चुगना (*cugnā*) *v.t.* to peck food, to pick with the beak

चुगल (*cugal*) *m.* /चुगलखोर (*cugalkhor*) *m.* tale-bearer

चुचकारना (*cuckārnā*) *v.t.* 1. to coax or cheer by making sucking sound 2. to fondle

चुचकारी (*cuckārī*) *a.* coaxing, fondling

चुटकी (*cuṭkī*) *f.* 1. snapping sound made with the thumb and the middle finger 2. pinch 3. handful

चुटकुला (*cuṭkulā*) *m.* joke, witticism

चुटिया (*cuṭiyā*) *f.* tuft of hair

चुटीला (*cuṭīlā*) *a.* stricken, hurt, penetrating

चुड़िहारा (*cuṛihārā*) *m.* dealer in bracelets and bangles

चुड़िहारिन (*cuṛihārin*) *f.* female dealer of bracelets and glass-bangles

चुड़ैल (*cuṛail*) *f.* ghost of a woman

चुदना (*cudnā*) *v.i.* to indulge in sexual intercourse with a man

चुनचुना (*cuncunā*) *a.* causing a burning sensation

चुनचुनाना (*cuncunānā*) *v.i.* to have pain with burning or pricking sensation, to itch

चुनट (*cunaṭ*) *f.* crease, pucker, rumple, fold

चुनना (*cunanā*) *v.t.* 1. to choose, to select 2. to elect

चुनरी (*cunṛī*) *f.* a thin cloth or sheet which is partly dyed

चुनांचे (*cunāñce*) *conj.* hence, therefore, accordingly

चुनाव (*cunāv*) *m.* 1. selection 2. election

चुनाव क्षेत्र *m.* constituency

चुनिंदा (*cunindā*) *a.* choice, selected, chosen

चुनौटी (*cunauṭī*) *f.* a small box for holding the lime which is eaten with tobacco

चुनौती (*cunautī*) *f.* challenge

चुन्नी (*cunnī*) *f.* a woman's small-sized upper covering

चुप (*cup*) *a.* silent

चुपड़ना (*cuparṇā*) *v.t.* to apply ghee/butter

चुप्पी (*cuppī*) *f.* silence

चुभता (*cubhtā*) *a.* piercing

चुभन (*cubhan*) *f.* pricking

चुभना (*cubhnā*) *v.i.* to be struck or thrust into

चुमवाना (*cumvānā*) *v.t.* to get oneself kissed

चुम्मा (*cummā*) *m.* kiss

चुरमुरा (*curmurā*) *a.* crisp, brittle

चुरवाना (*curvānā*) *v.t.* to cause to be stolen

चुराना (*curānā*) *v.t.* to steal

चुलबुल (*culbul*) *f.* uneasiness, sportiveness, liveliness

चुलबुला (*culbulā*) *a.* restless, fidgety, sportive, playful

चुल्लू (*cullū*) *m.* palm of the hand

च

formed into a hollow cup
चुवाना (*cuvānā*) *v.t.* 1. to cause to drip 2. to distil (as wine)
चुसना (*cusnā*) *v.i.* 1. to be sucked 2. to be absorbed
चुसवाना (*cusvānā*) *v.t.* to make somebody or something suck
चुस्की (*cuskī*) *f.* 1. draught or mouthful of water or other liquid 2. sip
चुस्त (*cust*) *a.* 1. smart, brisk 2. alert 3. tight
  चुस्त-दुरुस्त *a.* (a) fit, suitable (b) agile and alert
चुस्ती (*custī*) *f.* smartness
चुहल (*cuhal*) *f.* jocularity, joviality, jollity
चुहिया (*cuhiyā*) *f.* 1. mouse/ rat 2. female mouse
चूँ (*cūṁ*) *f.* slight or low sound, squeak
चूँकि (*cūṁki*) *conj.* because, as
चूक (*cūk*) *f.* default, lapse
चूकना (*cūknā*) *v.i.* to make a mistake
चूची (*cūcī*) *f.* 1. bosom 2. teat, nipple
चूचुक (*cūcuk*) *m.* teat, nipple
चूज़ा (*cūzā*) *m.* chicken
चूड़ांत (*cūṛānt*) *a.* extreme, excessive
चूड़ा (*cūṛā*) *m.* 1.bracelet, bangle 2. lock or tuft of hair on crown of the head
चूड़िया (*cūṛiyā*) *m.* a kind of striped cloth
चूड़ी (*cūṛī*) *f.* bangle of lac or glass or metal
  चूड़ीदार *a.* threaded, grooved
चूतड़ (*cūtaṛ*) *m.* buttock, hip
चूतिया (*cūtiyā*) *a.* & *m.* a term of abuse, blockhead
चून (*cūn*) *m.* flour
चूना (*cūnā*) I. *m.* lime II. *v.i.* 1. to leak 2. to drip 3. to drop
चूनी (*cūnī*) *f.* broken grain, coarsely split pulse
चूमना (*cūmnā*) *v.t.* to kiss
चूमा (*cūmā*) *m.* kiss
चूर (*cūr*) *m.* 1. small pieces, fragments 2. filings
चूरन (*cūran*) *m.* 1. powder 2. digestive powder
चूरमा (*cūrmā*) *m.* a sweetmeat made of bread crumbs mixed with ghee and sugar
चूर्ण (*cūrṇa*) I. *m.* powder II. *a.* powdered
चूर्णिका (*cūrṇikā*) *f.* fried and powdered rice or grain (for eating dry)
चूर्णित (*cūrṇit*) *a.* powdered, crushed
चूल (*cūl*) *f.* tenon, pivot, tang, mortice
चूल्हा (*cūlhā*) *m.* fireplace, oven, hearth
चूसना (*cūsnā*) *v.t.* 1. to suck 2. to absorb
चूसनी (*cūsnī*) *f.* teat of feeding bottle
चूहा (*cūhā*) *m.* rat, mouse
चें (*ceṁ*) *f.* chirping sound
  चें-चें *f.* warbling of birds

चेचक (*cecak*) *f.* smallpox

चेटी (*cețī*) *f.* maid-servant, female attendant

चेतन (*cetan*) *m.* 1. conscious mind 2. Supreme Spirit

चेतना (*cetnā*) *f.* 1. sensation 2. sense 3. consciousness
  चेतनाशून्य *a.* without sensation, unconscious

चेतावनी (*cetāvnī*) *f.* warning

चेरी (*cerī*) *f.* maid-servant, female attendant

चेला (*celā*) *m.* 1. disciple, follower 2. pupil

चेष्टा (*ceșțā*) *f.* effort, endeavour

चेहलुम (*cehlum*) *m.* the fortieth day of mourning (after Muharram)

चैत (*cait*) *m.* /**चैत्र** (*caitra*) *m.* Chait, the first month of Hindu calendar (March-April)

चैतन्य (*caitanya*) I . *a.* conscious, sentient, sensitive, alert II. *m.* consciousness, name of a famous Krishna devotee (Chaitanya Mahaprabhu)

चैता (*cāitā*) *m.* form of song sung in spring time

चैत्य (*caitya*) *m.* Budhist temple and monastery

चैत्री (*caitrī*) *f.* the day of the full moon in the month of Chaitra

चैन (*cāin*) *m.* ease, comfort, repose, rest

चैला (*cāilā*) *m.* pieces of split wood

चोंगा (*coṁgā*) *m.* 1. telephone receiver 2. funnel

चोंच (*coṁc*) *f.* beak (of a bird)

चोकर (*cokar*) *m.* husk of wheat or barley, bran

चोखा (*cokhā*) I. *a.* 1. distinct 2. (of gold, etc.) pure 3. candid, sincere II. *m.* mash made of boiled or roasted vegetables

चोग़ा (*cogā*) *m.* cloak, woollen gown

चोचला (*coclā*) *m.* coquettishness, playfulness, dalliance

चोट (*coț*) *f.* 1. hurt, injury 2. shock 3. hurtful remark

चोटी (*coțī*) *f.* 1. tuft of hair on top of the head 2. woman's lock of hair, braid 3. (of a hill or mountain) peak, summit

चोब (*cob*) *f.* 1. wood 2. tent-pin 3. staff
  चोबदार *m.* (a) mace-bearer (b) watchman

चोर (*cor*) *m.* thief, burglar
  चोर गली *f.* secret lane, back lane
  चोर[illegible] *m.* criminal, a man of criminal nature
  चोर दरवाजा *m.* private or secret door, back door

चोरी (*corī*) *f.* theft, burglary, pilferage

चोला (*colā*) *m.* 1. a long robe 2. baby's garment put on for the first time 3. sadhus' long robe or gown 4. human body

च

चोली (*colī*) *f.* bodice, blouse, brassiere

चौंकना (*caumknā*) *v.i.* to be startled

चौंकाना (*caumkānā*) *v.t.* to startle

चौंतीस (*caumtīs*) *a.& m.* thirty-four

चौंसठ (*caumsaṭh*) *a.& m.* sixty-four

चौक (*cauk*) *m.* 1. quadrangle, square 2. marketplace 3. ornamental square of coloured flour

चौकड़ी (*caukaṛī*) *f.* 1. an assembly or gathering of four 2. bound (as of a deer), bounce, leap, spring

चौकन्ना (*caukannā*) *a.* wary, vigilant

चौकस (*caukas*) *a.* cautious, watchful, vigilant

चौका (*caukā*) *m.* 1. aggregate of four 2. a square slab 3. cooking area

चौका-बरतन *m.* kitchen-work

चौकी (*caukī*) *f.* 1. post (police, customs, toll, railway, etc.) 2. chair or stool

चौकीदार (*caukīdār*) *m.* 1. watchman 2. guard

चौकोर (*caukor*) *a.* quadrangular, square, four-cornered

चौखट (*caukhaṭ*) *f.* threshold, door-frame

चौगुना (*caugunā*) *a.* fourfold

चौड़ा (*cauṛā*) *a.* 1. wide, broad 2. in breadth, in width

चौड़ाई (*cauṛāī*) *f.* 1. breadth, width 2. latitude 3. extent

चौड़ान (*cauṛān*) *f.* breadth, width

चौताल (*cautāl*) *m.* 1. a drumming or clapping rhythm of four beats 2. a song to this rhythm

चौथ (*cauth*) I. *m.* fourth part II. *f.* 1. tribute of one-fourth of produce or income levied by Marathas 2. fourth day of the lunar fortnight

चौथपन *m.* old age, fourth stage of life (beginning from 75th year)

चौथा (*cauthā*) *m.* fourth, fourth day after death, fourthly

चौथाई (*cauthāī*) *m.* one-fourth, quarter

चौदह (*caudah*) *a & m.* fourteen

चौधरी (*caudharī*) *m.* 1. headman of a caste or trade or village 2. one of the castes among Panjabis and Bengalis as well as Biharis

चौपट (*caupaṭ*) *a.* spoilt, ruined

चौपड़ (*caupaṛ*) *m.* a game like draughts played with dice

चौपहिया (*caupahiyā*) *a. & m.* four-wheeled (carriage)

चौपाई (*caupāī*) *f.* a quatrain (two rhyming lines each having 16 metrical instants)

चौपाया (*caupāyā*) *m.* four-footed (animal), quadruped

चौपाल (*caupāl*) *f.* assembly

house (in a village)

चौबीस (*caubīs*) *a.* & *m.* twenty-four

चौमंजिला (*caumañjilā*) *a.* four-storeyed, four-floored

चौरस्ता (*caurastā*) *m.* /**चौराहा** (*caurāhā*) *m.* junction of four roads, crossing of roads

चौरानवे (*caurānave*) *a.* & *m.* ninety-four

चौरासी (*caurāsī*) *a.* &. *m.* eighty-four

चौर्य (*caurya*) *m.* stealing, theft

चौवन (*cauvan*) *a.* & *m.* fifty-four

चौहत्तर (*cauhattar*) *a.* &. *m.* seventy-four

च्युत (*cyut*) *a.* deviated from the right course, depraved

छ

छ

छंगा (*chaṅgā*) *a.* having six fingers or six toes
छँटना (*chaṁtnā*) *v.i.* 1. to be removed 2. to be separated
छँटनी (*chaṁṭnī*) *f.* 1. retrenchment 2. cutting 3. trimming 4. sorting
छंद (*chand*) *m.* 1. a sacred hymn 2. stanza 3. metre (in poetry)
छः (*chaḥ*) *a.* & *m.* six
छकड़ा (*chakṛā*) *m.* bullock-cart
छकना (*chaknā*) *v.i.* 1. to be satiated 2. to be tricked
छकाना (*chakānā*) *v.t.* 1. to satiate, to gratify 2. to tease 3. to harass
छक्का (*chakkā*) *m.* 1. the aggregate of six 2. sixer (in cricket) 3. the six of cards
छछूँदर (*chachūṁdar*) *f.* mole, muskrat, ground shrew
छज्जा (*chajjā*) *m.* 1. balcony 2. terrace 3. sunshade
छटंकी (*chataṅkī*) *f.* a weight of about two ounces
छटकना (*chaṭaknā*) *v.i.* to jump off, to shoot off, to slip away
छटपट (*chaṭpaṭ*) *a.* 1. tossing about 2. fast, quick, speedy
छटपटाना (*chaṭpaṭānā*) *v.i.* to be restless
छटांक (*chaṭāṅk*) *f.* (old weight) one-eighth of a pound, about 58 grams
छटा (*chaṭā*) *f.* 1. beauty, splendour, lustre 2. shade
छठ (*chaṭh*) *f.* sixth day of the lunar fortnight, annual Hindu ceremony in which the sun-god is worshipped near a river or pond
छठी (*chaṭhī*) I. *f.* & *a.* sixth II. *f.* ceremony performed on the sixth day after the birth of a child
छड़ (*chaṛ*) *m.* 1. rod, bar 2. pole
छड़ी (*chaṛī*) *f.* stick, wand, walking stick
छत (*chat*) *f.* roof, ceiling
छतरी (*chatrī*) *f.* 1. umbrella 2. tomb-like monument
छत्ता (*chattā*) *m.* honeycomb, hive
छत्तीस (*chattīs*) *a.*&*m.* thirty-six
छत्र (*chatra*) *m.* 1. umbrella 2. royal umbrella or parasol
छत्रपति *m.* (a) emperor (b) an

epithet of Shivaji Maharaj
छत्रक (*chatrak*) *m.* mushroom, fungus
छदाम (*chadām*) *m.* (old) one-fourth of a paisa
छद्म (*chadma*) *m.* 1. disguise 2. hiding, concealment
छद्म नाम *m.* fictitious name
छन (*chan*) *m.* tinkling sound
छनछनाना (*chanchanānā*) *v.t.* to jingle, to ring
छनना (*chananā*) I. *v.t.* 1. to be sifted 2. (water) to filter II. *m.* strainer, sieve
छन्ना (*channā*) *f.* 1. filter 2. piece of cloth for sieving, strainer
छप (*chap*) *m.* splashing sound
छपना (*chapnā*) *v.i.* 1. to be printed 2. to be stamped
छपाई (*chapāī*) *f.* printing
छप्पन (*chappan*) *a.*& *m.* fifty-six
छप्पय (*chappay*) *m.* a poetic metre running into six lines
छप्पर (*chappar*) *m.* thatched, rood, a hut
छबीला (*chabīlā*) *a.* handsome
छब्बीस (*chabbīs*) *a.*& *m.* twenty six
छम (*cham*) *f.* tinkling sound of dancing bells, jingle
छम-छम *f.* & *adv.* sound of bells
छमक (*chamak*) *f.* tinkling or jingling sound
छमकछल्लो *f.* glamour girl
छमाछम (*chamācham*) *adv.* (of rain) with incessant splashing sound, (of dance) with tinkling sound of bells
छमाही (*chamāhī*) *a.* six-monthly
छरहरा (*charahrā*) *a.* slim, smart
छर्रा (*charrā*) *m.* 1. piece of shot 2. small pebble
छल (*chal*) *m.* fraud, deceit
छलछिद्र *m.* malicious, fault-finding
छलकता (*chalaktā*) *a.* running over, overflowing, brimful
छलछलाना (*chalchalānā*) *v.i.* 1. to spill, to splash 2. to overflow
छलना (*chalnā*) I. *v.t.* to deceive, to cheat II. *m.* strainer, cloth for sifting
छलनी (*chalnī*) *f.* strainer, sieve
छलांग (*chalāṅg*) *f.* leap, jump
छलावा (*chalāvā*) *m.* illusion
छलिया (*chaliyā*) *a.*&*m.* fraudulent (person), lover who is often unfaithful
छल्ला (*challā*) *m.* plain ring (of any metal)
छवि (*chavi*) *f.* portrait
छविगृह *m.* cinema house
छह (*chah*) *a.*& *m.* six
छांगुर (*chāṅgur*) *a.*& *m.* one having six fingers or toes
छाँटना (*chāṁṭnā*) *v.t.* to lop, to trim, to cut, to prune
छाँदना (*chāṁdanā*) *v.t.* to fasten, to tie, to fetter, to telher
छाग (*chāg*) *m.* 1. male goat 2. goat's milk
छागल (*chāgal*) *m.* male goat
छाछ (*chāchh*) *f.* whey
छाता (*chātā*) *m.* umbrella

छ

छाती (*chātī*) *f.* breast, chest
छात्र (*chātra*) *m.* pupil, student
  छात्र नेता *m.* student leader
  छात्र-वृत्ति *f.* scholarship
छात्रावास (*chātrāvās*) *m.* a hostel for students
छानना (*chānanā*) *v.t.* 1. to sieve, to strain 2. to filter
छाना (*chānā*) *v.t.* 1. to cover 2. to thatch, to roof
छाप (*chāp*) *f.* 1. stamp, seal 2. imprint 3. impression
छापा (*chāpā*) *m.* 1. raid 2. seal
छाया (*chāyā*) *f.* 1. shade 2. shadow 3. reflection
  छायादार *a.* shady
  छाया नाट्य *m.* a shadow theatre
  छाया लोक *m.* world of shades
  छायावाद *m.* a romantic movement in Hindi poetry
छार (*chār*) I. *f.* 1. alkali 2. ash 3. dust II. *a.* caustic
छाल (*chāl*) *f.* bark of a tree
छाला (*chālā*) I. *m.* 1. pustule 2. blister II. *f.* hide, skin
छावनी (*chāvanī*) *f.* 1. cantonment 2. thatching
छासठ (*chāsaṭh*) *a.* & *m.* sixty-six
छिः (*chiḥ*) *interj.* pooh ! tut-tut ! fie !
छिछला (*chichlā*) *a.* shallow
छिछोरा (*chichorā*) *a.* 1. petty, trifling 2. childish
छिटकना (*chitaknā*) *v.i.* 1. to be spattered 2. to be scattered
छिटपुट (*chiṭpuṭ*) I. *a.* isolated II. *adv.* here and there
छिड़कना (*chiṛaknā*) *v.t.* to sprinkle
छिड़काव (*chiṛkāv*) *m.* sprinkling
छिड़ना (*chiṛnā*) *v.i.* 1. to break out (as war) 2. to start
छिदना (*chidnā*) *v.i.* to be pierced, to be perforated
छिद्र (*chidra*) *m.* 1. hole, opening 2. flaw, defect, fault
छिनना (*chinanā*) *v.i.* to be snatched away
छिनाल (*chināl*) *f.* flirt, coquette, wanton woman, harlot
छिन्न (*chinna*) *a.* cut off, torn
  छिन्न-भिन्न *a.* broken into pieces
छिपकली (*chipkalī*) *f.* lizard
छिपना (*chipnā*) *v.i.* to hide
छिपाना (*chipānā*) *v.t.* to hide, to conceal
छियानवे (*chiyānave*) *m.*& *a.* ninety-six
छियालीस (*chiyālīs*) *m.*&*a.* forty-six
छियासठ (*chiyāsaṭh*) *m.* & *a.* sixty-six
छियासी (*chiyāsī*) *m.* & *a.* eighty-six
छिलका (*chilkā*) *m.* 1. crust (as of bread) 2. peel (as of peas and beans)
छिलना (*chilanā*) *v.i.* to be peeled or shelled, to be husked, to be erased
छिलवाई (*chilvāī*) *f.* peeling, husking, paring

छिला हुआ (*chilāhuā*) *a.* husked
छिहत्तर (*chihattar*) *m.* & *a.* seventy-six
छींक (*chīṁk*) *f.* sneeze
छींकना (*chīṁknā*) *v.i.* to sneeze
छींका (*chīṁkā*) *m.* a net or hanging basket (for food, butter, etc.)
छींट (*chīṁt*) *f.* chintz, a kind of printed cloth
छींटना (*chīṁṭnā*) *v.t.* to scatter, to disperse
छींटा (*chīṁtā*) *m.* 1. spot (of liquid) 2. slight shower
छींटाकशी (*chīṁtākaśī*) *f.* casting aspersions
छी (*chī*) *interj.* shame ! pooh !
छीछालेदर (*chīchāledar*) *f.* 1. bad situation 2. muck, mess
छीजना (*chījnā*) *v.i.* to decrease, to waste
छीनना (*chīnanā*) *v.t.* to grab, to snatch, to wrest
छीनाझपटी *f.* taking away by force, scramble
छीलन (*chīlan*) *f.* scraping, shavings, stripping
छीलना (*chīlnā*) *v.t.* 1. to peel, to skin 2. to scrape
छुंछा (*chuṁchā*) *a.* empty, hollow
छुआछूत (*chuāchūt*) *f.* untouchability
छुई-मुई (*chuī-muī*) *f.* touch-me-not (a plant), a delicate thing
छुच्छी (*chucchī*) *f.* 1. hose-pipe 2. tube 3. funnel
छुच्छ (*chucch*) *a.* empty, hollow
छुछुँदर (*chuchuṁdar*) *f.* 1. mole, muskrat 2. squib (firework)
छुट (*chuṭ*) *a.* small, short
छुटभैया *m.* petty person
छुटकारा (*chuṭkārā*) *m.* 1. liberation 2. exemption
छुटना (*chuṭnā*) *v.i.* 1. to be released 2. to explode
छुटपुट (*chuṭpuṭ*) *a.* sporadic
छुट्टी (*chuṭṭī*) *f.* 1. holiday 2. leave 3. release
छुड़वाना (*churvānā*) *v.t.* to cause to be released
छुड़ाई (*churāī*) *f.* liberation
छुतहा (*chutahā*) *a.* contagious
छुतहा रोग *m.* contagious disease
छुपाना (*chupānā*) *v.t.* to hide, to conceal
छुरा (*churā*) *m.* large knife
छुरी (*churī*) *f.* knife, dagger
छुरेबाज (*churebāj*) *m.* one who uses a dagger in fighting
छुलछुल (*chulchul*) *f.* the intermittent discharge of urine
छुवाना (*chuvānā*) *v.t.* to cause to touch, to make one touch
छुहारा (*chuhārā*) *m.* dried date
छूट (*chūṭ*) *f.* 1. (in tax or debt) remission, rebate 2. release, discharge
छूटना (*chūṭnā*) *v.i.* 1. to be released 2. to escape
छूत (*chūt*) *f.* contamination, impurity, defilement
छूना (*chūnā*) *v.t.* to touch, to feel,

छ

to contact

छेकानुप्रास (*chekānuprās) m.* a type of alliteration involving single repetition of several consonants

छेड़ *(cheṛ) f.* teasing, meddling

छेड़खानी *f.* /**छेड़छाड़** *f.* molestation

छेड़ना (*cheṛnā*) *v.t.* 1. to tease 2. to stir (as strings of violin)

छेद (*ched*) *m.* hole, bore

छेदना (*chednā*) *v.t.* to make a hole, to bore, to pierce

छेना (*chenā*) *m.* curdled milk, a kind of cheese

छेनी (*chenī*) *f.* chisel

छेरी (*cherī*) *f.* female-goat

छेव (*chev*) *m.* scrapping, a cut

छैल (*chail*) *m.* fop, dandy

छैल-छबीला *m.* a well-dressed youngman, fop, dandy

छैला (*chailā*) *a.* & *m.* handsome or comely young man

छोकरा (*chokrā*) *m.* boy, lad (pejorative), urchin

छोकरी (*chokrī*) *f.* girl, lass

छोटा (*choṭā*) *a.* little, small

छोटा-मोटा *a.* ordinary, common

छोटी माता *(choṭī mātā) f.* chicken-pox

छोड़ना (*choṛnā*) *v.t.* to give up, to abandon, to forsake

छोड़ाना (*choṛānā*) *v.t.* 1. to be acquitted or absolved, to get released 2. to cause to set free

छोपना (*chopnā*) *v.t.* 1. to apply a coat, to paint 2. to plaster

छोर (*chor*) *m.* 1. border 2. edge

छोरा (*chorā*) *m.* lad, boy

छोरी (*chorī*) *f.* lass, girl

छोला (*cholā*) *m.* 1. gram 2. green gram (in the pod)

छौंक (*chauṁk*) *m.* seasoning with hot ghee/oil and spices

छौंकना (*chauṁknā*) *v.t.* to season (pulses, etc.), to spice

छौना (*chaunā*) *m.* a young one

ज

ज

जंग (*jaṅg*) *m.* war, battle, fight

जंगम (*jaṅgam*) I. *a.*1. movable, mobile 2. moving, in motion, roving II. *m.* wanderer, wandering mendicant

जंगल (*jaṅgal*) *m.* jungle, forest

जंगला (*jaṅgalā*) *m.* 1. grille 2. a railing

जंगली (*jaṅgalī*) *a.* 1. of or pertaining to a forest 2. uncouth person

जंगी (*jaṅgī*) *a.* of or relating to war, military, warlike

जंगी बेड़ा *m.* naval fleet

जंघा (*jaṅghā*) *f.* 1. thigh 2. shank

जँचना (*jaṁcnā*) *v.t.* 1. to be liked, to appeal 2. to look attractive 3. to be verified

जंजाल (*jañjāl*) *m.* 1. difficulty, trouble 2. entanglement

ज़ंजीर (*zañjīr*) *f.* 1. chain 2. iron fetters, shackles 3. iron catch (for the door), latch

जंतर (*jantar*) *m.* magical square, talisman, amulet

जंतर-मंतर *m.* (a) sorcery, magic, necromancy, witchery, witchcraft (b) observatory

जंतु (*jantu*) *m.* living being, animal, creature (usually worms, insects, etc.)

जंत्री (*jantrī*) *f.* I. *f.* 1. almanac, calendar 2. instrument for drawing wire II. *m.* magician, conjurer, sorcerer

ज़ंबीरी नीबू (*zambīrī nībū*) *m.* big and sour lemon

जंबु (*jambu*) *m.* /**जंबू** (*jambū*) *m.* rose-apple and its tree

जंबुक (*jambuk*) *m.* /**जंबूक** (*jambūk*) *m.* 1. jackal 2. base or low/mean fellow 3. rose-apple

जंभाई (*jambhāī*) I. *f.* a yawn II. *v.i.* to yawn

जई (*jaī*) *f.* oats

ज़ईफ़ (*zaīf*) *a.* 1. weak, infirm, feeble 2. old, aged

जकड़ (*jakaṛ*) *f.* tight grasp, firm grip, clasp, clutch

जकड़ना (*jakaṛnā*) *v.t.* to grasp, to clasp, to grip, to clutch

ज़ख़ीरा (*zakhīrā*) *m.* 1. store (house), stock, hoard, repository 2. heap, pile, collection

ज़ख़्म (*zakhma*) *m.* wound, cut

ज़ख़्मी (*zakhmī*) *a.* wounded, injured

जग (*jag*) *m.* 1. world, universe 2. people (of the world)

जगजननी *f.* mother of the world, chief goddess (as Durga or Parvati)

जगतारक *m.* /**जगत्राता** *m.* the saviour of the world, God

जग-विख्यात *a.* world-renowned, world-famous, of wide fame

जगत् (*jagat*) /**जगद्** (*jagad*) I. *m.* 1. universe, world 2. people, mankind II. *f.* raised circular kerb (of a well)

जगदंबा (*jagdambā*) *f.* /**जगदंबिका** (*jagdambikā*) *f.* the mother of the universe, goddess Durga or Parvati

जगद्गुरु (*jagadguru*) *m.* teacher of the world, arch-preceptor

जगद्धात्री (*jagaddhātrī*) *f.* goddess Durga, Lakshmi or Saraswati

जगदीश (*jagdīś*) *m.*/ **जगदीश्वर** (*jagdīśvar*) *m.* lord of the universe, God

जगदीश्वरी (*jagdīśvarī*) *f.* supreme goddesses Durga, Lakshmi, Saraswati

जगन्नाथ (*jagannāth*) *m.* 1. lord of the universe, vishnu 2. Vishnu (Krishna's) idol (at Puri in Orissa) and the temple

जगना (*jagnā*) *v.i.* to be awake, to rise, to get up

जगमग (*jagmag*) I. *f.* dazzling light, glitter II. *a.* shining, glittering, refulgent

जगह (*jagah*) *f.* 1. place 2. space 3. site 4. vacancy 5. post

जगाना (*jagānā*) *v.t.* to awaken, to rouse (from sleep)

जघन्य (*jaghanya*) *a.* heinous, abominable, hateful

जच्चा (*jaccā*) *f.* a woman who has recently given birth to a child

जच्चा-बच्चा *m.* mother and the newborn infant

जजमान (*jajmān*) *m.* 1. one who performs sacrifice 2. client of a professional Brahmin

जज़िया (*jaziyā*) *m.* tax levied by Mughal rulers on Hindus

जटा (*jaṭā*) *f.* 1. matted hair, tangled hair 2. fibrous roots of a tree

जटाजूट *m.* matted and braided hair (as of Shiva)

जटिल (*jaṭil*) *a.* tangled, complicated

जठर (*jaṭhar*) *m.* abdomen, stomach, belly

जठराग्नि (*jaṭharāgni*) *f.* the digestive fire of the stomach

जड़ (*jaṛ*) I. *a.* 1. root 2. source II. *f.* 1. inanimate, lifeless, inert 2. stupid, idiotic

जड़ जमाना *v.t.* to establish

जड़ता (*jaṛatā*) *f.* inertness, inanimateness, insensibility

जड़ना (*jaṛnā*) *v.t.* 1. to inlay, to inset, to imbed 2. (of picture) to mount 3. to strike, to hit

ज

जड़ाऊ (*jaṛāū*) *a.* inset, studded, inlaid (with jewels), jewelled
जड़ी (*jaṛī*) *f.* medicinal root
जड़ी-बूटी *f.* medicinal herb
जड़ीभूत (*jaṛībhūt*) *a.* stupefied, rendered inert and inactive
जतलाना (*jatlānā*) *v.t.* /**जताना** (*jatānā*) *v.t.* to cause to be known or understood
जती (*jatī*) *m.* a person whose passions are completely under control
जत्था (*jatthā*) *m.* batch, group
जद्दोजहद (*jaddojahad*) *f.* hard labour, struggle
जन (*jan*) *m.* masses, people, public
जन कल्याण *m.* public welfare
जनमत *m.* popular/public opinion, general opinion
जनसंपर्क *m.* public relations
जनक (*janak*) *m.*1. father 2. (natural) procreator, genitor, progenitor 3. originator, producer
जनगणना (*jangaṇanā*) *f.* census
जनता (*janatā*) *f.* public, people in general
जनता जनार्दन *m.* public as supreme power
जनन (*janan*) *m.* 1. birth, generating, begetting, producing 2. production
जननांग (*jananāṅg*) *m.* reproductive organ
जनना (*jaannā*) *v.t.* to give birth (to), to bring forth, to produce
जननी (*jananī*) *f.* mother
जननेंद्रिय (*jananendrīya*) *f.* reproductive organ, sex organ
जनपद (*janpad*) *m.* district, town
जनवरी (*janvarī*) *f.* January
जनवाना (*janvānā*) *v.t.* to help in the birth/delivery of a child
जनांदोलन (*janāndolan*) *m.* mass movement
जनाज़ा (*janāzā*) *m.* funeral procession
ज़नानख़ाना (*zanānkhānā*) *m.* harem, ladies apartment
ज़नाना (*zanānā*) I. *v.t.* to help in the delivery of a baby II. *a.* feminine, womanly
जनाब (*janāb*) I. *m.* Mr. II. *interj.* your honour, sir
जनार्दन (*janārdan*) *m.* an epithet of Lord Vishnu
जनित (*janit*) *a.* born, produced
जनून (*janūn*) *m.* madness, insanity
जनेऊ (*janeū*) *m.* sacred thread worn by upper community groups of Hindu males
जन्नत (*jannat*) *f.* heaven, paradise
जन्म (*janma*) *m.* birth
जन्म-कुंडली *f.* horoscope
जन्म-जन्मांतर *m.* various births, from birth to birth
जन्मदिन *m.* birthday
जन्मभूमि *f.* birthplace
जन्मसिद्ध *a.* innate, inherent
जन्माष्टमी (*janmāṣṭamī*) *f.* birth-

ज

day of Lord Krishna

जप (*jap*) *m.* meditation by repeating phrases from scriptures, repetition of the name of God

जप-तप *m.* devotion, worship

जपमाला *f.* rosary for counting beads while saying prayers

जब (*jab*) *adv.* when

जबड़ा (*jabṛā*) *m.* jaw

जबरन (*jabran*) *adv.* by force

ज़बान (*zabān*) *f.* 1. tongue 2. language 3. speech

ज़बान देना *v.t.* to give (one's) word, to promise

ज़बानी (*zabānī*) I. *a.* oral, verbal II. *adv.* by word of mouth, orally, verbally

ज़ब्त (*zabt*) *m.* taking possession of, confiscation

जमघट (*jamghaṭ*) *m.* crowd, gathering, multitude, concourse

जमना (*jamnā*) *v.i.* 1. to freeze, to congeal 2. to coagulate

जमा (*jamā*) *f.* & *a.* 1. collection, accumulation 2. capital

जमा-खाता *m.* (bank) account

जमा-पूँजी *f.* (a) total capital (b) total assets

जमाबंदी *f.* (a) account of revenue (b) rent dues

जमाई (*jamāī*) *m.* son-in-law

जमात (*jamāt*) *f.* 1. class 2. group 3. society

जमादार (*jamādār*) *m.*1. headman of a body of workers 2. head sweeper 3. head constable 4. a petty army officer

ज़मानत (*zamānat*) *f.* 1. surety, security 2. bail 3. guarantee

ज़मानती (*zamānatī*) I. *a.* bailable II. *m.* surety, guarantor

ज़मानती अपराध/जुर्म *m.* bailable offence

जमाना (*jamānā*) I. *v.t.* 1. to freeze 2. to impress II. *m.* 1. time, period 2. age, era

जमालगोटा (*jamālgoṭā*) *m.* a purgative nut

जमाव (*jamāv*) *m.* 1. mass 2. gathering, assemblage

जमावट (*jamāvaṭ*) *f.* 1. cohesion, adhesion 2. consolidation

ज़मीं (*zamīṁ*) *f.* 1. land 2. earth 3. soil 4. ground 5. background

ज़मींदार *m.* zamindar, landlord

ज़मीकंद (*zamīkand*) *m.* sweet potato

ज़मीन (*zamīn*) *f.* 1. land 2. earth 3. soil 4. ground

जमीर (*zamīr*) *m.* conscience

जम्हाई (*jamhāī*) *f.* yawn

जयंत (*jayant*) I. *a.* victorious

जयंती (*jayantī*) *f.* 1. jubilee 2. anniversary, annual celebration or ceremony

जय (*jay*) *f.* conquest, victory

जयकार *m.* cheers or rejoicings of victory

जयकारा *m.* (a) triumphal acclaim (b) applause

जयकारा बोलना *v.t.* to shout applausive slogans (especially for victors and to gods

and goddesses)
जयमाल *f.* /**जयमाला** *f.* (a) garland of victory (b) garland put by the bride round the neck of the bridegroom
जयश्री *f.* victory, triumph
जया (*jayā*) *f.* 1. flag, banner 2. an epithet of Durga
ज़र (*zar*) *m.* 1. gold 2. money
ज़रदा (*zardā*) *m.* chewing tobacco
ज़रदी (*zardī*) *f.* 1. yellowness 2. paleness 3. yellow colour
जरमन (*jarman*) *m.* an inhabitant of Germany
जरा (*jarā*) *f.* old age, senility
जराग्रस्त *a.* old, grown old, worn out
ज़रा (*zarā*) *a.* & *adv.* a little, a bit
जरायमपेशा (*jarāyampeśā*) *a.* of criminal profession, criminal
ज़रिया (*zariyā*) *m.* means, source
ज़री (*zarī*) *f.* cloth woven with golden thread
ज़री का काम *m.* brocade
जरीब (*jarīb*) *f.* a measuring chain of 66 yards
ज़रूर (*zarūr*) *adv.* certainly, surely, necessarily
ज़रूरत (*zarūrat*) *f.* need, necessity, want
ज़रूरी (*zarūrī*) *a.* necessary
जर्जर (*jarjar*) *a.* 1. broken, frail, torn 2. old, worn out
जर्जरित (*jarjarit*) *a.* 1. broken into pieces, crumbled 2. old
ज़र्द (*zard*) *a.* 1. yellow 2. pale
ज़र्दा (*zardā*) *m.* chewing tobacco
ज़र्रा (*zarrā*) *m.* particle, small fragment
ज़र्रा-ज़र्रा *m.* each and every particle
जर्राह (*jarrāh*) *m.* surgeon
जर्राही (*jarrāhī*) *f.* surgery
जल (*jal*) *m.* water
जलकुंभी *f.* watercress
जल-कुक्कुट *m.* waterfowl
जलक्रीड़ा *f.* aquatic games
जलसेना *f.* navy
जलस्तर *m.* water-level
जलज (*jalaj*) I. *m.* 1. lotus 2. aquatic animal 3. conch 4. pearl II. *a.* produced in water
ज़लज़ला (*zalzalā*) *m.* earthquake
जलद (*jalad*) *m.* cloud
जलधर (*jaldhar*) *m.* cloud, sea
जलधि (*jaladhi*) *m.* ocean
जलन (*jalan*) *f.* burning sensation
जलना (*jalnā*) *v.i.* 1. to burn 2. to be reduced to ashes 3. to be full of jealousy
जलपान (*jalpān*) *m.* light refreshment, repast, tiffin
जलपान-गृह *m.* refreshment room
जलयान (*jalyān*) *m.* ship, vessel
जलवायु (*jalvāyu*) *m.* climate
जलसा (*jalsā*) *m.* 1. function 2. social gathering
जलांजलि (*jalāñjali*) *f.* 1. handful of water 2. offering of water in oblation
जलाना (*jalānā*) *v.t.* 1. to burn, to set on fire 2. (of lamp) to light 3. to excite/provoke jealousy

जलार्द्र (*jalārdra*) *a.* wet, charged with moisture, moistured

ज़लालत (*zalālat*) *f.* 1. meanness, lowliness 2. humiliation

ज़लालत उठाना *v.t.* to suffer humiliation

जलावन (*jalāvan*) *m.* fuel, fuel wood, firewood

जलाशय (*jalāśaya*) *m.* 1. a body of water 2. reservoir 3. pond

ज़लील (*zalīl*) *a.* 1. abject, base, mean 2. wretched

जलेबी (*jalebī*) *f.* an Indian sweet-meat

जलोदर (*jalodar*) *m.* dropsy

जल्द (*jald*) *adv.* quickly, instantly, at once, immediately

जल्दबाज़ *a.* rash, hasty

जल्दी (*jaldī*) I. *f.* haste, hurry II. *adv.* quickly, hurriedly

जल्लाद (*jallād*) *m.* 1. hangman, executioner 2. butcher

जवाँमर्दी (*javāṁmardī*) *f.* gallantry, bravery, courageousness

जवान (*javān*) I. *a.* young, youthful II. *m.* youth, young man

जवाकुसुम (*javākusum*) *m.* shoe-flower

जवानी (*javānī*) *f.* youth, young age, adolescence

जवाब (*javāb*) *m.* 1. answer 2. reply

जवाबदेह *a.* answerable, responsible, accountable, amenable

जवाबदेही *f.* liability, responsibility

जवाबी (*javābī*) *a.* in the nature of a reply

जवाबी कार्ड *m.* reply-paid post-card

जवाहर (*javāhar*) *m.* jewel, gem

जवाहरात (*javāharāt*) *m.* & *pl.* 1. jewels, gems 2. jewellery

जश्न (*jaśna*) *m.*1. festivity, rejoicing 2. feast

जहन्नुम (*jahannum*) *m.* hell

ज़हमत (*zahmat*) *f.* 1. trouble 2. botheration

ज़हर (*zahar*) *m.* poison, venom

ज़हर-मोहरा *m.* a kind of stone which is an antidote to poison, bezoar

ज़हरीला (*zahrīlā*) *a.* poisonous, venomous

जहाँ (*jahāṁ*) I. *m.* world II. *adv.* where, in which place

जहाँगीर *m.* conqueror of the world, name of the fourth Mughal emperor

जहाज़ (*jahāz*) *m.* ship, vessel

जहाज़रानी *f.* (a) navigation (b) voyage

जहालत (*jahālat*) *f.* lack of knowledge, illiteracy

जाँ (*jāṁ*) *f.* 1. life 2. soul

जाँनिसार *a.* sacrificing one's life

जाँबाज़ *m.* one who can risk one's life

जांगर (*jāṅgar*) *m.* 1. leg including the thigh 2. body

जाँघ (*jāṁgh*) *f.* shank, thigh

जाँघिया (*jāṁghiyā*) *m.* lower

undergarment/underwear

जाँच (*jāṁc*) *f.* 1. test 2. investigation, enquiry 3. verification

जाँच आयोग *m.* commission of enquiry

जाँचना (*jāṁcnā*) *v.t.* 1. to enquire (into) 2. to investigate

जाँता (*jāṁtā*) *m.* flour-mill

जा (*jā*) *interj.* be off! get away!

जाकिट (*jākiṭ*) *m.* jacket

जागता (*jāgtā*) *a.* awake, waking

जागतिक (*jāgtik*) *a.* worldly

जागना (*jāgnā*) *v.i.* to wake up, to be awake

जागरण (*jāgaraṇ*) *m.* 1. a night long religious or festive singing ceremony 2. vigil, wakefulness

जागरूक (*jāgrūk*) *a.* 1. wakeful, awake 2. watchful, alert

जागीर (*jāgīr*) *f.* estate, land (including some villages)

जागृत (*jāgṛt*) *a.* awakened, awake

जाग्रति (*jāgrati*) *f.* 1. wakefulness, awakening 2. alertness

जाज़िम (*jāzim*) *m.* chequered or ornamented floor cloth, printed carpet

जाज्वल्यमान (*jājvalyamān*) *a.* shining, blazing, burning

जाट (*jāṭ*) *m.* a caste of cultivators

जाठ (*jāṭh*) *f.* axis or roller (of an oil-or sugar-mill)

जाड़ा (*jāṛā*) *m.* cold, cold season, winter

जात (*jāt*) *f.* 1. race 2. caste 3. species

जात-पांत *f.* caste and community

जात-बिरादरी *f.* brotherhood, kinsfolk

जातक (*jātak*) *m.* 1. newborn child 2. son 3. tales of the various births of Lord Buddha

जाति (*jāti*) *f.* 1. caste 2. race 3. genus

जातिप्रथा *f.* caste system

जातिवाद *m.* casteism

ज़ाती (*zātī*) *a.* personal

ज़ाती ताल्लुक *m.* personal relation

जातीय (*jātīya*) *a.* having to do with community, nation

जातीयता (*jātīyatā*) *f.* 1. casteism 2. communalism 3. communality 4. racialism

जादुई (*jāduī*) *a.* magical

जादू (*jādū*) *m.* magic, spell, charm, sorcery

जादू-टोना *m.* sorcery

जादूगर (*jādūgar*) *m.* magician, sorcerer, conjurer, wizard

जान (*jān*) *f.* 1. life 2. soul, spirit 3. energy, vigour

जानकार (*jānkār*) *a.* & *m.* one who knows, knowledgeable, familiar

जानकारी *f.* knowledge, information, awareness

जान-पहचान *f.* familiarity

जानदार (*jāndār*) *a.* living, animate, having life

ज

जानना (*jānanā*) *v.t.* to know
जान-माल (*jān-māl*) *m.* life and property
जानलेवा (*jānlevā*) *a.* fatal, mortal
जानवर (*jānvar*) *m.* 1. living being, creature 2. animal 3. beast
जाना (*jānā*) *v.i.* to go, to depart
जानी (*jānī*) *a.* dear, beloved
  जानी दोस्त *m.* dear or beloved friend
  जानी दुश्मन *m.* deadly enemy
जाने-माने (*jāne-māne*) *a.* distinguished, well-known and honoured
ज़ाफ़रान (*zāfrān*) *m.* saffron
ज़ाफ़रानी (*zāfrānī*) *a.* saffron-coloured
जाफ़री (*jāfrī*) *f.* trellis, lattice
जाम (*jām*) I. *m.* cup (usually a cup of wine) II. *a.* jammed
जामा (*jāmā*) *m.* 1. robe 2. long coat
जामाता (*jāmātā*) *m.* son-in-law
जामुन (*jāmun*) *m.* jamun tree and its fruit
ज़ायक़ा (*zāyaqā*) *m.* taste, relish
ज़ायक़ेदार (*zāiqedār*) *a.* tasteful, tasty, delicious
जायज़ (*jāyaz*) *a.* proper, rightful, legitimate
जायदाद (*jāydād*) *f.* property
जायफल (*jāyphal*) *m.* nutmeg
ज़ाया (*zāyā*) *a.* wasted
जार (*jar*) *m.* paramour, illicit lover, adulterer
ज़ार (*zar*) *m.* lamentation
जारज (*jāraj*) I. *a.* born illegitimately II. *m.* bastard
जारण (*jāraṇ*) *m.* burning, igniting
जाल (*jāl*) *m.* 1. net 2. trap 3. web 4. forgery
  जाल में फँसना *v.i.* to be caught in a trap or net
जालसाज़ (*jālsāz*) *m.* forgerer
जालसाज़ी (*jālsāzī*) *f.* forgery
जाला (*jālā*) *m.* web, cobweb
ज़ालिम (*zālim*) I. *m.* tyrant, cruel person II. *a.* cruel, oppressive
जालिया (*jāliyā*) *m.* forgerer
जाली (*jālī*) I. *a.* 1. counterfeit (as coin, currency note) 2. forged (as document) II. *f.* 1. network 2. small net
जावक (*jāvak*) I. *a.* outgoing II. *m.* despatch register
जावित्री (*jāvitrī*) *f.* nutmeg used as spice, mace
जासूस (*jāsūs*) *m.* 1. spy 2. detective
ज़ाहिर (*zāhir*) *a.* evident, apparent, obvious
ज़ाहिरा (*zāhirā*) *adv.* 1. outwardly 2. plainly 3. seemingly
जाहिल (*jāhil*) *a.* 1. rustic 2. illiterate
जाह्नवी (*jāhnavī*) *f.* the river Ganga
ज़िंदगानी (*zindgānī*) *f.* life
ज़िंदगी (*zindgī*) *f.* 1. life, living, existence 2. lifetime
ज़िंदा (*zindā*) *a.* living, alive
  ज़िंदादिल *a.* cheerful, lively, gay
  ज़िंदाबाद *interj.* long live!

जिंस (*jims*) *f.* 1. material, commodity 2. goods 3. thing
  जिंसवार *adv.* commodity-wise
ज़िक्र (*zikra*) *m.* 1. mention 2. reference
जिगर (*jigar*) *m.* 1. liver 2. heart 3. courage
जिजीविषा (*jijīviṣā*) *f.* desire to live, life instinct
जिज्ञासा (*jijñāsā*) *f.* desire to know, longing to learn
जिज्ञासु (*jijñāsu*) I. *a.* eager/desirous to know or learn II. *m.* learner
जिठानी (*jiṭhānī*) *f.* wife of husband's elder brother
जित (*jit*) *a.* one who has conquered
जितना (*jitnā*) *a.* & *adv.* as much
जितने (*jitne*) *a.* as many
जितवाना (*jitvānā*) *v.t.* to help one to win
जितेंद्रिय (*jitemdriya*) *a.* & *m.* one who has subdued his senses, self-restrained, ascetic
ज़िद (*zid*) *f.* /**ज़िद्द** (*zidd*) *f.* 1. obstinacy 2. insistence
ज़िद्दी (*ziddī*) *a.* obstinate, stubborn
जिधर (*jidhar*) *adv.* where
  जिधर भी *adv.* wherever
जिन (*jin*) I. *pl.* who, which II. *m.* 1. gin (alcoholic spirit) 2. a Jain Tirthankar
जिन्न (*jinn*) *m.* elf, ghost
जिप्सी (*jipsī*) *m.* gypsy, member of a nomadic tribe
ज़िबह (*zibah*) *m.* maiming by cutting the neck, killing
जिमख़ाना (*jimkhānā*) *m.* gymkhana, sports club, gymnasium, club house
ज़िम्मा (*zimmā*) *m.* 1. responsibility 2. guarantee
जिरह (*jirah*) *f.* cross-questioning, cross-examination
ज़िरह-बख़्तर (*zirah-bakhtar*) *m.* coat of mail, armour, cuirass
जिराफ़ (*jirāf*) *m.* giraffe, a ruminant mammal of Africa
ज़िला (*zilā*) *m.* district
  ज़िला परिषद्/बोर्ड *m.* district board
ज़िलाधीश (*zilādhīś*) *m.* district magistrate, deputy commissioner (in some states)
जिलाना (*jilānā*) *v.t.* to restore or bring to life
जिल्द (*jild*) *f.* binding
  जिल्दबंद *a.* bound
ज़िल्लत (*zillat*) *f.* disgrace, indignity, humiliation, insult
जिस (*jis*) *pron.* who, which
  जिसका *pron.* whose, of which
जिस्ता (*jistā*) *m.* quire (of sheets of paper)
जिस्म (*jisma*) *m.* body
जिस्मानी (*jismānī*) *a.* physical
जिहाद (*jihād*) *m.* holy war, crusade, religious struggle
जिह्वा (*jihvā*) *f.* tongue
जी (*jī*) *m.* 1. mind 2. soul 3. heart 4. life
  जी हाँ yes sir, yes madam

ज

जीजा (*jījā*) *m.* brother-in-law, husband of one's elder sister
जीजी (*jījī*) *f.* elder sister
जीत (*jīt*) *f.* victory, conquest
जीतना (*jītnā*) *v.t.* to conquer, to win
ज़ीन (*zīn*) *m.* 1. saddle 2. a kind of thick cotton cloth
जीना (*jīnā*) I. *v.i.* to live, alive
ज़ीना (*zinā*) *m.* staircase
जीभ (*jībh*) *f.* tongue
जीभी (*jībhī*) *f.* 1. bit of a bridle 2. tongue-cleaner
ज़ीरा (*zīrā*) *m.* cummin seed
जीर्ण (*jīrṇa*) *a.* 1. chronic 2. worn out, decrepit 3. (of cloth) tattered
जीवंत (*jīvant*) *a.* 1. living, alive, existing 2. active
जीव (*jīv*) *m.* 1. creature, living being 2. soul 3. organism
  जीवधारी *a.* animate, living
  जीव विज्ञान *m.* biology
जीवट (*jīvaṭ*) *m.* 1. endurance 2. courage
जीवन (*jīvan*) *m.* 1. life 2. existence
  जीवनचर्या *f.* routine of life
  जीवन दर्शन *m.* philosophy of life
  जीवन-पद्धति *f.* way of life
  जीवनपर्यन्त *adv.* life long
  जीवन बीमा *m.* life insurance
  जीवन यात्रा *f.* journey of life
  जीवनयापन *m.* passing or spending one's life
  जीवनवृत्त *m.* lifehistory, lifestory, biography, biodata
  जीवन शक्ति *f.* vitality, elan
  जीवनसाथी/संगी *m.* life companion, spouse
  जीवन-स्तर *m.* standard of living
जीवनी (*jīvnī*) *f.* biography
जीवांश (*jīvāṃś*) *a.* organism
जीवाणु (*jīvāṇu*) *m.* bacteria
जीवात्मा (*jīvātmā*) *m.* (individual) soul, sentient soul
जीवाश्म (*jīvāśma*) *m.* fossil
जीविका (*jīvikā*) *f.* livelihood, living, subsistence
जीवित (*jīvit*) *a.* living, alive
जीवी (*jīvī*) *suff.* & *m.* alive
जुंबिश (*jumbiś*) *f.* motion, movement
जुआ (*juā*) *m.* gambling
  जुआख़ाना *m.* gambling house, gambling den
जुआरी (*juārī*) *m.* gambler
ज़ुकाम (*zukām*) *m.* (bad) cold, catarrh
जुगनू (*juganū*) *m.* glow-worm, fire-fly
जुगलबंदी (*jugalbandī*) *f.* duet, performance by two artistes
जुगाड़ (*jugāṛ*) *m.* 1. arrangement 2. device
  जुगाड़ बैठाना *v.t.* to manoeuvre
जुगालना (*jugālnā*) *v.i.* /**जुगाली** (*jugālī*) *f.* to chew the cud, to ruminate
जुगुप्सक (*jugupsak*) *m.* slanderer, one who defames others
जुगुप्सा (*jugupsā*) *f.* censure, re-

proach, defamation

जुझार (*jujhār*) *m.* fighter, warrior, combatant

जुझारू (*jujhārū*) *a.* berserk, wild

जुट (*juṭ*) *m.* 1. pair 2. group

जुटना (*juṭnā*) *v.i.* to gather, to rally, to assemble, to collect

जुटाना (*juṭānā*) *v.t.* to collect, to gather

जुठाना (*juṭhānā*) *v.t.*/**जुठारना** (*juṭhārnā*) *v.t.* to defile by tasting

जुड़ना (*juṛnā*) *v.i.* 1. to be collected 2. to be attached

जुड़वाँ (*juṛvāṁ*) *a.* & *m.* twins

जुड़ाई (*juṛāī*) *f.* 1. the act of joining or uniting 2. charges paid for joining something

जुतना (*jutnā*) *v.i.* 1 to be yoked (as bullocks) 2. to be ploughed (as of a field)

जुदा (*judā*) *a.* separate, different

जुनून (*junūn*) *m.* madness, insanity, craziness

ज़ुबान (*zubān*) *f.* 1. tongue 2. language 3. speech

जुमला (*jumlā*) I. *m.* 1. sentence, clause II. *a.* total amount

जुमा (*jumā*) *m.* /**जुम्मा** (*jummā*) *m.* Friday

जुमेरात (*jumerāt*) *f.* Thursday

जुरमाना (*jurmānā*) *m.* fine

जुर्म (*jurma*) *m.* offence, crime

जुर्राब (*jurrāb*) *f.* socks

जुलाब (*julāb*) *m.* purgative, cathartic (medicine)

जुलाहा (*julāhā*) *m.* weaver

जुलूस (*julūs*) *m.* procession

ज़ुल्फ़ (*zulfa*) *f.* tress, ringlet, curling lock of hair

ज़ुल्म (*zulma*) *m.* 1. cruelty, tyranny 2. oppression

जुही (*juhī*) *f.* /**जूही** (*jūhī*) *f.* jasmine

जूँ (*jūṁ*) *f.* louse

जूझना (*jūjhnā*) *v.i.* 1. to fight hard, to combat 2. to struggle

जूठ (*jūṭh*) *f.*/**जूठन** (*jūṭhan*) *f.* leavings of meal or food

जूड़ा (*jūṛā*) *m.* top-knot, bun-shaped hair-do

जूड़ी (*jūṛī*) *f.* ague, shivering fit

जूता (*jūtā*) *m.* shoe, footwear

जूती (*jūtī*) *f.* small shoe

जून (*jūn*) *m.* time (a particular time)

जेवना (*jevnā*) *v.t.* to have a formal lunch, to dine

जेवनार (*jevnār*) *m.* feast, banquet

जेठानी (*jeṭhānī*) *f.* wife of husband's elder brother

जेब (*jeb*) *m.* & *f.* pocket

ज़ेबरा (*zebrā*) *m.* zebra (an African quadruped)

ज़ेबरा क्रासिंग *m.* crossing for pedestrians

जेबी (*jebī*) *a.* of or for the pocket

जेबी संस्करण *m.* pocket edition

जेय (*jey*) *a.* conquerable

जेल (*jel*) *m.* jail, gaol

ज़ेवर (*zevar*) *m* ornament

जेवरात (*jevrāt*) *m.* & *pl.* ornaments, jewellery

ज़ेहन (*zehan*) *m.* 1. brain 2. intellect

ज

जैजैवंती (*jaijaivantī*) *f.* a mixed and minor mode of India music

ज़ैतून (*zaitūn*) *m.* olive (tree and fruit)

ज़ैतून का तेल *m.* olive oil

जैन (*jain*) *m.* 1. a religion founded by Lord Mahavir 2. a follower of Jainism

जैन धर्म *m.* Jain religion, Jainism

जैव (*jaiv*) *a.* relating to life, organic

जैव विज्ञान *m.* biology

जैसा (*jaisā*) *a.* similar to, resembling, as, such as, according to

जैसे (*jaise*) *adv.* as, just as

जैसे-तैसे somehow, anyhow

जोंक (*joṁk*) *f.* leech

जोख (*jokh*) *f.* weighing

जोखना (*jokhnā*) *v.t.* to weigh

जोखा (*jokhā*) *m.* amount

जोखिम (*jokhim*) *m.* risk, hazard

जोगिया (*jogiyā*) *a.* 1. reddish brown (colour) 2. sadhu

जोड़ (*joṛ*) *m.* 1. joint 2. link 3. sum, total

जोड़-तोड़ *m.* manoeuvring, machination

जोड़ना (*joṛnā*) *v.t.* 1. to add 2. to total 3. to join

जोड़ा (*joṛā*) *m.* 1. pair 2. couple

जोड़ा मिलाना *v.t.* to pair

जोड़ी (*joṛī*) *f.* 1. couple 2. pair

जोत (*jot*) *f.* 1. cultivation 2. yoke 3. light, flame of a candle

जोतना (*jotnā*) *v.t.* (of land) to till, to plough

जोताई (*jotāī*) *f.* ploughing

जोबन (*joban*) *m.* 1. youth, the prime of life 2. youthfulness

ज़ोर (*zor*) *m.* 1. force 2. strength

ज़ोर-आज़माई *f.* trial of strength

ज़ोर-जुल्म *m.* oppression

ज़ोरदार *a.* forceful, strong

ज़ोरावर (*zorāvar*) *a.* 1. strong, energetic 2. high-handed

जोरू (*jorū*) *f.* wife

जोश (*jośं*) *m.* 1. zeal, enthusiasm 2. fervour, passion

जोशीला (*jośīlā*) *a.* spirited, vigorous, energetic

जोहना (*johanā*) *v.t.* to look, to see longingly or eagerly

जौ (*jau*) *m.* barley

जौहर (*jauhar*) *m.* 1. a Rajput custom in which women resorted to self-immolation to save their honour 2. gem 3. bravery

जौहरी (*jauharī*) *m.* jeweller

ज्ञ (*jña*) I. *m.* a conjunct consonant II. *suff.* & *a.* denoting one having knowledge

ज्ञात (*jñāt*) *a.* known

ज्ञातव्य (*jñātavya*) *a.* knowable, worth knowing

ज्ञाता (*jñātā*) *m.* one who knows, a scholar

ज्ञान (*jñān*) *m.* 1. knowledge, comprehension 2. learning

ज्ञान चक्षु *m.* mind's eye, inner perception or vision

ज्ञान मार्ग *m.* knowledge as the way or means leading to beatitude or bliss

ज्ञान योग *m.* knowledge as a

means of salvation
ज्ञानवर्धक *a.* informative
ज्ञानवान् *a.* learned, well-informed
ज्ञानवृद्ध *a.* very learned
ज्ञानेंद्रिय (*jñanendriya*) *f.* sense organs
ज्ञापन (*jñapan*) *m.* memorandum
ज्या (*jyā*) *f.* 1. bow-string 2. the earth 3. mother 4. sine of an angle (maths)
ज़्यादती (*zyādatī*) *f.* excess, exuberance, abundance
ज़्यादा (*zyādā*) *a.* 1. much 2. many 3. plenty
ज्यामिति (*jyāmiti*) *a.* geometry
ज्येष्ठ (*jyeṣṭha*) I. *a.* 1. senior, seniormost 2. eldest, first-born II. *m.* 1. the (third month) of Hindu calendar 2. husband's elder brother
ज्येष्ठा (*jyeṣṭhā*) *f.* 1. elder sister
ज्यों (*jyoṁ*) *adv.* as, in like manner, in such a manner
ज्योति (*jyoti*) *f.* 1. light 2. vision
ज्योतित (*jyotit*) *a.* luminous, flooded with light, brightened
ज्योतिर्विद्या (*jyotirvidyā*) *f.* astronomy
ज्योतिर्विद (*jyotirvid*) *m.* astronomer
ज्योतिर्लिंग (*jyotirliṅg*) *m.* a title of Shiva
ज्योतिष (*jyotiṣ*) *m.* astronomy
ज्योतिषी (*jyotiṣī*) *m.* 1. astrologer 2. astronomer 3. fortune-teller
ज्योत्स्ना (*jyotsnā*) *f.* moonlight
ज्वर (*jvar*) *m.* fever
ज्वलंत (*jvalant*) *a.* shining
ज्वलंत उदाहरण *m.* glaring/striking example
ज्वलन (*jvalan*) *m.* 1. burning, ignition 2. burning sensation
ज्वलनशील *a.* inflammable
ज्वार (*jvār*) I. *m.* high tide, flood-tide II. *f.* millet
ज्वारभाटा *m.* flood and ebb tides
ज्वाला (*jvālā*) *f.* 1. flame, blaze 2. burning sensation
ज्वालामुखी *m.* volcano

झ

झ

झं (*jhaṅ*) *m.* sound of metal utensils striking against one another

झंकार (*jhaṅkār*) *f.* jingling, clanging, ringing

झंकृत (*jhaṅkṛt*) *a.* /झंकृति (*jhankṛti*) *f.* clanging, clanking, jingling

झँखाड़ (*jhaṁkhāṛ*) *m.* tree with thorny branches, thorny bush

झंजोड़ना (*jhañjoṛnā*) *v.t.* /झंझोड़ना (*jhañjhoṛnā*) *v.t.* 1. to pull and gnaw 2. to rend and tear

झंझट (*jhañjhaṭ*) *m.* & *f.* 1. trouble, difficulty 2. annoying situation, imbroglio

झंझरी (*jhañjhrī*) *f.* lattice, network

झंझा (*jhañjhā*) *f.* noise of the wind or falling rain

झंझावात *m.* stormy wind, gale

झंडा (*jhaṇḍā*) *m.* flag, ensign, banner

झंडी (*jhaṇḍī*) *f.* small flag, bunting

झंडोत्तोलन (*jhaṇḍottolan*) *m.* (ceremony of) flag-hoisting

झकझक (*jhakjhak*) *f.* bright, cleaned thoroughly

झकोरा (*jhakorā*) *m.* 1. violent motion 2. gust/blast (of wind or rain)

झक्की (*jhakkī*) *a.* crazy, crank, eccentric

झख (*jhakh*) *f.* incoherent speech

झगड़ना (*jhagaṛnā*) *v.i.* to wrangle, to quarrel

झगड़ा (*jhagṛā*) *m.* quarrel, dispute

झगड़ालू (*jhagṛālū*) *a.* quarrelsome, wrangling

झटकना (*jhaṭaknā*) I. *v.t.* to pull with a jerk II. *v.i.* to become lean and thin

झटका (*jhaṭkā*) *m.* jerk, jolt, twitch, shock

झटपट (*jhaṭpaṭ*) *adv.* instantaneously

झड़ (*jhaṛ*) *f.* 1. falling of leaves 2. continuous shower of rain

झड़न (*jhaṛan*) *f.* 1. falling off (of fruit from a tree) 2. shedding (of hair, feathers, etc.)

झड़ना (*jhaṛnā*) *v.i.* to drop, to fall off

झड़प (*jhaṛap*) *f.* skirmish, wrangling, altercation

झड़ाझड़ (*jhaṛājhaṛ*) *adv.* continuously, constantly

झड़ी (*jhaṛī*) *f.* continuous rain
झनक (*jhanak*) *f.* jingling
झनकना (*jhanaknā*) *v.i.* to jingle, to rattle, to ring
झनझन (*jhanjhan*) *f.* jingling or clanging sound
झनझनाना (*jhanjhanānā*) *v.i.* to rattle, to clang, to clink
झप (*jhap*) *adv.* at once, immediately
झपकी (*jhapkī*) *f.* 1. wink, blink, twinkle 2. nap, doze
झपटना (*jhapaṭnā*) *v.i.* 1. to dash at 2. to pounce, to swoop
झपट्टा (*jhapaṭṭā*) *m.* swoop, dash
झबरा (*jhabrā*) *a.* (of an animal as dog) having long hair, hairy
झमकाना (*jhamkānā*) *v.t.* to cause to glitter or shine, to flash
झमझम (*jhamjham*) *f.* the sound of heavy rain or shower
झमेला (*jhamelā*) *m.* imbroglio, complicated situation
झरझर (*jharjhar*) *f.* sound produced by flow of water or roaring wind
झरना (*jharnā*) *m.* spring, fountain, cascade, waterfall
झरोखा (*jharokhā*) *m.* loop-hole, skylight, oriel window
झलक (*jhalak*) *f.* 1. gleam, glimmer, faint light 2. glimpse
झलना (*jhalnā*) *v.t.* to fan, to move to and fro (as a fan)
झल्लाना (*jhallānā*) *v.i.* to be enraged, to be annoyed, to fret
झल्लाहट (*jhallāhaṭ*) *f.* irritation
झाँई (*jhāṁī*) *f.* 1. shadow, shade 2. reflection
झाँक (*jhāṁk*) *f.* 1. peeping 2. spying
झाँकना (*jhāṁknā*) *v.i.* 1. to peep into 2. to pay a brief visit
झाँकी (*jhāṁkī*) *f.* 1. glimpse, view 2. tableau 3. show
झाँझ (*jhāṁjh*) *f.* 1. cymbal 2. a hollow tinkling anklet
झाँझी (*jhaṁjhī*) *f.* a perforated pot or vessel
झाँपना (*jhāṁpnā*) *v.t.* to cover, to hide
झाँसा (*jhāṁsā*) *m.* cheating, hoax
झाग (*jhāg*) *f.* foam, froth
झाड़ (*jhāṛ*) *m.* 1. shrub, bush 2. chandelier
झाड़ना (*jhāṛnā*) *v.t.* to sweep, to shake off dust, to scold
झाड़-फूँक (*jhāṛ-phūṁk*) *f.* exorcism, expelling the evil spirit
झाड़ा (*jhāṛā*) *m.* minute search
झाड़ी (*jhāṛī*) *f.* thicket, shrub, forest, bush
झाड़ू (*jhāṛū*) *m.* & *f.* broom
झापड़ (*jhāpaṛ*) *m.* full-blooded slap
झारखंड (*jhārkhaṇḍ*) *m.* forest of bushes, name of a state in India
झारी (*jhārī*) *f.* pitcher with a long neck and spout
झालर (*jhālar*) *f.* border
झिझक (*jhijhak*) *f.* 1. hitch, hesitation 2. timidity 3. shyness

झ

झिझकना (*jhijhaknā*) *v.i.* to hesitate, to feel shy

झिड़की (*jhiṛkī*) *f.* scolding, rebuke, reproof, rebuff, snub

झिलमिल (*jhilmil*) *f.* shimmer, twinkling, glitter

झिलमिलाना (*jhilmilānā*) *v.i.* 1. to shimmer 2. to twinkle

झिल्ली (*jhillī*) *f.* membrane

झींगुर (*jhīṁgur*) *m.* cricket (insect)

झील (*jhīl*) *f.* lake

झीवर (*jhīvar*) *m.* boatman, sailor

झीसी (*jhīsī*) *f.* drizzle, light rain

झुँझलाना (*jhuṁjhlānā*) *v.i.* to be irritated or enraged, to fret

झुंड (*jhuṇḍ*) *m.* flock (of animals or birds), troop, herd

झुकना (*jhuknā*) *v.i.* to bend

झुकाना (*jhukānā*) *v.t.* 1. to bend 2. to tilt 3. to lower (as a gun)

झुकाव (*jhukāv*) *m.* 1. tendency, leaning 2. curvature

झुग्गी (*jhuggī*) *f.* hut

झुग्गी-झोंपड़ी *f.* hatched huts (settlement)

झुनझुना (*jhunjhunā*) *m.* a rattling toy, rattle

झुमका (*jhumkā*) *m.* a bell-shaped pendant (of an earring)

झुरझुरी (*jhurjhurī*) *f.* shivering, quivering

झुरमुट (*jhurmuṭ*) *m.* cluster (of trees, shrubs, etc.)

झुर्री (*jhurrī*) *f.* wrinkle, pucker

झुर्रीदार *a.* wrinkled, crinkled

झुलसना (*jhulasnā*) *v.i.* to be scorched, singed or charred

झुलाना (*jhulānā*) *v.t.* 1. to swing 2. to dangle

झूठ (*jhūṭh*) *m.* 1. lie 2. falsehood

झूठा (*jhūṭhā*) I. *a.* false II. *m.* liar

झूम (*jhūm*) *f.* swaying, waving

झूमना (*jhūmnā*) *v.i.* to swing to and fro, to sway, to go about as in intoxication

झूमर (*jhūmar*) *m.* 1. a type of folk song (especially of women) 2. forehead ornament

झूल (*jhūl*) *f.* a loose garment

झूलन (*jhūlan*) *f.* oscillating

झेंप (*jheṁp*) *f.* bashfulness, shyness

झेंपना (*jheṁpnā*) *v.i.* to feel abashed, shy

झेलना (*jhelnā*) *v.t.* to stand, to suffer, to endure

झोंक (*jhoṁk*) *f.* 1. gust, blast 2. impulse 3. impact

झोंकना (*jhoṁknā*) *v.t.* to throw into

झोंका (*jhoṁkā*) *m.* blast of air, gust of wind

झोंटा (*jhoṁṭā*) *m.* top-knot of hair (of a woman)

झोंपड़-पट्टी (*jhoṁpaṛ-paṭṭī*) *f.* settlement of huts

झोंपड़ा (*jhoṁpṛā*) *m.* 1. hut or hovel built of mud and reeds 2. a thatched shed

झोरना (*jhoṛnā*) *v.t.* to shake (fruit) off (a tree)

झोल (*jhol*) *m.* broth, soup

झोला (*jholā*) *m.* a cloth bag, sack

झोली (*jholī*) *f.* small bag, pouch

ट

टंक (*ṭaṅk*) *m.* /**टंकण** (*taṅkaṇ*) *m.* typing
टंक/टंकण लिपि *f.* typescript
टंकक (*ṭaṅkak*) *m.* typist
टँकना (*ṭaṁknā*) *v.i.* 1. to be stitched 2. (shoes) to be cobbled
टंकाना (*ṭaṅkānā*) *v.t.* 1. to stitch 2. to join by sewing
टंकार (*ṭaṅkār*) *f.* 1. twang (of a bow-string) 2. tinkling sound
टंकित (*ṭaṅkit*) *a.* typed
टंगड़ी (*ṭaṅgṛī*) *f.* 1. leg 2. leg-trick in wrestling 3. thigh, haunch
टँगना (*ṭaṁgnā*) *v.i.* to be hung, to get hung
टकटकी (*ṭakṭakī*) *f.* gaze, stare, fixed look, steady gaze
टकराना (*ṭakrānā*) *v.i.* to knock against, to collide
टकराव (*ṭakrāv*) *m.* clash
टकसाल (*ṭaksāl*) *f.* mint, mint-house
टकुआ (*ṭakuā*) *m.* 1. spindle 2. any pointed tool
टक्कर (*ṭakkar*) *f.* collision
टखना (*ṭakhnā*) *m.* ankle, ankle-joint, ankle-bone
टटका (*ṭaṭkā*) *a.* fresh, new, latest
टटोलना (*ṭaṭolnā*) *v.t.* 1. to feel with the hand 2. to test
टट्टू (*ṭaṭṭū*) *m.* pony, stubborn person
टनटन (*ṭanṭan*) *f.* tinkling or ringing sound, ringing of bells
टनमना (*ṭanmanā*) *a.* hale and hearty, perfectly healthy
टनाटन (*ṭanāṭan*) I. *f.* continuous ringing of several bells II. *a.* healthy, hale and hearty
टपकना (*ṭapaknā*) *v.i.* 1. to fall in drops 2. (roof) to leak
टपटप (*ṭapṭap*) *f.* 1. sound of dripping water 2. trickle
टपना (*ṭapnā*) *v.i.* to jump (over or across), to leap about
टमटम (*ṭamṭam*) *f.* a one-horse carriage
टमाटर (*ṭamāṭar*) *m.* tomato
टर (*ṭar*) *f.* croak of a frog
टरकाना (*ṭarkānā*) *v.t.* to put off, to postpone
टरटराना (*ṭarṭarānā*) *v.t.* 1. to chatter 2. to croak (as a frog)
टर्रटर्र (*ṭarrṭarr*) *f.* /**टर्राना** (*tarrānā*) *v.i.* 1. to croak 2. croaking sound
टलना (*ṭalnā*) *v.i.* to be put off, to be postponed

ट

टसक (*ṭasak*) *f.* 1. throb 2. throbbing pain 3. a stitch

टहनी (*ṭahnī*) *f.* small branch of a tree, twig, sprig

टहल (*ṭahal*) *f.* 1. service, menial job 2. attendance

टहलना (*ṭahalnā*) *v.i.* to walk (to and fro), to stroll, to saunter

टहलाना (*ṭahlānā*) *v.t.* to cause to walk

टाँकना (*ṭāṁknā*) *f.* stitching, sewing

टाँका (*ṭāṁkā*) *m.* 1. pin, an iron pin 2. stitch, tack

टाँग (*ṭāṁg*) *f.* leg

टाँगना (*ṭāṁgnā*) *v.t.* to hang, to suspend from the top

टाँगा (*ṭāṁgā*) *m.* tonga, a one-horse carriage

टाई (*ṭāī*) *f.* 1. tie, necktie 2. (in games) tie, level score

टाट (*ṭāṭ*) *m.* sacking, matting

टाटक (*ṭāṭak*) *m.* 1. fresh 2. new

टाप (*ṭāp*) *f.* hoof (of a horse)

टापना (*ṭāpnā*) *v.t.* to jump over

टापू (*ṭāpū*) *m.* isle, island

टाल (*ṭāl*) I. *m.* heap, pile (especially of wood, coal, etc.) II. *f.* evasion (putting off)

टालना (*ṭālnā*) *v.t.* 1. to put off, to postpone 2. to evade, to elude

टालू (*ṭālū*) *a.* evasive

टालू जवाब *m.* evasive reply

टिकट (*ṭikaṭ*) *m.* 1. ticket 2. postage or revenue stamp

टिकट खिड़की *f.* ticket window, booking window

टिक-टिक (*ṭik-ṭik*) *f.* tick-tick, ticking of a watch or clock

टिकना (*ṭiknā*) *v.i.* to stay, to stop (for a short time)

टिकाऊ (*ṭikāū*) *a.* durable

टिकाना (*ṭikānā*) *v.t.* to make somebody stay or halt

टिकिया (*ṭikiyā*) *f.* 1. tablet 2. a round piece of cake

टिकुली (*ṭikulī*) *f.* spangle of foil, an ornament for forehead

टिकुली लगाना *v.t.* to put on a spangle

टिकैत (*ṭikait*) *m.* 1. crown prince 2. chief

टिकोरा (*ṭikorā*) *m.* a small unripe mango

टिटकार (*ṭiṭkār*) *m.* a sound made by claking the tongue to goad an animal

टिटकारना (*ṭiṭkārnā*) *v.t.* to make a ticking sound

टिटिहरी (*ṭiṭiharī*) *f.* pewit, sand piper

टिट्टिभ (*ṭiṭṭibh*) *m.* lapwig

टिड्डा (*ṭiḍḍā*) *m.* grasshopper

टिड्डी (*ṭiḍḍī*) *f.* locust

टिपकारी (*ṭipkārī*) *f.* laying of one brick over another

टिपटाप (*ṭipṭāp*) *a.* tip-top, the very best

टिप्पणी (*ṭippaṇī*) *f.* 1. comment, remark 2. note 3. annotation

टिमटिम (*ṭimṭim*) *f.* 1. blinking, flickering 2. soft sound

टिमटिम करना *v.t.* to blink, to flicker

टिमटिमाना (*ṭimṭimānā*) *v.i.* to give a faint light, to flicker
टिमटिमाहट (*ṭimṭimāhaṭ*) *f.* scintillation, twinkling, flickering
टीक (*ṭīk*) *f.* strong heavy timber of an Asian evergreen tree
टीका (*ṭīkā*) I *m.* a mark of saffron or vermilion put on forehead II *f.* comment, remark III *m.* ornament for forehead
टीप (*ṭīp*) *f.* 1. sketch, outline 2. tapping
टीपन (*ṭīpan*) *f.* horoscope
टीम (*ṭīm*) *f.* team
टीला (*ṭīlā*) *m.* mound, hillock
टीस (*ṭīs*) *f.* 1. throbbing pain 2. anguish, mental pang
टुंडा (*ṭuṇḍā*) *a.* 1. (tree) with its branches cut off 2. (person) physically disabled
टुक (*ṭuk*) I. *adv.* a little, for a little while II. *a.* nominal, scanty
टुकड़ (*tukaṛ*) *m.* a piece, fragment, scrap
टुकड़ा (*ṭukṛā*) *m.* 1. piece, fragment, bit 2. part, portion
टुकड़ी (*ṭukṛī*) *f.* 1. band or small group (of men) 2. division or corps (of an army)
टुच्चा (*ṭuccā*) *a.* low, low-minded, mean, base, ignoble
टुटपुँजिया (*ṭuṭpuṁjiyā*) *a.* & *m.* small trader, of small means
टुटहा (*ṭuṭahā*) *a.* 1. broken 2. breakable, brittle
टुनटुन (*ṭunṭun*) *f.* sound of bells
टूँगना (*ṭūṁgnā*) *v.t.* 1. to nibble (grass, shoots) 2. to pick at (food)
टूक (*ṭūk*) *m.* a small piece, bit
टूट (*ṭūṭ*) *f.* 1. breakage 2. fracture 3. division
टूटना (*ṭūṭnā*) *v.i.* to break, to crack, to fracture
टूटा (*ṭūṭā*) *a.* broken
टूसा (*ṭūsā*) *m.* shoot, sprout
टें (*ṭeṁ*) *f.* screech of a parrot
टेंगरी (*ṭeṁgrī*) *f.* a kind of fish
टेंटुआ (*ṭeṁṭuā*) *m.* 1. throat 2. Adam's apple
टेक (*ṭek*) *f.* prop, stay, support
टेकना (*ṭeknā*) *v.t.* to prop, to support
टेकाना (*ṭekānā*) *v.t.* to give support (to), to provide prop
टेढ़ (*ṭeṛh*) *f.* 1. curve, bend 2. twist 3. wickedness
टेढ़ा (*ṭeṛhā*) *a.* bent, curved
  टेढ़ा-मेढ़ा *a.* (a) slipshod (work) (b) twisted (c) arduous
टेर (*ṭer*) *f.* 1. voice 2. call 3. tune
टेरना (*ṭernā*) *v.i.* to call aloud
टेलर (*ṭelar*) *m.* tailor
टेलीफ़ोन (*ṭelīfon*) *m.* telephone
  टेलीफ़ोन का चोगा *m.* receiver
टेसुआ (*ṭesuā*) *m.* tear
टेसू (*ṭesū*) *m.* a flowering tree
टोंच (*ṭoṁc*) *f.* 1. sewing, stitching 2. a stitch
टोंटा (*ṭoṁṭā*) *m.* cartridge
टोंटी (*ṭoṁṭī*) *f.* 1. spout 2. tap
  टोंटीदार *a.* nozzled, spouted
टोक (*ṭok*) *f.* interruption, hindrance, obstacle

ट

टोकना (*ṭoknā*) *v.t.* 1. to interrupt 2. to hinder, to obstruct

टोकरा (*ṭokrā*) *m.* large basket (without a lid)

टोकरी (*ṭokrī*) *f.* a small basket (without cover)

टोका (*ṭokā*) *m.* chopper, (chaff) cutter

टोटका (*ṭoṭkā*) *m.* a superstitious remedy or device, a charm, a spell

टोटा (*ṭoṭā*) *m.* 1. loss 2. shortage

टोना (*ṭonā*) *m.* 1. charm, spell, enchantment 2. witchcraft

टोना-टोटका *m.* charm, spell, sorcery, black art

टोप (*ṭop*) *m.* hat, helmet

टोपी (*ṭopī*) *f.* cap

टोला (*ṭolā*) *m.* quarter or part of a town/village, locality

टोली (*ṭolī*) *f.* group, batch, team, gang

टोहक विमान (*ṭohak vimān*) *m.* reconnaissance aeroplane

टोहिया (*ṭohiyā*) *m.* reconnoiter, tracer

टोही (*ṭohī*) *m.* seeker, one who finds out

ठ

ठंड (*ṭhaṇḍ*) *f.* cold, winter

ठंडक (*ṭhaṇḍak*) *f.* 1. cold, coolness 2. refreshing sensation

ठंडा (*ṭhaṇḍā*) *a.* cold, cool

ठंडाई (*ṭhaṇḍaī*) *f.* cooling herbal drink

ठक (*ṭhak*) *f.* 1. knocking sound 2. tapping sound

ठक-ठक (*ṭhak-ṭhak*) *f.* repeated tapping or knocking sound

ठकुरसुहाती (*ṭhakursuhātī*) *f.* flattery, insincere praise

ठकुराइन (*ṭhakurāin*) *f.* wife of a Thakur (lord or chief)

ठकुरायत (*ṭhakurāyat*) *f.* 1. lordship, nobility 2. estate

ठग (*ṭhag*) *m.* cheat, swindler

ठगई (*ṭhagaī*) *f.* cheating

ठगना (*ṭhagnā*) *v.t.* to cheat

ठगी (*ṭhagī*) *f.* cheating

ठट्ट (*ṭhaṭṭa*) *m.* 1. crowd 2. heap

ठट्ठर (*ṭhaṭṭhar*) *m.* the frame (bamboo-work) of a thatch

ठट्ठा (*ṭhaṭṭhā*) *m.* fun, jest, joke

ठठरी (*ṭhaṭhrī*) *f.* framework of bamboo for a thatch

ठठेरा (*ṭhaṭherā*) *m.* coppersmith, tinsmith, brazier

ठठेरी (*ṭhaṭherī*) *f.* 1. a female brazier 2. brazier's wife

ठनक (*ṭhanak*) *f.* jingling sound of a silver coin

ठनकाना (*ṭhankānā*) *v.t.* to cause to jingle

ठनना (*ṭhananā*) *v.i.* to start with full vigour

ठप (*ṭhap*) *a.* 1. stopped 2. closed

ठप्पा (*ṭhappā*) *m.* mould, die

ठर्रा (*ṭharrā*) *m.* country liquor

ठलुआ (*ṭhaluā*) *a.* 1. mean, low, base 2. worthless

ठस (*ṭhas*) *a.* 1. solid 2. lazy, dull

ठसक (*ṭhasak*) *f.* swagger, affectation

ठसाठस (*ṭhasāṭhas*) *a.* fully stuffed, crowded

ठस्सा (*ṭhassā*) *m.* 1. affected or pompous walking 2. coquetry, flirtation 3. stamp

ठहरना (*ṭhaharnā*) *v.i.* 1. to pause, to stop 2. to wait 3. to stay

ठहराना (*ṭhahrānā*) *v.t.* 1. to bring to a halt 2. to cause to stay

ठहाका (*ṭhahākā*) *m.* loud laughter, peal of laughter, guffaw

ठाँव (*ṭhāṁv*) *m.* place

ठाकुर (*ṭhākur*) *m.* 1. deity, God 2. chief or head

ठ

ठाकुरद्वारा *m.* temple

ठाट (*ṭhāṭ*) *m.* pomp, show

ठाठ (*ṭhāṭh*) *m.* framework (as of bamboo)

ठाठदार (*ṭhāṭhdār*) *a.* 1. pompous, showy 2. decorated

ठानना (*ṭhānanā*) *v.t.* to be determined

ठान लेना *v.t.* to make up one's mind

ठाला (*ṭhālā*) *a.* unemployed

ठिंगना (*ṭhiṁgnā*) *a.* /**ठिगना** (*thignā*) *a.* short-statured

ठिकाना (*ṭhikānā*) *m.* residence, abode, home, address

ठिठक (*ṭhiṭhak*) *f.* 1. hesitation 2. stopping suddenly

ठिठकना (*ṭhiṭhaknā*) *v.i.* to stop suddenly

ठिठुरन (*ṭhiṭhuran*) *f.* chill, shivering

ठिठुरना (*ṭhiṭhurnā*) *v.i.* to shiver with cold

ठिठोली (*ṭhiṭholī*) *f.* jesting, jocularity

ठीक (*ṭhīk*) *a.* right, true

ठीकर (*ṭhīkar*) *m.* system of keeping watch prevailing in certain villages

ठीकरा (*ṭhīkrā*) *m.* broken piece of earthenware

ठुंठ (*ṭhunṭh*) *m.* stump of a tree

ठुकठुक (*ṭhukṭhuk*) *f.* sound of strikes on a wooden article

ठुकराना (*ṭhukranā*) *v.t.* 1. to kick against, to kick away 2. to reject

ठुड्डी (*ṭhuḍḍī*) *f.* chin

ठुड्डी पकड़ना *v.t.* to appease

ठुनकना (*ṭhunaknā*) *v.i.* 1. to sob, to whimper 2. to make a tinkling or jingling sound

ठुमक (*ṭhumak*) *f.* affected gait or walk, toddling walk

ठुमरी (*ṭhumrī*) *f.* 1. a kind of classical singing 2. a kind of amorous composition

ठुसना (*ṭhusnā*) *v.i.* to be stuffed, to be packed fully

ठुसवाना (*ṭhusvānā*) *v.t.* to cause to stuff, pack to the full

ठूँठा (*ṭhūṁṭhā*) *m.* 1. branchless and leafless 2. having the hand (or arm) amputated

ठेंगा (*ṭheṁgā*) *m.* thumb

ठेका (*ṭhekā*) *m.* 1. contract 2. shop for selling country liquor

ठेकेदार (*ṭhekedār*) *m.* contractor

ठेठ (*ṭheṭh*) *a.* (of language) colloquial, pure

ठेपी (*ṭhepī*) *f.* stopper, plug, cork

ठेलठाल (*ṭhelṭhāl*) *f.* hustle and bustle

ठेला (*ṭhelā*) *m.* 1. cart 2. trolley 3. push

ठेस (*ṭhes*) *f.* 1. knock 2. blow

ठोकना (*ṭhoknā*) *v.t.* to hammer

ठोकना-बजाना *v.t.* to make a thorough check-up, to examine minutely

ठोकर (*ṭhokar*) *f.* kick

ठोड़ी (*ṭhoṛī*) *f.* chin

ठोस (*ṭhos*) *a.* 1. solid 2. hard

ठोसपन (*ṭhospan*) *m.* solidity

ठौर (*ṭhaur*) *m.* place

ड

ड (*ḍa*) *m.* unaspirated cerebral trilled consonant

डंक (*ḍaṅk*) *m.* 1. sting (of a wasp or scorpion) 2. nib

डंका (*ḍaṅkā*) *m.* a drum

डंठल (*ḍaṇṭhal*) *m.* stalk, stem

डंठी (*ḍaṇṭhī*) *f.* stalks (of a grain)

डंडा (*ḍaṇḍā*) *m.* rod, stick

डंडी (*ḍaṇḍī*) *f.* 1. beam of a pair of scales 2. handle 3. stick

डंडीमार (*ḍaṇḍīmār*) *m.* one who gives short weight

डंस (*ḍaṃs*) *m.* /डाँस (*ḍāṁs*) *m.* a large mosquito, gnat

डँसना (*ḍaṁsnā*) *v.t.* to sting, to bite

डकराना (*ḍakṛānā*) *v.i.* to bellow (as an ox), to roar

डकार (*ḍakār*) *m.* 1. belch, eructation 2. bellow

डकैत (*ḍakait*) *m.* dacoit, robber

डकैती (*ḍakaitī*) *f.* robbery, banditry

डग (*ḍag*) *m.* pace, step, stride

डगमग (*ḍagmag*) *a.* shaken, swaying

डगर (*ḍagar*) *f.* way, path, track

डगरा (*ḍagrā*) *m.* a round-bottomed basket for winnowing

डढ़ियल (*ḍaṛhiyal*) *a.* bearded, having a long beard

डपट (*ḍapaṭ*) *f.* rebuke

डपटना (*ḍapaṭnā*) *v.t.* to rebuke

डफ (*ḍaph*) *f.* tambourine, tabor

डफला (*ḍaphlā*) *m.* /डफली (*ḍaphlī*) *f.* tambourine (big or small)

डबडबाना (*ḍabḍabānā*) *v.i.* (eyes) to be filled with tears

डबरा (*ḍabrā*) *m.* 1. marshy land 2. pool, pond, puddle

डब्बा (*ḍabbā*) *m.* 1. box 2. railway compartment

डमरू (*ḍamrū*) *m.* a small drum

डर (*ḍar*) *m.* fear, dread

डरना (*ḍarnā*) *v.i.* to be afraid (of), to fear

डरपोक (*ḍarpok*) *a.* timid, cowardly, weak-hearted

डराना (*ḍarānā*) *v.t.* to make somebody afraid, to frighten

डरावना (*ḍarāvnā*) *a.* dreadful

डलवाना (*ḍalvānā*) *v.t.* to cause to be put

डला (*ḍalā*) *m.* large basket

डली (*ḍalī*) *f.* lump, clod

डसना (*ḍasnā*) *v.t.* to sting, to bite

डहर (*ḍahar*) *m.* way, path, track

डाँगर (*ḍāṁgar*) *m.* cattle

ड

डाँट (*ḍāṁṭ*) *f.* rebuke, reprimand
  डाँट-फटकार *f.* rebuke and reprimand
डाँटना (*ḍāṁṭnā*) *v.t.* to scold, to reprimand
डाँवाडोल (*ḍāṁvāḍol*) *a.*/**डावाँडोल** (*ḍāvāṁḍol*) *a.* shaky, unstable, disturbed
डाइन (*ḍāin*) *f.* 1. witch, sorceress 2. (abusive) wretched girl
डाक (*ḍāk*) *f.* post, mail
  डाक टिकट *m.* postage stamp
  डाक थैला *m.* mail bag
  डाक प्रमाणपत्र *m.* postal certificate, certificate of posting
डाका (*ḍākā*) *m.* dacoity
डाकिनी (*ḍākinī*) *f.* 1. witch 2. quarrelsome woman
डाकिया (*ḍākiyā*) *m.* postman
डाकू (*ḍākū*) *m.* dacoit, robber
डाक्टरी (*ḍākṭarī*) *f.* profession of a doctor
डाट (*ḍāṭ*) *f.* stopper, cork
  डाटदार *a.* stoppered
डाब (*ḍāb*) *m.* & *f.* grass (used in sacrifices)
डायन (*ḍāyan*) *f.* 1. witch 2. old hag
डाल (*ḍāl*) *f.* branch, bough
डालना (*ḍālnā*) *v.t.* to throw
डाली (*ḍālī*) *f.* 1. branch (of a tree), bough 2. a basket (to hold flowers or fruits)
डासन (*ḍāsan*) *m.* bedding
डाह (*ḍāh*) *f.* jealousy
डिंगी (*ḍiṁgī*) *f.* dinghy, a type of small boat, jolly boat
डिंब (*ḍimb*) *m.* 1. embryo in the first stage 2. womb, foetus
डिगना (*ḍignā*) *v.i.* to deviate from one's path or word
डिगाना (*ḍigānā*) *v.t.* to cause to slip or stumble
डिठौना (*ḍiṭhaunā*) *m.* black mark on child's forehead (to avert evil eye)
डिबिया (*ḍibiyā*) *f.* tiny box
डिब्बा (*ḍibbā*) *m.* 1. box 2. train compartment
  डिब्बाबंद *a.* tinned, canned
डिमाई (*ḍimāī*) *f.* demy, paper size
डींग (*ḍīṁg*) *f.* 1. vanity 2. bragging, boasting
डीठ (*ḍīṭh*) *f.* (evil) eye, sight
डील (*ḍīl*) *m.* physique, body
  डीलडौल *m.* figure, shape, body
डीह (*ḍīh*) *m.* 1. dwelling place 2. habitation 3. village
डुगडुगाना (*ḍugḍugānā*) *v.t.* to beat (a drum)
डुगडुगी (*ḍugḍugī*) *f.* small kettle-drum (used in making proclamation)
डुबकी (*ḍubkī*) *f.* 1. dive 2. plunge
डुबवाना (*ḍubvānā*) *v.t.* to cause to be sunk or submerged
डुबाना (*ḍubānā*) *v.t.* to make a thing sink, to immerse
डुबाव (*ḍubāv*) *m.* immersion, sinking, drowning
डुबोना (*ḍubonā*) *v.t.* to drown

डुब्बी (*ḍubbī*) *f.* dive, diving
डुलना (*ḍulnā*) *v.i.* to move to and fro, to stir
डुलाना (*ḍulānā*) *v.t.* 1. to move, to stir 2. to swing, to rock
डूबना (*ḍūbnā*) *v.i.* to sink
डेढ़ (*ḍeṛh*) *a.* one and a half
डेरा (*ḍerā*) *m.* tent, encampment, pavilion
डेरा-डंडा *m.* bag and baggage, tent and its poles
डेली (*ḍelī*) *f.* basket for keeping grain (rice)
डेवढ़ा (*ḍevaṛhā*) *a.* one and a half
डेवढ़ी (*ḍevṛhī*) *f.* 1. threshold 2. ante-chamber 3. entrance
डोंगी (*ḍoṁgī*) *f.* a small boat
डोगरा (*ḍogrā*) *m.* a caste of warriors belonging to Kangra and Jammu regions, Dogra
डोगरी (*ḍogrī*) *f.* language spoken in Dogra region
डोम (*ḍom*) *m.* 1. a low caste among Hindus who remove carcasses 2. sweeper, scavenger 3. an individual of Dom community
डोमिन (*ḍomin*) *f.* woman or girl of Dom community
डोर (*ḍor*) *f.* thread (especially for kite-flying)
डोरा (*ḍorā*) *m.* thread
डोरी (*ḍorī*) *f.* string, cord
डोल (*ḍol*) *m.* 1. bucket, pail 2. oscillation, rocking
डोलची (*ḍolcī*) *f.* small bucket
डोलना (*ḍolnā*) *v.i.* to oscillate
डोलते फिरना *v.i.* to wander about
डोला (*ḍolā*) *m.* a kind of palanquin (for women)
डोलाना (*ḍolānā*) *v.t.* to move from side to side
डोली (*ḍolī*) *f.* small sedan or palanquin
डोसा (*ḍosā*) *m.* dosa, a south Indian dish rice (pancake)
डौल (*ḍaul*) *m.* 1. shape, form 2. means, way
ड्योढ़ा (*ḍyoṛhā*) *a.* one and a half times as much or as big
ड्योढ़ी (*ḍyoṛhī*) *f.* 1. threshold 2. antechamber 3. entrance to a house

ढ, ढ़

ढँकना (*ḍhaṁknā*) *v.t.* 1. to cover 2. to put a lid (on) 3. to conceal
ढंग (*ḍhaṇg*) *m.* 1. mode, manner, style 2. method
ढँढोरना (*ḍhaṁḍhornā*) *v.t.* to make a thorough search
ढँपना (*ḍhaṁpnā*) *v.t.* to cover
ढकना (*ḍhaknā*) *v.t.* to cover
ढकनी (*ḍhaknī*) *f.* a small lid
ढकेलना (*ḍhakelnā*) *v.t.* to push
ढकोसला (*ḍhakoslā*) *m.* 1. delusion 2. hypocrisy
ढकोसलेबाज़ (*ḍhakoslebāz*) *m.* 1. hypocrite 2. cheat
ढड्ढा (*ḍhaḍḍhā*) *m.* clumsy and big structure
ढपोरसंख (*ḍhaporsaṅkh*) *m.* babbler, prater
ढब (*ḍhab*) *m.* 1. shape, form, frame 2. mode, manner
ढमढम (*ḍhamḍham*) *m.* sound of a drum
ढरकना (*ḍharaknā*) *v.i.* to flow down as liquid
ढरकाना (*ḍharkānā*) *v.t.* to let flow down
ढर्रा (*ḍharrā*) *m.* mode, style
ढलता (*ḍhaltā*) *a.* 1. falling 2. slipping 3. shifting
ढलता सूरज setting sun
ढलना (*ḍhalnā*) *v.i.* to draw to a close (as a day), to be poured out
ढलवाना (*ḍhalvānā*) *v.t.* to cause to be cast or moulded
ढलाई (*ḍhalāī*) *f.* casting, moulding
ढलाऊ (*ḍhalāū*) *a.* slant, sloping
ढलान (*ḍhalān*) *f.* /**ढलाव** (*dhalāv*) *m.* slope, ramp
ढवाना (*ḍhavānā*) *v.t.* to cause to be demolished
ढहना (*ḍhahnā*) *v.i.* to pull down
ढहाना (*ḍhahānā*) *v.t.* 1. to demolish 2. to pull down
ढाँचा (*ḍhāṁcā*) *m.* 1. frame, framework 2. skeleton
ढाई (*ḍhāī*) *a.* two and a half
ढाड़ (*ḍhāṛ*) *f.* loud lamentation
ढाड़ मारना *v.t.* to cry loudly, to weep with cries
ढाड़स (*ḍhāṛas*) *f.* solace, consolation
ढाना (*ḍhānā*) *v.t.* to pull down
ढाबा (*ḍhābā*) *m.* wayside place selling snacks or meals
ढाल (*ḍhāl*) *f.* & *m.* 1. slope 2. shield

ढालना (*ḍhālnā*) *v.t.* 1. to cast, to mould 2. to drink liquor
ढास (*ḍhās*) *f.* support
ढाहना (*ḍhāhnā*) *v.t.* to pull down, to knock down
ढिंढोरची (*ḍhiṁdhorcī*) *m.* 1. announcer 2. drummer
ढिग (*ḍhig*) *adv.* near, close to
ढिठाई (*ḍhiṭhāī*) *f.* 1. impudence 2. audacity
ढिबरी (*ḍhibrī*) *f.* 1. a tin or glass lamp 2. nut of a screw
ढिलमिल (*ḍhilmil*) *a.* shaky, tottering, vacillating
ढिलाई (*ḍhilāī*) *f.* looseness
ढीठ (*ḍhīṭh*) *a.*stubborn
ढील (*ḍhīl*) *f.* looseness
ढीलढाल *f.* carelessness
ढीला(*ḍhīlā*) *a.* 1. loose 2. (of flesh) flaccid 3. lazy
ढीलाढाला *a.* inactive
ढुँढ़वाना(*ḍhuṁṛhvānā*) *v.t.* to cause to seek or search
ढुंढी (*ḍhuṁḍhī*) *f.* navel
ढुकना (*ḍhuknā*) I. *v.i.* to enter II. *v.t.* to thrust, to push in
ढुलकना (*ḍhulaknā*) *v.i.* to slide
ढुलकाना (*ḍhulkānā*) *v.t.* 1. to topple down 2. to incline, to tilt
ढुलमुल (*ḍhulmul*) *a.* 1. (of garment) loose 2. (of mind) fickle
ढुलाना (*ḍhulānā*) *v.t.* to cause to be carried
ढूँढ़ (*ḍhūṁṛh*) *f.* search
ढूँढ़ना (*ḍhūṁṛhnā*) *v.t.* to seek
ढूह (*ḍhūh*) *m.*/**ढूहा** (*ḍhūhā*) *m.* heap of earth or mud, mound
ढेंकली (*ḍheṁklī*) *f.* a machine or lever device for drawing water
ढेंका (*ḍheṁkā*) *m.* /**ढेंकी** (*ḍheṁkī*) *f.* a machine for husking
ढेर (*ḍher*) *m.* heap, pile
ढेला (*ḍhelā*) *m.* lump (of clay)
ढैया (*ḍhaiyā*) *f.* a weight of 2 ½ seers (now kilograms)
ढोंग (*ḍhoṁg*) *m.* cheating, fraud
ढोंगी (*ḍhoṁgī*) *a.* & *m.* fraudulent
ढोना (*ḍhonā*) *v.t.* to take or bear up (a load)
ढोर (*ḍhor*) *m.* cattle
ढोल (*dhol*) *m.* drum
ढोलक (*dholak*) *f.*/**ढोलकी** (*dholakī*) *f.* small drum
ढोलना (*ḍholnā*) *m.* small amulet in the shape of a drum
ढोली (*ḍholī*) *f.* pile or bundle of about 200 betel leaves

त

त

तंग (*taṅg*) *a.* 1. narrow 2. distressed
तंगदिल *a.* small-mindedness
तंगी (*taṅgī*) *f.* distress
तंज़ेब (*tañzeb*) *m.* fine muslin cloth
तंडुल (*taṇḍul*) *m.* rice
तंति (*tanti*) *m.* weaver
तंतु (*tantu*) *m.* 1. thread 2. fibre
तंत्र (*tantra*) *m.*1. machinery 2. system 3. principle, theory
तंत्र-मंत्र *m.* charms, incantations
तंत्रिका (*tantrikā*) *f.* nerve
तंत्रिका विज्ञान (*tantrikā vijñān*) *m.* neurology
तंदुरुस्त (*tandurust*) *a.* healthy
तंदुरुस्ती (*tandurustī*) *f.* health
तंदूर (*tandūr*) *m.* a large earthen oven
तंद्रा (*tandrā*) *f.* 1. sleepiness 2. lassitude, languor
तंद्रालु (*tandrālu*) *a.* 1. sleepy, drowsy 2. weary, tired
तंबाकू (*tambākū*) *m.* tobacco
तंबू (*tambū*) *m.* tent, canopy
तंबूरा (*tambūrā*) *m.* tambourine
तअल्लुक़ (*taalluq*) *m.* 1. connection, relation 2. concern
तक (*tak*) *p.p.* to, up to
तक़दीर (*taqdīr*) *f.* fate, luck
तकरार (*takrār*) *f.* dispute
तकरीबन (*takrīban*) *adv.* about, near about, almost
तक़रीर (*taqrīr*) *f.* 1. discourse 2. speech
तकली (*taklī*) *f.* spinning reel
तकलीफ़ (*taklīf*) *f.* difficulty
तकलीफ़देह (*taklīfdeh*) *a.* troublesome
तकल्लुफ़ (*takalluf*) *m.* formality, to stand on ceremony
तकाज़ा (*takāzā*) *m.* demand
तकिया (*takiyā*) *m.* 1. pillow, headrest, cushion 2. support
तक्र (*takra*) *m.* buttermilk
तक्षक (*takṣak*) *m.* 1. name of a serpent 2. wood or stone cutter
तख़्त (*ta<u>kh</u>t*) *m.* 1. throne 2. wooden bedstead, divan
तख़्ता (*ta<u>kh</u>tā*) *m.* 1. plank 2. wooden board
तख़्तापलट *m.* *coup d'etat*
तगड़ा (*tagṛā*) *m.* strong, robust
तग़मा (*ta<u>g</u>mā*) *m.* medal
तगादा (*tagādā*) *m.* demand
तजना (*tajnā*) *v.t.* to abandon, to give up, to forsake

तजुर्बा (*tajurbā*) *m.* experience
तजवीज़ (*tajvīz*) *f.* 1. proposal 2. advice, opinion
तज्जनित (*tajjanit*) *a.* 1. born thereof 2. resulting therefrom
तज्जन्य (*tajjanya*) *a.* born thereof
तट (*taṭ*) *m.* bank, shore
तटबंध *m.* embankment, levee
तटरक्षक *m.* coastguard
तटवर्ती *a.* coastal, littoral
तटस्थ (*taṭastha*) *a.* 1. neutral, impartial 2. coastal 3. near, adjacent
तटस्थता (*taṭasthatā*) *f.* neutrality, non-alignment
तटीय (*taṭīya*) *a.* coastal, littoral
तड़क (*taṛak*) *f.* glamour
तड़क-भड़क *f.* pomp, ostentation, glamorous show
तड़का (*taṛakā*) *m.* seasoning (with oil and spices)
तड़के (*taṛke*) *adv.* early in the morning, at daybreak, at dawn
तड़प (*taṛap*) *f.* 1. restlessness, rolling about with pain 2. eagerness
तड़पना (*taṛapnā*) *v.i.* 1. to be restless, to writhe (in pain) 2. to pine for
तड़पाना (*taṛpānā*) *v.t.* to cause writhing pain
तड़ाक (*taṛāk*) *f.* snapping sound
तड़ाग (*taṛāg*) *m.* pool, pond, tank
तड़ातड़ (*taṛātaṛ*) *adv.* in quick succession
तड़ित् (*taṛit*) *f.* flash of lightning
तत् (*tat*) *pron.* that
तत (*tat*) *m.* principle, an element
ततैया (*tataiyā*) *f.* wasp
तत्काल (*tatkāl*) *a.*& *adv.* at that very moment, immediately
तत्कालीन (*tatkālīn*) *a.* of that time
तत्क्षण (*tatkṣaṇ*) *adv.* at that very moment
तत्त्व (*tattva*) *m.*1. fundamental truth 2. element
तत्त्व ज्ञान *m.* knowledge of ultimate truth, philosophical knowledge
तत्त्वहीन *a.* without substance
तत्त्वावधान (*tattvāvdhān*) *m.* 1. auspices 2. patronage
तत्पर (*tatpar*) *a.* 1. ready 2. totally devoted
तत्पश्चात् (*tatpaścāt*) *adv.* after that, thereafter, afterwards
तत्पुरुष (*tatpuruṣ*) *m.* Supreme Being
तत्पुरुष समास *m.* determinative compound
तत्र (*tatra*) *adv.* at that place
तत्सम (*tatsam*) *a.* same as that, equivalent
तथा (*tathā*) I. *conj.* and, as well as, likewise II. *adv.* thus
तथाकथित (*tathākathit*) *a.* so-called
तथागत (*tathāgat*) I. *a.* derived in that manner II. *m.* an epithet of Lord Buddha
तथापि (*tathāpi*) *conj.* even so
तथास्तु (*tathāstu*) *phr.* so be it, amen!
तथ्य (*tathya*) *m.* fact, reality

त

तथ्यतः (*tathyataḥ*) *adv.* *de facto, ipso facto*
तथ्यात्मक (*tathyātmak*) *a.* actual, true
तद् (*tad*) *pron.* that, of that
तदनंतर (*tadanantar*) *a.* after that
तदनुकूल (*tadanukūl*) *adv.* according to that
तदनुरूप (*tadanurūp*) *a.* similar to that, like that
तदनुसार (*tadanusār*) *adv.* accordingly
तदपि (*tadapi*) *conj.* even then, still
तदबीर (*tadbīr*) *f.* 1. device, plan 2. means
तदर्थ (*tadarth*) *a.* ad hoc
तदुपरांत (*taduparānt*) *adv.* after that, thereafter
तद्धित (*taddhit*) *m.* secondary suffix
तद्भव (*tadbhav*) *m.* a word which is phonetically modified in course of time
तन (*tan*) *m.* body
  तन-मन-धन *m.* physical, mental and material resources
तनख़ाह (*tankhāh*) *f.* /**तनख़्वाह** (*tankhvāh*) *f.* wage, salary
तनखैया (*tankhaiyā*) *m.* a Sikh who has committed a sacrilegious act
तनना (*tananā*) *v.i.* to stretch
तनय (*tanaya*) *m.* son
तनया (*tanayā*) *f.* daughter
तनहा (*tanahā*) *a.* single, lonely
तनहाई (*tanahāī*) *f.* loneliness
तना (*tanā*) *m.* trunk of (a tree)
तनाव (*tanāv*) *m.* tension
तनु (*tanu*) *m.* body
तनुज (*tanuj*) *m.* son
तनुजा (*tanujā*) *f.* daughter
तन्मय (*tanmaya*) *a.* absorbed in that, quite lost, engrossed
तन्वंगी (*tanvaṅgī*) *a.* & *f.* slender-bodied, slim (woman)
तप (*tap*) *m.* religious austerity
तपःपूत (*tapaḥpūt*) *a.* purified by practising penance
तपःस्थली (*tapaḥsthalī*) *f.* place of practising penance
तपन (*tapan*) *f.* hot season, pangs
तपश्चर्या (*tapaścaryā*) *f.* practice of religious austerity
तपस्या (*tapasyā*) *f.* penance, religious austerity
तपस्वी (*tapasvī*) *m.* devoutly austere person, ascetic
तपाक (*tapāk*) *m.* 1. warmth 2. zeal, enthusiasm
  तपाक से *adv.* (a) quickly, at once (b) cordially
तपिश (*tapiś*) *f.* heat, warmth
तपेदिक (*tapedik*) *m.* tuberculosis, TB
तपोनिष्ठ (*taponiṣṭha*) *a.* devoted to penance
तपोवन (*tapovan*) *m.* forest where ascetic practices are performed
तप्त (*tapta*) *a.* heated, inflamed
तफ़तीश (*taftīś*) *f.* investigation, enquiry, probe
तफ़रक़ा (*tafarqā*) *m.* 1. difference

2. distinction

तफ़रीक़ (*tafrīq) f.* partition

तफ़रीह (*tafrīh) f.* 1. pleasure 2. entertainment 3. joking

तब (*tab*) *adv.* then, at that time

तबक़ (*tabaq*) *m.* 1. a leaf of beaten silver 2. a kind of plate 3. tray

तबक़ा (*tabqā*) *m.*1. a class or a group of people 2. rank

तबदील (*tabdīl*) *a.* 1. changed 2. (of persons) transferred

तबलची (*tabalcī*) *m.* one who plays on tabla (drummer)

तबला (*tablā*) *m.* a small drum

तबलावादक *m.* tabla-player

तबादला (*tabādlā*) *m.* transfer

तबाह (*tabāh) a.* ruined, destroyed, devastated

तबाही (*tabāhī) f.* ruin, destruction, annihilation

तबियत (*tabiyat*) *f.* 1. state (of healh) 2. mood

तभी (*tabhī*) *adv.* at that very moment, just at that time

तमंचा (*tamañcā*) *m.* revolver

तम (*tam*) *m.* darkness

तमग़ा (*tamgā*) *m.* medal

तमतमाना (*tamtamānā*) *v.i.* to become red with anger, to flush

तमन्ना (*tamannā*) *f.* 1. desire, wish 2. longing, craving

तमस (*tamas*) *m.* darkness

तमाचा (*tamācā*) *m.* slap, blow on the face

तमाच्छन्न (*tamācchanna*) *a.* covered with darkness

तमाम (*tamām) a.* all, whole

तमाल (*tamāl) m.* an evergreen tree

तमाशबीन (*tamāśbīn*) *m.* spectator, onlooker

तमाशा (*tamāśā*) *m.* 1. fun, sport 2. spectacle, show

तमिल (*tamil) f.* language of Tamil Nadu in south India

तमिस्रा (*tamisrā*) *f.* 1. darkness 2. dark night

तमीज़ (*tamīz*) *f.* etiquette

तमोगुण (*tamoguṇ*) *m.* quality of dullness, ignorance

तमोल (*tamol) m.* folded betel leaf

तमोली (*tamolī*) *m.* one who sells betel leaves, betel-seller

तय (*taya*) *a.* agreed, settled

तय्यार (*tayyār) a.* ready

तरंग (*taraṅg*) *f.* wave, ripple

तरंगायित (*taraṅgāyit) a.* billowy

तर (*tar*) *a.* wet, moist, saturated

तर-बतर *a.* drenched, soaked

तरकश (*tarkaś*) *m.* quiver, a case for holding arrows

तरकारी (*tarkārī*) *f.* vegetable

तरकीब (*tarkīb*) *f.* plan

तरक्की (*tarakkī*) *f.* 1. promotion 2. progress

तरजीह (*tarjī h*) *f.* preference

तरजुमा (*tarjumā) m.* translation

तरण (*taraṇ*) *m.* swimming

तरण ताल *m.* swimming pool

तरणि (*taraṇi*) *m.* ray of the sun

तरणि तनुजा (*taraṇi tanujā*) *f.* the river Yamuna

त

तरणी (*taraṇī*) *f.* boat
तरतीब (*tartīb*) *f.* 1. arrangement, system, order 2. method
तरद्दुद (*taraddud*) *m.* anxiety, worry
तरन्नुम (*tarannum*) *m.* modulation of voice
तरफ़ (*taraf*) I. *f.* 1. side 2. direction II. *adv.* towards
तरफ़दार (*tarafdār*) *m.* supporter, one who takes side
तरबूज़ (*tarbūz*) *a.* /**तरबूज़ा** (*tarbūzā*) *a.* water-melon
तरल (*taral*) *a.* liquid, fluid, watery
  तरल पदार्थ *m.* liquid
तरलता (*taralatā*) *f.* liquidity
तरस (*taras*) *m.* pity, compassion
तरसना (*tarasnā*) *v.i.* to pine for
तरसाना (*tarsāna*) *v.t.* to tantalize, to tease
तरह (*tarah*) *f.* 1. kind, sort, form 2. way, like
तराई (*tarāī*) *f.* lands lying in submontane areas
तराजू (*tarāzū*) *m.* pair of scales, balance
तराना (*tarānā*) *m.* melody
तरारा (*tarārā*) *m.* leap, jump
तरावट (*tarāvaṭ*) *f.* freshness
तराश (*tarāś*) *f.* 1. cutting 2. to trim, to carve
तरी (*tarī*) *f.* boat
तरीक़ा (*tarīqā*) *m.* method
तरु (*taru*) *m.* tree
तरुण (*taruṇ*) *a.* young
तरुणावस्था (*taruṇāvasthā*) *f.* young age, youthful stage
तरुणिमा (*taruṇimā*) *f.* youthfulness
तरुणी (*taruṇī*) *f.* young woman
तरेरना (*tarernā*) *v.i.* to stare, to cast an admonishing glance
तरोई (*taroī*) *f.* a kind of green vegetable
तर्क (*tark*) *m.* argument
  तर्कशास्त्र *m.* logic, science of reasoning
तर्कातीत (*tarkātīt*) *a.* beyond argument or discussion
तर्क्य (*tarkya*) *a.* arguable
तर्ज़ (*tarz*) *f.* form, fashion
तर्जनी (*tarjanī*) *f.* forefinger
तर्जुमा (*tarjumā*) *m.* translation
तर्पण (*tarpaṇ*) *m.* offering of water to manes or to gods
तर्रार (*tarrār*) *a.* quick, rapid
तर्षित (*tarṣit*) *a.* desirous
तल (*tal*) *m.* 1. surface 2. floor
तलख़ (*talakh*) *a.* bitter
तलना (*talnā*) *v.t.* to fry
तलब (*talab*) *f.* 1. search, quest 2. demand 3. wages
  तलब करना *v.t.* to seek
  तलबदार I. *a.* seeking, looking for II. *m.* seeker
तलमलाना (*talmalānā*) *v.i.* to be uneasy
तलवा (*talvā*) *m.* sole
तलवार (*talvār*) *f.* sword
तलहटी (*talhatī*) *f.* submontane
तलाक़ (*talāq*) *f.* & *m.* divorce
तलाश (*talāś*) *f.* search, quest
तलाशी (*talāśī*) *f.* searching, search (of a person or house)

त

तले (*tale*) *adv.* beneath, under
तलैया (*talaiyā*) *f.* small pond
तल्ख़ (*talkh*) *a.* 1. bitter, pungent, acrid 2. aggressive
तल्ला (*tallā*) *m.* floor, storey
तल्लीन (*tallīn*) *a.* absorbed
तवज्जह (*tavajjah*) *f.* /**तवज्जुह** (*tavajjuh*) *f.* attention, care
तवा (*tavā*) *m.* griddle, a flat iron plate used for baking or roasting
तवाज़ा (*tavāzā*) *f.* hospitality
तवायफ़ (*tavāyaf*) *f.* prostitute
तवारीख़ (*tavārīkh*) *f.* history
तशरीफ़ (*taśrīf*) *f.* a term denoting honour and respect
तश्तरी (*taśtarī*) *f.* plate, dish
तसदीक़ (*tasdīq*) *f.* confirmation
तसमा (*tasmā*) *m.* shoe-lace
तसला (*taslā*) *m.* a brass or iron vessel for dough or mud/mortar
तसलीम (*taslīm*) *f.* /**तस्लीम** (*taslīm*) *f.* 1. acceptance 2. salutation
तसल्ली (*tasallī*) *f.* satisfaction, consolation, patience
तसवीर (*tasavīr*) *f.* /**तस्वीर** (*tasvīr*) *f.* 1. picture 2. photograph
तस्कर (*taskar*) *m.* smuggler
तस्करी (*taskarī*) *f.* smuggling
तह (*tah*) *f.* 1. bottom 2. layer
तहक़ीक़ात (*tahqīqāt*) *f.* inquiry
तहख़ाना (*tahkhānā*) *m.* basement, cellar
तहज़ीब (*tahzīb*) *f.* 1. civilization 2. politeness
तहत (*tahat*) I. *a.* subordinate II. *adv.* under
तहलका (*tahalkā*) *m.* furore, alarm
तहस-नहस (*tahas-nahas*) *a.* destroyed, ruined, annihilated
तहसील (*tahsīl*) *f.* revenue district
तहसीलना (*tahsīlnā*) *v.t.* to collect revenue
तहाँ (*tahāṁ*) *adv.* at that place
तहाना (*tahānā*) *v.t.* to fold
तहीं (*tahīṁ*) *adv.* exactly there
तांगा (*tāṅgā*) *m.* a two-wheeled carriage driven by a horse
तांडव (*tāṇḍav*) *m.* 1. dance of Shiva 2. frenzied dancing
तांत (*tāṅt*) *f.* 1. a sinew 2. bowstring
ताँता (*tāṁtā*) *m.* 1. series, range, line 2. string or chain
तांत्रिक (*tāntrik*) *a.* (of a person) versed in tantric knowledge
तांबा (*tāmbā*) *m.* copper
तांबूल (*tāmbūl*) *m.* betel-leaf
ताई (*tāī*) *f.* wife of father's elder brother
ताईद (*tāīd*) *f.* confirmation
ताऊ (*tāū*) *m.* father's elder brother
ताऊस (*tāūs*) *m.* peacock
ताक (*tāk*) I. *f.* look **ताक़** II. *m.* alcove
ताक़त (*tāqat*) *f.* strength, energy, might, power
ताकना (*tāknā*) *v.t.* to look at
ताकि (*tāki*) *conj.* so that
तागा (*tāgā*) *m.* thread
ताज (*tāj*) *m.* crown, diadem
ताज़ा (*tāzā*) *a.* 1. fresh 2. new
ताज़िया (*tāziyā*) *m.* representa-

त

tion of the shrines of Hasan and Hussain

ताज़ीरात (*tāzīrāt*) *f.* & *pl.* collection of penal laws, penal code

ताज्जुब (*tājjub*) *m.* wonder, surprise, astonishment

ताटस्थ्य (*tāṭasthya*) *m.* neutrality, non-alignment

ताड़ (*tāṛ*) I. *m.* palm tree II. *f.* vigilance

ताड़पत्र *m.* an ancient writing pad made of palm leaf

ताड़न (*tāṛan*) *m.* beating

ताड़ित (*tāṛit*) *a.* reprimanded

ताड़ी (*tāṛī*) *f.* palm liquor

तात (*tāt*) *m.* father

तातार (*tātār*) *m.* Tartar region in Central Asia

तात्कालिक (*tātkālik*) *a.* immediate, instantaneous

तात्त्विक (*tāttvik*) *a.* fundamental, essential

तात्पर्य (*tātparya*) *m.* purpose

तादर्थ्य (*tādarthya*) *m.* 1. sameness of meaning 2. oneness of aim

तादात्म्य (*tādātmya*) *m.* identification, oneness

तादाद (*tādād*) *f.* counting

तादृश (*tādṛś*) *a.* like that

तान (*tān*) *f.* tune

तानना (*tānanā*) *v.t.* to stretch

तानपूरा (*tānpūrā*) *m.* a kind of stringed instrument

ताना (*tānā*) *m.* 1. taunt 2. warp

तानाशाह (*tānāśāh*) *m.* dictator

ताप (*tāp*) *m.* 1. heat 2. fever

तापक्रम (*tāpkram*) *m.* temperature (scale)

तापत्रय (*tāptraya*) *m.* the three sufferings–spiritual, supernatural and physical

तापना (*tāpnā*) *v.i.* & *v.t.* to warm oneself (before fire)

तापस (*tāpas*) *m.* hermit, sage

तापित (*tāpit*) *a.* 1. heated, warmed 2. afflicted, pained

ताब (*tāb*) *f.* heat, warmth

ताबूत (*tābūt*) *m.* coffin

ताबे (*tābe*) *a.* subordinate

ताबेदार (*tābedār*) *a.* obedient

तामचीनी (*tāmcīnī*) *f.* enamel

तामझाम (*tāmjhām*) *m.* pomp and show, paraphernalia

तामरस (*tāmras*) *m.* lotus

तामस (*tāmas*) *a.* 1. dark, gloomy 2. wicked 3. ignorant

तामसिक (*tāmsik*) *a.* 1. dark, gloomy 2. ignorant 3. wicked

तामिस्र (*tāmisra*) *m.* 1. dark fortnight 2. a section of hell

तामीर (*tāmīr*) *f.* building

तामील (*tāmīl*) *f.* execution, carrying out, service

ताम्र (*tāmra*) *m.* copper

ताम्रपत्र *m.* copperplate

तार (*tār*) *m.* 1. wire 2. string

तारघर (*tārghar*) *m.* telegraph office

तारक (*tārak*) *m.* 1. saviour, deliverer 2. star

तारक चिह्न *m.* asterisk mark

तारकेश्वर (*tārkeśvar*) *m.* an epithet of Lord Shiva

तारकोल (*tārkol*) *m.* coal-tar

तारतम्य (*tārtamya*) *m.* sequence
तारना (*tārnā*) *v.t.* 1. to absolve from sin 2. to help somebody to cross
तारपीन (*tārpīn*) *m.* turpentine
तारसप्तक (*tārsaptak*) *m.* septet, a group of seven persons (especially musicians)
तारांकित (*tārankit*) *a.* starred, star marked
तारांकित प्रश्न *m.* starred question (in Parliament)
तारा (*tārā*) *m.* 1. star 2. eye ball
तारामंडल (*tārāmaṇḍal*) *m.* constellation
तारावली (*tārāvalī*) *f.* cluster of stars, stellate
तारिका (*tārikā*) *f.* 1. starlet, small star 2. a film-star (female)
तारीख़ (*tārīkh*) *f.* 1. date, day of a month 2. history
तारीफ़ (*tārīf*) *f.* praise
तारुण्य (*tāruṇya*) *m.* young age
तार्किक (*tārkik*) I. *a.* logical, argumentative II. *m.* arguer
ताल (*tāl*) *m.* 1. rhythm 2. tank, pond 3. palm tree
ताल पत्र *m.* palm leaf
ताल वृंत *m.* leaf-stalk of palm tree
तालव्य (*tālavya*) *a.* palatal
ताला (*tālā*) *m.* lock, padlock
तालाबंदी *f.* lockout
तालाब (*tālāb*) *m.* tank, pond
तालिका (*tālikā*) *f.* 1. key 2. list
ताली (*tālī*) *f.* clapping
तालीम (*tālīm*) *f.* education
तालु (*tālu*) *m.* palate
ताल्लुक़ (*tālluq*) *m.* 1. connection 2. relationship
ताल्लुक़ा (*tālluqā*) *m.* estate, jagir, taluqa
ताल्लुक़ेदार (*tālluqedār*) *m.* estate-holder, landlord
ताव (*tāv*) *m.* 1. anger 2. heat
ताव दिलाना *v.t.* to excite
तावीज़ (*tāvīz*) *m.* amulet
ताश (*tāś*) *f.* playing cards
तासीर (*tāsīr*) *f.* effect
तास्कर्य (*tāskarya*) *m.* smuggling
ति (*ti*) *a.* & *m.* three, threefold
तिकोना (*tikonā*) *a.* three-cornered
तिगुना (*tigunā*) *a.* threefold, three times
तिकड़म (*tikṛam*) *f.* trickery
तिक्त (*tikta*) *a.* bitter (in taste)
तिक्तता (*tiktatā*) *f.* bitterness
तिजारत (*tijārat*) *f.* business, trade
तितर-बितर (*titar-bitar*) *a.* helter-skelter, scattered, dispersed
तितली (*titlī*) *f.* butterfly
तितलौकी (*titlaukī*) *f.* bitter gourd
तितिक्षा (*titikṣā*) *f.* forgiveness
तितिक्षु (*titikṣu*) *a.* forgiver
तितीर्षा (*titīrṣā*) *f.* longing for final deliverance or emancipation
तितीर्षु (*titīrṣu*) *a.* desirous of final deliverance
तिथि (*tithi*) *f.* date
तिधर (*tidhar*) *adv.* there
तिनका (*tinkā*) *m.* straw
तिपाई (*tipāī*) *f.* 1. teapoy 2. three-legged stool or stand
तिबारा (*tibārā*) *a.* third time

त

तिब्बती (*tibbatī*) I. *a*. Tibetan II. *m*. inhabitant of Tibet

तिमंज़िला (*timañzilā*) *a*. three storeyed

तिमिर (*timir*) *m*. darkness, gloom

तिय (*tiya*) *f*. /**तिया** (*tiyā*) *f*. woman, wife

तिरंगा (*tiraṅgā*) *m*. three-coloured flag (national flag of India)

तिरछा (*tirchā*) *a*. oblique

तिरता (*tirtā*) *a*. afloat, floating

तिरना (*tirnā*) *v.i.* to float

तिरपन (*tirpan*) *m*. & *a*. fifty-three

तिरपाल (*tirpāl*) *m*. tarpaulin

तिरसठ (*tirsaṭh*) *a*. sixty-three

तिरस्कार (*tiraskār*) *m*. contempt, disrespect

तिरस्कृत (*tiraskṛt*) *a*. humiliated

तिरानवे (*tirānve*) *a*. ninety-three

तिरासी (*tirāsī*) *a*. eighty-three

तिराहा (*tirāhā*) *m*. intersection of three roads or paths

तिरोभाव (*tirobhāv*) *m*. disappearance

तिरोभूत (*tirobhūt*) *a*. 1. disappeared 2. concealed

तिरोहित (*tirohit*) *a*. disappeared

तिर्यक् (*tiryak*) *a*. oblique

तिर्यग् (*tiryag*) *a*. standing, crooked, oblique

तिर्यग् योनि *m*. any animal

तिलंगी (*tilaṅgī*) *m*. inhabitant of Telungana (in Andhra Pradesh)

तिल (*til*) *m*. 1. sesame seed 2. mole (as on the face)

तिलकुट *m*. a sweetmeat made of sesame seeds and molasses

तिलक (*tilak*) *m*. 1. mark of sandal paste on forehead 2. an ornament

तिलमिलाना (*tilmilānā*) *v.i.* to be uneasy, to be restless

तिलांजलि (*tilāñjali*) *f*. handful (or double handful) of sesame seeds offered to the manes of the dead

तिलोदक (*tilodak*) *m*. handful of sesame seeds offered to manes

तिलौटी (*tilauṭī*) *f*. /**तिलौरी** (*tilaurī*) *f*. a pudding of sesame seeds, pulse and spices

तिल्ली (*tillī*) *f*. spleen

तिहत्तर (*tihattar*) *a*. seventy-three

तिहाई (*tihāī*) *f*. one-third

तीक्ष्ण (*tikṣṇa*) *a*. sharp, keen

तीक्ष्ण बुद्धि *a* & *f*. (a) sharp-witted (b) keen intellect

तीखा (*tīkhā*) *a*. 1. sharp 2. keen

तीखा मोड़ *m*. sharp bend

तीज (*tīj*) *f*. 1. third day of a lunar fortnight 2. a festival held on that day in Sawan

तीतर (*tītar*) *m*. partridge

तीता (*tītā*) *a*. bitter, acrid

तीता स्वाद *m*. bitter taste

तीन (*tīn*) *m*. three

तीमारदार (*tīmārdār*) *m*. an attendant, one who nurses

तीरंदाज़ (*tīrandāz*) *m*. archer

तीर (*tīr*) *m*. 1. arrow 2. bank

तीर्थंकर (*tīrthaṅkar*) *m*. an epithet of the twenty-fourth Jain preceptors

तीर्थ (*tīrtha*) *m.* shrine or sacred place of pilgrimage

तीर्थयात्रा *f.* pilgrimage

तीर्थराज *m.* Prayag Raj (Allahabad)

तीर्थाटन (*tīrthāṭan*) *m.* pilgrimage

तीली (*tīlī*) *f.* matchstick

तीव्र (*tīvra*) *a.* 1. sharp 2. quick

तीव्रगामी *a.* fast

तीव्रता (*tīvratā*) *f.* sharp, intense

तीस (*tīs*) *m.* thirty

तीसरा (*tīsrā*) *a.* third

तीसी (*tīsī*) *f.* linseed, flax

तुंग (*tuṅg*) *a.* high, tall

तुंगाद्रि (*tuṅgādri*) *m.* high mountain

तुंड (*tuṇḍ*) *m.* 1. mouth 2. snout 3. trunk of an elephant

तुंडी (*tuṇḍī*) *f.* navel

तुंदिल (*tundil*) *a.* pot-bellied

तुंबा (*tumbā*) *m.* 1. gourd 2. hollowed gourd in which mendicants carry water

तुक (*tuk*) *f.* last line of a poem

तुकांत (*tukānt*) *m.* rhyming

तुक्का (*tukkā*) *m.* blunt arrow

तुच्छ (*tuccha*) *a.* low, base

तुझ (*tujh*) *pron.* thou, thee, you

तुझको to thee, to you

तुड़वाई (*tuṛvāī*) *f.* causing to break

तुड़वाना (*tuṛvānā*) *v.t.* to cause to break, to pluck

तुतला (*tutlā*) I. *a.* lisping II. *m.* stammerer

तुतलाना (*tutlānā*) *v.i.* to lisp, to stammer

तुनक (*tunak*) *a.* 1. small, little 2. scanty, meagre

तुनक मिज़ाज *a.* petulant

तुम (*tum*) *pron.* you

तुम आप you yourself

तुमुल (*tumul*) I. *a.* noisy II. *m.* tumult, combat

तुम्हीं (*tumhīṁ*) *pron.* only you

तुम्हें (*tumheṁ*) *pron.* to you

तुरंग (*turang*) *m.* 1. horse 2. mind

तुरंत (*turant*) *adv.* immediately

तुरई (*turaī*) *f.* a green vegetable

तुरही (*turhī*) *f.* trumpet

तुरीय (*turīya*) *a.* fourth

तुरीय अवस्था *f.* the fourth state of soul, in which the soul becomes one with supreme spirit

तुरुप (*turup*) *m.* trump, (in cards)

तुर्क (*turk*) *m.* /**तुरक** (*turak*) *m.* 1. Turk 2. Muslim

तुर्रा (*turrā*) *m.* 1. crest 2. an ornament worn on a turban

तुलन (*tulan*) *m.* 1. weighing 2. balance 3. comparison

तुलना (*tulnā*) I. *f.* comparison II. *v.i.* to be weighed

तुलना करना *v.t.* to compare

तुलनात्मक (*tulanātmak*) *a.* comparative

तुलनात्मक अध्ययन *m.* comparative study

तुलनीय (*tulnīya*) *a.* comparable

तुलसी (*tulsī*) *f.* the (holy) basil plant

त

तुलसी दल *m.* basil leaf
तुला (*tulā*) *f.* 1. a pair of scales 2. Libra sign of the zodiac
तुला दान *m.* donation of money or corn equivalent to weight of donor
तुलित (*tulit*) *a.* 1. weighed, balanced 2. equalled 3. compared
तुल्य (*tulya*) *a.* similar, equal
तुल्यरूपता *f.* similarity
तुल्यता (*tulyatā*) *f.* equivalence
तुष (*tuṣ*) *m.* 1. husk 2. dry straw
तुषार (*tuṣār*) *m.* 1. frost 2. snow
तुषार धवल *a.* as white as snow
तुषारपात *m.* snowfall
तुष्ट (*tuṣṭa*) *a.* gratified, appeased
तुष्टता (*tuṣṭatā*) *f.* /**तुष्टि** (*tuṣṭi*) *f.* 1. appeasement 2. satisfaction
तुष्टिकर (*tuṣṭikar*) *a.* /**तुष्टिजनक** (*tuṣṭijanak*) *a.* 1. pleasing 2. gratifying 3. satisfactory
तुष्टीकरण (*tuṣṭīkaraṇ*) *m.* 1. appeasement 2. gratification
तुहिन (*tuhin*) *m.*1. frost 2. snow
तूंबड़ा (*tūmbaṛā*) *m.* /**तूँबा** (*tūṁbā*) *m.* pot of hollowed and dried gourd used by mendicants
तूँबी (*tūṁbī*) *f.* a small gourd
तू (*tū*) *pron.* thou, you
तूणीर (*tūṇīr*) *m.* case for arrows
तूत (*tūt*) *m.* mulberry tree and its fruit
तूतिया (*tūtiyā*) *m.* copper sulphate, blue vitriol
तूती (*tūtī*) *f.* 1. canary bird 2. a musical pipe
तूफ़ान (*tūfān*) *m.* violent storm of wind and rain
तूफ़ानी (*tūfānī*) *a.* stormy
तूफ़ानी दौरा *m.* whirlwind tour
तूर्ण (*tūrṇa*) *a.* quick, fast, swift
तूर्ण पत्र *m.* express letter
तूर्य (*tūrya*) *m.* tabor, timbrel
तूर्यघोष *m.* /**तूर्यनाद** *m.* sound of a kettledrum
तूल (*tūl*) *m.* 1. length, expanse 2. roll of cotton 3. cotton
तूलिका (*tūlikā*) *f.* brush pen
तूस (*tūs*) *m.* 1. husk, chaff 2. straw 3. a kind of fine wool
तृण (*tṛṇ*) *m.* straw
तृणकुटी *f.* thatched hut
तृणवत् *a.* worthless
तृतीय (*tṛtīya*) *a.* third
तृतीय श्रेणी *f.* third class
तृतीया (*tṛtīyā*) *f.* third day of a lunar fortnight
तृपक्षीय (*tṛpakṣīy*) *a.* tripartite
तृप्त (*tṛpt*) *a.* 1. satiated 2. satisfied, contented, gratified
तृप्ति (*tṛpti*) *f.* satisfaction, contentment
तृप्तिकर *a.* /**तृप्तिजनक** *a.* satisfactory, gratifying
तृषा (*tṛṣā*) *f.* 1. thirst 2. longing
तृषातुर (*tṛṣātur*) *a.* restless with thirst, extremely thirsty
तृषार्त (*tṛsārta*) *a.* suffering from thirst, very thirsty
तृषित (*tṛṣit*) *a.* thirsty
तृष्णा (*tṛṣṇā*) *f.* 1. desire, craving, longing 2. thirst

तेंतालीस (*temtālīs*) *a.* forty-three
तेंतीस (*temtīs*) *a.* thirty-three
तेंदुआ (*temduā*) *m.* leopard
तेईस (*teīs*) *a.* twenty-three
तेग़ (*teg*) *f.* sword, scimitar
तेग़ा (*tegā*) *m.* a short sword
तेज (*tej*) I. *a.* 1. sharp 2. fast 3. acrid 4. costly तेज II. *m.* 1. heat 2. glow, lustre, majesty
तेज़-तर्रार *a.* sharp and intelligent
तेजपत्ता (*tejpattā*) *m.* /तेजपत्र (*tejpatra*) *m.* /तेजपात (*tejpāt*) *m.* bay-leaf
तेजवंत (*tejvant*) *a.* /तेजवान् (*tejvān*) *a.* radiant, lustrous, brilliant
तेजस् (*tejas*) *m.* sharp, fast
तेजस्विता (*tejasvitā*) *f.* 1. spiritedness 2. valour, virility
तेज़ाब (*tezāb*) *m.* acid
तेज़ी (*tezī*) *f.* sharpness
तेजोमय (*tejomaya*) *a.* splendid, shining, brilliant
तेरस (*teras*) *f.* thirteenth day of a lunar fortnight
तेरह (*terah*) *a.* thirteen
तेरा (*terā*) *pron.*& *a.* thy, thine
तेल (*tel*) *m.* oil
तेलहन (*telhan*) *m.* oil seeds
तेलिया (*teliyā*) *a.* /तेली (*telī*) *m.* oil-miller, oilman
तेलिया कागज़ *m.* oiled paper
तेलुगु (*telugu*) *f.* Telugu, a Dravidian language of Andhra Pradesh (in India)
तैंतालीस (*taimtālīs*) *a.* forty-three
तैंतीस (*taimtīs*) *m.* & *a.* thirty-three
तै (*tai*) *a.* decided, settled
तैनात (*taināt*) *a.* 1. appointed, engaged 2. posted on duty
तैयार (*taiyār*) *a.* ready
तैरना (*tairnā*) *v.i.* to swim
तैराक (*tairāk*) *m.* swimmer
तैलंग (*tailaṅg*) *m.* the ancient name of Andhra Pradesh
तैल (*tail*) *m.* oil
तैलचित्र *m.* oil-painting
तैश (*taiś*) *m.* anger, rage
तैसा (*taisā*) *a.* like that, such as
तोंद (*tomd*) *f.* large belly
तो (*to*) *conj.* then, in that case
तोड़ (*toṛ*) *m.* 1. breaking 2. fracture 3. antidote
तोड़-फोड़ *f.* (a) breaking and smashing (b) sabotage
तोड़ना (*toṛnā*) *v.t.* 1. to break 2. to tear, to rend 3. to pluck
तोड़ा (*toṛā*) *m.* 1. scarcity 2. a wrist ornament
तोतला (*totlā*) *a.* stammerer
तोतलाना (*totlānā*) *v.i.* to lisp
तोता (*totā*) *m.* parrot
तोताचश्म *a.* faithless, false
तोतारटंत *f.* cramming like a parrot
तोती (*totī*) *f.* female parrot
तोप (*top*) *f.* cannon, gun
तोपची (*topcī*) *m.* gunner
तोपना (*topnā*) *v.t.* to cover with a mound, to bury
तोबा (*tobā*) *f.* vow to sin no more, abjuring sin
तोबा-तोबा *interj.* heaven forbid

त

तोमर (*tomar*) *m*. 1. a sub-caste of Rajputs 2. a lance
तोय (*toya*) *m*. water
तोरई (*toraī*) *f*. a vegetable
तोरण (*toraṇ*) *m*. gateway, arch
  तोरणद्वार *m*. archway, arcade
तोरी (*torī*) *f*. a vegetable
तोला (*tolā*) *m*. a weight equal to 11.7 grams
तोशक (*tośak*) *f*. cushioned mattress
तोष (*toṣ*) *m*. satisfaction
तोहफ़ा (*tohfā*) *m*. gift, present
तोहमत (*tohmat*) *f*. false accusation
तौर (*taur*) *m*. way, manner
  तौर-तरीका *m*. method
तौल (*taūl*) *f*. weight
तौलना (*taulnā*) *v.t.* to weigh
तौलाना (*taulānā*) *v.t.* to cause to be weighed
तौलिया (*tauliyā*) *m*. towel
तौहीन (*tauhīn*) *f*. insult
  तौहीन करना *v.t.* to insult
त्यक्त (*tyakta*) *a*. given up
त्यजनीय (*tyajanīya*) *a*. to be given up, fit to be rejected
त्याग (*tyāg*) *m*. abandonment
त्यागपत्र (*tyāgpatra*) *m*. resignation
त्यागी (*tyāgī*) *m*. one who has relinquished/renounced
त्याज्य (*tyājya*) *a*. worth abandoning
त्यों (*tyoṁ*) *adv*. thus, so, in like manner, like that
  त्यों ही *adv*. in that very manner, just then, then and there
त्योरी (*tyorī*) *f*. angry look/glance
त्योहार (*tyohār*) *m*. festival
त्रय (*traya*) *m*. 1. three 2. triad
त्रयी (*trayī*) *f*. 1. triplicate 2. the three Vedas
त्रयोदशी (*tryodaśī*) *f*. the thirteenth day of the full moon
त्रस्त (*trast*) *a*. 1. afraid 2. victimised 3. restless
त्राटक (*trāṭak*) *m*. fixing the eyes on one object (in yoga)
त्राण (*trāṇ*) *m*. rescue, safety
त्राता (*trātā*) *m*. protector
त्रास (*trās*) *m*. fear, terror, dread
  त्रासकर *a*. /**त्रासदायी** *a*. occasioning alarm or dread
त्रासद (*trāsad*) *a*. tragic
त्रासदी (*trāsadī*) *f*. tragedy
त्राहि (*trāhi*) *interj*. save ! help !
  त्राहि मां ! save me ! help me !
त्रिकाल (*trikāl*) *m*. the three periods-past, present, future
त्रिकुटी (*trikuṭī*) *f*. portion of forehead between eyebrows
त्रिकोण (*trikoṇ*) *m*. triangle
  त्रिकोणमिति *f*. trigonometry
त्रिगुण (*triguṇ*) *m*. the three qualities of nature
त्रिज्य (*trijya*) *a*. radial
त्रिज्या (*trijyā*) *f*. radius
त्रिदंड (*tridaṇḍ*) *m*. staff which is the insignia of a sanyasi
त्रिदंडी (*tridaṇḍī*) *m*. hermit
त्रिदेव (*tridev*) *m*. the three gods-Brahma, Vishnu and Mahesh
त्रिदोष (*tridoṣ*) *m*. triple disorder

of bile, wind and phlegm

त्रिनयन (*trinayan*) *m.* /**त्रिनेत्र** (*trinetra*) *m.* one having three eyes, an epithet of Lord Shiva

त्रिपथगा (*tripathagā*) *f.* 1. river flowing in three worlds-heaven, earth and lower regions 2. Ganga (a river)

त्रिपदी (*tripadī*) *f.* trimeter

त्रिपाठी (*tripāṭhī*) *m.* a caste of Brahmins

त्रिपिटक (*tripiṭak*) *m.* religious books of Buddhists

त्रिपुंड (*tripuṇḍ*) *m.* three horizontal marks made on forehead by followers of Lord Shiva

त्रिपुर (*tripur*) *m.* the three strong cities (made by demons)

त्रिपुरारि (*tripurāri*) *m.* God Shiva

त्रिफला (*triphalā*) *m.* medicine consisting of three myrobalans

त्रिभंग (*tribhaṅg*) *m.* three bends or twists of the body

त्रिभंगी (*tribhaṅgī*) *a.* having angular posture with three bends or curves of the body (as of Lord Krishna playing his flute)

त्रिभुज (*tribhuj*) *m.* triangle

त्रिभुवन (*tribhuvan*) *m.* the three worlds-heaven, earth and nether regions

त्रिमूर्ति (*trimūrti*) *m.* trinity, the three forms of one Supreme Being

त्रिया (*triyā*) *f.* woman

त्रिलोक (*trilok*) *m.* the three worlds

त्रिलोकपति *m.* lord of the three worlds, God

त्रिवेणी (*triveṇī*) *f.* confluence of three rivers Ganga, Yamuna and Saraswati at Allahabad

त्रिवेदी (*trivedī*) *m.* a sub-caste of Brahmins

त्रिशंकु (*triśaṅku*) *m.* one hanging between heaven and earth

त्रिशूल (*triśūl*) *m.* trident (weapon of Shiva)

त्रिशूलपाणि *m.* an epithet of Lord Shiva

त्रुटि (*truṭi*) *f.* error, blunder

त्रेता (*tretā*) *m.* second era or silver age of Hindu mythology

त्रै (*trāi*) *suff.* three

त्रैकालिक (*traikālik*) *a.* relating to three tenses (past, present, future)

त्रैमासिक (*traimāsik*) *a.* three-monthly, quarterly

त्रैविद्य (*traividya*) *m.* a man versed in the three Vedas

त्रोतल (*trotal*) *a.* one who lisps

त्र्यंबक (*tryambak*) *m.* three-eyed God, Shiva

त्वक् (*tvak*) *m.*/**त्वचा** (*tvacā*) *f.* 1. bark 2. skin

त्वदीय (*tvadīya*) *a.* yours

त्वरण (*tvaraṇ*) *m.* acceleration

त्वरा (*tvarā*) *f.* haste

त्वरित (*tvarit*) *a.* 1. accelerated 2. fast, swift, rapid

थ

थ

थंब (*thamb*) *m.* 1. pillar, column 2. support, prop

थकना (*thaknā*) *v.i.* to be tired
थका-मांदा *a.* wearied, exhausted, worn out

थकान (*thakān*) *f.* fatigue, tiredness

थकाना (*thakānā*) *v.t.* to tire out, to wear out

थकावट (*thakāvaṭ*) weariness

थक्का (*thakkā*) *m.* 1. clot 2. clod

थन (*than*) *m.* udder (of a cow or buffalo)

थपक (*thapak*) *f.* thump, tap, pat

थपकना (*thapaknā*) *v.t* to pat, to thump (a child to sleep)

थपकी (*thapakī*) *f.* pat, tap

थपेड़ा (*thaperā*) *m.* 1. slap, blow given with the hand 2. gust, blast (of wind)

थप्पड़ (*thappaṛ*) *m.* slap, spank

थमना (*thamnā*) *v.i.* to stay, to stop, to halt

थमाना (*thamāna*) *v.t.* to hand over, to stop

थरथर (*tharthar*) I. *a.* shaking II. *adv.* fearfully, in dread

थरथरी (*tharthari*) *f.* shivering

थर्राना (*tharrānā*) *v.i.* to get frightened

थल (*thal*) *m.* land, ground
थलचर *m.*/**थलचारी** *m.* land animal, terrestrial animal
थलसेना *f.* army, land force

थलीय (*thalīya*) *a.* of or pertaining to land or field, terrestrial

था (*thā*) *v.i.* was

थाती (*thātī*) *f.* belongings, entire movable property

थान (*thān*) *m.* 1. place 2. residence 3. full length of cloth

थाना (*thān*) *m.* police station

थानेदार (*thānedār*) *m.* officer-in-charge of a police-station

थाप (*thāp*) *f.* 1. pat, tap 2. sound of a drum

थाम (*thām*) *f.* 1. the act or manner of supporting or holding, grip 2. support, prop

थामना (*thāmnā*) *v.t.* 1. to support 2. to check

थाल (*thāl*) *m.* a large flat metal dish or platter

थाली (*thālī*) *f.* a small flat metal plate or platter

थाह (*thāh*) *f.* 1. bottom 2. depth

थिगली (*thiglī*) *f.* patch of cloth used to mend a hole

थ

थिरकना (*thiraknā*) *v.i.* 1. to dance with gliding movement, 2. to strut, to stalk
थिरकाना (*thirkānā*) *v.t.* to cause to dance with expressive actions and gestures
थी (*thī*) *v.i.* was
थुकवाना (*thukvānā*) *v.t.* 1. to cause to spit 2. to cause to shame
थुथना (*thuthnā*) *m.* nozzle, muzzle
थुथनी (*thuthnī*) *f.* snout of a boar
थुलथुल (*thulthul*) *a.* (of skin) flabby, flaccid
थू (*thū*) I. *f.* sound made in spitting II. *interj.* spite on it! shame!
थूक (*thūk*) *f.* & *m.* sputum, spittle
थूकना (*thūknā*) *v.i.* 1. to spit 2. to spit out something
थूथन (*thūthan*) *m.* snout of an animal, muzzle
थूरना (*thūrnā*) *v.t.* 1. to beat 2. to pound
थेई-थेई (*theī-theī*) *f.* singing and dancing or beating time with the feet
थैला (*thailā*) *m.* bag, wallet, sack
थैली (*thailī*) *f.* small bag, money-bag
थोक (*thok*) *m.* wholesale, bulk
थोड़ा (*thoṛā*) *a.* & *adv.* 1. little, not much 2. scanty 3. scarce
थोड़े (*thoṛe*) *a.* a few, not many
थोथा (*thothā*) *a.* 1. worm-eaten 2. hollow, empty 3. worthless 4. blunt
थोपना (*thopnā*) *v.t.* 1. to foist 2. to impose, to thrust
थोबड़ा (*thobṛā*) *m.* 1. snout of an animal 2. ugly face

द

द

दंग (*daṅg*) *a.* astonished, amazed
दंगल (*daṅgal*) *m.* 1. wrestling arena 2. wrestling tournament
दंगा (*daṅgā*) *m.* 1. riot 2. tumult
दंगाई (*daṅgāī*) *a.* quarrelsome
दंड (*daṇḍ*) *m.* 1. punishment 2. penalty, fine 3. staff, rod, stick
दंड-प्रक्रिया *f.* criminal procedure
दंड विधान *m.* (a) penal legislation (b) penal code
दंडनीय (*daṇḍanīya*) *a.* punishable
दंडवत (*daṇḍvat*) *m.* falling prostrate, a mode of salutation
दंडात्मक (*daṇḍātmak*) *a.* penal, pertaining to punishment
दंडाधिकारी (*daṇḍādhikārī*) *m.* magistrate
दंडित (*daṇḍit*) *a.* punished
दंत (*dant*) *m.* tooth
दंत कथा *f.* legend, anecdote
दंत चिकित्सक *m.* dentist
दंत चिकित्सा *f.* dentistry
दंताग्र (*dantāgra*) *m.* cusp of a tooth
दंत्य (*dantya*) I. *a.* dental II. *m.* dental consonant
दंपति (*dampati*) *m.* /**दंपती** (*dampatī*) *m.* husband and wife
दंभ (*dambh*) *m.* arrogance, vanity, conceit, haughtiness
दंभी (*dambhī*) *a.* vain, proud
दँवरी (*daṁvarī*) *f.* threshing of reaped harvest by bullocks for separating corn and chaff
दंश (*daṃś*) *m.*1. sting 2. bite
दंशन (*daṃśan*) *m.* biting
दंष्ट्र (*daṃsṭra*) *m.*/**दंष्ट्रा** (*daṃsṭrā*) *f.* 1. long tooth 2. tusk
दंष्ट्री (*daṃsṭrī*) *m.* tusked animal
दई (*daī*) I. *m.* th supreme being, God, fate, misfortune II. *f.* godhead, divinity
दक़ियानूस (*daqiyānūs*) *a.*& *m.* 1. conservative or old-fashioned 2. out-of-date
दक्कन (*dakkan*) *m.* Deccan, the South, south India
दक्ष (*dakṣa*) *a.* skilful, expert
दक्षता (*dakṣatā*) *f.* skilfulness, dexterity, expertness
दक्षिण (*dakṣiṇ*) *m.* south (direction)
दक्षिणपंथ *m.* (in politics) right wing
दक्षिणपंथी *m.* rightist
दक्षिणा (*dakṣiṇā*) *f.* present or gift

given to a Brahmin
दक्षिणापथ *m.* southern region
दक्षिणायन (*dakṣiṇāyan*) *m.* winter solstice, half-yearly declination in which the sun moves from north to the south
दक्षिणावर्त (*dakṣiṇāvarta) a.* curved to the right, clockwise
दख़ल (*dakhal) m.* 1. interference, meddling 2. influence
दख़लंदाज़ (*dakhalandāz) a.* (one) who interferes or meddles
दख़लंदाज़ी (*dakhalandāzī) f.* interference, intervention
दग़ना (*dagnā) v.i.* 1. to be fired 2. to be branded with hot iron
दग़वाना (*dagvānā) v.t.* to cause to be branded or burnt
दग़ा (*dagā) f.* & *m.* deceit, treachery, fraud
दग्ध (*dagdh*) *a.* burnt
दढ़ियल (*daṛhiyal) a.* bearded
दतुअन(*datuan*) *m.* &.*f.* /**दतुवन** (*datuvan) m.* & *f.* fibrous twig used as toothbrush
दत्त (*datta) a.* given, granted
दत्तचित्त (*datacitta) a.* having concentrated mind, attentive
दत्तक (*dattak) m.* adopted child
ददिया (*dadiyā*) *a.* having to do with a paternal grandfather
ददिया ससुर *m.* a husband's or wife's paternal grandfather
दधि (*dadhi*) *m.* curd, yoghurt
दनदनाना (*dandanānā*) *v.i.* to shoot off (a gun), to boom
दनादन (*danādan) f.* booming, quickly
दनुज (*danuj*) *m.* demon
दफ़न (*dafan*) *m.* burial
दफ़ा (*dafā*) *f.* 1. to repel 2. section or clause (of an Act)
दफादार (*dafādār*) *m.* a petty officer commanding a small body of troops
दफ़्तर (*daftar) m.* office
दफ़्तरी (*daftarī) m.* person dealing with stationery in an office
दबंग (*dabang*) *a.* bold, fearless
दबदबा (*dabdabā) m.* awe, sway, commanding influence, glory
दबना (*dabnā*) *v.i.* to be compressed, to be pressed down
दबाना (*dabānā*) *v.t.* to press down, to compress
दबाव (*dabāv*) *m.* pressure
दबोचना (*dabocnā) v.t.* to seize suddenly, to clutch
दब्बू (*dabbū*) *a.* unassertive, timid, submissive, meek
दब्बूपन (*dabbūpan) m.* submissiveness, timidity, meekness
दम (*dam) m.* 1. breath, life force 2. life, energy, spirit
दमचूल्हा (*damcūlhā) m.* oven
दमक (*damak*) *f.* glow, brilliance, glitter, glimmer
दमकल (*damkal*) *f.* fire engine
दमड़ी (*damṛī) f.* (old Indian) coin equivalent to one-eighth or one-quarter of a pice
दमन (*daman*) *m.* suppression
दमनकारी *m.* oppressor

दमनचक्र *m.* a series of repressive measures
दमनशील *a.* repressive
दमनीय (*damanīya*) *a.* repressible
दमा (*damā*) *m.* asthma
दमाद (*damād*) *m.* son-in-law
दमामा (*damāmā*) *m.* large kettle-drum
दमित (*damit*) *a.* suppressed
दम्य (*damya*) *a.* suppressible
दयनीय (*dayanīya*) *a.* pitiable
दया (*dayā*) *f.* mercy, pity
दयावान् *a.* kind, merciful
दयानत (*dayānat*) *f.* honesty, sincerity, truthfulness
दयार्द्र (*dayārdra*) *a.* one whose heart melts with pity, merciful
दयालु (*dayālu*) *a.* kind-hearted
दयिता (*dayitā*) *f.* wife
दर (*dar*) I. *f.* rate II. *m.* door
दर-(ब)-दर *a.* door to door
दरकार (*darkār*) I. *a.* needed, necessary II. *f.* necessity
दरख़ास्त (*darkhāst*) *f.* /दरख़्वास्त (*darkhvāst*) *f.* 1. request, solicitation 2. application
दरख़्त (*darakht*) *m.* tree
दरगाह (*dargāh*) *f.* tomb
दरजा (*darjā*) *m.* rank, status
दरज़ी (*darzī*) *m.* tailor
दरबा (*darbā*) *m.* coop, bird house, pigeon hole
दरबान (*darbān*) *m.* doorkeeper, gatekeeper
दरबार (*darbār*) *m.* royal court
दरबार साहब *m.* (a) name of Sikh temple in Amritsar which enshrines Guru Granth Sahib (b) building where Guru Granth Sahib is enshrined
दरमियान (*darmiyān*) I. *p.p.* between II. *m.* the middle
दरवाज़ा (*darvāzā*) *m.* gate, door
दरवेश (*darveś*) *m.* a religious mendicant, Muslim ascetic
दराँती (*darāmtī*) *f.* sickle, scythe
दराज़ (*darāz*) *m.* drawers
दरिंदा (*darindā*) *m.* beast of prey, carnivorous animal
दरिद्र (*daridra*) *a.* poor
दरिद्रनारायण *m.* the poor, God in the form of a poor man
दरिया (*dariyā*) *m.* river
दरियादिल (*dariyādil*) *a.* large-hearted
दरियाई (*dariyāī*) *a.* of or pertaining to a river, riparian
दरियाई घोड़ा *m.* sea horse
दरियाफ़्त (*dariyāft*) *f.* 1. discovery 2. enquiry
दरी (*darī*) *f.* 1. carpet
दरोग़ा (*darogā*) *m.* inspector
दर्ज़ (*darza*) *a.* entered, inserted
दर्जा (*darjā*) *m.* rank, grade
दर्ज़ी (*darzī*) *m.* tailor
दर्द (*dard*) *m.* pain, ache
दर्दनाक *a.* painful, piteous
दर्प (*darp*) *m.* pride, arrogance
दर्पण (*darpaṇ*) *m.* mirror
दर्भ (*darbha*) *m.* a sacrificial and sacred grass
दर्रा (*darrā*) *m.* 1. mountain pass 2. gap 3. flour of coarse grain
दर्शक (*darśak*) *m.* spectator

दर्शक दीर्घा *f.* visitors, gallery
दर्शक मंडप *m.* spectators, pavilion
दर्शन (*darśan*) *m.* seeing, looking with reverence
दर्शन शास्त्र *m.* philosophy
दर्शनशास्त्री *m.* philosopher
दर्शनीय (*darśanīya*) *a.* worth seeing, fit to be seen
दल (*dal*) *m.* party, team
दलपति *m.* captain of a team
दलबंदी *f.* groupism
दलबदल *m.* defection
दलबदलू *m.* defector
दलदल (*daldal*) *f.* marsh, swamp
दलवाई (*dalvāī*) *f.* act of or price paid for grinding something
दलवाना (*dalvānā*) *v.t* to cause to be coarsely ground
दलहन (*dalhan*) *m.* cereals used as pulse, pulses
दलाल (*dalāl*) *m.* commission agent, broker
दलाली (*dalālī*) *f.* the business of a broker
दलित (*dalit*) *a.*& *m.* oppressed or downtrodden
दलिया (*daliyā*) *m.* half-ground or coarsely ground grain
दलीय (*dalīya*) *a.* of or pertaining to a party
दलील (*dalīl*) *f.* argument, plea
दव (*dav*) *m.* forest, jungle
दवा (*davā*) *f.* medicine, drug
दवाख़ाना *m.* dispensary
दवाई (*davāī*) *f.* medicine
दवात (*davāt*) *f.* ink-pot
दश (*daś*) *a.* ten
दशकर्म *m.* ten purificatory rites (of Hindus)
दशमूल *m.* a medicine prepared from the roots of ten plants
दश सहस्र *a.* ten thousand
दशक (*daśak*) *m.* decade
दशम (*daśam*) *a.* tenth
दशमलव (*daśamlav*) *m.* decimal
दशमलव बिंदु *m.* decimal point
दशमी (*daśamī*) *f.* tenth day of a lunar fortnight
दशहरा (*daśahrā*) *m.* an important Hindu festival
दशांतर (*daśāntar*) *m.* the different readings of planets in a horoscope
दशा (*daśā*) *f.* state, condition
दशाब्दी (*daśābdī*) *f.* a period of ten years, decade, decennium
दशावतार (*daśāvtār*) *m.* ten incarnations of Lord Vishnu
दस (*das*) *a.* ten
दस्त (*dast*) *m.* 1. loose motion 2. hand
दस्तकार (*dastkār*) *m.* artisan, craftsman
दस्तख़त (*dastkhat*) *m.* signature
दस्तक (*dastak*) *f.* a knock, rap
दस्ताना (*dastānā*) *m.* glove
दस्तावर (*dastāvar*) *a.* laxative
दस्तावेज़ (*dastāvez*) *m.* document, deed
दस्ती (*dastī*) *a.* 1. by hand 2. manual
दस्तूर (*dastūr*) *m.* tradition
दस्यु (*dasyu*) *m.* bandit, robber

दस्यु पोत *m.* pirate ship
दस्यु-वृत्ति *f.* living by plundering, banditry
दह (*dah*) *m.* 1. a deep pool 2. a tank
दहन (*dahan*) *m.* burning, blazing
दहनशील *a.* combustible
दहलीज़ (*dahalīz*) *f.* threshold
दहशत (*dahśat*) *f.* terror, dread
दहाई (*dahāī*) *f.* set of ten things
दहाड़ (*dahāṛ*) *f.* roar
दहाड़ना (*dahāṛnā*) *v.i.* to roar
दहाना (*dahānā*) *m.* wide mouth (of a river)
दही (*dahī*) *m.* curd, yoghurt
दहेज (*dahej*) *m.* dowry
दह्य (*dahya*) *a.* to be burnt
दह्यमान (*dahyamān*) *a.* burning
दाँत (*dāṁt*) *m.* 1. tooth 2. tusk
दाँती (*dāṁtī*) *f.* sickle, scythe
दांपतिक (*dāmpatik*) *a.* conjugal, marital
दांपत्य (*dāmpatya*) *m.* married state
दांपत्य जीवन *m.* married life
दांपत्य प्रेम *m.* conjugal love
दांभिक (*dāmbhik*) *a.* proud, boastful, conceited
दाँव (*dāṁv*) *m.* 1. chance 2. trick
दाँव-पेच *m.* tactics, stratagem
दाई (*dāī*) *f.* nurse, midwife
दाऊ (*dāū*) *m.* 1. elder brother 2. father
दायाँ (*dāyāṁ*) *adv.* right, right hand
दाक्षिणात्य (*dākṣiṇātya*) *m.* an inhabitant of the south
दाक्ष्य (*dākṣya*) *m.* skill, cleverness
दाख (*dākh*) *f.* grapes
दाख़िल (*dākhil*) *a.* 1. inserted, entered 2. admitted
दाख़िल-ख़ारिज *m.* mutation of names in land records
दाख़िला (*dākhilā*) *m.* entrance, admission
दाग़ (*dāg*) *m.* stain, blot
दाग़ना (*dāgnā*) *v.t.* 1. to burn 2. to fire a gun
दाग़ी (*dāgī*) *a.* stained
दाघ (*dāgh*) *m.* 1. heat 2. burning
दाड़िम (*dāṛim*) *m.* pomegranate
दाढ़ी (*dāṛhī*) *f.* beard
दातव्य (*dātavya*) *m.* charity, donation, alms
दातव्य औषधालय *m.* charitable hospital
दाता (*dātā*) *m.* 1. donor 2. God
दात्री (*dātrī*) *f.* female donor, giver
दाद (*dād*) I. *m.* ringworm II. *f.* praise
दादरा (*dādrā*) *m.* a type of popular song with quick tones
दादा (*dādā*) *m.* paternal grandfather
दादागीरी (*dādāgīrī*) *f.* hooliganism
दादी (*dādī*) *f.* paternal grandmother
दान (*dān*) *m.* 1. charity, donation 2. gift, present
दानपात्र *m.* (a) donation box (b) one deserving alms
दानशीलता *f.* munificence

दानव (*dānav*) *m.* demon
दानवी (*dānavī*) *f.* female demon
दाना (*dānā*) *m.* corn, grain
दानाध्यक्ष (*dānādhyaksa*) *m.* almoner
दानी (*dānī*) *m.* giver, donor
दानेदार (*dānedār*) *a.* granular
दाब (*dāb*) *f.* pressure
दाबना (*dābnā*) *v.t.* 1. to press 2. to conceal
दाभ (*dābh*) *m.* a sacrificial grass
दाम (*dām*) *m.* 1. price, value 2. cost 3. money
दामन (*dāman*) *m.* 1. the skirt or border of a garment 2. the foot of a mountain
दामिनी (*dāminī*) *f.* lightning
दामी (*dāmī*) I. *a.* costly, precious II. *f.* assessment
दाय (*dāy*) *m.* 1. inheritance 2. liability 3. responsibility
दायरा (*dāyarā*) *m.* circle, ring, orbit
दायाँ (*dāyāṁ*) *a.* right
दायाद (*dāyād*) *m.* heir, claimant
दायित्व (*dāyitva*) *m.* 1. responsibility 2. liability 3. duty
दारमदार (*dārmadār*) *m.* 1. support 2. responsibility
दारा (*dārā*) *f.* wife
दारिद्र्य (*dāridrya*) *m.* poverty, penury, indigence
दारी (*dārī*) *f.* & *suff.* 1. female slave 2. an abuse for a woman 3. denoting characteristic (as दुकानदारी)
दारु (*dāru*) *m.* 1. wood 2. craftsman
दारुण (*dāruṇ*) *a.* harsh, stern
दारू (*dārū*) *m.* 1. medicine, drug 2. remedy 3. liquor, wine
दारोग़ा (*dāroḡā*) *m.* inspector, supervisor
दारोमदार (*dāromadār*) *m.* dependence, reliance
दार्शनिक (*dārśanik*) *m.* philosopher
दाल (*dāl*) *f.* pulse, lentil
दालचीनी (*dālcīnī*) *f.* cinnamon (spice)
दालान (*dālān*) *m.* 1. hall 2. verandah
दावत (*dāvat*) *f.* 1. invitation, call 2. feast, banquet, dinner
दावा (*dāvā*) *m.* claim
दावाग्नि (*dāvāgni*) *f.&m.* /**दावानल** (*dāvānal*) *f.* & *m.* forest conflagration, forest-fire
दावेदार (*dāvedār*) *m.* claimant
दाशमिक (*dāśmik*) *a.* decimal
  दाशमिक प्रणाली *f.* decimal system
दाशरथि (*dāśrathi*) *m.* descendant/son of Raja Dashrath (particularly Lord Rama)
दास (*dās*) *m.* 1. slave 2. servant
  दास प्रथा *f.* slavery
दासता (*dāsatā*) *f.* slavery, serfdom
दासानुदास (*dāsānudās*) *m.* slave of slaves
दासी (*dāsī*) *f.* female slave
दास्तां (*dāstām*) *f.* /**दास्तान** (*dāstān*) *f.* 1. narration 2. story

द

दाह *(dāh) m.* 1. burning 2. cremation
दाहकर्म *m.* /**दाहक्रिया** *f.* burning a dead body
दाहगृह *m.* crematorium
दाह संस्कार *m.* funeral rites
दाहिना *(dāhinā) a.* right
दिक़ *(diq)* I. *a.* harassed II. *m.* tuberculosis
दिक् *(dik) f.* direction
दिक़्क़त *(diqqat) f.* 1. difficulty, hardship 2. problem
दिक्पाल *(dikpāl) m.* the regents or guardian deities of the ten regions of the world
दिक्शूल *(dikśūl) m.* inauspicious day for journey in a particular direction
दिक्सूचक *(diksūcak) m.* compass
दिखना *(dikhnā) v.i.* to be seen
दिखलाना *(dikhlānā) v.t.* to show, to exhibit
दिखावट *(dikhāvaṭ) f.* show
दिगंत *(digant) m.* extreme end of all directions, horizon
दिगंबर *(digambar)* I. *m.* a sect of naked Jain monks II. *a.* an epithet of Lord Shiva
दिग्गज *(diggaj) a.* huge, powerful, majestic (like an elephant)
दिग्दर्शक *(digdarśak) m.* guide, director
दिग्दिगंत *(digdigant) m.* boundless region, all directions
दिग्दिगंतर *(digdigantar) m.* quarter and intermediate quarter (of direction)
दिग्भ्रम *(digbhram) m.* /**दिग्भ्रांति** *(digbhrānti) f.* perplexity about direction, directional confusion
दिग्विजय *(digvijay) f.* conquest of the world
दिन *(din) m.* day (period of 24 hours)
दिनकर *m.* /**दिनमणि** *m.* the sun
दिनचर्या *f.* daily routine
दिनमान *m.* duration of the day, the whole day
दिनांक *(dināṅk) m.* date
दिनेश *(dineś) m.* the sun, lord of the day
दिनौंधा *(dinauṁdhā) a.* blind by day, day-blind, owl, bat
दिमाग़ *(dimāg̲) m.* 1. brain 2. intellect, mental power
दिया *(diyā)* I. *m.* earthen lamp II. *a.* given, imparted, granted
दिल *(dil) m.* 1. heart 2. mind
दिलकश *a.* attractive, alluring
दिलचस्प *a.* interesting
दिलदारी *(dildārī) f.* generosity, liberality
दिलबर *(dilbar) m.* beloved
दिलाना *(dilānā) v.t.* to cause to give
दिलासा *(dilāsā) m.* consolation
दिलेर *(diler) a.* bold, brave
दिल्लगी *(dillagī) f.* joke, jest, fun
दिवंगत *(divaṅgat) a.* deceased, gone to heaven
दिव *(div) m.* 1. heaven 2. sky
दिवस *(divas) m.* /**दिवा** *(diva) m.* day
दिवाकर *(divčakar) m.* the sun

दिवाना (*divānā*) *a.* mad in love
दिवाला (*divālā*) *m.* bankruptcy
दिवालिया (*divāliyā*) *a.&m.* bankrupt, insolvent
दिवाली (*divālī*) *f.* a Hindu festival celebrated on the day of the new moon in Kartik (Oct.-Nov.)
दिव्य (*divya*) *a.* divine, heavenly, celestial
दिव्यदृष्टि (*divyadṛṣti*) *f.* 1. inward eye 2. supernatural vision
दिव्यांगना (*divyāṅganā*) *f.* nymph, apsaras
दिव्या (*divyā*) *f.* a heavenly nymph
दिव्यास्त्र (*divyāstra*) *m.* divine/celestial weapon
दिशा (*diśā*) *f.* direction, side
दिशाशूल (*diśāśūl*) *m.* inauspicious planetary conjunction when it is deemed unlucky to travel
दिष्टि (*diṣṭi*) *f.* good fortune
दीक्षांत (*dīkṣānt*) *a.* conclusion of a phase of education, end of an academic session
दीक्षा (*dīkṣā*) *f.* initiation as a pupil or disciple
दीक्षित (*dīkṣit*) *m.* 1. pupil or disciple of a religious preceptor 2. a sub-caste of Brahmins
दीदा (*dīdā*) *m.* 1. eye 2. vision
दीदी (*dīdī*) *f.* elder sister
दीन (*dīn*) I. *a.* poor, indigent II. *m.* religion and faith
दीनता (*dīnatā*) *f.* poverty
दीनानाथ (*dīnānāth*) *m.* master of the poor and lowly creatures, God
दीनार (*dīnār*) *m.* 1. a gold ornament 2. a gold coin
दीप (*dīp*) *m.* lamp
दीपमाला *f.* /दीपमालिका *f.* row of lamps
दीपक (*dīpak*) *m.* lamp, light
दीपाधार (*dīpādhār*) *m.* lamp-stand
दीपावली (*dīpāvalī*) *f.* row of lights, a festival in honour of Laksmi
दीप्त (*dīpt*) *a.* luminous
दीप्ति (*dīpti*) *f.* splendour, lustre
दीमक (*dīmak*) *m.* white ant, termite
दीर्घ (*dīrgha*) *a.* long
दीर्घकालिक *a.* long-term
दीर्घकालीन *a.* long-lived
दीर्घसूत्रता *f.* procrastination
दीर्घा (*dīrghā*) *f.* gallery
दीर्घाकार (*dīrghākār*) *a.* huge, gigantic
दीर्घायु (*dīrghāyu*) *a.* long-living
दीवट (*dīvaṭ*) *f.* lamp stand
दीवान (*dīvān*) *m.* 1. minister of a princely state 2. collection of a poet's works
दीवानख़ाना (*dīvānkhānā*) *m.* drawing room, hall of audience
दीवानगी (*dīvāngī*) *f.* madness in love, insanity, lunacy
दीवानी (*dīvānī*) *a.* civil
दीवार (*dīvār*) *f.* 1. wall 2. barrier
दुंदुभि (*dundubhi*) *f.* large drum
दुःख (*duḥkh*) *m.* 1. suffering, misery 2. ailment, illness
दुःखसाध्य *a.* attained with difficulty

द

दुःखद (*duḥkhad*) *a.* 1. painful, sorrowful 2. distressing

दुःखप्रद (*duḥkhprad*) *a.* painful

दुःखांत (*duḥkhānt*) *a.* tragic

दुःखांत नाटक *m.* tragedy play

दुःखित (*duḥkhit*) *a.* afflicted, distressed, sorrowful, unhappy

दुःखी (*duḥkhī*) *a.* unhappy

दुःसंग (*duḥsaṅg*) *m.* bad company

दुःसाध्य (*duḥsādhya*) *a.* hard to accomplish

दुःसाहस (*duḥsāhas*) *m.* 1. risky boldness 2. impertinence

दुःसाहसी (*duḥsāhasī*) *a.* 1. rash, bold 2. impertinent

दुःस्वप्न (*duḥsvapn*) *m.* bad dream, nightmare

दुआ (*duā*) *f.* blessing

दुआब (*duāb*) *m.* 1. land between two rivers 2. the region between Ganga and Yamuna

दुकान (*dukān*) *f.* shop

दुखड़ा (*dukhṛā*) *m.* pain, affliction, distress, misery

दुखती रग (*dukhatī rag*) *f.* sore spot

दुगना (*dugnā*) *a.* double

दुग्ध (*dugdha*) *m.* milk

दुतकार (*dutkār*) *f.* rebuke, reproof

दुधमुँहा (*dudhmuṁhā*) *a.* (of a child) suckling, still feeding on mother's milk

दुधार (*dudhār*) *a.* 1. two-edged 2. milch

दुनाली (*dunālī*) *a.* & *f.* double-barrelled gun

दुपट्टा (*dupaṭṭā*) *m.* sheet, wrapper

दुपहर (*dupahar*) *m.* noon, midday

दुबला (*dublā*) *a.* lean, weak

दुबलाना (*dublānā*) *v.i.* to become lean and thin, to be emaciated

दुबलापन (*dublāpan*) *m.* leanness, thinness, emaciation

दुभाषिया (*dubhāṣiyā*) *m.* bilinguist, interpreter

दुबारा (*dubārā*) *adv.* twice, once again

दुम (*dum*) *f.* 1. tail 2. end, extremity

दुरदुराना (*durdurānā*) *v.i.* 1. to send away scornfully 2. to drive away

दुरमुट (*durmuṭ*) *m.* beater, rammer

दुरवस्था (*duravasthā*) *f.* 1. hardship 2. pitiable condition

दुराग्रह (*durāgrah*) *m.* obduracy, obstinacy, headiness

दुराचरण (*durācaraṇ*) *m.* 1. misconduct 2. immorality

दुराचार (*durācār*) *m.* 1. bad conduct 2. immorality

दुराचारी (*durācārī*) *a.*& *m.* wicked or vile (man), depraved (person), vicious (fellow)

दुरात्मा (*durātmā*) *a.* wicked person

दुराधर्ष (*durādharṣ*) *a.* difficult to subdue, indomitable

दुराव (*durāv*) *m.* 1. concealment,

hiding 2. mental reservation

दुरुस्त (*durust*) *a.* 1. right, correct 2. proper, fit 3. safe, sound

दुरूह (*durūh*) *a.* difficult, irksome

दुर्गंध (*durgandh*) *f.* bad or foul smell, stink, stench

दुर्ग (*durg*) *m.* fort, fortress

दुर्गपति/पाल *m.* governor of a fort, officer-in-charge of a fort or citadel

दुर्गति (*durgati*) *f.* distress, misery, sad plight, hardship

दुर्गम (*durgam*) *a.* 1. inaccessible 2. impassable 3. difficult

दुर्गा (*durgā*) *f.* the goddess Durga, consort of Lord Shiva

दुर्गा पूजा *f.* festival of worship of goddess Durga observed in the Hindu month of Ashwin

दुर्गुण (*durguṇ*) *m.* 1. vice, flaw, defect, fault 2. demerit

दुर्गुणी (*durguṇī*) *a.* vicious, defective, faulty

दुर्घटना (*durghaṭnā*) *f.* accident

दुर्जन (*durjan*) *m.* rascal, wicked person

दुर्दशा (*durdaśā*) *f.* 1. distress 2. grief, sorrow

दुर्बल (*durbal*) *a.* weak, feeble

दुर्बुद्धि (*durbuddhi*) *m.* foolish, silly, stupid

दुर्बोध (*durbodh*) *a.* hard/difficult to understand

दुर्भर (*durbhar*) *a.* 1. difficult to be borne or supported 2. heavy

दुर्भाग्य (*durbhāgya*) *m.* ill-luck, misfortune, ill-fate

दुर्भाग्यपूर्ण *a.* unfortunate

दुर्भावना (*durbhāvanā*) *f.* ill-will, malice

दुर्भिक्ष (*durbhikṣ*) *m.* famine, dearth, scarcity

दुर्भेद्य (*durbhedya*) *a.* impregnable, invulnerable, impenetrable

दुर्मति (*durmati*) *a.* foolish, silly, stupid

दुर्योग (*duryog*) *m.* 1. evil conjunction of stars or planets, inauspicious time 2. bad time

दुर्लभ (*durlabh*) *a.* unavailable, rare

दुर्वह (*durvah*) *a.* unwieldy, difficult to bear or carry

दुर्विनीत (*durvinīt*) *a.* rude, impolite, ill-mannered

दुर्विपाक (*durvipāk*) *m.* catastrophe, calamity, disaster

दुर्व्यवहार (*durvyavhār*) *m.* 1. ill-treatment 2. misbehaviour

दुलकी (*dulkī*) *f.* trot (of a horse)

दुलत्ती (*dulattī*) *f.* kick (by an ass or horse)

दुलहन (*dulhan*) *f.* 1. bride 2. wife

दुलहा (*dulhā*) *m.* 1. bridegroom 2. husband

दुलहिन (*dulhin*) *f.* 1. bride 2. wife

दुलाई (*dulāī*) *f.* light quilt

दुलार (*dulār*) *m.* fondness, affection, love

दुलारना (*dulārnā*) *v.t.* to fondle, to caress, to show affection

दुविधा (*duvidhā*) *f.* uncertainty, predicament, dilemma

द

दुशवार (*duśvār*) *a.* difficult, arduous, tedious, hard
दुशाला (*duśālā*) *m.* a shawl
दुश्चक्र (*duścakra*) *m.* vicious circle
दुश्चरित (*duścarit*)/दुश्चरित्र (*duścaritra*) I. *a.* wicked, ill-mannered II. *m.* bad conduct
दुश्चिंता (*duścintā*) *f.* 1. anxiety 2. worry, botheration
दुश्चेष्टा (*duścesṭā*) *f.* wicked attempt
दुश्मन (*du śman*) *m.* enemy, foe
दुश्मनी (*duśmanī*) *f.* enmity, hostility
दुष्कर (*duṣkar*) *a.* hard to do, difficult
दुष्कर्म (*duṣkarm*) *m.* 1. evil deed 2. vice, sin, sinful act
दुष्कृत्य (*duṣkṛtya*) *m.* vicious act, evil deed, misdeed, wrong
दुष्ट (*duṣṭa*) *a.* evil-minded, vicious, bad
दुष्टता (*duṣtatā*) *f.* depravity, wickedness, profligacy
दुष्परिणाम (*duṣpariṇām*) *m.* ill-effect, bad result
दुष्प्रचार (*duṣpracār*) *m.* unfavourable publicity
दुष्प्रभाव (*duṣprabhāv*) *m.* bad influence, ill-effect
दुष्प्रयोग (*duṣprayog*) *m.* misuse, misapplication
दुष्प्राप्य (*duṣprāpya*) *a.* hard to obtain, scarce, rare
दुसाध (*duṣādh*) *m.* members of a low caste who tame pigs
दुहना (*duhanā*) *v.t.* 1. to milk 2. to suck 3. to squeeze out
दुहाई (*duhāī*) I. *f.* a cry for help or mercy II. *interj.* mercy!
दुहिता (*duhitā*) *f.* daughter's son
दूज (*dūj*) *f.* second day of a lunar fortnight
दूत (*dūt*) *m.* 1. messenger, envoy, emissary, legate 2. agent
दूतावास (*dūtāvās*) *m.* embassy, legation, consulate
दूध (*dūdh*) *m.* milk
  दुधमुँहा *a.* (of a child) still fed on mother's milk
दूधिया (*dūdhiyā*) *a.* 1. yielding or containing milk 2. milky
दून (*dūn*) *f.* vale, valley
दूब (*dūb*) *f.* grass, bent grass (commonly used as fodder)
दूभर (*dūbhar*) *a.* difficult, hard, arduous
दूर (*dūṛ*) *a.* distant, remote, far
  दूरगामी *a.* (a) far-going, far-reaching (b) long-term
दूरदर्शक (*dūrdarśak)* I. *m.* telescope II. *a.* far-sighted, prudent
दूरदर्शन (*dūrdarśan) m.* television
दूरदर्शिता (*dūrdarśitā) f.* fore-sighted, prudence, sagacity
दूरदर्शी (*dūrdarśī*) I. *a.* farsightedprudent, sagacious II. *m.* wise man
दूरदृष्टि (*dūrdṛṣṭi) f.* farsightedness, discernment, prudence
दूरबीन (*dūrbīn*) *f.* 1. telescope 2. binoculars
दूरभाष (*dūrbhāṣ) m.* telephone

दूरमुद्रक (*dūrmudrak*) *m.* teleprinter

दूरमुद्रण (*dūrmudraṇ*) *m.* teleprinting

दूरवर्ती (*dūrvartī*) *a.* distant, remote

दूरवीक्षण यंत्र (*dūrvīksaṇ yantra*) *m.* telescope

दूरव्यापी (*dūrvyāpī*) *a.* extending to a great distance, far-reaching

दूरसंचार (*dūrsañcār*) *m.* telecommunication

दूरी (*dūrī*) *f.* 1. distance 2. difference 3. separation

दूर्वा (*dūrvā*) *f.* a kind of soft grass

दूल्हा (*dūlhā*) *m.* 1. bridegroom 2. husband

दूषण (*dūsaṇ*) *m.* contamination, pollution, defilement

दूषित (*dūṣit*) *a.* 1. polluted, spoiled, foul, tainted 2. disgraced

दूसरा (*dūsrā*) *a.* 1. second 2. other

दृक् (*dṛk*) *m.* /दृग् (*dṛg*) *m.* eye, sight, vision

दृक्पात (*dṛikpāt*) *m.* glance, look

दृग्गोचर (*dṛggocar*) I. *m.* 1. range of vision 2. horizon II. *a.* visible to the eyes

दृढ़ (*dṛṛh*) *a.* 1. firm, fixed, steady 2. resolute, determined

दृढ़प्रतिज्ञ *a.* true to one s promise/word, strong-willed

दृढ़विश्वास *m.* conviction

दृढ़ता (*dṛṛhtā*) *f.* 1. firmness, steadiness 2. determination

दृश्य (*dṛśya*) *m.* sight, spectacle, scene, view, scenery

दृश्य-श्रव्य *a.* audio-visual, audio-video

दृश्यमान (*dṛśyamān*) *a.* visible, perceptible

दृष्ट (*dṛṣṭa*) *a.* seen, perceived

दृष्टांत (*dṛṣṭānt*) *m.* illustration, instance, example

दृष्टांत कथा *f.* parable

दृष्टि (*dṛṣṭi*) *f.* eyesight, vision

दृष्टिकोण *m.* outlook, point of view

दृष्टिगोचर *a.* in view, visible

दृष्टिपात *m.* glance, look

दृष्टिहीन *a.* deprived or devoid of eyesight, blind

देख (*dekh*) *f.* 1. looking 2. care

देखभाल *f.* looking after, supervision

देखना (*dekhnā*) *v.t.* 1. to see, to look 2. to watch 3. to observe

देखादेखी (*dekhādekhī*) *f.* blind imitation, rivalry

देगचा (*degcā*) *m.* /देगची (*degcī*) *f.* small cooking pot, small cauldron, kettle

देदीप्यमान (*dedīpyamān*) *a.* bright

देनदार (*dendār*) *m.* debtor

देना (*denā*) I. *v.t.* to give, to impart II. *m.* 1. due 2. debt

देय (*dey*) *a.*& *m.* 1. due 2. payable

देर (*der*) *f.* 1. delay 2. long time, long period of time

देरी (*derī*) *m.* delay

देव (*dev*) *m.* God

द

देवऋण *m.* duties owed to gods sacrifices and oblations
देवकन्या *f.* nymph, fairy, divine maiden, apsaras
देवदार *m.* /**देव** *m.* pine tree
देवदासी *f.* (a) woman engaged in service of a deity (b) dancing girl (c) temple prostitute
देवदूत *m.* messenger of gods, divine envoy, angel
देवनागरी *f.* script in which Hindi, Marathi, Nepali, etc. are written
देवप्रतिमा *f.* /**देवमूर्ति** *f.* image of a deity, idol
देवभाषा *f.* language of gods, Sanskrit
देवयान *m.* vehicle of a god
देवराज *m.* king of gods, Indra
देवलोक *m.* heaven, the land of gods
देववाणी *f.* (a) oracle (b) Sanskrit
देवस्थान *m.* abode of gods, temple

देवता (*devtā) m.* god, deity
देवत्व (*devatva) m.* divine character, divinity, divine nature
देवर (*devar) m.* husband's younger brother
देवरानी (*devrānī) f.* husband's younger brother's wife
देवर्षि (*devarṣi*) *m.* a divine sage
देवल (*deval) m.* 1. Hindu temple 2. priest
देवांगना (*devāṅganā*) *f.* wife of a god, goddess
देवाधिदेव (*devādhidev) m.* god of gods, Lord Shiva
देवानांप्रिय (*devānāmpriya) a.* 1. favourite of gods 2. of divine nature, pious, religious-minded
देवाराधन (*devārādhan*) *m.* worship of gods or God
देवार्चन (*devārcan*) *m.* worship of gods or God
देवालय (*devālay) m.* seat of a god or deity, temple
देवासुर (*devāsur) m.* gods and demons
देवासुर संग्राम *m.* mythological war between gods and demons (after churning the ocean for ambrosia)

देवी (*devī*) *f.* goddess, female deity (especially Durga)
देश (*deś) m.* 1. country 2. region
देशद्रोह *m.* treason
देशद्रोही *m.* traitor to one's country
देश-प्रत्यावर्तन *m.* repatriation
देशभक्त *m.* patriot
देशभक्ति *f.* patriotism
देशव्यापी *a.* countrywide

देशज (*de śaj) a.* native, indigenous, country-made
देशांतर (*deśāntar) m.* other country, foreign country
देशांतरण (*deśāntaraṇ) m.* 1. migration 2. deportation
देशाटन (*deśāṭan*) *m.* touring the country
देशी (*deśī*) *a.* 1. indigenous, na-

tive, country-made 2. inland

देह (*deh*) I. *f.* 1. body 2. the person II. *m.* & *suff.* giver

देह-त्याग *m.* abandonment of one's physical form, death

देहरी (*dehrī*) *f.* /**देहली** (*dehlī*) *f.* threshold

देहांत (*dehānt*) *m.* end of bodily existence, death, demise

देहांतर (*dehāntar*) *m.* another body, a further incarnation

देहांतरण (*dehāntaraṇ*) *m.* transmigration of soul into another body

देहात (*dehāt*) *m.* 1. rural area, countryside 2. village

देहाती (*dehātī*) I. *a.* 1. rural 2. rustic II. *m.* villager

देहातीत (*dehātīt*) *a.* incorporeal, beyond the physical body

देहात्म (*dehātma*) *m.* body and soul

देहात्मवाद *m.* the doctrine that there is no soul apart from the body, materialism

देहावसान (*dehāvsān*) *m.* end of physical existence, death

देही (*dehī*) *m.* 1. one having a body (animal, man) 2. soul

दैत्य (*daitya*) *m.* demon, giant

दैत्यगुरु *m.* preceptor of the demons

दैत्याकार (*daityākār*) *a.* huge, gigantic

दैनंदिन (*dainandin*) I. *a.* daily, day-to-day II. *adv.* day by day

दैनंदिनी (*dainandinī*) *f.* record of daily affairs, diary

दैनिक (*dainik*) *a.* daily

दैनिकी (*dainikī*) *f.* diary

दैन्य (*dainya*) *m.* 1. poverty, pauperism 2. misery

दैव (*daiva*) I. *m.* 1. fate, destiny 2. God II. *a.* divine

दैवयोग *m.* fortuitous occurrence, act of fate

दैविक (*daivik*) *a.* of or pertaining to gods and goddesses, divine

दैवी (*daivī*) *a.* 1. divine, godly 2. natural 3. accidental

दैहिक (*daihik*) *a.* physical, somatic, corporeal, bodily

दो (*do*) *a.* two

दोगुना (*dogunā*) *a.* double

दोटूक (*dotūk*) *a.* blunt, clear, plain

दोपट्टा (*dopattā*) *m.* sheet, wrapper

दोपहर (*dopahar*) *m.* noon, midday

दोसाला (*dosālā*) *a.* biennial

दोग़ला (*doglā*) *a.* mongrel, crossbred, of impure blood

दोज़ख़ (*dozakh*) *f.* hell, inferno

दोयम (*doyam*) *a.* 1. second 2. second-rate, second class

दोयम दरजा *m.* second class

दोला (*dolā*) *m.* 1. cradle, 2. fluctuation

दोलायमान (*dolāymān*) *a.* swinging, shaking, oscillating

दोलोत्सव (*dolotsav*) *m.* a festival during Holi when figures of Lord (baby) Krishna are placed in ornamental swings

द

दोष (*doṣ*) *m.* 1. defect, flaw 2. fault 3. guilt
दोष-दर्शन *m.* fault-finding
दोषपूर्ण *a.* faulty, unsound
दोषमुक्त *a.* guiltless
दोषरहित *a.* (a) blameless, guiltless (b) faultless

दोषारोपण (*doṣāropaṇ*) *m.* blaming, accusation, charge

दोषी (*doṣī*) *a.* 1. culpable, corrupt, blameable 2. faulty

दोस्त (*dost*) *m.* friend

दोस्ती (*dostī*) *f.* friendship, amity,

दोहता (*dohatā*) *m.* grandson, daughter's son

दोहद (*dohad*) *m.* desire of a pregnant woman

दोहन (*dohan*) *m.* 1. milking 2. exploitation

दोहनी (*dohanī*) *f.* milk-pail

दोहर (*dohar*) *f.* 1. thick cloth of two folds, double sheet 2. land that bears two crops a year

दोहरा (*doharā*) *a.* double, two-fold

दोहराना (*dohrānā*) *v.t.* 1. to repeat 2. to fold up

दोहा (*dohā*) *m.* couplet

दौंरी (*dauṁrī*) *f.* threshing of reaped harvest by bullocks for separating corn and chaff

दौड़ (*dauṛ*) *f.* 1. race, running 2. competition

दौड़ना (*dauṛnā*) *v.i.* to run

दौड़ाना (*dauṛānā*) *v.t.* to cause to run, to make one run

दौर (*daur*) *m.* time, age

दौरा (*daurā*) *m.* 1. tour 2. sudden attack of convulsions 3. large basket

दौरान (*aurān*) *m.* duration, period

दौर्बल्य (*daurbalya*) *m.* weakness, debility

दौलत (*dãulat*) *f.* wealth, riches
दौलतखाना *m.* (a) mansion (b) treasury, storehouse
दौलतमंद *a.* rich, wealthy

दौहित्र (*dauhitra*) *m.* daughter's son

दौहित्री (*dauhitrī*) *f.* grand daughter, daughter's daughter

द्यु (*dyu*) *m.* 1. day, day and night 2. heaven 3. sky

द्युलोक (*dyulok*) *m.* paradise

द्युति (*dyuti*) *f.* light, radiance

द्यूत (*dyūt*) *m.* gambling
द्यूतक्रीड़ा *f.* game of gambling
द्यूतशाला *f.* gambling house

द्योतक (*dyotak*) *a.* showing, expressive, indicative

द्योतित (*dyotit*) *a.* 1. indicated, illustrated 2. lighted

द्यौ (*dyau*) *f.* 1. heaven, paradise 2. sky 3. day

द्रव (*drav*) I. *m.* liquid, fluid II. *a.* 1. liquefied 2. running

द्रवण (*dravaṇ*) *m.* 1. liquefaction 2. dissolution
द्रवणशील *a.* (a) liquefiable (b) fusible (c) dissolvable

द्रविड़ (*draviṛ*) *a.&m.* Dravidian

द्रविण (*draviṇ*) *m.* 1. valuable possession or property 2. strength 3. matter, object

द्रवित (*dravit*) *a.* 1. melted 2. moved 3. liquefied

द्रवीभूत (*dravībhūt*) *a.* 1. liquefied 2. fused, melted 3. moved with pity

द्रव्य (*dravya*) *m.* thing, substance, matter, object

द्रष्टव्य (*draṣṭavya*) *a.* 1. worth seeing 2. noteworthy, noticeable

द्रष्टा (*draṣṭā*) *m.* 1. spectator 2. sage, seer, god

द्राक्षा (*drākṣā*) *f.* grape

द्राक्षा कुंज *m.* vineyard

द्राक्षा लता *f.* vine

द्राविड़ी (*drāviṛī*) I. *f.* having to do with Dravidians II. *a* Dravidian

द्रुत (*drut*) *a.* quick, rapid, speedy, swift, fast

द्रुति (*druti*) *f.* speed, pace

द्रुम (*drum*) *m.* tree, plant

द्रोण (*droṇ*) *m.* 1. a weight of about 64 pounds 2. a wooden vessel

द्रोह (*droh*) *m.* 1. malice, spite 2. enmity, hostility 3. rebellion

द्रोही (*drohī*) *a.* 1. malicious 2. hostile 3. rebellious

द्वंद्व (*dvandva*) *m.*1. duel 2. strife, quarrel 3. conflict

द्वंद्व समास *m.* copulative compound (as माँ-बाप)

द्वंद्वात्मक (*dvandvātmak*) *a.* dialectic(al), dualistic

द्वय (*dvay*) I. *a.* two, both II. *m.* pair, couple

द्वादश (*dvādaś*) *a.* twelve

द्वादशी (*dvādaśī*) *f.* twelfth day of the lunar fortnight

द्वापर (*dvāpar*) *m.* 1. the third of the four ages of the world 2. suspicion, doubt

द्वार (*dvār*) *m.* door, gate

द्वारपाल *m.* doorkeeper, gatekeeper

द्वारपूजा *f.* a ceremony performed at reception of the marriage party at bride's house

द्वारा (*dvārā*) *adv.* & *p.p.* 1. through, by means of 2. care of

द्वि (*dvī*) *a.* two (in combination)

द्विक (*dvik*) *m.* double

द्विकर्मक (*dvikarmak*) *a.* having two objects

द्विगु (*dvigu*) *m.* a compound word, the first member of which is a numeral

द्विगुण (*dviguṇ*) *a.* multiplied by two

द्विगुणित (*dviguṇit*) *a.* duplicated, doubled

द्विज (*dvij*) *a.*& *m.* 1. twice-born, a person of Brahman, Kshatriya, Vaishya caste group 2. teeth

द्विजेंद्र (*dvijeṁdra*) *m.* the best of the twice-born class, Brahmin

द्वितीय (*dvitīya*) *a.* second, another

द्वितीय श्रेणी *f.* second class

द्वितीया (*dvitīyā*) *f.* second day of lunar fortnight

द्वितीया विभक्ति *f.* objective case

द्विधा (*dvidhā*) *adv.* 1. in two parts

द

2. in two ways

द्विपक्षी (*dvipakṣī*) *a.* /**द्विपक्षीय** (*dvipakṣīya*) *a.* bilateral

द्विपद (*dvipad*) *m.* 1. two-footed animal, biped 2. man 3. compound of two words

द्विपदी (*dvipadī*) *f.* couplet

द्विरागमन (*dvirāgaman*) *m.* bride's second visit to her husband's home after marriage

द्विवार्षिक (*dvivārṣik*) *a.* biennial, two-yearly

द्वीप (*dvīp*) *m.* island

द्वेष (*dveṣ*) *m.* 1. ill-will, malice 2. dislike, hatred 3. enmity

द्वेषपूर्ण *a.* malicious

द्वेषी (*dveṣī*) *a.* 1. malicious 2. hostile, inimical

द्वैत (*dvait*) *m.* duality (in philosophy), doctrine that deals with the distinctness of life and soul, God and soul

द्वैतवाद *m.* dualism

द्वैध (*dvaidh*) *m.* 1. duplication 2. double existence of nature

द्वैभाषिक (*dvaibhāṣik*) *a.* /**द्वैभाषी** (*dvaibhāṣī*) *a.* bilingual

द्व्यर्थ (*dvyarth*) *a.* /**द्व्यर्थक** (*dvyarthak*) *a.* equivocal, ambiguous, bi-semantic

ध

धंधा (*dhandhā*) *m.* 1. occupation, work 2. profession
धँसाव (*dhaṁsāv*) *m.* quagmire
धक (*dhak*) *f.* 1. shock 2. palpitation
धकधकी (*dhakdhakī*) *f.* 1. beating (of the heart) 2. fear
धकियाना (*dhakiyānā*) *v.t.* to push about/out, to shove
धकेलना (*dhakelnā*) *v.t.* to push
धक्का (*dhakkā*) *m.* push, knock
धक्कड़ (*dhakkaṛ*) *a.* prolific
  धक्कड़ लेखक *m.* prolific writer
धचका (*dhackā*) *m.* jerk, jolt
धज्जी (*dhajjī*) *f.* strip (of cloth)
धड़ (*dhaṛ*) *m.* body of a person, torso
धड़कन (*dhaṛkan*) *f.* beating (of the heart), palpitation
धड़कना (*dhaṛakanā*) *v.i.* 1. to palpitate, to beat 2. to dread
धड़धड़ (*dhaṛdhaṛ*) *f.* the sound of hammering
धड़ा (*dhaṛā*) *m.* 1. party, faction 2. weight
धड़ाका (*dhaṛākā*) *m.* explosion, blast
धड़ी (*dhaṛī*) *f.* weight of five kilograms
धत (*dhat*) I. *m.* shame II. *f.* craze
धतूरा (*dhatūrā*) *m.* thorn-apple (a powerful narcotic plant)
धधक (*dhadhak*) *f.* blaze, flame
धधकता (*dhadhakatā*) *a.* burning
धनंजय (*dhanañjay*) *m.* an epithet of Arjuna
धन (*dhan*) *m.* wealth, money
  धनकुबेर *m.* multimillionaire
  धनतेरस *f.* a Hindu festival dedicated to goddess Lakshmi and celebrated a day before Diwali
  धनधान्य *m.* money and grains
  धनमूल *m.* capital
  धनहीन *a.* poor, moneyless
धनकुट्टी (*dhankuṭṭī*) *f.* an instrument for pounding rice
धनवान (*dhanvān*) *a.* rich, wealthy
धनाढ्य (*dhanāḍhya*) *a.* rich
धनात्मक (*dhanātmak*) *a.* plus
धनादेश (*dhanādeś*) *m.* money-order
धनाभाव (*dhanābhāv*) *m.* want of money, shortage of money
धनार्जन (*dhanārjan*) *m.* accumulation of wealth or property
धनिक (*dhanik*) *a.* rich, wealthy
धनिया (*dhaniyā*) *m.* coriander
धनिष्ठा (*dhaniṣṭhā*) *f.* the twenty-

ध

third mansion of the moon in its course through the heavens

धनी (*dhanī*) *a.* wealthy, rich

धनु (*dhanu*) *m.* 1. bow (weapon) 2. ninth sign of zodiac, Sagittarius

धनुकी (*dhanukī*) *f.* 1. carding machine 2. carding bow

धनुर्धर (*dhanurdhar*) *a.*& *m.* /धनुर्धारी (*dhanurdhārī*) *m.* (one) armed with a bow, bowman

धनुर्विद्या (*dhanurvidyā*) *f.* art of archery

धनुर्वेद (*dhanurved*) *m.* a branch of Yajurveda dealing with the science of archery

धनुष (*dhanuṣ*) *m.* 1. bow 2. arch

धनुष्टंकार *m.* twang of a bow-string

धनुष यज्ञ *m.* the ceremony (of wielding the bow) held by Janak to choose a bridegroom for Sita

धनेश (*dhaneś*) *m.* Kuber, a very rich person

धन्य (*dhanya*) *a.* grateful

धन्यवाद (*dhanyavād*) *m.* thank you

धन्वा (*dhanvā*) *m.* bow

धन्वाकार (*dhanvākār*) *a.* bow-shaped, arched, crooked

धब्बा (*dhabbā*) *m.* stain, spot

धब्बेदार (*dhabbedār*) *a.* stained

धमकाना (*dhamkānā*) *v.t.* to scold

धमकी (*dhamkī*) *f.* threat

धमनिका (*dhamanikā*) *f.* arteriole

धमनी (*dhamnī*) *f.* artery, vein

धमाका (*dhamākā*) *m.* blast

धमार (*dhamār*) *f.* /धमाल (*dhamāl*) *f.* gambols

धर (*dhar*) I. *comb.* & *a.* holding II. *f.* catching, arresting

धरण (*dharaṇ*) *f.* 1. beam 2. support 3. bridge 4. womb, foetus

धरणि (*dharṇi*) *f.* /धरणी (*dharṇī*) *f.* earth

धरणीतल *m.* surface of the earth

धरणीधर *m.* (a) mountain (b) an epithet of Shesnag

धरणीसुता *f.* daughter of the earth, an epithet of Sita

धरती (*dhartī*) *f.* earth

धरना (*dharnā*) *m.* 1. sit on strike 2. to hold, to seize

धरा (*dharā*) *f.* the earth

धरातल *m.* surface of the earth

धराधर (*dharādhar*) *m.* mountain

धराशायी (*dharāśāyī*) *a.* fallen to the ground

धराऊ (*dharāū*) *a.* kept for special occasion or use, saved

धरात्मज (*dharātmaj*) *m.* the planet Mars

धराधिपति (*dharādhipati*) *m.* king, ruler

धरित्री (*dharitrī*) *f.* the earth

धरोड़िया (*dharoṛiyā*) *m.* depositary, trustee

धरोहर (*dharohar*) *f.* that which is kept in trust

धर्ता (*dhartā*) *m.* 1. holder 2. debtor

धर्म (*dharma*) *m.* religion, duty

धर्म-कर्म *m.* /धर्मकृत्य *m.* religious duties
धर्मग्रंथ *m.* religious book
धर्मचर्या *f.* performance of religious duties
धर्मच्युत *a.* ousted from a religious sect
धर्मदर्शन *m.* philosophy of religion, theology
धर्मनिरपेक्ष *a.* secular
धर्मनिरपेक्षता *f.* secularism
धर्मनिष्ठ *a.*/धर्मपरायण *a.* devoted to religion, devout
धर्मराज *m.* an epithet of Yama, the angel of death
धर्मशास्त्र *m.* theological jurisprudence, theology

धर्मकाँटा (*dharmkāṁṭā*) *m.* standard balance

धर्मज्ञ (*dharmajña*) *a.* expert in religious principles

धर्मशाला (*dharmaśālā*) *f.* hospice, public inn

धर्मांतरण (*dharmāntaraṇ*) *m.* conversion to another faith or religion

धर्माचार (*dharmācār*) *m.* ceremonial or religious custom

धर्मात्मा (*dharmātmā*) *m.* saint

धर्माधर्म (*dharmādharm*) *m.* right and wrong, righteousness and evil

धर्माधिकार (*dharmādhikār*) *m.* 1. prelacy 2. right to religion

धर्मानुराग (*dharmānurāg*) *m.* zeal or passion for religion

धर्मोन्माद (*dharmonmād*) *m.* fanaticism, theomania

धर्मोपदेशक (*dharmopdeśak*) *m.* religious preceptor

धर्षक (*dharṣak*) *a.* attacking

धर्षण (*dharṣaṇ*) *m.* attack

धवल (*dhaval*) *a.* 1. white 2. bright

धवलता (*dhavaltā*) *f.* whiteness

धवला (*dhavalā*) *f.* white cow

धसक (*dhasak*) *f.* 1. subsidence of land 2. sinking

धसाव (*dhasāv*) *m.* quagmire

धाँधली (*dhāṁdhalī*) *f.* fraud

धाँय-धाँय (*dhāṁya-dhāṁya*) *f.* shot after shot

धाँसना (*dhāṁsnā*) *v.i.* to cough with irritation in throat

धाक (*dhāk*) *f.* renown, fame

धाकड़ (*dhākaṛ*) *a.* daring

धागा (*dhāgā*) *m.* thread, yarn
धागा डालना *v.t.* to thread

धाड़ (*dhāṛ*) *f.* uproar, shrill cry

धातु (*dhātu*) *f.* 1. metal, ore 2. semen
धातु पुष्टि *f.* vitalisation of semen

धात्री (*dhātrī*) *f.* 1. wet nurse 2. mother 3. the sacred Ganga

धान (*dhān*) *m.* 1. unhusked paddy rice 2. grain

धान्य (*dhānya*) *m.* grain, corn
धन-धान्य *m.* wealth and food
धान्य कोष *m.* barn, granary

धाम (*dhām*) *m.* 1. house, abode, dwelling 2. heaven

धामिन (*dhāmin*) *f.* a kind of snake

धाय (*dhāya*) *f.* wet nurse
धाय भाई *m.* foster-brother

ध

धार (*dhār*) *f.* 1. sharp edge of a sword 2. flow, current
धारक (*dhārak*) *m.* bearer, supporter, holder
धारण (*dhāraṇ*) *m.* supporting, holding, bearing
  धारण शक्ति *f.* capacity
धारणा (*dhāraṇā*) *f.* presumption
  धारणा शक्ति *f.* memory
धारा (*dhārā*) *f.* flow, current
धारित (*dhārit*) *a.* carried, borne
धारी (*dhārī*) *comb. & suff. a.* bearing, holding as धारीदार striped, lined
धारोष्ण (*dhāroṣṇa*) *a.* (of milk) warm from the cow's teat
धार्मिक (*dhārmik*) *a.* religious
धार्मिकता (*dhārmikatā*) *f.* 1. piety 2. devotion
धावक (*dhāvak*) *m.* runner
धावा (*dhāvā*) *m.* attack
धावित (*dhāvit*) *a.* 1. run or gone away 2. washed, cleaned
धिक्कार (*dhikkār*) *m.* reproach, censure, curse, rebuke
धी (*dhī*) *f.* intellect, wisdom
  धी शक्ति *f.* power of mind
धीमर (*dhīmar*) *m.* fisherman
धीमा (*dhīmā*) *a.* tardy, slow
धीमान् (*dhīmān*) *a.* intelligent
धीर (*dhīr*) *a.* calm, brave
  धीर ललित *a.* patient and sober
धीरे (*dhīre*) *adv.* slowly
धीरोदात्त (*dhīrodātta*) *a.* (of a hero) brave and generous
धीवरी (*dhīvarī*) *f.* 1. fisherman's wife 2. fishing harpoon
धुँआ (*dhuṁā*) *m.* smoke
धुंध (*dhundh*) *f.* mist, fog, haze
धुँधका (*dhundhkā*) *m.* chimney
धुंधकारी (*dhundhkārī*) *a.* mischievous, naughty
धुँधला (*dhuṁdhalā*) *a.* 1. foggy, hazy, misty 2. clouded
धुतकार (*dhutkār*) *f.* rebuke
धुत्त (*dhutt*) I. *a.* shaken, moved II. *interj.* away! be off!
धुन (*dhun*) *f.* 1. tune 2. craze
धुनकी (*dhunkī*) I. *f.* carding machine II. *m.* carder
धुनना (*dhunanā*) *v.t.* 1. to card (cotton) 2. to beat severely
धुनवाना (*dhunvānā*) *v.t.* to cause to be carded
धुनाई (*dhunāī*) *f.* carding
धुनिया (*dhuniyā*) *m.* carder
धुनी (*dhunī*) I. *a.* crazy II. *f.* river, stream
धुमैला (*dhumailā*) *a.* smoky
धुरंधर (*dhurandhar*) *a.* expert
धुर (*dhur*) *m.* 1. start 2. height
धुरा (*dhurā*) *m.* 1. axle 2. axis
धुरी (*dhurī*) *f.* axis, pivot
धुलना (*dhulnā*) *v.i.* to be washed
धुलवाना (*dhulvānā*) *v.t.* to cause to be washed
धुलाई (*dhulāī*) *f.* washing up
  धुलाई मशीन *f.* washing machine
धुस्स (*dhuss*) *m.* 1. mound (of earth) 2. rampart a round a fort
धूँ (*dhūṁ*) *f.* report (of a gun) sound (of a drum)
धूनी (*dhūnī*) *f.* 1. smoke 2. burn-

ing of incense 3. smouldering fire (as of an ascetic or sadhu)

धूप (*dhūp*) *f.* 1. sunshine, heat of the sun 2. incense stick
धूप-छाँह *f.* sunshine and shade
धूपदानी *f.* a small censer
धूपबत्ती *f.* incense stick

धूम (*dhūm*) I. *m.* smoke, fume II. *f.* furore, bustle, uproar
धूम-धड़क्का *m.* /**धूमधमा** *f.* pomp and show, merriment

धूमकेतु (*dhūmketu*) *m.* falling star, comet

धूमिल (*dhūmil*) *a.* smoked

धूम्र (*dhūmra*) *a.* smoke, smoky

धूर (*dhūr*) *m.* a measure of land about 600 square yards

धूर्त (*dhūrt*) I. *a.* cunning, shrewd, crafty II. *m.* knave

धूल (*dhūl*) *f.* dust
धूल-धक्कड़ *m.* dustiness
धूलधूसरित *a.* full of dust

धूलि (*dhūli*) *f.* dust

धृत (*dhr̥t*) *a.* held, borne

धृति (*dhr̥ti*) *f.* patience

धृष्ट (*dhr̥ṣṭa*) *a.* daring

धेनु (*dhenu*) *f.* milch cow

धैर्य (*dhairya*) *m.* patience

धैर्यवान् (*dhairyavān*) *a.* patient

धोंधा (*dhoṁdhā*) *a.* awkward

धोखा (*dhokhā*) *m.* fraud
धोखाधड़ी *f.* cheating
धोखेबाज़ *m.* trickster

धोती (*dhotī*) *f.* loincloth

धोना (*dhonā*) *v.t.* to wash

धोबिन (*dhobin*) *f.* washerwoman

धोबी (*dhobī*) *m.* washerman

धौंकनी (*dhauṁkanī*) *f.* bellows

धौंस (*dhauṁs*) *f.* 1. threat, menace 2. noisy demeanour

धौरी (*dhaurī*) *f.* white cow

धौल (*dhaul*) *f.* thump, buffet, slap

धौला (*dhaulā*) *a.* 1. white 2. clean

धौलापन (*dhaulāpan*) *m.* whiteness

ध्यातव्य (*dhyātavya*) *a.* to be thought of or reflected

ध्याता (*dhyātā*) *m.* thinker

ध्यान (*dhyān*) *m.* 1. attention 2. meditation
ध्यानशील *a.* contemplative, meditative

ध्यानस्थ (*dhyānastha*) *a.* engrossed or steeped in meditation

ध्यानाकर्षण (*dhyānākarṣaṇ*) *m.* calling attention
ध्यानाकर्षण सूचना *f.* calling attention, notice

ध्यानावस्था (*dhyānāvasthā*) *f.* the state of getting engrossed in meditation, trance

ध्यानावस्थित (*dhyānāvasthit*) *a.* engrossed or steeped in meditation or contemplation

ध्यानासन (*dhyānāsan*) *m.* meditative pose

ध्यानी (*dhyānī*) *a.* & *m.* meditative devotee, contemplative person

ध्येय (*dhyeya*) *m.* goal, aim, object

ध्रुपद (*dhrupad*) *m.* a mode of

ध

classical music

ध्रुव (*dhruv*) *a.* firm, stable

ध्रुवतारा/नक्षत्र *m.* pole star

ध्वंस (*dhvaṃs*) *m.* destruction, ruin

ध्वंसक (*dhvaṃsak*) I. *m.* destroyer II. *a.* ruinous

ध्वंसात्मक (*dhvaṃsātmak*) *a.* destructive

ध्वंसावशेष (*dhvaṃsāvśeṣa*) *m.* 1. ruins 2. relics

ध्वज (*dhvaj*) *m.* flag, banner

ध्वजदंड *m.* flagstaff, flagpole

ध्वजवाहक *m.* standard-bearer

ध्वजारोहण (*dhvajārohaṇ*) *m.* flag-hoisting, raising a flag

ध्वनि (*dhvani*) *f.* sound, noise

ध्वनि-अवशोषक *m.* sound absorber

ध्वनि-प्रसारक *m.* /ध्वनि-विस्तारक *m.* loudspeaker

ध्वनि मत *m.* voice vote

ध्वनित (*dhvanit*) *a.* 1. sounded, echoed 2. ringing

ध्वन्यनुकरण (*dhvanyanukaraṇ*) *m.* onomatopoeia

ध्वन्यर्थ (*dhvanyartha*) *m.* implied or suggestive meaning

ध्वन्यात्मक (*dhvanyātmak*) *a.* 1. phonetic 2. acoustics

ध्वस्त (*dhvasta*) *a.* destroyed, demolished, devastated, ruined

न

नंग (*naṅg*) *m.* nakedness

नंगई (*naṅgaī*) *f.* 1. nakedness, nudity 2. shamelessness

नंगा (*naṅgā*) *a.* 1. naked 2. open

नंगी तलवार *f.* open or drawn sword

नंगे पाँव/पैरों *adv.* barefoot

नंगे सिर *adv.* barehead

नंदन (*nandan*) *m.* 1. son 2. one who delights

नंदित (*nandit*) *a.* 1. delighted, pleased, merry 2. ringing

नंदी (*nandī*) I. *m.* 1. gatekeeper 2. the bull of Shiva II. *a.* causing joy or pleasure

नंदोई (*nandoī*) *m.* sister-in-law's husband

नंबर (*nambar*) *m.* 1. number, figure 2. marks

नई (*naī*) *a.* new

नई-नवेली *a.* young and beautiful girl

नक (*nak*) *f.* nose

नकचढ़ा *a.* (a) fastidious, hard to please (b) proud

नकफूल *m.* nose-ring

नक़द (*naqad*) I. *a.* cash (payment) II. *m.* (hard) cash

नक़द जमा *m.* cash deposit

नक़द नारायण *m.* ready cash

नक़दा-नक़दी (*naqdā-naqdī*) *f.* prompt payment

नक़दी (*naqdī*) *f.* hard cash

नकबेसर (*nakbesar*) *m.* an ornament worn on the nose

नक़ल (*naqal*) *f.* 1. copy, duplicate 2. imitation

नक़लनवीस *m.* copyist, copywriter

नक़लनवीसी *f.* copying

नक़ली (*naqalī*) *a.* fake, spurious, not genuine

नक़्शा (*naqaśā*) *m.* 1. map 2. chart 3. (of a building) plan

नकसीर (*naksīr*) *f.* bleeding from the nose, epistaxis

नक़ाब (*naqāb*) *m.* mask, veil

नक़ाबपोश *a.* & *m.* masked (man), veiled (person)

नकार (*nakār*) *m.* 1. denial, refusal 2. negation

नकारात्मक (*nakārātmak*) *a.* negative

नकारात्मक उत्तर *m.* negative reply

नकुल (*nakul*) *m.* mongoose

नकुली (*nakulī*) *f.* female mongoose

न

नकेल (*nakel*) *f.* halter-pin (especially camel's)
नक्का (*nakkā*) *m.* eye of a needle
नक़्क़ारा (*naqqārā*) *m.* kettledrum
नक़्क़ाशी (*naqqāśī*) *f.* 1. engraving 2. sculpture, statuary
नक्र (*nakra*) *m.* alligator or crocodile
नक़्श (*naqśa*) *m.* features
नक्षत्र (*nakṣatra*) *m.* star, planet
नख (*nakh*) *m.* nail, talon, claw
नख़लिस्तान (*nak͟hlistan*) *m.* oasis
नग (*nag*) *m.* 1. item 2. gem
नगपति (*nagpati*) *m.* the lord of the mountains, the Himalayas
नगण्य (*nagaṇya*) *a.* insignificant, unimportant
नगद (*nagad*) *a.*& *m.* cash
नगदी (*nagdī*) *f.* ready cash
नग़्मा (*nagmā*) *m.* 1. song 2. melodious sound or melody
नगर (*nagar*) *m.* town, city
  नगर निगम *m.* municipal corporation
  नगरपालिका *f.* municipal committee, municipality
  नगरवासी *m.* citizen
नगरीय (*nagarīya*) *a.* of or pertaining to a city or town, urban
नगाड़ा (*nagāṛā*) *m.* kettledrum
नगीना (*nagīnā*) *m.* precious stone, jewel, gem
नगेंद्र (*nagemdra*) *m.* lord of mountains, the Himalayas
नग्न (*nagn*) *m.* naked, nude

नचवाना (*nacvānā*) *v.t.* to cause to dance
नचाना (*nacānā*) *v.t.* to make one dance
नज़दीक (*nazdīk*) *a.* & *adv.* 1. near, nearby, close 2. adjacent
नज़र (*nazar*) *f.* 1. sight 2. glance 3. eye 4. evil eye
नज़रबंद (*nazarband*) *m.* internee
नज़राना (*nazrānā*) *m.* gift, present
नज़ला (*nazlā*) *m.* a cold
नज़ाकत (*nazākat*) *f.* tenderness, delicateness
नजात (*najāt*) *f.* freedom
नज़ारा (*nazārā*) *m.* sight, scene
नज़ीर (*nazīr*) *f.* example
नट (*naṭ*) *m.* acrobat, rope dancer
नटखट (*naṭkhaṭ*) *a.* naughty
नटनागर (*naṭnāgar*) *m.* 1. an expert dancer 2. an epithet of Lord Shiva and also of Lord Krishna
नत (*nat*) *a.* bent, bowed
  नतमस्तक *a.* & *adv.* /**नतमुख** *a.* & *adv.* with the face bowed
नतिनी (*natinī*) *f.* granddaughter, daughter's daughter
नतीजा (*natijā*) *m.* result
नत्थी (*natthī*) *f.* 1. thread or string with which papers are strung 2. record 3. file
नथ (*nath*) *f.* nosering
नथनी (*nathnī*) *f.* 1. nosering 2. nose-rope (of a bullock)
  नथनी उतरना *v.i.* to be deflowered (in case of a virgin)

नदारद (*nadārad*) *a.* 1. missing, absent 2. disappeared
नदी (*nadī*) *f.* river, brook, stream
नदी कूल *m.* bank of a river
ननद (*nanad*) *f.* husband's sister
ननदोई (*nandoī*) *m.* sister-in-law's husband
ननिया (*naniyā*) *a.* of or related to maternal grandfather
ननिया ससुर *m.* husband's or wife's maternal grandfather
ननिहाल (*nanihāl*) *f.* house or town of maternal grandfather
नन्हा (*nànhā*) *a.* tiny, small, little
नपवाना (*napvānā*) *v.t.* to get measured
नपुंसक (*napuṃsak*) *a.* & *m.* impotent person
नफ़रत (*nafrat*) *f.* hate, hatred
नफ़ा (*nafā*) *m.* 1. profit 2. gain
नफ़ासत (*nafāsat*) *f.* 1. nicety, refinement 2. delicacy
नबी (*nabī*) *m.* divine messenger, prophet
नब्ज़ (*nabz*) *f.* pulse
नब्बे (*nabbe*) *a.* ninety
नभ (*nabh*) *m.* 1. sky 2. space
नभचर (*nabhcar*) *a.* & *m.* 1. aerial creatures 2. demons, bird
नभोमंडल (*nabhomaṇḍal*) *m.* sky, firmament
नम (*nam*) *a.* 1. moist 2. wet
नमक (*namak*) *m.* salt
नमकीन (*namkīn*) *a.* saltish, salted food
नमन (*naman*) *m.* 1. bending (low) 2. salutation, greeting
नमस्कार (*namaskār*) *m.* salutation, greeting
नमस्ते (*namaste*) *f.* salutation
नमाज़ (*namāz*) *f.* way of prayer prescribed by Islamic law
नमित (*namit*) *a.* 1. bowed 2. bent
नमूना (*namūnā*) *m.* 1. sample 2. example
नम्र (*namra*) *a.* humble, meek
नय (*naya*) *m.* policy, diplomacy
नयन (*nayan*) *m.* eye
नयनाभिराम (*naynābhirām*) *a.* pleasing to the eye, charming, attractive
नया (*nayā*) *a.* new, novel
नयाचार (*nayācār*) *m.* protocol
नर (*nar*) *m.* 1. man 2. male
नरकेसरी *m.* lion among men
नरव्याघ्र *m.* /**नरशार्दूल** *m.* a brave man
नरक (*narak*) *f.* hell, Hades
नरक चतुर्दशी *f.* the day before Diwali
नरकट (*narkaṭ*) *m.* reed
नरगिस (*nargis*) *f.* narcissus (plant and flower)
नरम (*naram*) *a.* 1. soft 2. mild
नरसिंहा (*narsiṃhā*) *m.* a kind of metal horn
नराधम (*narādham*) *m.* low or mean person
नराधिप (*narādhip*) *m.* /**नराधिपति** (*narādhipati*) *m.* king
नरेश (*nareś*) *m.* /**नरेश्वर** (*nareśvar*) *m.* king, monarch
नरोत्तम (*narottam*) *a.* the best among men

न

नर्कट (*narkaṭ*) *m.* reed
नर्तक (*nartak*) *m.* dancer
नर्तकी (*nartakī*) *f.* dancing girl
नर्तन (*nartan*) *m.* dancing
नर्म (*narma*) *a.* 1. soft 2. mild
नल (*nal*) *m.* 1. water-tap 2. tube
नलकूप *m.* tube-well
नलका (*nalkā*) *m.* water-tap
नलिका (*nalikā*) *f.* 1. tube 2. conduit
नली (*nalī*) *f.* 1. hollow and thin reed 2. narrow pipe or tube
नवंबर (*navambar*) *m.* November, the eleventh month of the year
नव (*nav*) *a.* new, novel
नवग्रह (*navgrah*) *m.* the nine planets
नवजवान (*navjavān*) *m.* youth in the prime of life
नवजागरण (*navjāgaraṇ*) *m.* renaissance
नवजात (*navjāt*) *a.* newborn
नवधा (*navdhā*) *a.* ninefold
नवधा भक्ति *f.* devotion of nine kinds
नवनिधि (*navnidhi*) *f.* the nine treasures
नवनीत (*navnīt*) *m.* butter
नवम (*navam*) *a.* ninth
नवमी (*navmī*) *f.* ninth day of each lunar fortnight
नवयौवना (*navyauvanā*) *f.* woman in the prime of youth
नवरत्न (*navratna*) *m.* nine precious stones, nine gems
नवरस (*navras*) *m.* nine (poetical) sentiments love, humour, etc.
नवरात्र (*navrātra*) *m.* the first nine days of the light half of the Hindu months of Ashvin and Chaitra during which goddess Durga is worshipped
नवल (*naval*) *a.* new, novel
नवाब (*navāb*) *m.* Muslim feudal lord, provincial ruler
नवासी (*navāsī*) I. *a.* eighty-nine II. *f.* daughter's daughter, grand daughter
नवाह (*navāh*) *m.* /नवाह्न (*navāhna*) *m.* nine-day period
नवीन (*navīn*) *a.* 1. new 2. fresh
नवीनतम (*navīntam*) *a.* 1. up-to-date 2. newest
नवीस (*navīs*) *m.* (in combination) writer, scribe
नवोढ़ा (*navoṛhā*) *f.* newly married woman, bride
नव्य (*navya*) *a.* 1. new, neo 2. modern 3. recent 4. fresh
नशा (*naśā*) *m.* intoxication
नशीला (*naśīlā*) *a.* intoxicating
नशेबाज़ (*naśebāz*) *m.* drug addict, habitual drunkard
नश्तर (*naśtar*) *m.* surgical knife
नश्वर (*naśvar*) *a.* destructible
नष्ट (*naṣṭa*) *a.* perished, destroyed, ruined, annihilated
नस (*nas*) *f.* vein, nerve
नसबंदी (*nasbandī*) *f.* vasectomy
नसवार (*nasvār*) *f.* snuff
नसीब (*nasīb*) *m.* fate, luck
नसीहत (*nasīhat*) *f.* advice
नस्ल (*nasl*) *f.* 1. breed 2. lineage
नहछू (*nahchū*) *m.* nail-cutting cer-

emony related to marriage among Hindus

नहर (*nahar*) *f.* canal

नहलाना (*nahalānā*) *v.t.* to bathe

नहान (*nahān*) *m.* 1. bathing 2. bathing in a sacred river

नहीं (*nahīṁ*) I. *adv.* not II. *interj.* no, nay, oh no!

नाँद (*nāṁd*) *f.* trough, vat, tub

नांदी (*nāndī*) *f.* praise

नांदी पाठ *m.* recitation of benediction

नांदी श्राद्ध *m.* commemorative offerings to the manes preliminary to any festival

नाई (*nāī*) *m.* /**नाऊ** (*nāū*) *m.* barber, hairdresser

नाउम्मीद (*nāummīd*) *a.* disappointed, despaired

नाक (*nāk*) *f.* 1. nose 2. (*fig.*) prestige, honour, self-respect

नाका (*nākā*) *m.* 1. checkpoint 2. police-post 3. crocodile

नाकाबंदी (*nākabandī*) *f.* blockade

नाकाम (*nākām*) *a.* /**नाकामयाब** (*nākāmyāb*) *a.* unsuccessful

नाख़ुदा (*nākhudā*) *m.* seaman, boatman

नाखून (*nākhūn*) *m.* finger-nail

नाग (*nāg*) *m.* 1. cobra, the hooded snake 2. elephant 3. mountain

नागफ़नी (*nāgfanī*) *f.* cactus

नागर (*nāgar*) *a.* 1. civil 2. urbane

नागरिक (*nāgarik*) I. *m.* citizen II. *a.* civic, urban, town-born

नागरिकता (*nāgarikatā*) *f.* citizenship

नागवार (*nāgvār*) *a.* unpleasant

नागा (*nāgā*) *m.* 1. nude ascetic 2. name of a tribe of north-east India

नागिन (*nāgin*) *f.* female cobra

नागेंद्र (*nāgeṁdra*) *m.* 1. large snake, king cobra 2. big elephant

नाच (*nāc*) *m.* dance, dancing

नाचना (*nācnā*) *v.i.* to dance

नाचीज़ (*nācīz*) *a.* insignificant, of no consequence

नाज़ (*nāz*) *m.* conceit, pride

नाजायज़ (*nājāyaz*) *a.* improper

नाज़िम (*nāzim*) *m.* an administrator (especially the governor of a Mughal province)

नाज़िर (*nāzir*) *m.* an officer employed in a judicial court

नाजुक (*nāzuk*) *a.* delicate

नाटक (*nāṭak*) *m.* drama, play

नाटकीय (*nāṭakīya*) *a.* dramatic

नाटा (*nāṭā*) *a.* 1. short-statured person 2. dwarf

नाट्य (*nātya*) *m.* art of dancing

नाट्यकला *f.* dramatic art

नाट्यशाला *f.* (a) theatre, drama hall (b) dance hall

नाड़ी (*nāṛī*) *f.* artery, pulse, vein

नाड़ी संस्थान *m.* the system of arteries and veins

नाता (*nātā*) *m.* 1. relation, relationship, kinship 2. affinity

नातेदार (*nātedār*) *m.* relative

नाथ (*nāth*) *m.* 1. lord, master 2. husband

नाद (*nād*) *m.* 1. sound 2. music

नादान (*nādān*) *a.* ignorant

न

नादिर (*nādir*) *a.* 1. rare, uncommon, unusual 2. strange
नादिरशाह (*nādirśāh*) *m.* tyrannous dictator
नाना (*nānā*) *m.* grandfather, mother's father
नानाविध (*nānāvidh*) *a.* of various kinds
नानी (*nānī*) *f.* maternal grandmother, mother's mother
नाप (*nāp*) *f.* measurement, measure
नापना (*nāpnā*) *v.t.* to measure
नापसंद (*nāpasand*) *a.* disliked
नापाक (*nāpāk*) *a.* impure
नापित (*nāpit*) *m.* barber
नाबालिग़ (*nābālig*) I. *a.* underage, immature II. *m.* minor
नाभि (*nābhi*) *f.* navel
नाभिकीय (*nābhikīya*) *a.* nuclear
नाम (*nām*) *m.* name
  नामकरण *m.* naming
  नामकरण संस्कार *m.* naming ceremony
  नामज़द *a.* named, nominated
  नामलेवा *m.* (a) one who bears the name of (b) heir
नामक (*nāmak*) *a.* named, called
नामर्द (*nāmard*) *a.* & *m.* 1. impotent (man) 2. cowardly
नामांकन (*nāmāṅkan*) *m.* 1. nomination 2. enrolment
नामावली (*nāmāvalī*) *f.* 1. list of names 2. nomenclature
नामुराद (*nāmurād*) *a.* 1. unprosperous 2. disappointed
नामोल्लेख (*namollekh*) *m.* mention of a name
नायक (*nāyak*) *m.* 1. hero (of a play or story) 2. leader, guide
नायाब (*nāyāb*) *a.* not easily available, scarce
नायिका (*nāyikā*) *f.* heroine (of a drama or story)
नारंगी (*nāraṅgī*) *f.* orange tree and its fruit
नारा (*nārā*) *m.* 1. slogan 2. string for fastening pyjamas, etc.
नाराज़ (*nārāz*) *a.* 1. angry 2. displeased, unhappy
नारिकेल (*nārikel*) *m.* coconut tree and the fruit
नारियल (*nāriyal*) *m.* coconut
नारी (*nārī*) *f.* woman
नाल (*nāl*) *m.* horseshoe
नाला (*nālā*) *m.* 1. brook, rivulet 2. drain, gutter
नालायक (*nālāyaq*) *a.* unworthy
नालिश (*nāliś*) *f.* plaint, lawsuit
नाली (*nālī*) *f.* drain, conduit
नाव (*nāv*) *f.* boat, ferry
  नाव घाट *m.* ferry
नावक (*nāvak*) *m.* a small arrow
नाविक (*nāvik*) I. *m.* sailor, boatman II. *a.* nautical
नाश (*nāś*) *m.* destruction
नाशक (*nāśak*) *a.* destroyer
नाशपाती (*nāśpātī*) *f.* pear
नाश्ता (*nāśtā*) *m.* breakfast
नासा (*nāsā*) *f.* 1. nose 2. nostril
नासाग्र (*nāsāgra*) *m.* tip of the nose
नासाज़ (*nāsāz*) *a.* indisposed
नासिका (*nāsikā*) *f.* nose

नासूर (*nāsūr*) *m.* 1. running sore or wound 2. sinus 3. fistula

नास्तिक (*nāstik*) *m.* 1. atheist 2. heretic, infidel

नाहक़ (*nāhaq*) *adv.* for nothing

निंदक (*nindak*) *m.* reprover

निंदनीय (*nindanīya*) *a.* reproachable, blameworthy

निंदा (*nindā*) *f.* condemnation
निंदा प्रस्ताव *m.* censure motion

निंद्य (*nindya*) *a.* censurable

निंबू (*nimbū*) *m.* lime tree and its fruit, lemon

निः- (*niḥ*) *pref.* denoting negation

निःशंक (*niḥśaṅk*) *a.* fearless

निःशस्त्र (*niḥśastra*) *a.* unarmed

निःशस्त्रीकरण (*niḥśastrīkaraṇ*) *m.* disarmament

निःशेष (*niḥśeṣ*) *a.* without leaving

निःश्रेयस (*niḥśreyas*) *m.* summum bonum, highest good

निःश्वसन (*niḥśvasan*) *m.* breathing out

निकट (*nikaṭ*) *a.* near, close

निकटवर्ती (*nikatvartī*) *a.* situated nearby, adjacent

निकम्मा (*nikammā*) *a.* 1. useless 2. idle 3. jobless

निकर (*nikar*) I. *f.* shorts II. *m.* 1. heap, pile 2. group

निकलना (*nikalnā*) *v.i.* 1. to come out 2. to get out, to go out

निकष (*nikaṣ*) *m.* 1. touchstone, whetstone 2. criterion

निकाय (*nikāy*) *m.* 1. assemblage, group 2. body 3. system

निकालना (*nikālnā*) *v.t.* 1. to take out 2. to dismiss 3. to pull out 4. to sort out

निकास (*nikās*) *m.* 1. exit 2. outlet, outflow

निकासी (*nikāsī*) *f.* (the act of) taking out

निकाह (*nikāh*) *m.* marriage (in the Muslim way)

निकुंज (*nikuñj*) *m.* arboretum, bower
निकुंज कानन *m.* /**निकुंज वन** *m.* grove, a park with bowers

निकृष्ट (*nikṛṣṭa*) *a.* low, mean

निकेत (*niket*) *m.* place

निकेतन (*niketan*) *m.* house

निखट्टू (*nikhaṭṭū*) *a.* idle, lazy

निखरवाना (*nikharvānā*) *v.t.* to get whitened or brightened

निखर्व (*nikharva*) *m.* & *a.* ten thousand million

निखार (*nikhār*) *m.* brightening up, blossoming out

निखिल (*nikhil*) I. *m.* the entire world II. *a.* all, whole

निगम (*nigam*) *m.* corporation
नगर निगम *m.* municipal corporation

निगमागम (*nigamāgam*) *m.* Vedas and Shastras

निगरानी (*nigarānī*) *f.* vigil

निगलना (*nigalnā*) *v.i.* to swallow up

निगाह (*nigāh*) *f.* look, glance
निगाह चुराना *v.t.* not to be able to look one in the eye

निगूढ़ (*nigūṛh*) *a.* 1. mystic 2. hidden, latent, concealed

न

निग्रह (*nigrah*) *m.* self-control
निचला (*niclā*) *a.* lower, nether
निचला दर्जा *m.* lower class
निचाई (*nicāī*) *f.* lowness
निचोड़ (*nicoṛ*) *m.* essence
निज (*nij*) *a.* own, personal
निज़ाम (*nizām*) *m.* 1. management 2. title of ruler of erstwhile State of Hyderabad
निजी (*nijī*) *a.* own, personal, private
निजी उद्योग *m.* private enterprise
निजी सचिव *m.* private secretary
निडर (*niḍar*) *a.* fearless, intrepid
नितंब (*nitamb*) *m.* buttocks, hips
नितंबिनी (*nitambinī*) *f.* 1. woman with well-formed hips 2. lovely and charming lady
नितांत (*nitānt*) *a.* 1. much, excessive, extreme 2. absolute
नित्य (*nitya*) *a.* 1. regular 2. daily 3. eternal
नित्य-कर्म *m.* daily religious observances or rites
नित्य-प्रति *adv.* daily, regularly
नित्यानंद (*nityānand*) I. *m.* eternal happiness II. *a.* always happy
निदर्शक (*nidarśak*) I. *a.* 1. illustrative 2. proclaiming, declarative II. *m.* illustrator
निदर्शन (*nidarśan*) *m.* illustration, example, instance
निदर्शित (*nidarśit*) *a.* illustrated
निदाघ (*nidāgh*) *m.* heat, warmth
निदान (*nidān*) *m.* diagnosis
निदिष्ट (*nidiṣṭa*) *a.* directed, ordered, adjoined
निदेश (*nideś*) *m.* direction
निदेशक (*nideśak*) *m.* director
निद्रा (*nidrā*) *f.* sleep, slumber
निद्राचारी (*nidrācārī*) *m.* somnambulist, sleepwalker
निद्रित (*nidrit*) *a.* asleep
निधन (*nidhan*) *m.* death, demise
निधि (*nidhi*) *f.* 1. fund 2. treasure 3. storehouse
निनाद (*ninād*) *m.* (loud) sound
निनानवें (*ninānveṁ*) *m.* & *a.* ninety-nine
निपटारा (*nipṭārā*) *m.* 1. settlement 2. adjustment 3. disposal
निपुण (*nipuṇ*) *a.* adept, skilled
निबंध (*nibandh*) *m.* essay
निबंधकार *m.* /निबंध-लेखक *m.* essayist
निबंधक (*nibandhak*) *m.* registrar
निबंधन (*nibandhan*) *m.* 1. registration 2. tying
निबटना (*nibaṭnā*) I. *v.t.* to deal, to tackle II. *v.i.* to go for defecation
निबद्ध (*nibaddha*) *a.* tied, bound
निबाह (*nibāh*) *m.* pulling on, carrying on or out
निबोली (*nibolī*) *f.* /निबौरी (*nibaurī*) *f.* fruit or berry of the neem (margosa) tree
निभना (*nibhnā*) *v.i.* 1. to be dealt with 2. to eke out a living
निभाना (*nibhānā*) *v.t.* to carry out, to pull on

निभृत (*nibhṛt*) *a.* 1. kept, placed 2. hidden, secret, latent
निमंत्रण (*nimantraṇ*) *m.* invitation
निमंत्रित (*nimantrit*) *a.* invited
निमकी (*nimkī*) *f.* saltish snacks
निमग्न (*nimagn*) *a.* 1. sunk 2. drowned 3. immersed
निमज्जन (*nimajjan*) *m.* 1. sinking 2. drowning 3. bathing
निमित्त (*nimitt*) *m.* 1. cause 2. object, purpose, goal
निमिष (*nimiṣ*) *m.* 1. twinkling (of an eye) 2. a moment
निमीलित (*nimīlit*) *a.* closed or shut (as the eyes)
निम्न (*nimn*) *a.* 1. low 2. minimum 3. deep 4. under
निम्न कोटि *a.* low grade
निम्नतम *a.* lowest, minimum
निम्नतर *a.* lower
निम्नलिखित *a.* mentioned below
निम्नांकित (*nimnāṅkit*) *a.* written below, noted below
नियंता (*niyantā*) *m.* 1. controller 2. ruler 3. director 4. God
नियंत्रक (*niyantrak*) I. *m.* controller II.*a.* controlling
नियंत्रण (*niyantraṇ*) *m.* control
नियंत्रण-कक्ष *m.* control room
नियंत्रित (*niyantrit*) *a.* controlled
नियत (*niyat*) *a.* destined, fated
नियति (*niyatī*) *f.* destiny, providence, fate, nemesis
नियम (*niyam*) *m.* rule, precept, law
नियमतः (*niyamtaḥ*) *adv.* as per rules, according to rules
नियमन (*niyaman*) *m.* 1. regulating 2. making a rule
नियमानुकूल (*niyamānukūl*) *m.* in accordance with rules, regular
नियमित (*niyamit*) *a.* regular
नियाज़ (*niyāz*) *f.* 1. petition, request 2. ager desire
नियामत (*niyāmat*) *f.* 1. rare gift 2. boon
नियुक्त (*niyukt*) *a.* appointed
नियुक्ति (*niyukti*) *f.* 1. appointment, employment 2. posting
नियोग (*niyog*) *m.* 1. employment, engagement 2. permission
नियोजन (*niyojan*) *m.* employment
नियोजनालय (*niyojanālaya*) *m.* employment exchange/bureau
निरंकुश (*niraṅkuś*) *a.* autocratic (power, sway), uncurbed
निरंजन (*nirañjan*) I. *m.* God II. *a.* without collyrium
निरंतर (*nirantar*) *a.* & *adv.* continuous
निरंतरता (*nirantartā*) *f.* continuity, constancy
निरक्षर (*nirakṣar*) *a.* unlettered, uneducated, illiterate
निरक्षरता (*nirakṣaratā*) *f.* illiteracy
निरखना (*nirakhnā*) *v.t.* to see, to look at, to examine
निरत (*nirat*) *a.* engaged
निरति (*nirati*) *f.* deep attachment
निरधिकार (*niradhikār*) *a.* without authority or power
निरपराध (*niraprādh*) *a.* free from crime or guilt, guiltless

न

निरपराधी (*niraprādhī*) *a.* guiltless, innocent
निरपेक्ष (*nirapekṣ*) *a.* impartial
निरपेक्षता (*nirapekṣatā*) *f.* impartiality, neutrality
निरपेक्षतावाद *m.* absolutism
निरभिमान (*nirabhimān*) *a.* without pride or vanity/conceit
निरभ्र (*nirabhra*) *a.* cloudless
निरर्थ (*nirarth*) /**निरर्थक** (*nirarthak*) I. *a.* 1. meaningless 2. useless II. *adv.* to no purpose
निरर्थकता (*nirarthakatā*) *f.* uselessness, worthlessness
निरलस (*nirlas*) *a.* not lazy
निरवधि (*nirvadhi*) *a.* & *adv.* without term, of no prescribed or limited period
निरवलंब (*niravlamb*) *a.* helpless, without support or shelter
निरस्त (*nirast*) *a.* 1. cancelled 2. cast out, expelled, ejected
निरस्त्र (*nirastr*) *a.* unarmed, without weapons
निरस्त्रीकरण (*nirastrīkaraṇ*) *m.* disarmament
निरहंकार (*nirahaṅkār*) *a.* without vanity or pride
निरा (*nirā*) *a.* 1. pure 2. absolute
निराकरण (*nirākaraṇ*) *m.* removal, setting aside
निराकांक्षा (*nirākāṅkṣā*) *f.* absence of all desires or avarice
निराकांक्षी (*nirākāṅkṣī*) *a.* desireless, passionless
निराकार (*nirākār*) I. *a.* formless, bodiless II. *m.* God
निरादर (*nirādar*) *m.* 1. disrespect 2. insult 3. disgrace
निरादृत (*nirādṛt*) *a.* disrespected
निराधार (*nirādhār*) *a.* baseless, unfounded, groundless
निरापद (*nirāpad*) *a.* 1. free from misfortune 2. safe
निरामय (*nirāmaya*) *a.* 1. free from disease 2. stainless, clean
निरामिष (*nirāmiṣ*) *a.* (of food) without meat, vegetarian
निराला (*nirālā*) I. *a.* strange II. *m.* solitude, solitary
निरावरण (*nirāvaraṇ*) I. *m.* undressing II. *a.* unveiled
निरावृत (*nirāvṛt*) *a.* uncovered, open, exposed, bare
निराश (*nirāś*) *a.* disappointed
निराशा (*nirāśā*) *f.* disappointment, despair, frustration
निराशावादी *m.* pessimist
निराश्रय (*nirāśraya*) *a.* without shelter or refuge
निराहार (*nirāhār*) *a.* going without food, fasting or starving
निरीक्षक (*nirīkṣak*) *m.* 1. observer 2. invigilator 3. inspector
निरीक्षण (*nirīkṣaṇ*) *m.* 1. observing, watching 2. invigilation
निरीक्षित (*nirīkṣit*) *a.* inspected
निरीश्वर (*nirīśvar*) *a.* godless, atheist
निरीश्वरवाद *m.* atheism
निरीह (*nirīh*) *a.* innocent
निरुक्त (*nirukta*) *a.* 1. stated or said definitely 2. described
निरुत्तर (*niruttar*) *a.* unable to

reply, without a reply

निरुत्साह (*nirutsāh*) *a.* lacking zeal

निरुद्देश्य (*niruddeśya*) *a.* without purpose or goal

निरुद्ध (*niruddh*) *a.* 1. stopped, prevented 2. choked

निरुद्विग्न (*nirudvign*) *a.* free from anxiety

निरुपम (*nirupam*) *a.* matchless

निरुपाय (*nirupāya*) *a.* helpless, resourceless

निरूपक (*nirūpak*) *a.* & *m.* 1. that which determines or demonstrates 2. representative

निरूपण (*nirūpaṇ*) *m.* 1. determination 2. demonstration

निरोग (*nirog*) *a.* /**निरोगी** (*nirogī*) *a.* free from disease, healthy, without ailment

निरोध (*nirodh*) *m.* restraint, control, check

निरोधादेश (*nirodhādeś*) *m.* detention order, prohibitory order

निर्गंध (*nirgandh*) *a.* odourless, without smell

निर्गत (*nirgat*) *a.* 1. issued 2. output

निर्गम (*nirgam*) *m.* 1. outlet 2. issue 3. exit, egress 4. export

निर्गुट (*nirguṭ*) *a.* non-aligned

निर्गुट राष्ट्र *m.* non-aligned nation

निर्गुण (*nirguṇ*) *a.* devoid of or beyond all qualities, without attributes

निर्जन (*nirjan*) *a.* 1. solitary, lonely, secluded 2. unpeopled, uninhabited, desolate

निर्जल (*nirjal*) *a.* 1. waterless, dry 2. not mixed with water

निर्जीव (*nirjīv*) *a.* 1. lifeless 2. dead, deceased

निर्झर (*nirjhar*) *m.* 1. spring, fountain 2. small waterfall

निर्झरिणी (*nirjhariṇī*) *f.* /**निर्झरी** (*nirjharī*) *f.* 1. small waterfall, cascade 2. stream, rivulet

निर्णय (*nirṇaya*) *m.* decision, judgment, verdict

निर्णयाधीन (*nirṇayādhīn*) *a.* sub judice, under judicial consideration

निर्णायक (*nirṇāyak*) I. *a.* 1. decisive, determining, settling, 2. crucial, critical II. *m.* referee, judge, umpire

निर्णीत (*nirṇīt*) *a.* 1. ascertained, determined 2. decided, settled

निर्दय (*nirday*) *a.* 1. pitiless, merciless, unfeeling, ruthless, unkind, remorseless 2. violent, fierce, terrible

निर्दयता (*nirdayatā*) *f.* 1. pitilessness, mercilessness 2. violence, fierceness

निर्दयी (*nirdayī*) *a.* 1. pitiless, merciless, unfeeling, unkind 2. violent, fierce, terrible

निर्दल (*nirdal*) *a.* /**निर्दलीय** (*nirdalīya*) *a.* independent, not belonging to any group or party, nonpartisan

निर्दिष्ट (*nirdiṣṭ*) *a.* 1. indicated, pointed out, shown 2. directed

न

निर्देश (*nirdeś*) *m.* 1. direction 2. indication 3. determination
निर्देश ग्रंथ *m.* reference book
निर्देशक (*nirdeśak*) I. *m.* 1. director 2. guide 3. referee 4. instructor II. *a.* 1. indicating, guiding 2. directing
निर्देशन (*nirdeśan*) *m.* 1. direction 2. guidance 3. reference
निर्देशिका (*nirdeśikā*) *f.* directory, guide book
निर्देशित (*nirdeśit*) *a.* directed, guided, referred
निर्दोष (*nirdoṣ*) *a.* 1. faultless, flawless, without defect 2. guiltless, innocent
निर्द्वंद्व (*nirdvandva*) 1. *a.* (of a person) free from jealousy or envy 2. *adv.* without quarrel or dispute, peacefully
निर्धन (*nirdhan*) *a.*& *m.* poor, penniless, indigent
निर्धनता (*nirdhanatā*) *f.* poverty, pennilessness, indigence
निर्धारक (*nirdhārak*) I. *a.* determinative, determining, ascertaining II. *m.* determinator
निर्धारण (*nirdhāraṇ*) *m.* assessment, determination, ascertainment
निर्धारित (*nirdhārit*) *a.* 1. determined, ascertained, assessed 2. fixed, settled 3. rated 4. scheduled
निर्धारित आय *f.* assessed income
निर्धूम (*nirdhūm*) *a.* smokeless, without smoke
निर्निमेष (*nirnimeṣ*) *a.* without winking or blinking
निर्बल (*nirbal*) *a.* weak, feeble
निर्बलता (*nirbaltā*) *f.* weakness, feebleness
निर्बाध (*nirbādh*) *a.* unobstructed, unimpeded, unrestricted
निर्भय (*nirbhaya*) *a.* fearless, dauntless, intrepid, bold, daring
निर्भर (*nirbhar*) *a.* dependant
निर्भीक (*nirbhīk*) *a.* fearless, dauntless, bold, daring
निर्भ्रम (*nirbhram*) *a.* /**निर्भ्रान्त** (*nirbhrānt*) *a.* free from doubts, having no doubt
निर्मम (*nirmam*) *a.* 1. merciless, pitiless, cruel, relentless, ruthless, hard-hearted, unfeeling 2. selfish
निर्ममता (*nirmamatā*) *f.* 1. cruelty, relentlessness, ruthlessness, heartlessness 2. selfishness 3. disinterestedness
निर्मल (*nirmal*) *a.* 1. pure 2.free from dirt or impurities, stainless, spotless 3. clean, limpid
निर्मलीकरण (*nirmalīkaraṇ*) *m.* cleansing, purification, clarification
निर्माण (*nirmāṇ*) *m.* 1. construction, building 2. production 3. creation
निर्माणशाला *f.* factory
निर्माणाधीन (*nirmāṇādhīn*) *a.* under construction
निर्माता (*nirmātā*) *m.* 1. builder

2. maker 3. creator 4. producer 5. manufacturer 6. architect

निर्माल्य (*nirmālya*) *m.* 1. cleanliness 2. purity 3. stainlessness 4. remains of floral offerings made to a deity

निर्मित (*nirmit*) *a.* 1. constructed 2. manufactured 3. created

निर्मुक्त (*nirmukt*) *a.* liberated, freed, set free, released

निर्मूल (*nirmūl*) *a.* 1. without any root, rootless 2. unfounded, baseless, groundless

निर्मूलन (*nirmūlan*) *m.* uprooting, extirpation

निर्यात (*niryāt*) I. *m.* export II. *a.* gone forth or out, issued

निर्लज्ज (*nirlajj*) *a.* shameless, immodest

निर्लिप्त (*nirlipt*) *a.* 1. uninvolved, unstained, undefiled, uncontaminated, unconnected 2. unanointed, unsmeared

निर्वंश (*nirvaṃś*) *a.* without lineage, without offspring

निर्वहण (*nirvahaṇ*) *m.* 1. carrying on (as a relationship) 2. accomplishment, performance or fulfilment 3. consummation

निर्वाचन (*nirvācan*) *m.* election, choosing by casting vote

निर्वाचन क्षेत्र *m.* constituency

निर्वाचित (*nirvācit*) *a.* elected

निर्वाचित उम्मीदवार *m.* elected candidate

निर्वाण (*nirvāṇ*) *m.* 1. salvation, final beatitude, emancipation 2. extinction 3. peace, calmness 4. blessedness

निर्वात (*nirvāt*) I. *a.* without air or gas II. *m.* vacuum

निर्वास (*nirvās*) *m.* /**निर्वासन** (*nirvāsan*) *m.* exile, banishment, deportation, transportation

निर्वासित (*nirvāsit*) *a.* exiled, deported, banished

निर्वाह (*nirvāh*) *m.* 1. maintenance 2. treatment, handling 3. carrying out

निर्विकल्प (*nirvikalpa*) *a.* 1. without an alternative or option 2. recognising no such distinction as that of subject and object

निर्विकार (*nirvikār*) *a.* 1. changeless, immutable, invariable 2. dispassionate or stolid

निर्विघ्न (*nirvighna*) *a.* unobstructed, unhampered, uninterrupted, safe

निर्विरोध (*nirvirodh*) I. *a.* unopposed, uncontested II. *adv.* without opposition or contest

निर्विवाद (*nirvivād*) *a.* undisputed, indisputable, non-controversial

निर्वीज (*nirvīj*) *a.* 1. seedless 2. causeless 3. completely destroyed

निर्वीर्य (*nirvīrya*) *a.* 1. semenless, sterile, impotent 2. feeble, weak, frail

निर्वैर (*nirvair*) I. *a.* free from

न

enmity II. *m.* absence of enmity

निलंबन (*nilamban*) *m.* suspension

निलंबन भत्ता *m.* suspension allowance

निलंबित (*nilambit*) *a.* suspended

निलय (*nilay*) *m.* house, residence, abode, dwelling place

निवर्तमान (*nivartamān*) *a.* retiring

निवाज़ (*nivāz*) *a.* showing kindness or favour, cherishing

निवार (*nivār*) *f.* broad tape of coarse cotton

निवारक (*nivārak*) *a.* preventive, prohibiting

निवारण (*nivāraṇ*) *m.* 1. prevention 2. preclusion

निवारणात्मक (*nivārṇātmak*) *a.* 1. preventive 2. precautionary

निवाला (*nivālā*) *m.* morsel, a mouthful

निवास (*nivās*) *m.* residence, dwelling place

निवासी (*nivāsī*) *m.* resident, habitant, dweller

निविड़ (*nivir̤*) *a.* thick, dense, deep

निविड़ अंधकार *m.* pitch-dark

निविदा (*nividā*) *f.* tender

निवृत्त (*nivr̥tt*) *a.* 1. finished 2. ceased, stopped, refrained

निवेदक (*nivedak*) *m.* applicant, petitioner

निवेदन (*nivedan*) *m.* prayer, petition, request, application

निवेदित (*nivedit*) *a.* requested, prayed for, solicited

निवेश (*niveś*) *m.* investment

निवेशक (*niveśak*) *m.* 1. investor 2. recorder

निशांत (*niśānt*) *m.* end of the night, early morning, dawn

निशा (*niśā*) *f.* night

निशा निमंत्रण *m.* serenade

निशाचर (*niśācar*) *a.* & *m.* 1. demon, goblin, fiend 2. (any animal) that prowls about at night 3. thief

निशान (*niśān*) *m.* 1. mark, sign 2. impression

निशानची (*niśāncī*) *m.* marksman, one who shoots well

निशाना (*niśānā*) *m.* target, aim, point

निशानेबाज़ (*niśānebāz*) *m.* marksman, good shot, skilled in shooting

निशि (*niśi*) *f.* night

निशिदिन (*niśidin*) *adv.* /**निशिबासर** (*niśibāsar*) *adv.* day and night, ceaselessly, continuously

निशीथ (*niśīth*) *m.* 1. night, sleeping time 2. midnight

निश्चय (*niścaya*) *m.* certainty, surety

निश्चयात्मक (*niścayātmak*) *a.* positive, definite

निश्चल (*niścal*) *a.* motionless, stationary

निश्िंचत (*niścint*) *a.* free from care or worry/anxiety, carefree

निश्चित (*niścit*) *a.* certain, definite,

sure

निश्चितता (*niścitatā*) *f.* certainty, definiteness, surety

निश्चेष्ट (*niśceṣṭa*) *a.* deprived of motion or action, motionless, effortless

निश्छल (*niśchal*) *a.* guileless, not deceptive

निश्वास (*niśvās*) *m.* breath, exhalation, breathing out

निश्शंक (*niśśaṅk*) *a.* fearless, dauntless, daring, courageous, bold

निश्शेष (*niśśeṣ*) *a.* 1. without leaving any remainder 2. entire, full, whole 3. total 4. complete

निषाद (*niṣād*) *m.* 1. an aboriginal tribe or a member of this tribe (usually living on the banks of rivers) 2. the last of the seven musical notes

निषिद्ध (*niṣiddh*) *a.* prohibited, forbidden, interdicted

निषिद्धि (*niṣiddhi*) *f.* prohibition, forbidden

निषेध (*niṣedh*) *m.* 1. prohibition, forbidden 2. negation 3. veto

निषेधाज्ञा (*niṣedhājñā*) *f.* 1. prohibitory order 2. stay order, injunction

निषेधात्मक (*niṣedhātmak*) *a.* prohibitive, prohibitory

निष्कंटक (*niṣkaṇṭak*) *a.* 1. free from thorns, without thorns 2. unimpeded, unhindered, unobstructed

निष्कंटक राज्य *m.* unhampered rule or regime

निष्कपट (*niṣkapaṭ*) *a.* 1. guileless 2. artless, simple

निष्करुण (*niṣkaruṇ*) *a.* pitiless, merciless, unkind

निष्कर्ष (*niṣkarṣ*) *m.* 1. conclusion 2. essence, substance

निष्कलंक (*niṣkalaṅk*) *a.* blameless, stainless, immaculate

निष्कलुष (*niṣkaluṣ*) *a.* unblemished, stainless

निष्काम (*niṣkām*) *a.* 1. (action) done without desire or selfish gain 2. (of person) free from desire or lust, unselfish

निष्कासन (*niṣkāsan*) *m.* 1. removal 2. rustication 3. expulsion, ostracism, ejectment, eviction

निष्कासित (*niṣkāsit*) *a.* 1. rusticated 2. extracted, drawn out

निष्क्रिय (*niṣkriya*) *a.* inactive, idle, lazy

निष्ठ (*niṣṭh*) *suff.*& *a.* 1. loyal, faithful 2. devoted

निष्ठा (*niṣṭhā*) *f.* 1. loyalty, fidelity, allegiance 2. devotion

निष्ठुर (*niṣṭhur*) *a.* hard-hearted, cruel, heartless, unkind

निष्णात (*niṣṇāt*) *a.* 1. expert, skilled, adept, dexterous 2. well-versed

निष्पंद (*niṣpand*) *a.* 1. motionless 2. without vibration

निष्पक्ष (*niṣpakṣ*) *a.* impartial, fair

निष्पत्ति (*niṣpatti*) *f.* 1. final settlement 2. determination 3. completion, accomplishment, perfection, consummation

निष्पादक (*niṣpādak*) *m.* 1. performer, accomplisher 2. executor, doer

निष्पादन (*niṣpādan*) *m.* 1. performance, accomplishment 2. execution

निष्पादित (*niṣpādit*) *a.* 1. performed 2. executed

निष्पाप (*niṣpāp*) *a.* sinless, guiltless

निष्प्रभाव (*niṣprabhāva*) *a.* having no influence or effect, ineffectual, ineffective

निष्प्रयोजन (*niṣprayojan*) *m.* purposeless, aimless

निष्प्राण (*niṣprāṇ*) *a.* lifeless, destitute of life, inanimate

निष्फल (*niṣphal*) *a.* fruitless, bearing no fruit

निस् (*nis*) *pref.* denoting without, (as निस्सहाय, निस्संकोच, etc.)

निसर्ग (*nisarg*) *m.* 1. nature, natural state or condition 2. bestowal 3. heaven

निसार (*nisār*) *a.* sacrificed

जान निसार करना *v.t.* to sacrifice one's life

निस्तब्ध (*niṣtabdha*) *a.* 1. motionless, still, stationary 2. quiet

निस्तार (*nistār*) *m.* 1. crossing 2. bringing safely across

निस्तारित (*nistārit*) *a.* 1. crossed, passed 2. released, liberated

निस्तेज (*nistej*) *a.* lustreless, without splendour

निस्पंद (*nispand*) *a.* motionless, not vibrating

निस्पृह (*nispṛh*) *a.* free from any desire

निस्संकोच (*nissaṅkoc*) *adv.* without hitch or hesitation

निस्संग (*nissaṅg*) *a.* 1. friendless 2. lonely 3. without any desire

निस्संतान (*nissantān*) *a.* childless, without an issue, issueless

निस्संदेह (*nissandeh*) I. *adv.* undoubtedly II. *a.* free from doubt

निस्सहाय (*nissahāya*) *a.* helpless, without support

निस्सार (*nissār*) *a.* 1. without substance 2. unsubstantial

निस्सारित (*nissārit*) *a.* turned out, extracted, discharged

निस्सीम (*nissīm*) *a.* unlimited, unbounded, limitless

निस्स्वार्थ (*nissvārth*) *a.* 1. selfless 2. unselfish

निहंता (*nihantā*) *a.* 1. murderous 2. destructive, ruinous

निहत (*nihat*) *a.* killed, slain

निहत्था (*nihatthā*) *a.* 1. empty-handed 2. unarmed

निहाई (*nihāī*) *f.* anvil

निहायत (*nihāyat*) *adv.* excessively, very much

निहार (*nihār*) *m.* 1. light morning meal, breakfast 2. fog, mist

निहाल (*nihāl*) *a.* 1. perfectly satisfied 2. exalted

निहित (*nihit*) *a.* 1. placed, laid

2. vested 3. implied
निहितार्थ (*nihitārtha*) *m.* implication, implied meaning
निहोरा (*nihorā*) *m.* prayer, request, entreaty, solicitation
नींद (*nīṁd*) *f.* sleep, slumber
नींबू (*nīṁbū*) *m.* lemon
नींव (*nīṁv*) *f.* foundation, base
नींव का पत्थर *m.* foundation stone
नीच (*nic*) *a.* 1. low, lowly, mean 2. ignominious 3. wicked
नीचता (*nīcatā*) *f.* lowliness, meanness, nefariousness
नीचा (*nīcā*) *a.* 1. low 2. slanting, sloping 3. bent down, stooped 4. mean
नीचाई (*nīcāi*) *f.* 1. lowness 2. depth 3. slope 4. low position
नीचे (*nīce*) *adv.* below, under, underneath
नीड़ (*nīṛ*) *m.* 1. nest 2. shelter, refuge, resort
नीति (*nīti*) *f.* 1. policy 2. morality, ethics, moral philosophy
नीति-कथा *f.* parable, fable, epilogue
नीति-निर्देशन *m.* policy dictation
नीतिपरायण *a.* apt in policy-making, righteous
नीतिशास्त्र *m.* moral science, ethics
नीम (*nīm*) I. *f.* neem tree (margosa) II. *a.* 1. light 2. half, semi
नीम हकीम *m.* quack, charlatan, mountebank
नीयत (*nīyat*) *f.* intent, motive, intention
नीरंध्र (*nīrandhra*) *a.* 1. without apertures or interstices or gaps, imperforate 2. thick
नीर (*nīr*) *m.* water
नीर-क्षीर-विवेक *m.* discretion between good and bad or right and wrong
नीरज (*nīraj*) *m.* anything born out of water, lotus, pearl
नीरद (*nīrad*) *m.* water-giver, cloud
नीरव (*nīrav*) *a.* soundless, noiseless, silent
नीरवता (*nīravatā*) *f.* silence, soundlessness
नीरस (*nīras*) *a.* 1. juiceless 2. sapless 3. (of person) unfeeling
नीरा (*nīrā*) *f.* juice of date-palm
नील (*nīl*) *m.* 1. blue, indigo 2. ten billion 3. bruise
नीलकंठ (*nīlkaṇṭh*) I. *a.* blue-necked, blue-throated II. *m.* an epithet of Lord Shiva
नीलगाय (*nīlgāya*) *m.* white-footed antelope
नीलम (*nīlam*) *m.* sapphire
नीलांबर (*nīlāmbar*) I. *m.* blue garment II. *a.* wearing blue clothes, dressed in dark-blue
नीलांबुज (*nīlāmbuj*) *m.* blue lotus
नीला (*nīlā*) *a.* blue
नीलाभ (*nīlābh*) *a.* blue-tinged,

न

bluish, glaucous

नीलाम (*nīlām*) *m.* auction

नीलाश्म (*nīlāśm*) *m.* blue stone, sapphire

नीलिमा (*nīlimā*) *f.* blueness, bluishness, bluish tint

नीलोत्पल (*nīlotpal*) *m.* blue lotus, water lily

नीलोफ़र (*nīlofar*) *m.* 1. blue lotus 2. water lily

नीवी (*nīvī*) *f.* 1. the knotted end of loincloth 2. waistband

नीहारिका (*nīhārikā*) *f.* a patch of white cloud or gas seen as a fog, nebula

नुकता (*nukatā*) *m.* 1. point (to be considered) 2. dot

नुकसान (*nuksān*) *m.* 1. loss 2. deficiency 3. harm

नुकीला (*nukīlā*) *a.* having a sharp point, pointed, acute

नुक्कड़ (*nukkaṛ*) *m.* nook, corner (especially street corner)

नुक्कड़ नाटक *m.* corner play, street play

नुक़्स (*nuqs*) *m.* defect, flaw, fault, deficiency

नुक्स निकालना *v.t.* to find fault

नुचना (*nucna*) *v.i.* 1. to be clawed or pinched 2. to be scratched

नुचवाना (*nucvānā*) *v.t.* 1. to cause to be clawed or pinched 2. to get plucked

नुमाइंदगी (*numāindgī*) *f.* 1. representation 2. delegation

नुमाइंदा (*numāindā*) *m.* representative

नुमाइश (*numāiś*) *f.* 1. exhibition 2. exposition

नुसख़ा (*nusa<u>kh</u>ā*) *m.* /**नुस्ख़ा** (*nus<u>kh</u>ā*) *m.* 1. prescription, recipe, regimen 2. (of a book) manuscript

नूतन (*nūtan*) *a.* new, novel

नून (*nūn*) *m.* salt

नूपुर (*nūpur*) *m.* an ornament for ankles and feet, anklet

नूर (*nūr*) *m.* 1. light 2. vision, eyesight 3. brilliance 4. beauty

नृजाति (*nr̥jāti*) *f.* human race, mankind

नृत्य (*nr̥tya*) *m.* dance

नृत्यरूपक *m.* ballet

नृत्यशाला *f.* dance-hall, ballroom, theatre

नृप (*nr̥p*) *m.* /**नृपति** (*nr̥pati*) *m.* /**नृपेंद्र** (*nr̥pendra*) *m.* king, sovereign

नृविज्ञान (*nr̥vijñān*) *m.* anthropology, ethnography

नृशंस (*nr̥śaṃs*) *a.* inhuman, inhumane, cruel, unfeeling

नृसिंह (*nr̥siṃh*) *m.* 1. lion like man, a man as mighty as the lion 2. half-man and half-lion as an incarnation of Vishnu

नेक (*nek*) *a.& pref.* good, virtuous

नेक आदमी *m.* a good or virtuous man

नेकनाम (*neknām*) *a.* of good repute, well-known

नेकी (*nekī*) *f.* good, goodness, virtue

न

नेग (*neg*) *m.* present or tip given at auspicious occasions to relatives and dependants

नेता (*netā*) *m.* 1. leader 2. pioneer
नेतागीरी *f.* (pejorative) leadership

नेति *(neti) f.* 'no end' to it, God's attributes are limitless or countless

नेती (*netī*) *f.* yogic exercise in which a strip of cloth is used to cleanse the body

नेतृत्व (*netṛtva*) *m.* leadership, leading

नेत्र (*netr*) *m.* eye
नेत्रगोचर *a.* perceptible to the eyes, visible, within view
नेत्र विज्ञान *m.* ophthalmology

नेत्री (*netrī*) *f.* female leader

नेनुआ (*nenuā*) *m.* a green vegetable

नेपथ्य (*nepathya*) *m.* green-room, offstage, backstage
नेपथ्य संगीत *m.* background music

नेपाली (*nepālī*) I. *a.* of or belonging to Nepal II. *f.* Nepali language III. *m.* inhabitant of Nepal

नेवला (*nevlā*) *m.* mongoose, weasel

नेस्त (*nest*) *a.* non-existent
नेस्तनाबूद *a.* destroyed, ruined, annihilated, devastated

नेह (*neh*) *m.* love, affection

नैऋत्य (*nairṭya*) *m.* south-west corner

नैतिक (*naitik*) *a.* moral, ethical

नैतिकता (*naitikatā*) *f.* morality

नैन (*nain*) *m.* eye

नैमित्तिक (*naimittik*) *a.* 1. casual, occasional 2. periodical

नैयायिक (*naiyāyik*) I. *a.* of logic, dialectic II. *m.* logician, dialectician, sophist, follower of Nyaya philosophy

नैराश्य (*nairāśya*) *m.* despair, disappointment, blues, despondency

नैवेद्य (*naivedya*) *m.* offering, oblation (as of rice, sugar, banana, etc.) made to a deity or idol

नैष्ठिक (*naiṣṭhik*) *a.* conformist, orthodox, devoted to observing rites

नैसर्गिक (*naisargik*) *a.* natural, innate, instinctive, heavenly

नैहर (*naihar*) *m.* married woman's paternal home

नोक (*nok*) *f.* 1. point 2. tip

नोकझोंक (*nok-jhoṁk*) *f.* skirmish, sharp contest of wit

नोच (*noc*) *f.* scratch, snatching
नोच-खसोट *f.* (a) mutual tearing and snatching (b) grabbing

नोचना (*nocnā*) *v.t.* to snatch, to scratch, to claw, to gnaw

नोन (*non*) *m.* salt

नोना (*nonā*) *a.* 1. salty, saltish, saline 2. fair, beautiful
नोनी मिट्टी *f.* brackish soil

नौ (*nau*) *m.* & *a.* 1. nine 2. boat 3.

new, fresh, young
नौ-अभियन्ता (*nau-abhiyantā*) *m.* marine engineer
नौकर (*naukar*) *m.* servant, menial employee
नौकरशाह *m.* bureaucrat
नौकरानी (*naukarānī*) *f.* female servant, maid
नौकरी (*naukarī*) *f.* service
नौका (*naukā*) *f.* boat
नौकाविहार *m.* boating, pleasure trip in a boat
नौचालन (*naucālan*) *m.* navigation, shipping, sailing
नौजवान (*naujavān*) *a.* & *m.* young man, youth in prime of life
नौटंकी (*nauṭaṅkī*) *f.* folk-drama with music and dance
नौद्वार (*naudvār*) *m.* the nine outlets of the body
नौनिधि (*naunidhi*) *f.* nine jewels or gems forming the treasure of Kuber, god of wealth
नौनिहाल (*naunihāl*) *m.* promising lad
नौपरिवहन (*nauparivahan*) *m.* shipping, navigation
नौबत (*naubat*) *f.* 1. state of affairs 2. kettledrum
नौरत्न (*nauratn*) *m.* 1. nine precious stones 2. the nine men of letters in a royal court
नौरात्र (*naurātra*) *m.* & *pl.* the period of nine days devoted to goddess Durga, occurring before Dushehra
नौलखा (*naulakhā*) *a.* costing nine lakh rupees, very costly
नौशा (*nauśā*) *m.* /**नौशाह** (*nauśāh*) *m.* bridegroom, husband
नौशी (*naūśī*) *f.* bride, wife
नौसादर (*nausādar*) *m.* ammonium chloride
नौसिखिया (*nausikhiyā*) *a.*& *m.* /**नौसिखुआ** (*nausikhuā*) *a.* & *m.* novice, not well-trained (person), green hand, fresher
नौसेना (*nausenā*) *f.* navy, naval force
नौसेनापति *m.* admiral
नौसेवा (*nausevā*) *f.* naval service
नौसैनिक (*nausainik*) I. *a.* naval II. *m.* naval fighter
न्याय (*nyāya*) *m.* 1. justice, fairness 2. right course of action
न्यायतंत्र *m.* judiciary, judicature
न्यायपरायण *a.* (a) just, righteous, fair, equitable, judicious (b) virtuous, honest, sincere
न्यायपालिका *f.* judiciary
न्यायपीठ *m.* bench
न्यायमूर्ति *m.* Mr. Justice
न्यायसंगत *a.* fair, just, right, lawful, proper, equitable
न्यायतः (*nyāyataḥ*) *adv.* 1. judicially 2. justly, judiciously, fairly
न्यायाधिकरण (*nyāyādhikaraṇ*) *m.* tribunal
न्यायाधीन (*nyāyādhīn*) *a.* subjudice
न्यायाधीश (*nyāyādhīś*) *m.* judge

न्यायालय (*nyāyālaya*) *m.* court, court of justice, court of law

न्यारा (*nyārā*) *a.* 1. separate, isolated 2. uncommon

न्यास (*nyās*) *m.* 1. trust 2. endowment

न्यासी (*nyāsī*) *m.* trustee

न्यून (*nyūn*) *a.* 1. less, short 2. defective, faulty

न्यून कोण *m.* acute angle

न्यूनतम (*nyūntam*) *a.* minimum, least

न्यूनता (*nyūnatā*) *f.* shortfall, deficiency, shortcoming

न्यूनाधिक (*nyūnādhik*) *a.* more or less

न्योतना (*nyotnā*) *v.t.* to invite to a feast

न्योता (*nyotā*) *m.* invitation

न्योली (*nyolī*) *f.* a yogic exercise to purge the stomach

प

प

पंक (*paṅk*) *m.* 1. mud 2. slush, mire
पंकज (*paṅkaj*) *m.* lotus
पंकिल (*paṅkil*) *a.* full of mud
पंक्ति (*paṅkti*) *f.* row, line
पंक्तिबद्ध *m.* arranged in a row
पंख (*paṅkh*) *m.* feather, wing
पंखड़ी (*paṅkhaṛī*) *f.* / **पंखुड़ी** (*paṅkhuṛī*) *f.* petal of a flower
पंखा (*paṅkha*) *m.* fan
पंगु (*paṅgu*) *a.* lame, crippled, bandy-legged
पंच (*pañc*) I. *a.* & *suff.* used before stressed syllable for five II. *m.* 1. member of a panchayat 2. arbitrator
पंचकन्या (*pañckanyā*) *f.* the five eternal virgins (in mythology) --Ahalya, Draupadi, Kunti, Tara and Mandodari
पंचकोसी (*pañckosī*) *f.* /**पंचकोशी** (*pañchkośī*) *f.* a distance of five kosas or ten miles
पंचगव्य (*pañcgavya*) *m.* five sacred products of a cow milk, curd, butter, urine and dung
पंचत्व (*pañcatva*) *m.* transformation of the five elements of the body to their respective original form after death
पंचतत्त्व (*pañctattva*) *m.* the five elements of which the body is made earth, water, fire, air and ether
पंचनद (*pañcnad*) *m.* the five rivers (of the Punjab) Sutlej, Beas, Ravi, Chenab and Jhelum
पंचपरमेश्वर (*pañchparmeśvar*) *m.* the five supreme gods, a village court or tribunal
पंचपल्लव (*pañcpallav*) *m.* five leaves used in idol-worship
पंचपात्र (*pañcpātra*) *m.* five vessels especially kept for worship or for offering water
पंचप्राण (*pañcprāṇ*) *m.* five kinds of vital airs in the body
पंचभौतिक (*pañcbhautik*) *a.* consisting of five elements
पंचम (*pañcam*) *a.* fifth
पंचमी (*pañcamī*) *f.* fifth day of lunar fortnight
पंचवटी (*pañcvaṭī*) *f.* venue of Ram's stay in Dandkaranya

पंचवर्षीय (*pañcvarṣīya*) *a.* five-year, quinquennial

पंचशील (*pañcśīl*) *m.* 1. set of five tenets 2. five basic principles of international conduct

पंचहज़ारी (*pañchazārī*) *m.* (in Mughal times) a chief who kept a cavalry of five thousand horses and soldiers

पंचांग (*pañcāṅg*) *m.* calendar, almanac

पंचानन (*pañcānan*) *m.* the God with five faces, Shiva

पंचामृत (*pañcāmṛt*) *m.* sacred mixture of milk, curd, sugar, ghee and honey

पंचायत (*pañcāyat*) *f.* village council

पंचोपचार (*pañcopcār*) *m.* five objects used in the worship of deities

पंछी (*pañchī*) *m.* bird

पंजर (*pañjar*) *m.* 1. skeleton 2. a very thin person or animal

पंजा (*pañjā*) *m.* hand with the fingers

पंजाबी (*pañjābī*) I. *f.* Punjabi language II. *m.* inhabitant of Punjab

पंजिका (*pañjikā*) *f.* 1. detailed commentary 2. small register

पंजी (*pañjī*) *f.* register

पंजी कार्यालय *m.* registry office

पंजीकरण (*pañjīkaraṇ*) *m.* registration, registry

पंजीकृत (*pañjīkṛt*) *a.* registered

पंड (*paṇḍ*) *m.* a eunuch, an impotent man

पंडा (*paṇḍā*) *m.* a priest at a place of pilgrimage

पंडाल (*paṇḍāl*) *m.* a big tent

पंडित (*paṇḍit*) *a.* 1. scholar, learned person 2. Brahmin

पंडिता (*paṇḍitā*) *f.* woman scholar, learned woman

पंडिताइन (*paṇḍitāin*) *f.* wife of a Pandit or Brahmin

पंडिताई (*paṇḍitāī*) *f.* 1. scholarship 2. priestly job

पंडुक (*paṇḍuk*) *m.* dove (bird)

पंडूरी (*paṇḍūrī*) *f.* a species of hawk or falcon

पंथ (*panth*) *m* 1. pathway 2. sect

पंथी (*panthī*) *m.* 1. traveller 2. follower of a particular sect

पंद्रह (*pandrah*) *m.* & *a.* fifteen

पंसारी (*paṃsārī*) *m.* grocer, trader

पकड़ (*pakaṛ*) *f.* 1. hold 2. catch

पकड़ना (*pakaṛnā*) *v.t.* to catch

पकड़वाना (*pakaṛvānā*) *v.t.* to cause to be caught

पकना (*paknā*) *v.i.* 1. to ripen 2. to be cooked 3. to be baked

पकवान (*pakvān*) *m.* fried delicacy

पका (*pakā*) *f.* & *a.* 1. ripe (fruit) 2. cooked (food)

पकाना (*pakānā*) *v.t.* 1. to cook 2. to ripen as of a fruit

पकौड़ा (*pakauṛā*) *m.* a kind of salty patty of gram flour

पक्का (*pakkā*) *a.* 1. strong 2. firm

पक्ष (*pakṣ*) *m.* 1. side 2. party 3. fortnight 4. wing 5. favour

प

पक्षधर *m.* partisan, supporter
पक्षपात *m.* favouritism
पक्षपाती *a.* partisan, partial
पक्षाघात (*pakṣāghāt*) *m.* paralysis of one side of the body, hemiplegia
पक्षिराज (*pakṣirāj*) *m.* chief among birds, eagle
पक्षी (*pakṣī*) *m.* bird, birds
पखवाड़ा (*pakhvāṛā*) *m.* fortnight
पखावज (*pakhāvaj*) *f.* a kind of drum, timbrel
पखेरू (*pakherū*) *m.* bird
पख़्तून (*pakhtūn*) *m.* a tribe which lives in the hills of Afghanistan
पग (*pag*) *m.* foot
पगचाप *m.* footfall
पगडंडी *f.* footpath, track
पगड़ी (*pagṛī*) *f.* turban
पगला (*paglā*) *a.*& *m.* mad (man)
पगहा (*pagahā*) *m.* tether
पगुराना (*pagurānā*) *v.i.* to chew the cud, to ruminate
पचगुना (*pacgunā*) *a.* five times
पचड़ा (*pacṛā*) *m.* muddle, fuss
पचना (*pacnā*) *v.i.* 1. to be digested 2. to be swallowed
पचपन (*pacpan*) *m.*& *a.* fifty-five
पचहत्तर (*pachattar*) *m.*& *a.* seventy-five
पचानवे (*pacānve*) *m.*& *a.* ninety-five
पचाना (*pacānā*) *v.t.* to digest
पचास (*pacās*) *m.*&. *a.* fifty
पचासी (*pacāsī*) *m.*& *a.* eighty-five
पच्चीस (*paccīs*) *m.*& *a.* twenty-five
पच्छिम (*pacchim*) *m.* west
पछताना (*pachtānā*) *v.i.* to repent, to rue, to regret
पछवा (*pachvā*) *a.* western
पछाड़ (*pachāṛ*) *f.*1. a fall on the back 2. throwing down
पछाड़ना (*pachāṛnā*) *v.t.* 1. to throw down 2. to defeat
पट (*paṭ*) *m.* 1. door 2. cloth
पटकथा (*paṭkathā*) *f.* screenplay
पटरानी (*paṭrānī*) *f.* the chief queen
पटकना (*paṭaknā*) *v.t.* to dash down, to throw down
पटरा (*paṭrā*) *m.* low wooden seat
पटरी (*paṭrī*) *f.* 1. rail, railway track 2. footpath 3. pavement
पटल (*paṭal*) *m.* 1. thatch 2. roof
पटवारी (*paṭvārī*) *m.* village official who keeps land records
पटसन (*paṭsan*) *m.* jute
पटसन उद्योग *m.* jute industry
पटाका (*paṭākā*) *m.*/पटाखा (*paṭākhā*) *m.* fire-cracker
पटाक्षेप (*paṭākṣep*) *m.* 1. curtain-call 2.ringing down of the curtain
पटाना (*paṭānā*) *v.t.* 1. to get something covered up 2. to settle (money matter) 3. to persuade
पटु (*paṭu*) *a.* clever, skilful
पट्टा (*paṭṭā*) *m.* 1. lease 2. (dog's) collar 3. horse's girth
पट्टिका (*paṭṭikā*) *f.* plate
पट्टी (*paṭṭī*) *f.* bandage
पट्ठा (*paṭṭhā*) I. *a.*& *m.* robust

प

(youth) II. *m.* spine

पठन (*paṭhan*) *m.* 1. reading 2. studying

पठन-पाठन *m.* studying and teaching

पठनीय (*paṭhanīya*) *a.* readable

पठान (*paṭhān*) *m.* name of a tribe of people living in Afghanistan

पठार (*paṭhār*) *m.* tableland, plateau

पठित (*paṭhit*) *a.* read, studied

पड़दादा (*parḍādā*) *m.* great grandfather (paternal)

पड़ना (*paṛnā*) *v.i.* to lie down

पड़वा (*paṛvā*) *m.* calf of a buffalo

पड़ाव (*paṛāv*) *m.* 1. resting or halting place, halt 2. camp

पड़ोस (*paṛos*) *m.* neighbourhood

पड़ोसी (*paṛosī*) *m.* neighbour

पड़ोसी राज्य *m.* neighbouring state

पढ़ना (*paṛhanā*) *v.t.* 1. to read 2. to study

पढ़वाना (*paṛhvānā*) *v.t.* to cause to be read

पढ़ा (*paṛhā*) *a.* 1. read 2. learned

पढ़ा-लिखा *a.* educated, literate

पढ़ाई (*paṛhāī*) *f.* studying

पढ़ाना (*paṛhānā*) *v.t.* 1. to make one read or study 2. to teach

पतंग (*pataṅg*) *f.* & *m.* kite

पतंग-बाज़ *m.* kite-flier

पतंग-बाज़ी *f.* kite-flying

पतंगा (*pataṅgā*) *m.* moth, winged insect

पत (*pat*) *f.* honour, name

पतझड़ (*patjhaṛ*) *m.* autumn

पतन (*patan*) *m.* downfall

पतनशील *a.* prone to fall

पतला (*patlā*) *a.* 1. thin 2. slender

पतलून (*patlūn*) *f.* trousers

पतवार (*patvār*) *f.* rudder, helm

पता (*patā*) *m.* address

पताका (*patākā*) *f.* flag, banner

पति (*pati*) *m.* husband

पतिव्रत *m.* loyalty towards one's husband

पतिव्रता *f.* & *a.* faithful and virtuous wife

पतित (*patit*) *a.* 1. fallen 2. degraded 3. ostracized, outcast

पतित-पावन *m.* (a) one who purifies and uplifts the downtrodden (b) an epithet of God

पतिता (*patitā*) *f.* fallen or downtrodden/degraded woman

पतीला (*patīlā*) *m.* wide metal pot, a small cauldron

पतीली (*patīlī*) *f.* 1. a small metal vessel 2. container

पतोहू (*patohū*) *f.* daughter-in-law

पत्तन (*pattan*) *m.* 1. town, city 2. port 3. port town

पत्तल (*pattal*) *f.* platter made of leaves

पत्ता (*pattā*) *m.* 1. leaf 2. a playing card

पत्थर (*patthar*) *m.* 1. stone 2. gem

पत्नी (*patnī*) *f.* wife, spouse

पत्नीव्रत *a.* faithful to his wife

पत्र (*patra*) *m.* 1. letter 2. newspaper

पत्रकार *m.* journalist

पत्रकारिता *f.* journalism
पत्रदीर्घा *f.* press gallery
पत्रपंजी *f.* (a) register (b) file
पत्र-पुष्प *m.* honorarium
पत्र-पेटी *f.* letter box
पत्र-मित्र *m.* pen-friend
पत्रवाहक *m.* letter-bearer
पत्र-व्यवहार *m.* correspondence
पत्र-संख्या *f.* letter number

पत्राचार (*patrācār*) *m.* correspondence
पत्राचार पाठ्यक्रम *m.* correspondence course

पत्रोत्तर (*patrottar*) *m.* reply to a letter

पथ (*path*) *m.* path, way, track
पथ कर *m.* toll tax
पथ-प्रदर्शक *m.* guide, leader, torch-bearer
पथ-प्रदर्शन *m.* guidance
पथभ्रष्ट *m.* misguided

पथराव (*pathrāv*) *m.* stoning, stone-throwing

पथरी (*pathrī*) *f.* 1. bladder-stone, gallstone 2. stone bowl

पथरीला (*pathrīlā*) *m.* stony

पथिक (*pathik*) *m.* traveller

पथ्य (*pathya*) *m.* wholesome food or diet

पद (*pad*) *m.* 1. rank 2. designation 3. foot 4. stanza
पदग्रहण *m.* assumption of office
पदचाप *m.* footfall
पदचिह्न *m.* footprint, footmark
पदत्राण *m.* footwear, shoe
पद नाम *m.* title, designation
पदयात्रा *f.* travel by foot

पदक (*padak*) *m.* medal

पदवी (*padvī*) *f.* 1. degree 2. title

पदाक्रांत (*padākrānt*) *a.* crushed under the feet, trampled

पदाति (*padāti*) *m.*/**पदातिक** (*padātik*) *m.* person who travels by foot, pedestrian

पदाधिकारी (*padādhikārī*) *m.* office- bearer, official

पदार्थ (*padārtha*) *m.* 1. thing, object, substance 2. matter
पदार्थवाद *m.* materialism

पदार्पण (*padārpaṇ*) *m.* coming, advent (of a great person)

पदावली (*padāvalī*) *f.* collection of short poems, anthology

पदासीन (*padāsīn*) *a.* seated in one's post

पदेन (*paden*) *adv.*& *a.* ex officio, by virtue of one's office

पदोन्नत (*padonnat*) *a.* promoted

पदोन्नति (*padonnati*) *f.* promotion

पद्धति (*paddhati*) *f.* 1. custom, practice 2. tradition

पद्म (*padma*) *m.* 1. lotus 2. one thousand billion
पद्मभूषण *m.* /पद्मविभूषण *m.* /पद्मश्री *m.* awards given by the Government of India to eminent persons

पद्मा (*padmā*) *f.* an epithet of goddess Lakshmi

पद्मासन (*padmāsan*) *m.* the lotus posture in yoga

पद्मिनी (*padminī*) *f.* the first of

the four categories of beautiful women, lotus

द्य (*padya*) *m.* verse

द्यमय (*padyamaya) a.* poetical

नघट (*panghaṭ*) *m.* place to draw water from a well

नडुब्बी (*pandubbī) f.* submarine

नबिजली (*panbijlī) f.* hydro-electricity

नस (*panas*) *m.* jackfruit and its tree

नसारी (*pansārī*) *m.* a vendor of herbs, spices and dry fruits

नसेरी (*panserī*) *f.* five-seer weight (no longer in use)

नाला (*panālā*) *m.* gutter, drain-pipe

नाह (*panāh) f.* shelter

निहारिन (*panihārin*) *f.* female water-carrier

नीर (*panīr) m.* cheese

न्नग (*pannag*) *m.* snake, serpent

न्ना (*pannā*) *m.* 1. leaf or page (of a book) 2. emerald

पड़ी (*papṛī*) *f.* crust, scab

पीता (*papītā*) *m.* papaya

पीहरा (*papīhrā*) *m.* /**पपीहा** (*papīhā*) *m.* a species of cuckoo

य (*paya*) *m.* 1. milk 2. water

यस्विनी (*payasvinī*) *f.* 1. river 2. milch cow 3. wet nurse

याम (*payām*) *m.* message

योद (*payod) m.* /**पयोधर** (*payodhar) m.* 1. bosom 2. cloud

योधि (*payodhi) m.* /**पयोनिधि** (*payonidhi) m.* ocean, sea

परंतु (*parantu) conj.* but, however, nevertheless, yet, still

परंपरा (*paramparā*) *f.* tradition

परंपरागत (*paramparāgat) a.* traditional, conventional

पर (*par*) I. *m.* wing, feather II. *a.*& *pref.* other, another

परदेश (*pardeś*) *m.* foreign country

परकीया (*parkīyā*) *f.* wife of another

परकोटा (*parkoṭā*) *m.* rampart

परख (*parakh*) *f.* 1. trial 2. test

परख नली (*parakh nalī) f.* test-tube

परखना (*parakhnā*) *v.t.* 1. to try 2. to test

परचा (*parcā) m.* 1. question paper 2. handbill

परची (*parcī*) *f.* 1. chit, slip 2. ballot

परचून (*parcūn*) *m.* grocery

परछाईं (*parchāīṅ*) *f.* 1. reflection 2. shadow

परजीवी (*parjīvī) m.* parasite, an organism which lives on or in other bodies

परतंत्र (*partantra) a.* dependent

परतंत्रता (*prtantratā) f.* 1. dependence 2. subordination

परत (*parat) f.* 1. layer 2. surface

परती (*partī) f.* wasteland

परदा (*pardā*) *m.* 1. veil, purdah 2. screen, curtain

परदानशीन *a.* living in purdah

परदादा (*pardādā) m.* great grand-father (paternal)

प

परदादी (*pardādī*) *f.* great grand mother (paternal)

परदेश (*pardeś*) *m.* /परदेस (*pardes*) *m.* another region, another country, foreign country

परदेशी (*pardeśī*) *m.* /परदेसी (*pardesī*) *m.* foreigner

परनारी (*parnārī*) *f.* another's woman or wife

परपुरुष (*parpuruṣ*) *m* husband of another woman

परपोता (*parpotā*) *m.* great grandson

परब्रह्म (*parbrahma*) *m.* the Supreme Spirit, Brahma

परम (*param*) *a.* 1. highest, supreme 2. ultimate 3. primary
 परम पद *m.* salvation
 परमहंस *m.* the most religious saint

परमाणु (*parmāṇu*) *m.* atom
 परमाणु ऊर्जा *f.* atomic energy
 परमाणु बम *m.* atom bomb
 परमाणु भट्टी *f.* atomic reactor
 परमाणु युद्ध *m.* atomic war
 परमाणु शक्ति *f.* atomic power

परमाण्विकी (*parmāṇvikī*) *f.* atom science

परमात्मा (*parmātmā*) *f.* the Supreme Soul, God

परमानंद (*parmānand*) *m.* 1. highest delight 2. Supreme Spirit

परमार्थ (*parmārtha*) *m.* the highest or most sublime good

परमार्थी (*parmārthī*) *a.* pursuing the highest good

परमुखापेक्षता (*parmukhāpekṣatā*) *f.* dependence on others

परमुखापेक्षी (*parmukhāpekṣī*) *m.* dependent on others

परमेश (*parmeś*) *m.* /परमेश्वर (*parmeśvar*) *m.* the Supreme Lord, God

परमेश्वरी (*parmeśvarī*) *f.* the Supreme Goddess-Durga

परलोक (*parlok*) *m.* the other world, the next world

परवरदिगार (*parvardigār*) *m.* the Almighty who nurtures or fosters the whole world

परवरिश (*parvariś*) *m.* bringing up, fostering, nurture

परवर्ती (*parvartī*) *a.* later, consequent

परवल (*parval*) *m.* a green vegetable

परवाना (*parvānā*) *m.* 1. moth 2. written command or order

परवाह (*parvāh*) *f.* care, heed

परशु (*paraśu*) *m.* battle-axe

परसों (*parsoṁ*) *m.& adv.* 1. day before yesterday 2. day after tomorrow

परस्पर (*paraspar*) *a. & adv.* mutual, mutually

परहित (*parhit*) *m.* benefaction

परहेज़ (*perhez*) *m.* abstention

पराँठा (*parāṁṭhā*) *m.* a kind of fried chapati

परा (*parā*) I. *f.* line, row II. *a.* absolute III. *pref.* denoting away

पराई (*parāī*) *f.& a.* of or belonging to another, alien

पराक्रम (*parākram*) *m.* prowess, vigour, valour, bravery

पराक्रमी (*parākrami*) *m.* a hero, gallant, valiant or brave person; (adj.) heroic, gallant, valiant, brave

पराकाष्ठा (*parākāṣṭhā*) *f.* extreme, extremity, height

पराग (*parāg*) *m.* pollen

पराङ्मुख (*parāṅgmukh*) *a.* having the face turned the other way

पराजय (*parājay*) *f.* defeat

पराजित (*parājit*) *a.* defeated

पराधीन (*parādhin*) *a.* dependent

परान्न (*parānna*) *m.* food given or supplied by another

पराभव (*parābhav*) *m.* defeat

पराभूत (*parābhūt*) *a.* defeated

परा मनोविज्ञान (*parā manovijñān*) *m.* parapsychology

परामर्श (*parāmarśa*) *m.* counselling, consultation

परामर्शदात्री समिति *f.* advisory committee

परायण (*parāyaṇ*) *a.& suff.* wholly devoted to

परायणता (*parāyaṇtā*) *f.* 1. perfect devotion 2. observance

पराया (*parāyā*) *a.* of or belonging to another, alien

परावर्तक (*parāvartak*) I. *m.* reflector II. *a.* reflecting

परावलंबन (*parāvalamban*) *m.* dependence on others

पराश्रय (*parāśraya*) *m.* dependence upon another or others, subjection

पराश्रित (*parāśrit*) *a.* dependent on another or others

परास्त (*parāsta*) *a.* defeated

पराह्न (*parāhna*) *m.* afternoon

परिंदा (*parindā*) *m.* bird

परिकथा (*parikathā*) *f.* 1. tale, narrative 2. inside story

परिकर (*parikar*) *m.* entourage, body of attendants, retinue

परिकल्पना (*parikalpanā*) *f.* 1. speculation 2. hypothesis

परिकल्पित (*parikalpit*) *a.* speculated, conjectured

परिक्रमा (*parikramā*) *f.* circumambulation, going round

परिगमन (*parigaman*) *m.* going round

परिग्रह (*parigrah*) *m.* 1. receiving 2. acquiring 3. control

परिग्रहण (*parigrahaṇ*) *m.* 1. putting on (clothes) 2. seizing

परिग्राह्य (*parigrāhya*) *a.* fit to be accepted

परिचय (*paricay*) *m.* 1. introduction 2. familiarity

परिचय-पत्र *m.* (a) letter of introduction (b) identity card

परिचर (*paricar*) *m.* attendant, bearer, servant

परिचर्चा (*paricarcā*) *f.* 1. discussion 2. symposium

परिचर्या (*paricaryā*) *f.* 1. service 2. nursing

परिचालक (*paricālak*) *m.* 1. conductor 2. operator 3. organiser

परिचालित (*paricālit*) *a.* 1.

प

organised 2. mobilised
परिचित (*paricit*) I. *a.* familiar (with) II. *m.* acquaintance, familiar person
परिच्छेद (*paricched*) *m.* 1. distinction 2. section 3. chapter
परिजन (*parijan*) *m.* members of a family, kith and kin
परिज्ञात (*parijñāt*) *a.* well-acquainted, fully known
परिज्ञान (*parijñān*) *m.* well-founded knowledge
परिणति (*pariṇati*) *f.* resulting in (something)
परिणय (*pariṇaya*) *m.* marriage
परिणाम (*pariṇām*) *m.* 1. result 2. consequence 3. conclusion
परिणीत (*pariṇīt*) *a.* 1. married, wedded 2. completed
परिताप (*paritāp*) *m.* 1. heat 2. anguish 3. grief, sorrow
परितुष्ट (*parituṣṭa*) *a.* gratified, completely satisfied
परितृप्त (*paritr̥pta*) *a.* 1. fully contented 2. happy, pleased
परितोष (*paritoṣ*) *m.* gratification, satisfaction
परित्यक्त (*parityakta*) *a.* abandoned, deserted
परित्यक्ता (*parityaktā*) *f.* abandoned woman, divorced wife
परित्याग (*parityāg*) *m.* abandonment
परिदर्शन (*paridarśan*) *m.* continuous passing scene
परिदृश्य (*paridr̥śya*) *m.* panorama
परिधान (*paridhān*) *m.* dress, robe
परिधि (*paridhi*) *f.* 1. fence 2. periphery 3. ambit, bounds
परिपक्व (*paripakva*) *a.* 1. well-cooked 2. mature
परिपत्र (*paripatra*) *m.* circular, circular letter
परिपाक (*paripāk*) *m.* perfect cooking
परिपाटी (*paripāṭī*) *f.* custom, tradition, convention, usage
परिपालक (*paripālak*) *m.* 1. guardian 2. protector
परिपूरक (*paripūrak*) I. *a.* complementary II. *m.* feeder
परिपूर्ण (*paripūrṇa*) *a.* 1. brimful 2. fulfilled, satisfied
परिपूर्ति (*paripūrti*) *f.* completion, perfection
परिप्रश्न (*pariprasna*) *m.* interrogation
परिप्रेक्ष्य (*paripreksya*) *m.* 1. perspective 2. background
परिप्लावित (*pariplāvit*) *a.* submerged
परिभाषा (*paribhāṣā*) *f.* 1. definition 2. technical term
परिभाषित (*paribhāṣit*) *a.* 1. fully elaborated 2. defined
परिभू (*paribhū*) *a.* surrounding, omnipresent, God
परिभूत (*paribhūt*) *a.* insulted, disrespected
परिभ्रमण (*paribhramaṇ*) *m.* 1. going round 2. touring
परिमंडल (*parimaṇḍal*) *m.* 1. circle 2. orbit 3. globe

परिमल (*parimal*) *m.* fragrance, aroma, perfume, odour

परिमाण (*parimāṇ*) *m.* measure

परिमार्जक (*parimārjak*) *m.* 1. moderator 2. cleanser 3. purifier

परिमार्जन (*parimārjan*) *m.* 1. moderation 2. purification

परिमार्जित (*parimārjit*) *a.* 1. moderated 2. improved

परिमित (*parimit*) *a.* 1. finite 2. measured 3. limited

परियोजना (*pariyojanā*) *f.* project

परिरक्षक (*parirakṣak*) *m.* 1. protector 2. guardian 3. custodian

परिरक्षण (*parirakṣaṇ*) *m.* 1. full protection 2. guarding

परिरक्षित (*parirakṣit*) *a.* 1. well-protected 2. preserved

परिलक्षित (*parilakṣit*) *a.* clear, obvious, easily seen

परिवर्तक (*parivartak*) *m.* 1. transformer 2. alternator (dynamo)

परिवर्तन (*parivartan*) *m.* 1. change, alteration 2. conversion

परिवर्तनशील *a.* changing, changeable, alterable

परिवर्तनीय (*parivartanīya*) *a.* changeable, alterable

परिवर्तित (*parivartit*) *a.* changed

परिवर्धन (*parivardhan*) *m.* 1. full growth 2. enlargement

परिवर्धित (*parivardhit*) *a.* 1. fully grown 2. enlarged

परिवहन (*parivahan*) *m.* 1. transport 2. conveying

परिवाद (*parivād*) *m.* 1. complaint 2. abuse 3. reproach, reproof

परिवादक (*parivādak*) *m.* 1. complainant 2. one who speaks ill of others 3. plaintiff

परिवार (*parivār*) *m.* family

परिवार-कल्याण *m.* family welfare

परिवार-नियोजन *m.* family planning

परिवेश (*pariveś*) *m.* environment, surroundings

परिवेष्टन (*pariveṣṭan*) *m.* 1. surrounding 2. cover

परिवेष्टित (*pariveṣṭit*) *a.* surrounded, encircled, enclosed

परिव्याप्त (*parivyāpta*) *a.* 1. overlapped 2. spread throughout

परिव्याप्ति (*parivyāpti*) *f.* overlapping, permeation

परिव्रज्या (*parivrajyā*) *f.* wandering about

परिव्राजक (*parivrājak*) *m.* wandering mendicant, ascetic

परिशिष्ट (*pariśiṣṭa*) I. *m.* appendix II. *a.* remaining

परिशीलन (*pariśīlan*) *m.* thorough or critical study

परिशोध (*pariśodh*) *m.* 1. rectification 2. revision

परिशोधन (*pariśodhan*) *m.* 1. rectification 2. repayment (of debt)

परिशोधित (*pariśodhit*) *a.* 1. rectified 2. revised 3. purified

परिश्रम (*pariśram*) *m.* 1. labour, hard work 2. exertion

परिश्रमी (*pariśramī*) *a.* industrious, hardworking, laborious

प

परिषद् (*pariṣad*) *f.* council, board
परिष्करण (*pariṣkaraṇ*) *m.* 1. revising 2. processing 3. refining
परिष्कार (*pariṣkār*) *m.* 1. revision 2. refinement 3. decoration
परिष्कृत (*pariṣkṛt*) *a.* 1. refined, purified 2. adorned
परिसंवाद (*parisaṃvād*) *m.* 1. symposium 2. discussion
परिसर (*parisar*) *m.* 1. proximity, neighbourhood 2. dimension
परिसीमन (*parisīman*) *m.* marking the boundary
परिसीमा (*parisīmā*) *f.* 1. boundaries 2. line of demarcation
परिस्थिति (*paristhiti*) *f.* circumstance, situation
परिस्थितिजन्य *a.* circumstantial
परिहार (*parihār*) *m.* 1. avoidance 2. expiation 3. abandonment
परिहार्य (*parihārya*) *a.* 1. avoidable 2. expiable 3. escapable
परिहास (*parihās*) *m.* 1. jest, joke 2. mockery, ridicule
परी (*parī*) *f.* fairy, elf, nymph
परीक्षक (*parīkṣak*) *m.* examiner
परीक्षण (*parīkṣaṇ*) *m.* 1. test 2. experiment 3. check-up 4. trial
परीक्षणात्मक (*parīkṣaṇātmak*) *a.* 1. tentative 2. experimental
परीक्षा (*parīkṣā*) *f.* 1. examination, test 2. trial
परीक्षा-केन्द्र *m.* examination centre
परीक्षार्थी (*parīkṣārthī*) *m.* examinee

परुष (*paruṣ*) *a.* 1. rough, rugged 2. hard, stern
परुष वचन *m.* harsh words
परे (*pare*) I. *adv.* away II. *p.p.* (से) beyond
परे करना *v.t.* to put something or somebody away
परेशान (*pareśān*) *a.* 1. perplexed 2. harassed
परेशानी (*pareśānī*) *f.* 1. distraction 2. harassment 3. worry
परोक्ष (*parokṣa*) *a.* 1. indirect 2. invisible
परोपकार (*paropkār*) *m.* benevolence, generosity
परोपकारी (*paropkārī*) *a.* philanthropic, doing good to others
परोपदेश (*paropdeś*) *m.* advising or counselling others
परोसना (*parosnā*) *v.t.* to serve (food)
परोसवाना (*parosvānā*) *v.t.* to get (food) served up
पर्चम (*parcam*) *m.* flag, banner
पर्चा (*parcā*) *m.* 1. slip of paper, chit 2. question paper
पर्ण (*parṇ*) *m.* 1. leaf 2. feather
पर्णकुटी *f.* bower, a thatched hut
पर्दा (*pardā*) *m.* 1. screen 2. curtain 3. eyelid
पर्दा उठना *v.i.* to be unveiled
पर्यंक (*paryaṅk*) *m.* bed, bedstead
पर्यंत (*paryant*) *adv.* up to, as far as, to the extent of
पर्यटक (*paryaṭak*) *m.* tourist
पर्यटन (*paryaṭan*) *m.* tourism

पर्यवेक्षक (*paryavekṣak*) *m.* supervisor, superintendent
पर्याप्त (*paryāpta*) *a.* 1. adequate, sufficient 2. ample, plentiful
पर्याप्तता (*paryāptatā*) *f.* adequacy, sufficiency
पर्याय (*paryāy*) *m.* synonym
 पर्यायवाची *a.* synonymous
पर्यावरण (*paryāvaraṇ*) *m.* environment, surroundings
पर्युपासना (*paryupāsnā*) *f.* 1. worship, service, adoration 2. devotion 3. reverence
पर्व (*parva*) *m.* 1. festival 2. chapter (as in Mahabharata)
पर्वत (*parvat*) *m.* mountain
 पर्वतराज *m.* the great mountain, Himalayas
 पर्वतवासिनी *f.* an epithet of goddess Durga, Gayatri
पर्वतारोहण (*parvtārohaṇ*) *m.* mountaineering
पर्वतारोही (*parvtārohī*) *m.* mountaineer
पर्वतीय (*parvatīya*) *a.* mountainous, having many mountains
पलंग (*palaṅg*) *m.* bed, bedstead
पल (*pal*) *m.* moment, second
पलक (*palak*) *f.* eyelid
पलटन (*palṭan*) *f.* battalion
पलटना (*palaṭnā*) *v.i.* 1. to turn over 2. to turn back, to return
पलटाव (*palṭāv*) *m.* reaction
पलड़ (*palaṛ*) *m.* scale pan (of a balance)
पलथी (*palthī*) *f.* sitting on hams with feet drawn in
पलना (*palnā*) *v.i.* to be nourished, to grow fat
पलवाना (*palvānā*) *v.t.* to get nourished or seared
पलस्तर (*palastar*) *m.* plaster
पलायक (*palāyak*) *m.* 1. fugitive, run away 2. escaper 3. absconder
पलायन (*palāyan*) *m.* 1. escaping 2. absconding 3. fleeing
 पलायनवाद *m.* escapism
 पलायनवादी *m.* escapist
पलायमान (*palāymān*) *a.* 1. escaping 2. absconding
पलाश (*palāś*) *m.* the dhak tree
पलीता (*palītā*) *m.* 1. thick wick, fuse, igniter 2. match (of a gun)
पलीद (*palīd*) *a.* impure, unclean
पल्लव (*pallav*) *m.* sprout, shoot
 पल्लवग्राही *m.* dilettante, superficial in knowledge
पल्लवित (*pallavit*) *a.* sprouted
पल्ला (*pallā*) *m.* 1. border of a garment 2. veil, purdah
पल्ली (*pallī*) *f.* 1. village 2. lizard
पल्लू (*pallū*) *m.* border, hem, end of a woman's headwear
पवन (*pavan*) *m.* 1. air, wind 2. the breath of life
 पवन कुमार *m.* /**पवनसुत** *m.* an epithet of god Hanuman
 पवन चक्की *f.* windmill
पवमान (*pavmān*) I. *a.* 1. purifying 2. sanctifying II. *m.* air, wind
पवित्र (*pavitra*) *a.* 1. pure 2. holy
पवित्रता (*pavitratā*) *f.* purity
पवित्रा (*pavitrā*) *f.* 1. basil plant

प

2. turmeric 3. holy woman

पवित्री (*pavitrī*) *f.* ring of *kusha* grass worn on the right forefinger during worship

पशम (*paśam*) *m.* a superior quality of wool

पशमीना (*paśmīnā*) *m.* a very soft woollen cloth

पशु (*paś*) *m.* animal, cattle

पशुगणना *f.* cattle census

पशु चिकित्सक *m.* veterinary doctor

पशु चिकित्सा *f.* veterinary science

पशुधन *m.* livestock

पशुपति *m.* lord of all living beings, an epithet of Shiva

पशुपालन *m.* cattle-breeding, animal husbandry

पश्चात् (*paścāt*) *adv.* afterwards, thereafter

पश्चात्ताप (*paścāttāp*) *m.* repentance, deep regret

पश्चिम (*paścim*) *m.* 1. west, western 2. the western world

पश्यंती (*paśyantī*) *f.* a particular sound audible only to yogis

पसंद (*pasand*) *f.* choice

पसंदगी (*pasandgī*) *f.* approval

पसली (*paslī*) *f.* rib

पसारना (*pasārnā*) *v.t.* to extend

पसीजना (*pasījnā*) *v.i.* 1. to be moved by pity 2. to melt

पसीना (*pasīnā*) *m.* sweat

पसेरी (*paserī*) *f.& a.* measure or weight of five seers

पसोपेश (*pasopeś*) *f.* dilemma, hesitation, hitch, fix

पस्त (*past*) *a.* defeated

पस्ती (*pastī*) *f.* 1. downfall 2. degradation 3. humiliation

पहचनवाना (*pahcanvānā*) *v.t.* to cause (one) to recognise

पहचान (*pahcān*) *f.* 1. recognition 2. acquaintance 3. identity

पहचान-पत्र *m.* identity card

पहचानना (*pahcānanā*) *v.t.* to recognise, to identify

पहनना (*pahananā*) *v.t.* to put on, to wear, to dress

पहनवाना (*pahanvānā*) *v.t.* to cause to be worn/dressed

पहनावा (*pahnāvā*) *m.* dress, apparel, garment

पहर (*pahar*) *m.* a measure of time equal to three hours

पहरा (*pahrā*) *m.* watch, guard

पहरावा (*pahrāvā*) *m.* dress, apparel

पहरेदार (*pahredār*) *m.* watchman

पहल (*pahal*) *f.* initiative

पहलवान (*pahalvān*) *m.* 1. wrestler 2. stout and sturdy fellow

पहला (*pahlā*) *a.* 1. first 2. previous, former

पहलू (*pahlū*) *m.* side, flank

पहले (*pahale*) *adv.* 1. first 2. before

पहले पहल *adv.* for the first time, at first

पहलौठा (*pahlauṭhā*) *a.* & *m.* first-born, the eldest son

पहाड़ (*pahāṛ*) *m.* mountain

पहाड़ा (*pahāṛā*) *m.* multiplication table

पहाड़ी (*pahāṛī*) *m.* hill

पहुँच (*pahuṁc*) *f.* 1. arrival, reach 2. access, approach

पहुँचना (*pahuṁcnā*) *v.i.* to arrive, to reach

पहुँचवाना (*pahuṁcvānā*) *v.t.* to cause to carry

पहुँचा (*pahuṁcā*) *m.* wrist

पहुँचाना (*pahuṁcānā*) *v.t.* 1. to cause to arrive 2. to carry

पहुँची (*pahuṁcī*) *f.* an ornament for wrist, bracelet

पहुनाई (*pahunāī*) *f.* hospitality

पहेली (*pahelī*) *f.* riddle, puzzle

पाँच (*pāṁc*) *m.* & *a.* five

पांडित्य (*pāṇḍitya*) *m.* scholarship, learnedness

पांडु (*pāṇḍu*) *a.* yellowish white, pale

पांडुलिपि (*pāṇḍulipi*) *f.* manuscript

पाँति (*pāṁti*) *f.* 1. row, line 2. people eating in a row at a feast

पाँव (*pāṁv*) *m.* 1. foot 2. leg

पाँवड़ा (*pāṁvṛā*) *m.* doormat, carpet spread to walk on

पांशु (*pāṃśu*) *m.* dust

पाँसा (*pāṃsā*) *m.* dice

पाई (*pāī*) *f.* vertical stroke or line (।), sign of full stop in Hindi

पाक (*pāk*) I. *a.* 1. pure 2. holy 3. innocent II. *m.* cooking

पाकिस्तानी (*pākistānī*) *a.* of or belonging to Pakistan

पाकेट (*pāket*) *m.* pocket

पाकेटमार *m.* pickpocket

पाक्षिक (*pākṣik*) *a.* fortnightly

पाखंड (*pākhaṇḍ*) *m.* hypocrisy

पाखंडी (*pākhaṇḍī*) *m.* 1. hypocrite 2. impostor

पाख़ाना (*pāk͟hānā*) *m.* latrine

पाग (*pāg*) I. *m.* 1. conserve, fruit preserved in syrup of sugar 2. icing II. *f.* turban

पागना (*pāgnā*) *v.t.* 1. to ripen 2. to boil in sugar-syrup

पागल (*pāgal*) *a.* mad, insane

पागलख़ाना *m.* lunatic asylum, mental hospital

पागुर (*pāgur*) *f.* the act or process of chewing the cud

पाचक (*pācak*) *a.* digestive

पाचन (*pācan*) *m.* digestion

पाचन तंत्र *m.* digestive system, alimentary system

पाजामा (*pājāmā*) *m.* trousers

पाजी (*pājī*) I. *a.* low, mean II. *m.* wicked person

पाज़ेब (*pāzeb*) *f.* an ornament for ankles, anklet

पाट (*pāṭ*) *m.* 1. jute 2. width of a cloth 3. panel of a door 4. stone of a washerman

पाटल (*pāṭal*) I. *a.* pale red (colour) II. *m.* rose

पाटी (*pāṭī*) *f.* slate (for writing)

पाठ (*pāṭh*) *m.* 1. lesson 2. recitation (especially of a poem)

पाठशाला (*pāṭhśālā*) *f.* school

पाठक (*pāṭhak*) *m.* 1. reader 2. a sub-caste of Brahmins

पाठ्य (*pāṭhya*) *a.* fit to be read or

प

recited

पाठ्यक्रम *m.* syllabus, course

पाठ्य-पुस्तक *f.* text-book, course book

पाठ्येतर (*pāṭhyetar*) *a.* extra-curricular

पाड़ा (*pāṛā*) *m.* calf, male young of buffalo

पाणि (*pāṇi*) *m.* hand (used in compounds)

पाणिग्रहण *m.* (a) taking the hand of a girl (b) marriage

पात ·(*pāt*) *m.* 1. drop 2. fall 3. failure 4. collapse 5. leaf

पातक (*pātak*) *m.* sin, crime, offence, defilement

पातकी (*pātakī*) *m.* 1. sinner, evil-doer 2. criminal

पाताल (*pātāl*) *m.* Hades, lower world, hell

पातिव्रत (*pātivrat*) *m.* loyalty to one's husband

पात्र (*pātra*) I. *a.* 1. eligible 2. suitable II. *m.* character in a play or novel

पात्रता (*pātratā*) *f.* eligibility

पाथना (*pāthnā*) *v.t.* to make cow-dung into cakes

पाथेय (*pātheya*) *m.* provisions for journey

पाद (*pād*) *m.* 1. foot, feet 2. wind from the anus

पाद टीका *f.* /**पाद-टिप्पणी** *f.* footnote

पादना (*pādnā*) *v.i.* to emit wind from the anus, to fart

पादप (*pādap*) *m.* 1. tree 2. plant

पादरी (*pādarī*) *m.* Christian priest, clergyman, father

पादशाह (*pādśāh*) *m.* king

पादाक्रांत (*pādākrānt*) *a.* trodden over, trampled (by feet)

पादुका (*pādukā*) *f.* 1. wooden sandal 2. slipper, sandal

पान (*pān*) *m.* 1. drinking 2. betel-leaf

पाना (*pānā*) *v.t.* 1. to receive, to acquire 2. to find

पानी (*pānī*) *m.* 1.water 2. rain

पानीवाला *m.* waterman

पानीदार (*pānīdār*) *a.* 1. resplendent 2. honourable, respectable

पानेवाला (*pānevālā*) *m.* 1. (of letters) addressee 2. (of a prize) recipient 3. (of money) payee

पाप (*pāp*) *m.* sin, evil

पापकर्म *m.* sinful act, evil deed

पापड़ (*pāpaṛ*) *m.* thin crisp cake made from pulses

पापा (*pāpā*) *m.* father

पापाचार (*pāpācār*) *m.* sinful conduct, sinful way of living

पापात्मा (*pāpātmā*) *m.* sinner, evil person

पापिष्ठ (*pāpiṣṭha*) *a.* most wicked

पापी (*pāpī*) *m.* sinner

पाबंद (*pāband*) *a.* under control

पाबंदी (*pābandī*) *f.* 1. ban 2. restriction, control

पामर (*pāmar*) *a.* wicked

पायताबा (*pāytābā*) *m.* a thin leather cut-piece inserted into the shoe, inner sole

पायदान (*pāydān*) *m.* footboard
पायल (*pāyal*) *m.* an ornament for the ankles, anklet
पायस (*pāyas*) *m.* a dish made of rice, milk and sugar
पाया (*pāyā*) I. *v.t.* obtained, got II. *m.* leg (of a chair, cot)
पारंगत (*pāraṅgat*) *a.* & *m.* conversant, well-versed, learned
पारंपरिक (*pāramparik*) *a.* traditional, conventional
पार (*pār*) *m.* the other side, (of a river, lake, etc.), across
पारखी (*pārakhī*) *m.* 1. connoisseur, judge 2. expert
पारद (*pārad*) *m.* mercury
पारदर्शक (*pārdarśak*) *a.* /**पारदर्शी** (*pārdarśī*) *a.* transparent
पारदेशिक (*pārdeśik*) *a.* of another country, foreign
पारमार्थिक (*pārmārthik*) *a.* 1. spiritual 2. real 3. absolute
पारलौकिक (*pārlaukik*) *a.* other worldly, transcendental
पारस (*pāras*) *m.* /**पारसमणि** (*pārasmani*) *f.* the mythical (philosoher's) stone which is said to convert iron into gold by mere touch
पारस्परिक (*pārasparik*) *a.* mutual
पारा (*pārā*) *m.* mercury
पारायण (*pārāyaṇ*) *m.* 1. regular and complete reading (of a religious book) 2. completeness, totality 3. finale
पारावार (*pārāvār*) *m.* 1. limit 2. extent 3. sea, ocean
पारिजात (*pārijāt*) *m.* 1. coral tree 2. one of the five legendary trees of paradise
पारित (*pārit*) *a.* passed (of a motion, or bill)
पारितोषिक (*pāritoṣik*) I. *a.* gratifying II. *m.* 1. reward 2. prize
पारिभाषिक (*pāribhāṣik*) *a.* technical
पारिभाषिक शब्दावली *f.* technical terminology
पारिवारिक (*pārivārik*) *a.* 1. of a family, familial 2. domestic
पारिश्रमिक (*pāriśramik*) *m.* payment for service rendered
पारी (*pārī*) *f.* turn, shift
पार्जन्य (*pārjanya*) *a.* 1. of the clouds 2. cloudy
पार्थ (*pārtha*) *m.* son of Pritha (Kunti), name of Arjun
पार्थक्य (*pārthakya*) *m.* 1. separate feeling 2. separation
पार्थिव (*pārthiv*) *a.* earthly
पार्श्व (*pārśva*) *m.* 1. side, flank 2. vicinity 3. facet, aspect
पार्श्वगायक *m.* playback singer
पार्श्वगायन *m.* playback singing, background singing
पार्श्ववर्ती *a.* beside, adjacent
पार्षद (*pārṣad*) *m.* councillor
पार्सल (*pārsal*) *m.* parcel
पार्सल बाबू *m.* parcel clerk
पाल (*pāl*) *m.* 1. sail 2. keeper
पालक (*pālak*) *m.* 1. spinach 2. guardian
पालकी (*pālakī*) *f.* palanquin
पालतू (*pāltū*) *a.* tamed, tame

प

पालथी (*pālthī*) *f.* sitting posture with crossed legs, squatting
पालन (*pālan*) *m.* 1. bringing up 2. maintenance 3. keeping
पशु-पालन *m.* cattle-farming
पालना (*pālnā*) I. *v.t.* to nurse, to nourish II. *m.* cradle
पाला (*pālā*) *m.* 1. frost, hoar-frost 2. cold, coldness
पालि (*pāli*) *f.* /**पाली** (*palī*) *f.* 1. boundary, edge 2. row, live 3. pond 4. the Pali language
पावक (*pāvak*) *m.* fire
पावन (*pāvan*) *a.* holy, sacred
पावस (*pāvas*) *m.* 1. rain 2. rainy season
पाश (*pāś*) *m.* noose, trap
पाशविकता (*pāśvikatā*) *f.* beastliness, brutality, bestiality
पाशुपत (*pāśupat*) *m.* follower or worshipper of Lord Shiva
पाश्चात्य (*pāścātya*) *a.* western, occidental
पाषंड (*pāṣaṇḍ*) *m.* hypocrisy
पाषंडी (*pāṣaṇḍī*) *m.* hypocrite
पाषाण (*pāṣaṇ*) *m.* stone
पाषाण युग *m.* Stone Age
पासंग (*pāsaṅg*) *m.* balance-weight, set-off
पास (*pās*) *adv.* near, beside
पासा (*pāsā*) *m.* dice
पाहन (*pāhan*) *m.* stone, rock
पिंगल (*piṅgal*) I. *a.* reddish brown II. *m.* prosody
पिंगला (*piṅglā*) *f.* (yoga) a particular blood vessel or canal in the body
पिंजर (*piñjar*) *m.* skeleton
पिंजरा (*piñjarā*) *m.* cage
पिंड (*piṇḍ*) *m.* 1. body 2. lump
पिंडदान (*piṇḍdān*) *m.* offering of ball of flour for the deceased
पिंडली (*piṇḍalī*) *f.* calf of the leg
पिंडा (*piṇḍā*) *m.* 1. body 2. lump
पिंडारी (*piṇḍārī*) *m.* plunderer
पिंडी (*piṇḍī*) *f.* a round lump of clay representing a deity (especially Kali or Durga)
पिक (*pik*) *m.* Indian cuckoo
पिघलना (*pighalnā*) *v.i.* to melt, to liquify
पिचकना (*picaknā*) *v.i.* 1. to subside 2. to be pressed in
पिचकाना (*pickānā*) *v.t.* 1. to press together 2. to squeeze
पिचकारी (*pickārī*) *f.* 1. spray gun 2. squirt, syringe
पिचपिचा (*picpicā*) *a.* adhesive, glutinous
पिच्छ (*picch*) *f.* plume, feather
पिछ (*pich*) *suff.* & *adv.* back
पिछड़ना (*picharṇā*) *v.i.* to lag, to lag behind, to be left
पिछड़ा (*pichṛā*) *a.* backward
पिछड़ा वर्ग *m.* backward class
पिछला (*pichlā*) *a.* 1. back 2. last, previous 3. past, old
पिछवाड़ा (*pichvāṛā*) *m.* the back portion of a house or any area
पिटना (*piṭnā*) *v.t.* to be beaten
पिटवाना (*piṭvānā*) *v.t.* to cause to get somebody beaten
पिटारा (*piṭārā*) *m.* large basket

(generally wickerwork)

पिटारी (*piṭārī*) *f.* small basket or box

पिट्ठू (*piṭṭhū*) *m.* stooge, lackey

पितर (*pitar*) *m.& pl.* paternal ancestors

पिता (*pitā*) *m.* father

पितामह (*pitāmah*) *m.* 1. paternal grandfather 2. an epithet of God Brahma

पितृ (*pitṛ*) *m.* 1. father 2. manes

पितृ-ऋण *m.* debt or obligation owed to the ancestors

पितृ-तीर्थ *m.* place of pilgrimage specified for obsequies (as Haridwar, Gaya)

पितृपक्ष *m.* dark fortnight in the Hindu month of Bhadon meant for oblations to be offered to dead ancestors

पितृ-लोक *m.* world of ancestors' spirits

पित्त (*pitta*) *m.* bile, gall

पित्ताशय (*pittāśaya*) *m.* gall bladder

पिद्दी (*piddī*) *f.* a bird of the sparrow family

पिनक (*pinak*) *f.* lethargy and drowsiness

पिनकना (*pinaknā*) *v.i.* to drowse and droop in intoxication

पिनाक (*pinā*k) *m.* bow or trident of God Shiva

पिनाकी (*pinākī*) *m.* 1. wielder of bow 2. an epithet of Shiva

पिपासा (*pipāsā*) *f.* 1. thirst 2. yearning, craving, desire

पिपासित (*pipāsit*) *a.* 1. thirsty 2. eagerly desirous

पिपासु (*pipāsu*) *a.* thirsty

पिपीलिका (*pipīlikā*) *f.* the common ant

पिप्पली (*pippalī*) *f.* long pepper

पिप्पली मूल *m.* root of long pepper

पियक्कड़ (*piyakkaṛ*) *m.* drunkard

पिया (*piyā*) *m.* 1. lover, sweetheart 2. husband

पिरोना (*pironā*) *v.t.* 1. to thread 2. to string

पिलना (*pilnā*) *v.i.* 1. to rush at, to make a sudden rush 2. to assault, to attack

पिलवाना (*pilvānā*) *v.t.* to make one drink, to give somebody water to drink

पिलाई (*pilāī*) *f.* act of giving something to drink

पिलाना (*pilānā*) *v.t.* to make one drink, to give a drink of water

पिल्ला (*pillā*) *m.* pup, puppy

पिल्लू (*pillū*) *m.* a whitish worm found in rotten fruit

पिशाच (*piśāc*) *m.* 1. evil spirit, fiend 2. vampire 3. demon

पिसना (*pisnā*) *v.i.* to be ground, to be powdered

पिसवाई (*pisvāī*) *f.* /**पिसाई** (*pisāī*) *f.* wages paid for grinding

पिसवाना (*pisvānā*) *v.t.* to cause to be ground or powdered

पिसान (*pisān*) *m.* flour, meal

पिसाना (*pisānā*) *v.t.* to have something ground

प

पिस्ता (*pistā) m.* pistachio (nut or kernel)

पी *(pī) f.* the song, warble of a cuckoo

पीक *(pīk) f.* spittle

पीकदान *m.* spittoon, cuspidor

पीछा *(pīchā) m.* 1. hind part, backside, rear 2. pursuit

पीछे (*pīche*) *adv.* 1. behind 2. after 3. later

पीटना (*pīṭnā) v.t.* to beat

पीठ (*pīṭh) f.* 1. back 2. spine 3. base, seat of a deity 4. bench of a law court

पीठासीन (*pīṭhāsīn) m.* presiding officer, presiding judge

पीठिका (*pīṭhikā) f.* 1. pedestal 2. pad 3. rostrum 4. bench, seat

पीड़न *(pīṛan) f.* oppressing, torture

पीड़ा *(pīṛā) f.* pain, ache

पीड़ित (*pīṛit) a.* distressed, oppressed, tortured

पीढ़ा (*pīṛhā) m.* stool, seat

पीढ़ी (*pīṛhī) f.* 1. small stool or pedestal 2. generation

पीत (*pīt) a.* yellow

पीतल (*pītal*) *m.* brass, bronze

पीतांबर (*pītāmbar*) *m.* 1. yellow cloth or garment 2. an epithet of Lord Krishna who wore yellow garments

पीतांबरधारी *m.* (a) one wearing yellow robes (b) Lord Krishna

पीताभ (*pītābh*) *a.* yellowish

पीन (*pīn*) *a.* fat, fatty, fleshy

पीनपयोधर *m.* fleshy or corpulent bosom (of a woman)

पीना (*pīnā) v.t.* 1. to drink 2. to smoke (a cigarette)

पीब (*pīb*) *f.* pus, purulent matter oozing from a wound

पीब पड़ना *v.i.* to suppurate

पीपल (*pīpal)* I. *m.* the holy peepal tree II. *f.* long pepper

पीपा (*pīpā) m.* can, canister

पीयूष (*pīyūṣ) m.* nectar, ambrosia

पीर (*pīr)* I. *a.* aged, old II. *m.* a Muslim saint

पीला *(pīlā) a.* yellow, pale

पीलिया (*pīliyā) m.* jaundice

पीसना (*pīsnā*) *v.t.* to grind

पीहर (*pīhar*) *m.* parents' home (of a married woman)

पुंगव (*puṅgav) a.* & *m.* chief, best, distinguished person

पुंगीफल (*puṅgīphal) m.* betel-nut

पुंज (*puñj*) *m.* heap, mass

पुंजीभूत (*puñjībhūt*) *a.* heaped together, collected

पुंडरीक (*puṇḍarīk*) *m.* lotus, white-lotus

पुंडरीकाक्ष *(puṇḍrīkākṣa) a.* lotus-eyed, an epithet of Lord Vishnu or Krishna

पुंलिंग (*puṃliṅg) m.* masculine gender

पुंश्चली (*puṃścalī) f.* woman of loose character, harlot

पुआ *(puā) m.* a sweet cake

पुआल (*puāl) m.* straw, especially paddy straw

पुकार (*pukār*) *f.* 1. call 2. cry

पुकारना (*pukārnā*) *v.t.* to call

पुखराज (*pukhrāj*) *m.* topaz (a precious stone)

पुख़्ता (*pukhtā*) *a.* strong, sturdy, well-built, healthy

पुचकार (*puckār*) *f.* caress, fondling

पुचारा (*pucārā*) *m.* 1. rag for wiping floor 2. a thin coating of clay or whitewash

पुच्छ (*pucch*) *f.* 1. tail 2. rear

पुच्छल (*pucchal*) *a.* having a tail

पुच्छल तारा *m.* comet

पुजापा (*pujāpā*) *m.* articles required for worship

पुजारी (*pujārī*) *m.* 1. priest 2. worshipper

पुड़िया (*puṛiyā*) *f.* small paper-packet

पुण्य (*punya*) I. *a.* holy, sacred II. *m.* righteous act

पुण्यतिथि (*puṇyatithi*) *f.* death anniversary

पुण्यश्लोक (*puṇyaślok*) *a.* of good reputation, celebrated

पुण्यात्मा (*puṇyātmā*) *a.* & *m.* pious or virtuous/righteous person, a religious soul

पुतना (*putnā*) *f.* 1. to be white-washed 2. to be daubed

पुतला (*putlā*) *m.* effigy

पुतली (*putlī*) *f.* 1. puppet 2. doll 3. pupil of the eye

पुताई (*putāī*) *f.* 1. whitewashing 2. wages paid for whitewashing

पुतवाना (*putvānā*)*v.t.* to cause to be whitewashed

पुताना (*putānā*) *v.t.* to get white-washed or daubed

पुत्र (*putra*) *m.* son

पुत्रवती *f.* woman blessed with a son

पुत्रवधू *f.* daughter-in-law

पुदीना (*pudīnā*) *m.* mint

पुनः (*punaḥ*) *adv.* again, afresh

पुनःप्रसारण (*punaḥprasāraṇ*) *m.* relay, rebroadcast

पुनरागमन (*unarāgaman*) *m.* return, coming again

पुनरुक्ति (*punarukti*) *f.* repetition, repeated saying of a word

पुनरुत्थान (*punarutthān*) *m.* revival, resurrection

पुनरुत्पादन (*punarutapādan*) *m.* reproduction

पुनर्गठन (*punargathan*) *m.* reorganization

पुनर्जन्म (*punarjanma*) *m.* rebirth

पुनर्जागरण (*punarjāgaran*) *m.* reawakening, renaissance

पुनर्नवा (*punarnavā*) *f.* becoming young again

पुनर्निर्माण (*punarnirmāṇ*) *m.* 1. reconstruction 2. reproduction

पुनर्वसु (*punarvasu*) *m.* the seventh asterisk of the twenty-seven stars

पुनर्वास (*punarvās*) *m.* 1. rehabilitation 2. resettlement

पुनर्विभाजन (*punarvibhājan*) *m.* 1. redivision 2. repartition

पुनश्च (*punaśca*) I. *m.* postscript

प

II. *adv.* further, moreover

पुनश्चर्या (*punaścaryā*) *f.* refresher course

पुनीत (*punīt*) *a.* 1. pure, clean 2. holy, sacred, pious

पुरंजय (*purañjay*) *a.* a conqueror of a city

पुरंदर (*purandar*) *m.* king of gods, Lord Indra

पुर (*pur*) *m.* town, city

पुरज़ोर (*purzor*) *a.* forceful

पुर-देवता (*purdevtā*) *m.* tutelary deity of a township

पुरखा (*purkhā*) *m.* ancestors

पुरजन (*purjan*) *m.* & *pl.* inhabitants of a city, citizens

पुरज़ा (*purzā*) *m.* part of machinery, piece of paper, slip, chit

पुरट (*purat*) *m.* gold

पुरबिया (*purabiyā*) I. *a.* eastern II. *f.* language of eastern Hindi region

पुरवा (*purvā*) *f.* /**पुरवाई** (*purvāī*) *f.* easterly, east wind

पुरवैया (*purvaiyā*) *f.* easterlies, east winds

पुरश्चरण (*puraścaraṇ*) *m.* introductory or preparatory ritual

पुरस्कार (*puraskār*) *m.* 1. prize, award 2. reward

पुरस्कृत (*puraskr̥t*) *a.* rewarded

पुरा (*purā*) *pref.* old, ancient

पुरा-अभिलेख (*purā-abhilekh*) *m.* old documents and records

पुराकाल (*parākāl*) *m.* old times

पुराकालीन (*purākālīn*) *a.* ancient

पुराण (*purāṇ*) *m.* 1. mythology 2. mythological scriptures

पुरातत्त्व (*purātattva*) *m.* 1. antiquity 2. archaeology

पुरातन (*purātan*) *a.* ancient, old

पुराना (*purānā*) *a.* 1. old 2. ancient, olden

पुरालेख (*purālekh*) *m.* old documents and records

पुरी (*purī*) *f.* 1. city, town 2. the city of Jagannath Puri

पुरुष (*puruṣ*) *m.* man, human being, male person

पुरुषत्व (*puruṣatva*) *m.* 1. manhood 2. virility, valour

पुरुषार्थ (*puruṣārtha*) *m.* 1. objective of man's life 2. valour

पुरुषार्थी (*puruṣārthī*) *a.* painstaking, hardworking

पुरुषोत्तम (*puruṣottam*) *m.*1. the best of the mankind 2. an epithet of Lord Krishna

पुरुषोत्तम मास (*puruṣottam mās*) *m.* intercalary or extra month

पुरोधा (*purodhā*) *m.* 1. priest, patrico 2. pioneer

पुरोहित (*purohit*) *m.* priest

पुर्ज़ा (*purzā*) *m.* 1. machinery 2. piece of paper

पुलंदा (*pulandā*) *m.* 1. packet, bundle 2. roll of papers

पुल (*pul*) *m.* bridge

पुलक (*pulak*) *m.* erection of hair of the body (due to joy or terror), thrill, horripilation

पुलकावली (*pulakāvalī*) *f.* erected row of hair due to emotion

पुलकित (*pulakit*) *m.* thrilled with

joy or happiness, ecstatic

पुलिस (*pulis*) *f.* police

पुलिस महानिरीक्षक *m.* inspector-general of police

पुश्त (*puśt*) *f.* 1. back 2. back portion 3. generation

पुश्तैनी (*puśtainī*) *a.* ancestral

पुष्कर (*puṣkar*) *m.* 1. blue lotus 2. a holy town in Rajasthan

पुष्करिणी (*puṣkariṇī*) *f.* 1. pool abounding in lotus flowers 2. small pond or lake

पुष्कल (*puṣkal*) *a.* 1. abundant, plenty, much 2. complete

पुष्ट (*puṣṭ*) *a.* fat, well-built, strong, sturdy, robust

पुष्टि (*puṣṭi*) *f.* 1. nourishment, nutrition 2. confirmation

पुष्टिकर/कारी *a.* (a) nourishing, nutrient (b) confirmatory

पुष्टि मार्ग *m.* the philosophical devotional doctrine propounded by Ballabhacharya (a Vaishnav saint)

पुष्प (*puṣp*) *m.* flower

पुष्पगुच्छ *m.* bouquet, panicle

पुष्पधन्वा one having a bow of flowers, the god of love

पुष्पवाटिका *f.* flower garden

पुष्पवती (*puṣpvatī*) *f.* 1. a woman in menses 2. a cow in heat

पुष्पांजलि (*puṣpāñjali*) *f.* a handful of flowers

पुष्पित (*puṣpit*) *a.* flowered, blossomed, blooming

पुष्य (*puṣya*) *m.* a very auspicious star

पुस्तक (*pustak*) *f.* book

पुस्तक मेला *m.* book fair

पुस्तकाकार (*pustakākār*) *a.* of the form of a book, in book form

पुस्तकालय (*pustakālay*) *m.* library

पुस्तकालयाध्यक्ष (*pustakālayādhyakṣa*) *m.* librarian

पुस्तकीय (*pustkīya*) *a.* bookish

पूँछ (*pūṁch*) *f.* 1. tail 2. rear portion of any object

पूँजी (*pūṁjī*) *f.* 1. capital, principal amount 2. asset

पूँजीवाद *m.* capitalism

पूँजीवादी *m.* capitalist

पूआ (*pūā*) *m.* a bun-like fried cake

पूछ (*pūch*) *f.* 1. enquiry, investigation 2. respect 3. care

पूछना (*pūchnā*) *v.t.* 1. to ask 2. to enquire (of), to investigate

पूजक (*pūjak*) *m.* worshipper

पूजन (*pūjan*) *m.* worship

पूजना (*pūjnā*) *v.t.* to worship

पूजनीय (*pūjnīya*) *a.* revered, highly respectable

पूजा (*pūjā*) *f.* worship

पूजित (*pūjit*) *a.* worshipped

पूज्य (*pūjya*) *a.* worthy to be worshipped

पूज्यवर (*pūjyavar*) *a.* greatly venerable

पूत (*pūt*) *a.* 1. purified 2. holy

पूनो (*pūno*) *f.* full moon day/night

पूप (*pūp*) *m.* a bun-like fried cake

पूरक (*pūrak*) *a.* complementary, supplementary

पूरक परीक्षा *f.* compartmental examination

पूरक प्रश्न *m.* supplementary question

पूरब (*pūrab*) *m.* the east

पूरा (*pūrā*) *a.* 1. full 2. complete

पूरापन (*pūrāpan*) *m.* fullness, completeness

पूरित (*pūrit*) *a.* 1. filled up 2. full

पूरी (*pūrī*) *a. f.* /**पूड़ी** (*pūṛī*) *f.* a round cake of unleavened flour deep fried in oil/ghee

पूर्ण (*pūrṇa*) *a.* full, complete

पूर्णकाम *a.* having desires fulfilled

पूर्णकाल *m.* perfect tense

पूर्णकालिक *a.* full time

पूर्णग्रहण *m.* total eclipse

पूर्णमासी *f.* the night of full moon

पूर्णविराम *m.* full stop, period

पूर्ण-संख्या *m.* integral number

पूर्णतः (*purṇataḥ*) *adv.* completely

पूर्णता (*purṇatā*) *f.* perfection

पूर्णांक (*pūrṇāṅk*) *m.* 1. maximum marks 2. full marks

पूर्णाहुति (*pūrṇāhutī*) *f.* 1. concluding function of a yagya 2. the last oblation

पूर्णिमा (*pūrṇimā*) *f.* full moon night

पूर्णेंदु (*pūrṇendu*) *m.* full moon

पूर्ति (*pūrtī*) *f.* 1. fulfilment 2. supply

पूर्व (*pūrva*) I. *m.* east II. *a.* eastern

पूर्व दिशा *f.* eastern direction

पूर्वकथन (*pūrvakathan*) *m.* 1. prediction 2. previous statement

पूर्वज (*pūrvaj*) *m.* ancestors

पूर्वजन्म (*pūrvajanma*) *m.* previous birth

पूर्वदृष्टांत (*pūrvadṛṣṭānt*) *m.* precedent, previous example

पूर्वनिर्दिष्ट (*pūrvanirdiṣṭa*) *a.* predestined

पूर्वनिर्धारित (*pūrvanirdhārit*) *a.* predetermined

पूर्वपक्ष (*pūrvapakṣa*) *m.* 1. first half of a lunar month 2. the first argument or plea (in a law-suit)

पूर्वप्रभावी (*pūrvaprabhāvī*) *a.* retrospective

पूर्व-फाल्गुनी (*pūrva-phālgunī*) *f.* the eleventh lunar asterism

पूर्व भाद्रपदा (*pūrva-bhādrapadā*) *f.* the twenty-sixth lunar asterism

पूर्व मीमांसा (*pūrvamīimāṃsā*) *f.* treatise on the ritualistic portion of the Vedas

पूर्ववत् (*pūrvavat*) *adv.* as before, as it was

पूर्ववर्ती (*pūrvavartī*) *a.* preceding, previous, former

पूर्वसहमति (*pūrvasahmati*) *f.* prior consent

पूर्वसूचना (*pūrvasūcanā*) *f.* premonition, prior information

पूर्वस्थिति (*pūrvasthiti*) *f.* prior condition, status quo

पूर्वाग्रह (*pūrvāgrah*) *m.* prejudice

पूर्वापर (*pūrvāpar*) *a.* first and the last

पूर्वापेक्षा (*pūrvāpekṣā*) *f.* prerequisite
पूर्वाभास (*pūrvābhās*) *m.* premonition, foreboding
पूर्वाह्न (*pūrvāhna*) *m.* forenoon
पूर्वी (*pūrvī*) *a.* eastern
पूर्वी घाट *f.* the Eastern Ghats (mountain range)
पूर्वोक्त (*pūrvokta*) *a.* aforesaid
पूषण (*pūṣaṇ*) *m.* the sun-god
पूषा (*pūṣā*) *f.* the third phase of the moon
पूस (*pūs*) *m.* tenth month of Hindu calendar, Paush
पृच्छा (*pr̥cchā*) *f.* 1. query, question 2. enquiry
पृथक् (*pr̥thak*) *a.* separate
पृथकता (*pr̥thakatā*) *f.* 1. separation 2. isolation
पृथु (*pr̥thu*) *a.* 1. immense, large 2. king Prithu (of Mahabharat)
पृथ्वी (*pr̥thvī*) *f.* earth, world
पृष्ठ (*pr̥ṣṭha*) I. *m.* page II. *f.* 1. back 2. surface
पृष्ठांकित (*pr̥sthāṅkit*) *a.* endorsed
पेंडुकी (*peṁḍukī*) *f.* dove
पेंदा (*peṁdā*) *m.* 1. bottom 2. base
पेच (*pec*) *m.* 1. screw 2. fold
पेचकश *m.* screwdriver
पेचिश (*peciś*) *f.* dysentery
पेचीदा (*pecīdā*) *a.* /**पेचीला** (*pecīlā*) *a.* 1. intricate, complicated 2. difficult
पेट (*peṭ*) *m.* belly, stomach
पेटी (*peṭī*) *f.* 1. small box, chest 2. belt 3. iron safe
पेटू (*peṭū*) *a.* gluttonous
पेठा (*peṭhā*) *m.* 1. white pumpkin 2. a sweetmeat made from gourd
पेड़ (*peṛ*) *m.* tree
पेड़-पौधे *m.* vegetation, flora
पेड़ा (*peṛā*) *m.* a round sweetmeat made of milk
पेय (*peya*) I. *a.* potable, drinkable II. *m.* any kind of drink milk, syrup, etc.
पेरना (*pernā*) *v.t.* 1. (of oil, etc.) to mill, to crush 2. to squeeze
पेलना (*pelnā*) *v.t.* 1. to shove, to push 2. to impel 3. to thrust in
पेश (*peś*) *a.* present, forward
पेशकार (*peśkār*) *m.* reader, clerk of court
पेशगी (*peśgī*) *f.* advance (money)
पेशतर (*peśtar*) *adv.* before, formerly, prior to, heretofore
पेशवा (*peśvā*) *m.* 1. leader 2. the first executive officer of the Marathas and his title
पेशा (*peśā*) *m.* profession, occupation
पेशानी (*peśānī*) *f.* forehead
पेशाब (*peśāb*) *m.* urine
पेशी (*peśī*) *f.* 1. presentation 2. hearing in a law court 3. muscle
पेशेवर (*peśevar*) *a.* professional
पेशेवर गायक *m.* professional singer
पैंजनी (*paiṁjanī*) *f.* ankle bells for children
पैंठ (*paiṁṭh*) *f.* market
पैंतरा (*paiṁtarā*) *m.* 1. prepara-

tory movement of a wrestler 2. tactics

पैंतालीस (*paiṁtālīs*) *m.&.a.* forty-five

पैंतीस (*paiṁtīs*) *m.& a.* thirty-five

पैंसठ (*paiṁsaṭh*) *m.&a.* sixty-five

पैग़ंबर (*paigambar*) *m.* prophet, angel of God

पैग़ाम (*paigām*) *m.* message

पैतृक (*paitṛk*) *a.* 1. paternal, parental 2. ancestral, hereditary

पैदल (*paidal*) *m.* pedestrian

पैदल सेना *f.* infantry

पैदा (*paidā*) *a.* 1. born 2. created 3. produced, grown

पैदाइश (*paidāiś*) *f.* 1. birth 2. creation

पैदावार (*paidāvār*) *f.* 1. produce (from land) 2. profit

पैना (*painā*) *a.* sharp, pointed

पैमाइश (*paimāiś*) *m.*1. measurement 2. survey (of land)

पैमाना (*paimānā*) *m.* 1. measure 2. scale 3. metre 4. gauge

पैर (*pair*) *m.*1. foot 2. footstep

पैरवी (*pairvī*) *f.* advocacy

पैवंद (*paivand*) *a.* 1. patch 2. graft

पैसा (*paisā*) *m.* 1. paisa, pice 2. money 3. wealth

पों (*poṁ*) *m.*the sound of a horn

पोंगा (*poṁgā*) *a.* 1. stupid 2. hollow

पोंगापंथी *f.* foolishness

पोंछन (*poṁchan*) *f.* 1. wiping, dusting 2. sweeping 3. duster, cleaner, wiper

पोंछना (*poṁchnā*) *v.t.* to wipe , to dust, to clean

पोखरा (*pokhrā*) *m.* small tank

पोटली (*poṭlī*) *f.* small bundle

पोत (*pot*) *m.* ship, junk

पोतध्वज (*potdhvaj*) *m.* ensign

पोतवाह (*potvāh*) *m.* sailor

पोतना (*potnā*) *v.t.* 1. to smear, to wash with 2. to whitewash

पोता (*potā*) *m.* 1. grandson, son's son 2. daubing clout or rag

पोताई (*potāī*) *f.* whitewashing, daubing

पोती (*potī*) *f.* granddaughter, son's daughter

पोथी (*pothī*) *f.* book (especially a religious one)

पोदीना (*podīnā*) *m.* mint, mint leaves

पोना (*ponā*) *v.t.* to knead dough into bread

पोपला (*poplā*) I. *m.* a toothless person II. *a.* hollow

पोर (*por*) *m.* the bony part between two joints of the body

पोल (*pol*) *f.* hollow, emptiness

पोल खुलना *v.t.* to be exposed

पोला (*polā*) *a.* 1. hollow 2. empty

पोलियो (*poliyo*) *m.* poliomyelitis

पोशाक (*pośāk*) *f.* 1. dress, garment 2. uniform

पोशीदा (*pośīdā*) *a.* 1. hidden, concealed 2. secret

पोषक (*poṣak*) *a.* nutritive

पोषण (*poṣaṇ*) *m.* nourishment

पोषाहार (*poṣāhār*) *m.* nutritious diet, nourishment

पोषित (*poṣit*) *a.* nourished

पोष्य (*poṣya*) *a.* nurturable

पोष्य-पुत्र *m.* adopted son
पोस्ता (*postā*) *m.* poppy-seed, opium plant
पौ (*pau*) *f.* dawn
पौ फटना *v.t.* to be dawn
पौआ (*pauā*) *m.* one-fourth (of a kilogram)
पौत्र (*pautra*) *m.* grandson
पौत्री (*pautrī*) *f.* granddaughter
पौद (*paud*) *f.* sapling, seedling
पौध (*paudh*) *f.* sapling
पौधा (*paudhā*) *m.* plant
पौन (*paun*) *a.& m.* three-fourths
पौर (*paur*) I. *a.* urban, civic II. *m.* citizen, townsman
पौरव (*paurav*) *a.* descendant from Puru
पौराणिक (*paurāṇik*) *a.* mythical, mythological, legendary
पौरुष (*paurus̩*) I. *a.* manly, of a man II. *m.* vigour
पौरोहित्य (*paurohitya*) *m.* priesthood, functions of a priest
पौर्वात्य (*paurvātya*) *a.* eastern
पौवा (*pauvā*) *m.* 1. one-fourth (of a kilogram) 2. quarter bottle
पौष (*paus̩*) *m.* the tenth month of Hindu calendar
पौष्टिक (*paus̩ṭik*) *a.* nutritive
प्याज़ (*pyāz*) *m.* onion
प्यादा (*pyādā*) *m.* 1. pedestrian, footman 2. (of chess) pawn
प्यार (*pyār*) *m.* love, affection
प्यारा (*pyārā*) *a.* dear, beloved
प्याला (*pyālā*) *m.* cup
प्यास (*pyās*) *f.* 1. thirst 2. longing
प्यासा (*pyāsā*) *a.* thirsty
प्रकंप (*prakamp*) *m.* quivering
प्रकंपित (*prakampit*) *a.* shivered
प्रकट (*prakaṭ*) *a.* open
प्रकटतः (*prakaṭtaḥ*) *adv.* prima facie, obviously
प्रकटता (*prakaṭtā*) *f.* visibility
प्रकटित (*prakaṭit*) *a.* displayed
प्रकरण (*prakaraṇ*) *m.* 1. reference 2. section 3. chapter 4. topic
प्रकर्ष (*prakars̩a*) *m.* 1. exaltation, elevation 2. excellence
प्रकांड (*prakāṇḍ*) *a.* 1. eminent, outstanding, best 2. profound
प्रकार (*prakār*) *m.* kind, type
प्रकारांतर (*prakārāntar*) *m.* another or different manner
प्रकाश (*prakāś*) *m.*light
प्रकाश-स्तंभ *m.* light-house, beacon tower
प्रकाशक (*prakāśak*) I. *m.* publisher II. *a.* emitting light
प्रकाशन (*prakāśan*) *m.* 1. publication 2. published work
प्रकाशित (*prakāśit*) *a.* 1. published 2. illuminated
प्रकाश्य (*prakāśya*) *a.* 1. to be published 2. to be illuminated
प्रकीर्ण (*prakīirṇa*) *a.* diffuse, scattered, spread
प्रकीर्ति (*prakīrti*) *f.* 1. praise 2. fame 3. celebration
प्रकीर्तित (*prakīrtit*) *a.* 1. proclaimed 2. praised, extolled
प्रकृति (*prakr̥ti*) *f.* 1. nature 2. temperament
प्रकृतिस्थ (*prakr̥tisth*) *a.* in the original or natural condition

प

प्रकृष्ट (*prakṛṣṭ*) *a.* 1. drawn forth, protracted 2. exalted

प्रकोप (*prakop*) *m.* violent anger

प्रकोष्ठ (*prakoṣṭha*) *m.* 1. upper room or chamber 2. porch

प्रक्रिया (*prakriyā*) *f.* 1. process 2. procedure 3. proceedings

प्रक्षालक (*prakṣālak*) *a.& m.* detergent

प्रक्षालन (*prakṣālan*) *m.* 1. washing, ablution 2. bleaching

प्रक्षिप्त (*prakṣipta*) *a.* 1. thrown 2. projected

प्रक्षुब्ध (*prakṣubdh*) *a.* turbulent, disturbed

प्रक्षेपास्त्र (*prakṣepāstra*) *m.* rocket, ballistic missile

प्रखर (*prakhar*) *a.* 1. hot, acrid 2. sharp, keen

प्रख्यात (*prakhyāt*) *a.* celebrated, renowned, famous, reputed

प्रख्यापित (*prakhyāpit*) *a.* 1. notified 2. declared

प्रगति (*pragati*) *f.* progress, development, advancement

प्रगतिवाद *m.* progressivism

प्रगतिवादी *a.& m.* progressivist

प्रगतिशील *a.* progressive

प्रगल्भ (*pragalbh*) *a.* 1. bold 2. insolent, arrogant

प्रगाढ़ (*pragāṛh*) *a.* 1. deep in colour 2. thick, dense

प्रगृहीत (*pragṛhīt*) *a.* 1. held firmly 2. separated

प्रघात (*praghāt*) *m.* thrust, impact, shock

प्रचंड (*pracaṇḍ*) *a.* 1. violent 2. (of person) furious

प्रचलन (*pracalan*) *m.* 1. currency 2. vogue 3. usage

प्रचलित (*pracalit*) *a.* 1. prevalent 2. in force 3. in vogue

प्रचार (*pracār*) *m.* 1. propaganda 2. publicity

प्रचारक (*pracārak*) *m.* propagandist, publicist

प्रचारित (*pracārit*) *a.* 1. propagated, publicized 2. diffused

प्रचुर (*pracur*) *a.* abundant

प्रच्छन्न (*pracchanna*) *a.* 1. concealed, hidden 2. disguised

प्रजनन (*prajanan*) *m.* procreation, breeding, reproduction

प्रजा (*prajā*) *f.* 1. subjects 2. people

प्रजातंत्र (*prajātantra*) *m.* democracy

प्रजातांत्रिक (*prajātāntrik*) *a.* democratic

प्रजापति (*prajāpati*) *m.* lord of subjects, king, Brahma

प्रजाति (*prajāti*) *f.* 1. race 2. species

प्रज्ञ (*prajña*) *a.* wise, intelligent

प्रज्ञा (*prajñā*) *f.* intelligence, intellect, wisdom

प्रज्ञाचक्षु *a.& m.* one who is guided by wisdom instead of his physical eyes

प्रज्ञापन (*prajñāpan*) *m.* 1. notification, notice 2. advice

प्रज्वलन (*prajvalan*) *m.* setting on fire, ignition, act of burning

प्रज्वलित (*prajvalit*) *a.* 1. set on

fire, ignited, burnt 2. shining

प्रण (*praṇ*) *m.* 1. pledge, vow 2. resolution, determination

प्रणत (*praṇat*) *a.* 1. bent low, bowed 2. humble

प्रणति (*praṇati*) *f.* bending, bowing, obeisance, salutation

प्रणम्य (*praṇamya*) *a.* deserving salutation or obeisance

प्रणय (*praṇay*) *m.* love, affection

प्रणयन (*praṇayan*) *m.* 1. making 2. creation 3. writing

प्रणयी (*praṇayī*) *m.* 1. lover 2. husband

प्रणव (*praṇav*) *m.* the sacred syllable Om, the Almighty

प्रणाम (*praṇām*) *m.* respectful or reverential salutation (to elders, to a deity)

प्रणाली (*praṇālī*) *f.* 1. system, method, mode 2. way

प्रणिपात (*praṇipāt*) *m.* obeisance, prostrating

प्रणीत (*praṇīt*) *m.* 1. made, created 2. written, composed

प्रणेता (*praṇetā*) *m.* 1. maker, creator 2. writer, author

प्रताड़ना (*pratāṛanā*) *f.* 1. admonition, rebuke 2. affliction

प्रताड़ित (*pratāṛit*) *a.* admonished, rebuked, scolded

प्रताप (*pratāp*) *m.* 1. majesty, glory 2. brilliance

प्रतापवान् (*pratāpvān*) *a.* 1. majestic, glorious 2. brilliant

प्रतारणा (*pratārṇā*) *f.* cheating, swindling, deceit, fraud

प्रति (*prati*) I. *prep.* for each, for every one, per, a II. *p.p* towards, to III. *f.* duplicate copy

प्रतिकार (*pratikār*) *m.* 1. retaliation, revenge 2. reward

प्रतिकूल (*pratikūl*) *a.* 1. adverse 2. opposite, contrary

प्रतिकृति (*pratikṛti*) *f.* 1. copy 2. prototype 3. duplicate

प्रतिक्रिया (*pratikriyā*) *f.* reaction
प्रतिक्रियावाद *m.* reactionary attitude or policy

प्रतिगमन (*pratigaman*) *m.* 1. regression 2. return

प्रतिगामी (*pratigāmī*) *a.* regressive, retroactive

प्रतिघात (*pratighāt*) *m.* 1. counterblow 2. counter-attack

प्रतिचित्रण (*praticitraṇ*) *m.* counter-delineation

प्रतिछवि (*pratichavi*) *f.* reflection, image, shadow

प्रतिज्ञा (*pratijñā*) *f.* vow, promise, pledge

प्रतिज्ञात (*pratijñāt*) *a.* 1. promised 2. asserted 3. agreed

प्रतिज्ञान (*pratijñān*) *m.* 1. pledging, vowing 2. affirmance

प्रतिदान (*pratidān*) *m.* 1. return 2. repayment 3. redemption

प्रतिदिन (*pratidin*) *adv.* every day, daily, day to day, day by day

प्रतिद्वंद्व (*pratidvandva*) *m.* 1. conflict 2. mutual struggle

प्रतिद्वंद्विता (*pratidvandvitā*) *f.* 1. competition 2. conflict

प्रतिद्वंद्वी (*pratidvandvī*) *m.* rival,

प

contestant, competitor

प्रतिध्वनि (*pratidhvani*) *f.* echo, reverberation, resound

प्रतिध्वनित (*pratidhvanit*) *a.* echoed, resounded, resonant

प्रतिनाद (*pratinād*) *m.* echo, reverberation, resound

प्रतिनिधि (*pratinidhi*) *m.* 1. representative 2. delegate

प्रतिनिधित्व (*pratinidhitva*) *m.* representation

प्रतिनियुक्त (*pratiniyukta*) I. *a.* deputed II. *m.* deputy

प्रतिपक्ष (*pratipakṣa*) *m.* 1. opposite party 2. defendant

प्रतिपक्षी (*pratipakṣī*) *m.* 1. opponent 2. adverse party

प्रतिपद (*pratipad*) *adv.* at every step, step by step

प्रतिपदा (*pratipadā*) *f.* the first day of the lunar fortnight

प्रतिपादक (*pratipādak*) *a.*& *m.* one who represents (as a case)

प्रतिपादन (*pratipādan*) *m.* 1. exposition 2. presentation

प्रतिपादित (*pratipādit*) *a.* 1. expounded 2. presented

प्रतिपाद्य (*pratipādya*) I. *a.* 1. to be expounded 2. presentable II. *m.* subject matter, theme

प्रतिपालक (*pratipālak*) *m.*1. protector 2. guardian

प्रतिपालन (*pratipālan*) *m.* 1. looking after 2. maintenance 3. obeying orders

प्रतिपूरक (*pratipūrak*) *a.* 1. complementary 2.compensatory

प्रतिपूर्ति (*pratipūrti*) *f.* 1. reimbursement 2. compensation

प्रतिप्रश्न (*pratipraśna*) *m.* cross-question, question as a reply

प्रतिफल (*pratiphal*) *m.* reward, recompense

प्रतिफलन (*pratiphalan*) *m.* retaliation

प्रतिफलित (*pratiphalit*) *a.* 1. retaliated 2. resulting in

प्रतिबंध (*pratibandh*) *m.* 1. ban 2. restriction 3. condition

प्रतिबंधित (*pratibandhit*) *a.* 1. restricted 2. banned

प्रतिबद्ध (*pratibaddh*) *a.* 1. committed 2. restricted 3. bound

प्रतिबद्धता (*pratibaddhtā*) *f.* 1. commitment 2. restriction

प्रतिबिंब (*pratibimb*) *m.* reflection, image, shadow

प्रतिबिंबित (*pratibimbit*) *a.* reflected

प्रतिभा (*pratibhā*) *f.* 1. intellect 2. talent, genius

प्रतिभाशाली *a.* talented, gifted

प्रतिभागी (*pratibhāgī*) *a.* participant

प्रतिभासित (*pratibhāsit*) *a.* appearance, illusion

प्रतिभूति (*pratibhūti*) *f.* bail, security, guarantee

प्रतिमा (*pratimā*) *f.* image, idol, statue

प्रतिमान (*pratimān*) *m.* 1. model, pattern 2. norm, standard

प्रतिमूर्ति (*pratimūrti*) *m.* 1. exact, duplicate 2. imitation

प्रतियोगिता (*pratiyogitā*) *f.* 1. competition, contest 2. rivalry
प्रतियोगिता परीक्षा *f.* competitive examination
प्रतियोगी (*pratiyogī*) I. *m.* competitor, rival II. *a.* opposite
प्रतियोजित (*pratiyojit*) *a.* 1. counter plotted 2. counter-planned
प्रतिरक्षा (*pratirakṣā*) *f.* defence
प्रतिरक्षा मंत्री *m.* Defence Minister
प्रतिरोधी (*pratirodhī*) *a.* 1. resistant 2. buffer, obstructing
प्रतिरोपण (*pratiropaṇ*) *m.* transplanting, transplantation
प्रतिरोपित (*pratiropit*) *a.* transplanted
प्रतिलिपि (*pratilipi*) *f.* duplicate copy, transcript
प्रतिलोम (*pratilom*) *a.* inverse, reverse low, base, vile
प्रतिवर्ती (*prativartī*) *a.* 1. reverse 2. reflexive 3. retrospective
प्रतिवाद (*prativād*) *m.* 1. contradiction 2. counter-statement
प्रतिवादी (*prativādī*) *m.* defendant, respondent
प्रतिवेदक (*prativedak*) *m.*reporter
प्रतिवेदित (*prativedit*) *a.* reported, informed
प्रति व्यक्ति (*prativyakti*) *adv.* per capita, per head
प्रतिव्यक्ति आय *f.* per capita income
प्रतिशत (*pratiśat*) *adv.* per cent
प्रतिशोध (*pratiśodh*) *m.* revenge
प्रतिश्रुति (*pratiśruti*) *f.* vow, solemn pledge
प्रतिष्ठ (*pratiṣṭha*) *a.* 1. settled 2. renowned, famous, reputed
प्रतिष्ठा (*pratiṣṭhā*) *f.* 1. prestige 2. status 3. reputation
प्रतिष्ठान (*pratiṣṭhān*) *m.* 1. establishment 2. foundation, basis
प्रतिष्ठित (*pratiṣṭhit*) *a.* 1. honoured 2. settled, established
प्रतिस्थापन (*pratisthāpan*) *m.* replacement, substitution
प्रतिस्पर्द्धा (*pratisparddhā*) *f.* /**प्रतिस्पर्धा** (*pratispardhā*) *f.* competition, contest
प्रतिहार (*pratihār*) *m.* 1. gate, portal 2. gatekeeper
प्रतिहारी (*pratihārī*) *m.* 1. gatekeeper 2. watchman
प्रतिहिंसा (*pratihiṃsā*) *f.* revenge, reprisal, retaliation
प्रतीक (*pratīik*) *m.* 1. symbol 2. emblem 3. token
प्रतीकवाद *m.* symbolism, figurism
प्रतीकात्मक (*pratīikātmak*) *a.* symbolic
प्रतीक्षा (*pratīikṣā*) *f.* waiting, wait
प्रतीक्षालय (*pratīikṣālaya*) *m.* waiting room
प्रतीची (*pratīicī*) *f.* the west (quarter)
प्रतीत (*pratīt*) *a.* appeared, seemed
प्रतीति (*pratīti*) *f.* feeling

प

प्रत्यंग (*pratyaṅg*) *m.* 1. secondary or minor organ or limb 2. part

प्रत्यंचा (*pratyañcā*) *f.* bowstring

प्रत्यक्ष (*pratyakṣa*) *a.* perceptible, evident, apparent, clear
 प्रत्यक्ष कर *m.* direct taxes
 प्रत्यक्ष निर्वाचन *m.* direct election

प्रत्यक्षतः (*pratyakṣataḥ*) *adv.* /प्रत्यक्षतया (*pratyakṣatayā*) *adv.* directly, prima facie

प्रत्यय (*pratyay*) *m.* 1. affix, suffix 2. concept, idea 3. conviction

प्रत्ययी (*pratyayī*) *a.* deserving confidence, trustworthy

प्रत्यर्पण (*pratyarpaṇ*) *m.* 1. extradition 2. refund
 प्रत्यर्पण संधि *f.* extradition treaty

प्रत्यर्पित (*pratyarpit*) *a.* 1. extradited 2. restored

प्रत्यागत (*pratyāgat*) *a.* returned, come back, arrived

प्रत्याभूति (*pratyābhūti*) *f.* guarantee, warranty

प्रत्यारोप (*pratyārop*) *m.*/प्रत्यारोपण (*pratyāropaṇ*) *m.* countercharge, counter-accusation

प्रत्यावर्तन (*pratyāvartan*) *m.* 1. return 2. reversion

प्रत्यावर्तित (*pratyāvartit*) *a.* 1. returned 2. reversed 3. restored

प्रत्यावर्ती (*pratyāvartī*) *a.* alternate, alternating

प्रत्याशा (*pratyāśā*) *f.* 1. expectation 2. anticipation 3. reliance

प्रत्याशित (*pratyāśit*) *m.* expected

प्रत्याशी (*pratyāśī*) I. *m.* candidate II. *a.* expectant

प्रत्युत (*pratyut*) *conj.* on the contrary, however, on the other hand, but, besides

प्रत्युत्तर (*pratyuttar*) *m.* 1. retort, repartee 2. rejoinder

प्रत्युत्पन्न (*pratyutpanna*) *a.* reborn, regenerated

प्रत्युपकार (*pratyupkār*) *m.* return of kindness or assistance

प्रत्यूष (*pratyūṣ*) *m.* dawn, daybreak

प्रत्येक (*pratyek*) *a.*& *m.* each, every, each one, everyone

प्रथम (*pratham*) *a.* 1. first, foremost 2. primary 3. previous
 प्रथम उपचार *m.* first aid
 प्रथम दृष्ट्या *adv.* at first sight
 प्रथम पुरुष *m.* (*gram.*) first person
 प्रथम श्रेणी *f.* first class
 प्रथम सूचना रिपोर्ट *f.* first information report (F.I.R.)

प्रथा (*prathā*) *f.* tradition, usage

प्रदक्षिणा (*pradakṣiṇā*) *f.* going clockwise round the fire or deity

प्रदत्त (*pradatta*) *a.* 1. conferred, given, granted 2. paid (up)

प्रदर्शक (*pradarśak*) I. *a.* 1. foretelling 2. showing, exhibiting II. *m.* 1. exhibitor 2. demonstrator

प्रदर्शन (*pradarśan*) *m.* exhibit-

प

ing, exhibition, show, display
प्रदर्शन कक्ष *m.* showroom
प्रदर्शनीय (*pradarśanīya*) *a.* to be shown/exhibited
प्रदर्शित (*pradarśit*) *a.* show, exhibited, brought to light
प्रदाता (*pradātā*) *m.* 1. donor 2. giver, bestower
प्रदान (*pradān*) *m.* granting, presenting
प्रदायक (*pradāyak*) *m.* giver, bestower, granter, donor
प्रदीप (*pradīp*) *m* lamp, light
प्रदीप्त (*pradīpta*) *a.* 1. illuminated, brightened, lighted 2. kindled
प्रदूषण (*pradūṣaṇ*) *m.* pollution
प्रदूषित (*pradūṣit*) *a.* polluted
प्रदेश (*prades*) *m.* 1. state 2. region 3. zone 4. land 5. province
प्रदोष (*pradoṣ*) *m.* 1. time of sunset 2. the 13th day of a lunar fortnight 3. great sin
प्रद्युम्न (*pradyumna*) *m.* 1. pre-eminent person 2. an eponym of Cupid, a son of Lord Krishna
प्रधान (*pradhān*) *a.* head, chief
प्रधान कार्यालय *m.* head office
प्रधान गायिका *f. prima donna*
प्रधान डाकघर *m.* head post-office
प्रधानमंत्री *m.* prime minister
प्रधान सेनापति *m.* commander-in-chief
प्रधानाचार्य (*pradhānācārya*) *m.* principal (of a college)
प्रपंच (*prapañc*) *m.* illusory creation, this world
प्रपंची (*prapañcī*) *a.* artful, cunning, fraudulent
प्रपत्ति (*prapatti*) *f.* exclusive devotion
प्रपत्र (*prapatra*) *m.* 1. form, proforma 2. legal document
प्रपन्न (*prapanna*) *a.* in need of refuge or shelter
प्रपात (*prapāt*) *m.* waterfall
प्रफुल्ल (*praphulla*) *a.* 1. delighted, gay 2. cheerful
प्रफुल्लित (*praphullit*) *a.* joyful, delighted, happy, jubilant
प्रबंध (*prabandh*) *m.* 1. management 2. arrangement
प्रबंध निदेशक *m.* managing director
प्रबंध संपादक *m.* managing editor
प्रबंधक (*prabandhak*) *m.* 1. manager 2. organizer
प्रबल (*prabal*) *a.* 1. mighty, very powerful, strong 2. great
प्रबलता (*prabalatā*) *f.* 1. might, strength, vigour 2. dominance
प्रबुद्ध (*prabuddha*) *a.* 1. wise 2. awakened 3. enlightened
प्रबोधन (*prabodhan*) *m.* 1. awakening 2. enlightening
प्रबोधिनी (*prabodhinī*) *f.* the eleventh day of bright lunar fortnight in Hindu month of Kartik
प्रभंजन (*prabhañjan*) *m.* hurricane, gale, tempest
प्रभविष्णु (*prabhaviṣṇu*) *a.* 1. pow-

प

erful, mighty, strong, potent 2. efficacious, effective

प्रभा (*prabhā*) *f.* splendour, radiance, lustre, brightness

प्रभाकर (*prabhākar*) *m.* 1. illuminator 2. the sun

प्रभाग (*prabhāg*) *m.* sub division, section

प्रभाग अधिकारी *m.* divisional officer

प्रभात (*prabhāt*) *m.* dawn, early morning, daybreak

प्रभातफेरी *f.* going about in procession in the early morning and singing religious hymns

प्रभाती (*prabhātī*) *f.* religious hymns sung at dawn

प्रभामंडल (*prabhāmaṇḍal*) *m.* halo

प्रभार (*prabhār*) *m.* charge

प्रभारी (*prabhārī*) *a.* in-charge

प्रभारी निदेशक *m.* director-in-charge

प्रभाव (*prabhāv*) *m.* 1. influence 2. effect 3. pressure

प्रभावकारी *a.* effective

प्रभावशाली *a.* influential

प्रभावहीन *a.* ineffective

प्रभावित (*prabhāvit*) *a.* influenced

प्रभावी (*prabhāvī*) *a.* 1. effectual 2. influential 3. dominant

प्रभु (*prabhu*) *m.* 1. God 2. ruler

प्रभुसत्ता (*prabhusattā*) *f.* sovereign power, sovereignty

प्रभूत (*prabhūt*) *a.* much, abundant, plentiful, ample

प्रभृति (*prabhr̥ti*) *f.* and others

प्रभेद (*prabhed*) *m.* 1. variety, kind, sort 2. division 3. difference

प्रमंडल (*pramaṇḍal*) *m.* a part of a province under a commissioner

प्रमंडलाधिकारी (*pramaṇḍalādhikārī*) *m.* commissioner

प्रमत्त (*pramatta*) *a.* intoxicated

प्रमदा (*pramadā*) *f.* a beautiful woman, damsel

प्रमाण (*pramāṇ*) *m.* 1. proof 2. testimony, evidence

प्रमाण पत्र *m.* certificate

प्रमाण पुरुष *m.* authority

प्रमाणित (*pramāṇit*) *a.* 1. attested 2. certified 3. testified

प्रमाद (*pramād*) *m.* intoxication

प्रमादी (*pramādī*) *a.* 1. intoxicated 2. careless, negligent

प्रमार्जन (*pramārjan*) *a.* 1. sophistication 2. refinement

प्रमुख (*pramukh*) *a.* 1. foremost 2. chief, principal 3. main

प्रमुखतः (*pramukhtaḥ*) *adv.*/**प्रमुखतया** (*pramukhtayā*) *adv.* mainly, chiefly

प्रमुखता (*pramukhtā*) *f.* 1. priority 2. primacy

प्रमेय (*prameya*) *m.* (math.) theorem

प्रमेह (*prameh*) *m.* diabetes

प्रमोद (*pramod*) *m.* 1. excessive joy 2. entertainment

प्रयत्न (*prayatna*) *m.* attempt, effort, endeavour

प्रयत्नशील *a.* endeavouring

प्रयाण (*prayāṇ*) *m.* departing,

death

प्रयास (*prayās*) *m.* 1. attempt, effort, endeavour 2. labour

प्रयुक्त (*prayukta*) *a.* used, employed, applied

प्रयोग (*prayog*) *m.* 1. use 2. experiment

प्रयोगवाद *m.* experimentalism

प्रयोगशाला (*prayogśālā*) *f.* laboratory

प्रयोजक (*prayojak*) *m.* 1. instigator 2. experimenter

प्रयोजन (*prayojan*) *m.* purpose, object, aim, intention

प्रयोजनीय (*prayojanīya*) *a.* 1. suitable 2. useful 3. usable

प्ररक्षण (*prarakṣaṇ*) *m.* supervision

प्ररूप (*prarūp*) *m.* type

प्रलयंकर (*pralayaṅkar*) *a.* ruinous, an eponym of Lord Shiva

प्रलय (*pralaya*) *m.* 1. deluge, disastrous flood 2. doomsday

प्रलाप (*pralāp*) *m.* lamentation

प्रलीन (*pralīn*) *a.* 1. lost 2. immersed, deeply engrossed

प्रलेप (*pralep*) *m.* ointment, paste

प्रलेपन (*pralepan*) *m.* 1. anointing 2. pasting

प्रलोभ (*pralobh*) *m.* excessive desire or greed

प्रलोभन (*pralobhan*) *m.* temptation, allurement, seducing

प्रवंचक (*pravañcak*) *m.* cheat, trickster, deceiver

प्रवंचना (*pravañcanā*) *f.* deceit, trickery, fraud, cheating

प्रवक्ता (*pravaktā*) *m.* spokesman

प्रवचन (*pravacan*) *m.* sermon

प्रवर (*pravar*) *a.* 1. selected 2. upper 3. superior 4. senior

प्रवर सदन *m.* upper house

प्रवर समिति *f.* select committee

प्रवर सेवा *f.* superior service

प्रवर्त (*pravarta*) *m.* 1. commencement 2. excitement

प्रवर्तक (*pravartak*) *m.* 1. promoter 2. pioneer

प्रवर्तनीय (*pravartnīy*) *a.* enforceable

प्रवर्तित (*pravartit*) *a.* 1. initiated 2. propagated 3. promoted

प्रवहमान (*pravahmān*) *a.* flowing, fluent

प्रवाद (*pravād*) *m.* 1. slander 2. rumour 3. fable, myth

प्रवाल (*pravāl*) *m.* corallum, coral

प्रवास (*pravās*) *m.* migration

प्रवासी (*pravāsī*) *a.* living away from home, emigrant

प्रवाह (*pravāh*) *m.* 1. flow, fluency 2. stream, current, flux

प्रविष्ट (*praviṣṭa*) *a.* 1. entered (into) 2. admitted

प्रविष्टि (*praviṣṭi*) *f.* 1. entry 2. entrance 3. admission

प्रवीण (*pravīṇ*) *a.* proficient, efficient, skilful, expert

प्रवीर (*pravīr*) *a.* heroic, very brave, extremely powerful

प्रवृत्त (*pravṛtta*) *a.* engaged, involved

प्रवृत्ति (*pravṛtti*) *f.* tendency, pro-

प

clivity, inclination, trend

प्रवेग (*praveg*) *m.* 1. tempo 2. sudden convulsion 3. velocity

प्रवेश (*praveś*) *m.* 1. entrance, entry 2. admission

प्रवेश-द्वार *m.* gateway

प्रवेश-पत्र *m.* pass, admission ticket

प्रवेशिका (*praveśikā*) *f.* 1. entry ticket or fee 2. entrance examination

प्रव्रजन (*pravrajan*) *m.* going abroad, migration

प्रव्रज्या (*pravrajyā*) *f.* 1. asceticism 2. migration

प्रव्राजक (*pravrājak*) *m.* 1. emigrant 2. wandering monk

प्रशंसक (*praśaṃsak*) *m.* admirer

प्रशंसनीय (*praśaṃsanīya*) *a.* praise worthy, admirable

प्रशंसा (*praśaṃsā*) *f.* praise, commendation, admiration

प्रशंसात्मक (*praśaṃsātmak*) *a.* laudatory

प्रशंसित (*praśaṃsit*) *a.* appreciated, praised, admired

प्रशमन (*praśaman*) *m.* 1. pacification 2. composition

प्रशस्त (*praśasta*) *f.* 1. praiseworthy, admirable 2. grand

प्रशस्ति (*praśasti*) *f.* eulogy

प्रशांत (*praśānt*) *a.* tranquil, calm, pacific, peaceful

प्रशांत महासागर *m.* Pacific Ocean

प्रशाखा (*praśākhā*) *f.* 1. sub-branch 2. sub division

प्रशासक (*praśāsak*) *m.* administrator

प्रशासन (*praśāsan*) *m.* administration

प्रशासन तंत्र *m.* administrative machinery

प्रशासनिक (*praśāsnik*) *a.* administrative

प्रशासनिक सुधार *m.* administrative reform

प्रशासी (*praśāsī*) *a.* administrative

प्रशिक्षक (*praśikṣak*) *m.* trainer

प्रशिक्षण (*praśikṣaṇ*) *m.* training

प्रशिक्षणार्थी (*praśikṣaṇārthī*) *m.* trainee

प्रशिक्षु (*praśikṣu*) *m.* intern

प्रश्न (*praśna*) *m.* question

प्रश्नचिह्न *m.* question-mark

प्रश्न पत्र *m.* question paper

प्रश्नवाचक *a.* interrogative

प्रश्नावली (*praśnāvalī*) *f.* questionnaire

प्रश्नोत्तर (*praśnottar*) *m.* question and answer

प्रश्रय (*praśray*) *m.* 1. shelter, haven 2. protection 3. prop

प्रश्वसन (*praśvasan*) *m.* inspiration, breathing-in

प्रश्वास (*praśvās*) *m.* inspiration, inhalation

प्रसंग (*prasaṅg*) *m.* 1. context, reference 2. topic

प्रसंगवश (*prasaṅgvaś*) *adv.* 1. as the occasion arises 2. incidentally, by the way

प्रसंगात्मक (*prasaṅgātmak*) *a.* 1.

contextual 2. referential

प्रसंगाधीन (*prasaṅgādhīn*) *a.* under reference

प्रसन्न (*prasanna*) *a.* glad, delighted, pleased, happy

प्रसव (*prasav*) *m.* 1. maternity 2. child birth, labour

प्रसव-कक्ष *m.* labour-room

प्रसव-पीड़ा *f.* labour pains, pangs of procreation

प्रसाद (*prasād*) *m.* 1. offerings made to a deity 2. leavings of food of a religious person

प्रसाद गुण *m.* lucidity

प्रसाधन (*prasādhan*) *m.* 1. adornment, decoration 2. dressing

प्रसाधन गृह *m.* beauty parlour

प्रसार (*prasār*) *m.* 1. expansion, dispersion 2. spread

प्रसारण (*prasāraṇ*) *m.* 1. broadcast 2. transmission, broadcasting

प्रसिद्ध (*prasiddha*) *a.* famous, well-known, reputed, renowned

प्रसिद्धि (*prasiddhi*) *f.* fame, reputation, renown, name

प्रसुप्त (*prasupta*) *a.* 1. asleep, sleeping 2. in abeyance

प्रसुप्तावस्था (*prasuptāvasthā*) *f.* dormant state

प्रसुप्ति (*prasupti*) *f.* sleep

प्रसू (*prasū*) *f.* & *a.* 1. pregnant 2. about to beget 3. procreative

प्रसूत (*prasūt*) *a.* born, begotten

प्रसूति (*prasūti*) *f.* 1. maternity 2. child birth 3. delivery

प्रस्तर (*prastar*) *m.* stone, rock

प्रस्तर युग *m.* Stone Age

प्रस्ताव (*prastāv*) *m.* 1. proposal 2. resolution 3. offer

प्रस्तावना (*prastāvanā*) *f.* preface, preamble, introduction

प्रस्तुत (*prastut*) *a.* 1. offered, presented 2. present 3. produced

प्रस्तुति (*prastuti*) *f.* 1. production 2. presentation 3. submission

प्रस्तुतीकरण (*prastutīkaraṇ*) *m.* presentation

प्रस्थान (*prasthān*) *m.* 1. departure, setting out 2. march

प्रस्फुट (*prasphuṭ*) *a.* 1. manifest, plain, clear 2. open

प्रस्फुटन (*prasphuṭan*) *m.* 1. manifestation 2. opening up

प्रस्फुरण (*prasphuraṇ*) *m.* 1. coming out, emanation 2. thrill

प्रहर (*prahar*) *m.* 1. three-hour period 2. watch, vigilance

प्रहरी (*praharī*) *m.* watchman

प्रहसन (*prahasan*) *m.* comedy

प्रहार (*prahār*) *m.* assault

प्रांगण (*prāṅgaṇ*) *m.* courtyard

प्रांजल (*prāñjal*) *a.* refined, clear

प्रांत (*prānt*) *m.* 1. province 2. territory

प्रांतीयता (*prāntīiyātā*) *f.* provincialism, regionalism

प्राकट्य (*prākaṭya*) *m.*& *f.* 1. manifestation 2. revelation

प्राकार (*prākār*) *m.* 1. parapet 2. rampart, wall enclosure

प्राकृत (*prākṛt*) *a.* natural

प

प्राकृतिक (*prākṛtik*) *a.* natural

प्राक् (*prāk*) *pref.* pre, fore

प्राक्कथन (*prākkathan*) *m.* foreword, preface

प्राक्कलन (*prākkalan*) *m.* estimate

प्रागैतिहासिक (*prāgaitihāsik*) *a.* prehistorical

प्राचार्य (*prācārya*) *m.* principal (of a college)

प्राची (*prācī*) *f.* the east, Orient

प्राचीन (*prācīn*) *a.* old, ancient

प्राचीर (*prācīr*) *m.* bulwark, rampart

प्राच्य (*prācya*) *a.* 1. eastern, Oriental 2. old

प्राच्यविद्या *f.* Oriental learning

प्राज्ञ (*prājñā*) I. *m.* 1. intellectual 2. scholar II. *a.* prudent, wise

प्राण (*prāṇ*) *m.* 1. vital breath 2. life, animus 3. soul, spirit

प्राणदंड *m.* capital punishment

प्राणनाथ *m.* dear one, husband

प्राणवान (*prāṇvān*) *a.* 1. spirited, full of life 2. vigorous

प्राणवायु (*prāṇvāyu*) *f.* vital air

प्राणांत (*prāṇānt*) *m.* end of life, death, demise

प्राणांतक (*prāṇāntak*) *a.* deadly

प्राणाधार (*prāṇādhār*) *m.* 1. lifebreath 2. lover, husband

प्राणायाम (*prāṇāyām*) *m.* yogic practice or exercise of deep inhalation and exhalation and control of breath

प्राणि जगत् (*prāṇi jagat*) *m.* animal kingdom

प्राणी (*prāṇī*) *m.* living being

प्राणेश (*prāṇeś*) *m.* /**प्राणेश्वर** (*prāṇeśvar*) *m.* husband, lover

प्रातः (*prātaḥ*) *m.* sunrise, morning

प्रातःकाल *m.* morning time

प्रातःस्मरणीय *m.* to be remembered every morning, reverred, respected

प्रातराश (*prātarāś*) *m.* breakfast

प्राथमिक (*prāthamik*) *a.* 1. primary 2. preliminary 3. elementary

प्राथमिक उपचार *m.* first aid

प्राथमिकता (*prāthmiktā*) *f.* priority, precedence

प्रादुर्भाव (*prādurbhāv*) *m.* 1. manifestation 2. appearance

प्रादुर्भूत (*prādurbhūt*) *a.* 1. manifested 2. appeared

प्रादेशिक (*prādeśik*) *a.* regional, territorial

प्राधान्य (*prādhānya*) *m.* 1. superiority 2. prominence

प्राधिकरण (*prādhikaraṇ*) *m.* authorization

प्राधिकार (*pradhikar*) *m.* authority

प्राधिकृत (*prādhikṛt*) *a.* authorized

प्राध्यापक (*prādhyāpak*) *m.* lecturer (in a college or university)

प्रापणीय (*prāpaṇīy*) *a.* realizable, obtainable, procurable

प्राप्त (*prāpta*) *a.* procured, gained, obtained, acquired

प्राप्तव्य (*prāptavya*) *a.* 1. due to get 2. to be obtained

acquisition, gain 2. receipt

प्राप्य (*prāpya*) *a.* available, obtainable, attainable

प्रामाणिक (*prāmāṇik*) *f.* 1. authentic, authoritative 2. genuine

प्रायः (*prāyaḥ*) *adv.* often, usually, generally

प्रायद्वीप (*prāydvīp*) *m.* peninsula

प्रायश्चित्त (*prāyaścitt*) *m.* atonement, expiation

प्रायोगिक (*prāyogik*) *a.* experimental

प्रायोजक (*prāyojak*) *m.* sponsor

प्रारंभ (*prārambh*) *m.* beginning, commencement

प्रारंभिक (*prārambhik*) *a.* 1. initial 2. preliminary, elementary

प्रारंभिक शिक्षा *f.* elementary education

प्रारब्ध (*prārabdha*) *m.* fate, destiny

प्रारूप (*prārūp*) *m.* draft

प्रार्थना (*prārthanā*) *f.* 1. prayer 2. request 3. petition

प्रार्थना पत्र *m.* application

प्रार्थित (*prārthit*) *a.* prayed, requested

प्रार्थी (*prārthī*) *m.* 1. applicant 2. petitioner 3. one who prays

प्रावधान (*prāvdhān*) *m.* provision

प्राविधिक (*prāvidhik*) *a.* technical

प्राविधिक शिक्षा *f.* technical education

प्राशन (*prāśan*) *m.* food

प्रासंगिक (*prāsaṅgik*) *a.* 1. relevant 2. secondary, incidental

प्रासंगिकता (*prāsaṅgikatā*) *f.* 1. relevance 2. time-bound

प्रासाद (*prāsād*) *m.* 1. palace 2. palatial building

प्रियंवद (*priyaṃvad*) *a.* sweet-tongued

प्रिय (*priya*) I. *a.* dear, lovable II. *m.* lover, beloved

प्रियतम (*priyatam*) I. *a.* dearest II. *m.* beloved

प्रियवर (*priyavar*) *a.* most dear, (in letters) my dear

प्रिया (*priyā*) *f.* 1. darling, beloved, sweetheart 2. wife

प्रीतम (*prītam*) *m.* lover, husband

प्रीति (*prīti*) *f.* affection, love

प्रीतिकारक *a.* lovable

प्रेक्षक (*prekṣak*) *m.* observer

प्रेक्षण (*prekṣaṇ*) *m.* observation

प्रेक्षा (*prekṣā*) *f.* observation

प्रेक्षागृह *m.* auditorium

प्रेत (*pret*) *m.* ghost, evil spirit

प्रेतात्मा (*pretātmā*) *f.* ghost

प्रेम (*prem*) *m.* love, affection

प्रेम-पत्र *m.* love-letter

प्रेमालाप (*premālāp*) *m.* 1. love-talk 2. cordial dialogue

प्रेमालिंगन (*premāliṅgan*) *m.* loving embrace or hug

प्रेमिका (*premikā*) *f.* beloved

प्रेमी (*premī*) *m.* lover

प्रेय (*prey*) I. *m.* worldly pleasure II. *a.* 1. pleasing 2. dear

प्रेयसी (*preyasī*) *f.* beloved, sweetheart

प्रेरक (*prerak*) *a.* 1. inspiring, motivating 2. incentive

प्रेरणा (*preraṇā*) *f.* inspiration

प

प्रेरणा शक्ति *f.* motive force

प्रेरणार्थक (*preraṇārthak*) *a.* causative, factitive

प्रेरणार्थक क्रिया *f.* causative verb

प्रेषक (*preṣak*) *m.* 1. sender consigner 2. despatcher

प्रेषण (*preṣaṇ*) *m.* 1. consignment 2. despatch

प्रेषित (*preṣit*) *a.* despatched

प्रोत्साहन (*protsāhan*) *m.* 1. encouragement 2. boosting up

प्रोत्साहित (*protsāhit*) *a.* 1. encouraged 2. stimulated

प्रोषितभर्तृका (*proṣitbhartṛkā*) *f.* heroine whose lover/husband has gone abroad

प्रौढ़ (*prauṛh*) *a.* 1. mature, full-grown 2. adult

प्रौढ़ मताधिकार *m.* adult franchise

प्रौढ़ शिक्षा *f.* adult education

प्रौढ़ता (*prauṛhtā*) *f.* maturity, adulthood

प्रौद्योगिक (*praudyogik*) *a.* technological

प्रौद्योगिकी (*praudyogikī*) *f.* technology

प्लावन (*plāvan*) *m.* 1. flood, inundation 2. (act of) flooding

प्लावित (*plāvit*) *a.* 1. flooded, inundated 2. submerged

फ

फंदा (*phandā*) *m.* 1. noose 2. trap

फँसना (*phamsnā*) *v.i.* 1. to be entrapped or ensnared 2. to be taken or caught by trick

फँसाना (*phamsānā*) *v.t.* 1. to entrap 2. to involve 3. to bait

फक (*phak*) *a.* 1. pale 2. clean

फ़क़ीर (*faqīr*) *m.* 1. Muslim mendicant or beggar 2. pauper

फक्कड़ (*phakkaṛ*) *a.* 1. carefree 2. light-hearted 3. indigent, poor

फ़ख्र (*fakhra*) *m.* pride

फगुआ (*phaguā*) *m.* song related to Phalgun or Holi festival

फ़ज़ीहत (*fazīhat*) *f.* 1. embarrassment 2. disgrace

फटकना (*phaṭaknā*) *v.i.* 1. to flail 2. to winnow

फटकवाना (*phaṭakvānā*) *v.t.* to get winnowed

फटकार (*phaṭkār*) *f.* reprimand, rebuke, scolding, chiding

फटकारना (*phaṭkārnā*) *v.t.* to scold

फटना (*phaṭnā*) *v.i.* 1. to burst, to explode 2. to be torn

फटाफट (*phaṭāphaṭ*) *adv.* at once, immediately

फड़कन (*phaṛkan*) *f.* 1. thrill 2. throb 3. throbbing sensation

फड़कना (*phaṛaknā*) *v.i.* 1. to throb 2. to pulsate 3. to flutter

फड़फड़ाना (*phaṛphaṛānā*) *v.i.* 1. to flutter, to flap 2. to throb

फण (*phaṇ*) *m.* hood (of a snake)

फणधर (*phaṇdhar*) *m.* snake

फणी (*phaṇī*) *m.* serpent, snake

फ़तवा (*fatvā*) *m.* verdict or sentence of a Muslim authority

फ़तह (*fatah*) *f.* conquest, victory

फतिंगा (*phatiṅgā*) *m.* insect

फ़तूर (*fatūr*) *m.* 1. defect 2. craze 3. disturbance

फन (*phan*) *m.* 1. hood (of a snake) 2. art 3. skill 4. technique

फ़नकार (*fankār*) *m.* artist

फफकना (*phaphakanā*) *v.i.* to cry/weep bitterly

फफूँद (*phaphūṁd*) *f.* /**फफूँदी** (*phaphūṁdī*) *f.* fungus, mildew

फफोला (*phapholā*) *m.* 1. blister 2. bubble (of water)

फबना (*phabnā*) *v.t.* to befit, to suit, to look good

फ़रज़ंद (*farzand*) *m.* son

फ़रज़ी (*farzī*) I. *a.* 1. imaginary 2. fictitious 3. assumed II. *m.* (in chess) queen

फ

फ़रमाइश (*farmāiś*) *f.* 1. order 2. pleasure 3. as desired
फ़रमान (*farmān*) *m.* 1. command 2. royal edict 3. ordinance
फ़रमाना (*farmānā*) *v.t.* to command, to order
फ़रवरी (*farvarī*) *f.* February
फ़रश (*faraś*) *m.* 1. floor 2. mat
फरसा (*pharsā*) *m.* battle-axe
फ़रहाद (*farhād*) *m.* a lovelorn person, hero of a tragic love-story
फ़रामोश (*farāmoś*) *a.* 1. forgotten 2. neglected 3. forgetful
फ़रार (*farār*) *m.* absconder
फ़रियाद (*fariyād*) *f.* 1. cry for help 2.complaint
फ़रिश्ता (*fariśtā*) *m.* angel, divine messenger
फ़रीक़ (*farīq*) *m.* 1. section (of a class) 2. party (in a law-suit)
फ़रीकैन (*farīqain*) *m.* 1. the two sections 2. both the parties
फ़रेब (*fareb*) *m.* fraud, deception
फ़रोश (*faroś*) *m.* & *suff.* seller
फ़र्क़ (*farq*) *m.* difference
फ़र्ज़ (*farz*) *m.* duty, obligation
फ़र्ज़ी (*farzī*) I. *a.* 1. imaginary 2. assumed II. *m.* (in chess) queen
फ़र्राश (*farrāś*) *m.* 1. chamberlain 2. bedmaker
फ़र्श (*far ś*) *m.* 1. floor 2. mat
फल (*phal*) *m.* 1. fruit 2. result
  फलस्वरूप *adv.* as a result
फ़लक (*falak*) *m.* sky, heaven
फलतः (*phaltaḥ*) *adv.* consequently, as a result
फलना (*phalnā*) *v.i.* 1. to bear fruit 2. to accomplish
फलाँग (*phalāṁg*) *f.* jump, hop
फलाहार (*phalāhār*) *m.* fruit diet
फलाहारी (*phalāhārī*) *a.* fruitarian, fructivorous
फलित (*phalit*) *a.* fruitful
  फलित ज्योतिष *m.* astrology
फलीभूत (*phalībhūt*) *a.* 1. fructified 2. resulted
फ़व्वारा (*favvārā*) *m.* fountain
फ़सल (*fasal*) *f.* harvest, crop
फ़साद (*fasād*) *m.* 1. trouble 2. quarrel, altercation
फ़साना (*fasānā*) *m.* tale, story
फहराना (*phahrānā*) I. *v.t.* to hoist (a flag) II. *v.i.* to flutter
फाँक (*phāṁk*) *f.* 1. a slice of fruit, etc. 2. clove
फाँकना (*phāṁknā*) *v.t.* to chuck into the mouth from the palm of the hand
फांद (*phānd*) *f.* leap, jump, skip
फाँदना (*phāṁdnā*) *v.i.* to leap over, to jump across
फाँस (*phāṁs*) *f.* snare, noose, trap
फाँसना (*phaṁsnā*) *v.t.* 1. to ensnare, to entrap 2. to involve
फाँसी (*phāṁsī*) *f.* 1. execution by hanging 2. noose
फाइलेरिया (*fāileriyā*) *m.* filaria, a form of elephantiasis
फ़ाक़ा (*fāqā*) *m.* 1. fast 2. starvation 3. want 4. poverty
फ़ाख़्ता (*fā<u>kh</u>tā*) *f.* dove

फ

फाग (*phāg*) *m.* Holi festival
फागुन (*phāgun*) *m.* the last month of Hindu calendar
फागुनी (*phāgunī*) *a.* of or pertaining to Phalgun
फ़ाज़िल (*fāzil*) I. *a.* more than enough II. *m.* accomplished person
फाटक (*phāṭak*) *m.* gate, entrance
फाड़ना (*phāṛnā*) *v.t.* to tear off
फ़ातिहा (*fātihā*) *m.* prayer for the dead from the Holy Quran
फ़ानूस (*fānūs*) *m.* glass-shade of a lamp, chandelier
फ़ायदा (*fayadā*) *m.* 1. gain, advantage 2. benefit
फ़ायदेमंद (*fāyademand*) *a.* advantageous, profitable
फ़ारसी (*fārsī*) I. *f.* Persian (language) II. *a.* Persian
फ़ारिग़ (*fārig*) *a.* free
फाल (*phāl*) *m.* 1. ploughshare, blade 2. measure of one pace
फालतू (*phaltū*) *a.* spare, extra
फ़ालिज (*fālij*) *m.* paralysis
फाल्गुन (*phālgun*) *m.* the last month of Hindu calendar
फाल्गुनी (*phālgunī*) *a.* of or pertaining to Phalgun
फावड़ा (*phāvṛā*) *m.* spade
फ़ाश (*fāś*) *a.* exposed
फ़ासिला (*fāsilā*) *m.* distance
फ़िक्र (*fiqra*) *f.* 1. worry 2. care
फिटकिरी (*phiṭkirī*) *f.* alum
फ़ितरत (*fitrat*) *f.* 1. nature 2. wiliness, shrewdness
फ़ितूर (*fitūr*) *m.* 1. defect 2. disorder 3. craze
फ़िदा (*fidā*) I. *f. m.* sacrifice II. *a.* devoted, charmed
फ़िरंगी (*firaṅgī*) *m.* 1. European 2. Englishman 3. white man
फिर (*phir*) *adv.* 1. then 2. again
फ़िरका (*firqā*) *m.* 1. class 2. sect 3. community
  फ़िरकापरस्त *m.* sectarian, communalist
फिरकी (*phirkī*) *f.* spool, reel
फिरना (*phirnā*) *v.i.* 1. to turn 2. to revolve 3. to go round
फ़िराक़ (*firāq*) *m.* separation, concern
  फ़िराके यार separation from the lover or the beloved
फ़िराना (*firānā*) *v.t.* 1. to take round 2. to move round
फिरौती (*phirautī*) *f.* ransom
फ़िलहाल (*filhāl*) *adv.* at present
फ़िस (*fis*) *a.* useless
फिसलन (*phislan*) *f.* 1. slipperiness 2. (for vehicles) skid
फिसलना (*phisalnā*) *v.i.* to slip, to skid, to slide
फिसलाना (*phislānā*) *v.t.* to cause to slip, to get slided
फिसलाव (*phislāv*) *m.* slipping
फ़िहरिस्त (*fiharist*) *f.* 1. inventory, list, catalogue 2. index
फ़ी (*fī*) *a.* each, every
  फ़ी आदमी per head, per capita
फ़ीसदी (*fīsadī*) *adv.* per cent, per hundred
फीका (*phīkā*) *a.* tasteless
फ़ीता (*fītā*) *m.* 1. tape 2. lace 3.

फ

ribbon 4. strap 5. shoe-lace

फ़ीरोज़ा (*firozā*) *m.* turquoise

फ़ीरोज़ी (*firozī*) *a.* violet blue

फ़ील (*fīl*) *m.* elephant

फ़ीलख़ाना *m.* elephant house

फ़ील पा/पाँव *m.* elephantiasis

फुंसी (*phuṃsī*) *f.* small boil, pimple

फुक्का (*phukkā*) *m.* weeping

फुट (*phuṭ*) I. *a.* without a companion or match II. *m.* single person

फुटकर (*phuṭkar*) *a.* 1. miscellaneous 2. retail

फुदकना (*phudaknā*) *v.i.* to hop, to jump, to skip

फुनगी (*phungī*) *f.* tip, upper end, top (especially of a tree)

फुफकार (*phuphkār*) *f.* hiss

फुफकारना (*phuphkārnā*) *v.i.* to hiss, to make a hissing sound

फुफिया (*phuphiyā*) *a.* & *f.* of the paternal aunt

फुफिया ससुर *m.* husband of spouse's paternal aunt

फुफेरा (*phupherā*) *a.*& *m.* related through one's paternal aunt

फुर (*phur*) *f.* sound of fluttering wings, flutter, flap

फुरती (*phurtī*) *f.* 1. activity 2. agility 3. alertness

फुरतीला (*phurtīlā*) *a.* 1. smart 2. agile 3. prompt 4. active

फ़ुरसत (*fursat*) *f.* 1. leisure, spare time 2. relief 3. opportunity

फुलका (*phulkā*) *m.* thin and small bread

फुलझड़ी (*phuljhaṛī*) *f.* a kind of sparkling fire-cracker

फुलवाड़ी (*phulvāṛī*) *f.* /फुलवारी (*phulvāṛī*) *f.* a small flower-garden

फुलाना (*phulānā*) *v.t.* 1. to inflate 2. to puff up with flattery

फुलेल (*phulel*) *m.* scented oil

फुसफुसाना (*phusphusānā*) *v.i.* to whisper in a low hissing tone

फुसलाना (*phuslānā*) *v.t.* to coax, to coax by endearment

फुहार (*phuhār*) *f.* 1. drizzle 2. light and fine rain 3. fine drops of rain

फूँक (*phūṁk*) *f.* 1. act of blowing up (fire) 2. breath

फूट (*phūṭ*) *f.* 1. dissension 2. disunion 3. a species of melon-like cucumber

फूटना (*phūṭnā*) *v.i.* 1. to break, to crack 2. to shatter

फूटा (*phūṭā*) *a.* 1. broken 2. cracked 3. shattered

फूत्कार (*phūtkār*) *f.* hissing or whizzing sound, hiss, whizz

फूफा (*phūphā*) *m.* husband of paternal aunt

फूल (*phūl*) *m.* flower

फूलदान *m.* flowerpot

फूलना (*fūlnā*) *v.i.* 1. to blossom, to bloom, to flower 2. to swell

फूला (*phūlā*) *a.* 1. blossomed 2. swollen 3. puffed up

फूस (*phūs*) *m.* straw, hay

फूहड़ (*phūhaṛ*) *a.* mannerless, stupid, foolish

फेंकना (*pheṁknā*) *v.t.* to throw

out/away or off, to cast away

फेंट (*pheṁt*) *f.* 1. a waistband 2. belt 3. a kind of small turban

फेंटना (*pheṁṭnā*) *v.t.* 1. to beat (an egg) 2. to shuffle (a pack of cards)

फेन (*phen*) *m.* 1. froth 2. foam

फेफड़ा (*phephṛā*) *m.* lung

फेरना (*phernā*) *v.t.* 1. to turn 2. to invert 3. to return

फेरी (*pherī*) *f.* rounds of a pedlar, hawking

फेरीवाला *m.* hawker, pedlar

फेहरिस्त (*feharist*) *f.* list, inventory

फैलना (*phailnā*) *v.i.* /फैलाना (*phailānā*) *v.i.* 1. to spread 2. to expand

फैलाव (*phailāv*) *m.* 1. expansion 2. spreading out 3. span

फैसला (*faislā*) *m.* 1. decision 2. judgement

फोकट (*phokaṭ*) *a.* free of charge

फोड़ना (*phoṛnā*) *v.t.* 1. to break 2. to cause to defect (as a witness, other party men)

फोड़ा (*phoṛā*) *m.* 1. ulcer 2. boil, sore 3. tumour

फौज (*fauj*) *f.* army, troops

फौजदारी (*faujdārī*) *f.* 1. criminal court 2. criminal case/suit

फौजी (*faujī*) I. *a.* military, martial II. *m.* soldier

फौरन (*fauran*) *adv.* at once, immediately, instantly

फौरी (*faurī*) *a.* 1. urgent 2. quick

फौलाद (*faulād*) *m.* steel

फौवारा (*fauvārā*) *m.* fountain

फ्रांसीसी (*frāṃsisī*) I *.f.* French language II. *m.* a French man

ब

ब

बंकिम (*baṅkim*) *a.* 1. bent, flexed 2. curved, crooked 3. oblique

बंग (*baṅg*) *m.* Bengal

बंगला (*baṅglā*) I. *m.* bungalow, one-storeyed house II. *f.* Bengali language

बंजर (*bañjar*) I *a.* 1. barren 2. fallow II. *f.* barren land

बंजारा (*bñjārā*) *m.* 1. gypsy 2. nomad, wanderer

बँटवारा (*baṁṭvārā*) *m.* 1. division 2. distribution 3. partition

बँटाई (*baṁṭāī*) *f.* 1. crop-sharing 2. distributing charge

बंटाढार (*baṇṭāḍhār*) *m.* /**बंटाधार** (*baṇṭāthār*) *m.* complete destruction, annihilation, devastation, ruin

बंडी (*baṇḍī*) *f.* jacket, waistcoat

बंद (*band*) I. *m.* 1. joint 2. knot 3. stanza II. *a.* closed, shut

बंदगोभी (*bandgobhī*) *f.* cabbage

बंदगी (*bandgī*) *f.* 1. salutation 2. devotion 3. worship

बंदनवार (*bandanvār*) *m.* buntings or festoons (hung on festive occasions), swag

बंदर (*bandar*) *m.* 1. monkey 2. harbour

बंदा (*bandā*) *m.* 1. servant, slave 2. an individual 3. man

बंदानवाज़ *a.* patron, kind to servant/men (in general)

बंदापरवर (*bandāparvar*) *m.* protector of men in general

बंदी (*bandī*) *m.* prisoner

बंदूक (*bandūk*) *f.* gun, rifle

बंदोबस्त (*bandobast*) *m.* 1. management 2. settlement

बंधक (*bandhak*) I. *m.* mortgage, pawn II. *a.* bonding

बँधना (*baṁdhnā*) *v.i.* to be tied

बँधवाना (*baṁdhvānā*) *v.t.* 1. to get (luggage) packed 2. to have tied or bound (by someone)

बंधन (*bandhan*) *m.* 1. bond 2. binding 3. bondage 4. tie

बँधाना (*baṁdhānā*) *v.t.* to get packed (luggage, etc.)

बंधु (*bandhu*) *m* kin, relative

बंधु-बांधव *m.* kinsmen and all relatives, brethren

बंधुआ (*bandhuā*) *a.* bonded

बंधुआ मज़दूर *m.* bonded labour

बंसी (*baṁsī*) *f.* 1. flute 2. fish-hook

बँहगी (*baṁhgī*) *f.* a pole with slings at the two ends for carrying loads

बग (*bag*) *m.* 1. heron 2. crane

बकझक (*bakjhak*) *f.* gabble, jabbering, babbling, jabbing

बकना (*baknā*) *v.i.* to jabber, to babble, to gabble

बकरा (*bakrā*) *m.* male-goat

बकरीद (*bakarīd*) *f.* a Muslim festival to commemorate Ibrahim's sacrifice of his son

बकवास (*bakvās*) *f.* babbling

बक़ाया (*baqāyā*) I. *a.* due, payable II. *m.* arrears, balance

बकोटना (*bakoṭanā*) *v.t.* 1. to pinch 2. to scratch

बक्स (*baks*) *m.* box

बखान (*bakhān*) *m.* 1. tale, story 2. description 3. eulogy, praise

बखार (*bakhār*) *m.* storage bin (especially for grains)

बख़िया (*bak͟hiyā*) *m.* fine stitching

बख़ुदा (*bak͟hudā*) *adv.* by God

बख़ूबी (*bak͟hūbī*) *adv.* very well

बखेड़ा (*bakheṛā*) *m.* complicated matter

बख़्शीश (*bak͟hśiś*) *f.* tip

बग़ल (*bag͟al*) I. *f.* armpit II. *adv.* on one side

बग़लबंदी (*bag͟albandī*) *f.* a double-breasted waistcoat or jacket with a loop near the armpit

बग़ावत (*bag͟āvat*) *f.* 1. rebellion, revolt 2. disloyalty

बगिया (*bagiyā*) *f.* a small garden

बगीचा (*bagīcā*) *m.* a small garden, a flower garden

बग़ैर (*bag͟air*) *adv.* without

बग्घी (*bagghī*) *f.* horse-carriage

बघनखा (*baghnakhā*) *m.* a sharp-hooked weapon moulded on the pattern of a tiger's claw and worn on the hand

बघार (*baghār*) *m.* act of seasoning (a dish with spices)

बघेला (*baghelā*) *m.* 1. a young tiger 2. panther 3. name of a tribe of Rajputs

बचकाना (*backānā*) *a.* 1. childish, puerile 2. immature

बचत (*bacat*) *f.* 1. saving 2. profit

बचत बैंक *m.* savings bank

बचना (*bacnā*) *v.i.* to be saved

बचपन (*bacpan*) *m.* childhood

बचाना (*bacānā*) *v.t.* to save

बचाव (*bacāv*) *m.* safety

बच्चा (*baccā*) /**बच्ची** (*baccī*) I. *m.* child, baby II. *a.* immature

बच्चेदानी (*baccedānī*) *f.* uterus, womb

बछड़ा (*bachṛa*) *m.* male calf

बछिया (*bachiyā*) *f.* female calf

बजना (*bajnā*) *v.i.* to sound

बजबजाना (*bajbajānā*) *v.i.* to be lively and active

बजरंग (*bajraṅg*) *a.* having a strong and sturdy body

बजरंगबली (*bajraṅgbalī*) *m.* an eponym of god Hanuman

बज़ाज़ (*bazāz*) *m.* cloth merchant

बजाना (*bajānā*) *v.t.* 1. to play upon a musical instrument 2. to beat (a drum)

बजाय (*bajāy*) *adv.* instead of, in place of, in lieu of

बटखरा (*baṭkharā*) *m.* weight

ब

बटना (baṭnā) v.i. 1. (of attention) to be divided 2. to be shared
बटमार (baṭmār) m. robber
बटलोई (baṭloī) f. /बटलोही (baṭlohī) f. a round vessel for cooking
बटवाना (baṭvānā) v.t. to get twined or twisted
बटवारा (baṭvārā) m. 1. sharing 2. partition 3. distribution
बटुआ (baṭuā) m. purse
बटेर (baṭer) f. quail (bird)
बटोरना (baṭornā) v.t. to collect
बटोही (baṭohī) m. traveller
बट्टा (baṭṭā) m. 1. discount 2. loss 3. blemish 4. damage
बड़ (baṛ) m. banyan tree
बड़प्पन (baṛappan) m. greatness
बड़बड़ (baṛbaṛ) f. foolish or light-hearted talk
बड़बड़ाना (baṛbaṛānā) v.i. to grumble, to mutter, to gabble
बड़वाग्नि (baṛvāgnī) f. /बड़वानल (baṛvānal) m. fire beneath the sea
बड़ा (baṛā) I. a. 1. large 2. big II. m. a fried cake made of ground pulse and spices
बड़ा बाबू m. head clerk
बड़ाई (baṛāī) f. 1. greatness 2. largeness, bigness
बड़ी (baṛī) f. small, dry balls made from powdered pulses and spices
बड़ी माँ f. grandmother
बड़ी माता f. chickenpox
बढ़ई (baṛhaī) m. carpenter
बढ़ना (baṛhanā) v.i. 1. to increase 2. to grow 3. to rise
बढ़ाना (baṛhānā) v.t. 1. to increase 2. to enlarge
बढ़िया (baṛhiyā) a. excellent, fine
बढ़ोतरी (baṛhotarī) f. 1. increase 2. addition 3. increment
बत (bat) f. 1. word 2. saying
बतकही f. simple talk
बतरस m. fondness for talk
बतलाना (batlānā) v.t. to tell
बतासा (batāsā) m. /बताशा (batāśā) m. 1. bubble 2. a kind of small sugar-cake
बतियाना (batiyānā) v.i. to talk
बतौर (bataur) adv. as, like
बत्तख (battakh) f. duck
बत्ती (battī) f. light, lamp
बत्तीस (battīs) a. thirty-two
बथुआ (bathuā) m. a green leafy vegetable
बद (bad) a. 1. bad 2. wicked
बदकिस्मत (badkismat) a. ill-fated
बदचलन (badcalan) a. of bad conduct or character
बदज़ात (badzāt) a. 1. low-born 2. ill-bred 3. base 4. wicked
बदतमीज़ (badtamīz) a. 1. ill-mannered 2. uncivilized
बदतर (badtar) a. worse
बददिमाग़ (baddimāg) a. 1. proud, conceited 2. arrogant
बदन (badan) m. body
बदनसीब (badnasīb) a. unlucky
बदनाम (badnām) a. notorious
बदनुमा (badnumā) a. 1. ill-looking, ugly 2. ungraceful
बदबू (badbū) f. foul smell

बदमज़ा (*badmazā*) *a.* 1. having a bad taste 2. tasteless

बदमिज़ाज (*badmizāj*) *a.* ill-natured, ill-tempered

बदर (*badar*) *m.* jujube tree

बदरंग (*badraṅg*) *a.* of bad colour

बदलता (*badaltā*) *a.* changing

बदलना (*badlanā*) *v.i.* to change

बदला (*badlā*) *m.* retaliation, revenge, vengeance

बदलवाना (*badalvānā*) *v.t.* to get changed/exchanged

बदलाव (*badlāv*) *m.* change

बदली (*badlī*) *f.* 1. transfer 2. a stray cloud

बदशक्ल (*badśakl*) *a.* 1. ugly 2. grotesque

बदसलूकी (*badsalūkī*) *f.* 1. ill-treatment 2. misbehaviour

बदसूरत (*badsūrat*) *a.* ugly, ill-looking, grotesque

बदहज़्मी (*badhazmī*) *f.* indigestion

बदहवास (*badhavās*) *a.* 1. senseless 2. stupefied

बदहाल (*badhāl*) *a.* in a sorry/bad plight, in bad circumstances

बदी (*badī*) *f.* vice, evil

बद्ध (*baddha*) *a.* 1. tied, bound 2. closed

बद्धमूल (*baddhamūl*) *a.* deep-rooted

बधाई (*badhāī*) *f.* 1. congratulations 2. felicitations

बधिया (*badhiyā*) *m.* castrated bull

बधिर (*badhir*) *a.* deaf

बनना (*bannā*) *v.i.* to be made

बनमानुष (*banmānuṣ*) *m.* ape, chimpanzee

बनवाना (*banvānā*) *v.t.* to cause to be made/prepared

बनाना (*banānā*) *v.t.* 1. to make 2. to build 3. to form

बनाम (*banām*) *adv.* versus, (as) against

बनाव (*banāv*) *m.* 1. preparation 2. make-up

बनाव-सिंगार *m.* make-up, adornment

बनावट (*banāvaṭ*) *f.* 1. make 2. build 3. form 4. artificiality

बनावटी (*banāvaṭī*) *a.* artificial

बनिया (*baniyā*) *m.* trader, grocer

बनिस्बत (*banisbat*) *adv.* as compared with

बनैला (*banailā*) *a.* 1. of the forest 2. wild 3. savage

बपौती (*bapautī*) *f.* 1. paternal property 2. heritage

बबुआ (*babuā*) *m.* a word for male child (in endearment)

बबूल (*babūl*) *m.* acacia tree

बबूला (*babūlā*) *m.* bubble

बम (*bam*) *m.* call to propitiate Lord Shiva, bomb

बमभोला (*bambholā*) *m.* an eponym of Lord Shiva

बया (*bayā*) *m.* the weaver bird

बयान (*bayān*) *m.* 1. statement 2. (law) deposition 3. account

बयाना (*bayānā*) *m.* earnest money, advance

बयार (*bayār*) *f.* breeze

बयालीस (*bayālīs*) *a.* forty-two

ब

बयासी (*bayāsī*) *a.* eighty-two

बरकत (*barkat*) *f.* 1. auspiciousness 2. good fortune 3. grace

बरकरार (*barkarār*) *a.* 1. intact 2. well-kept, well-maintained

बरखु़रदार (*barkhurdār*) I. *a.* obedient II. *m.* son

बरखास्त (*barkhāst*) *a.* discharged, dismissed

बरगद (*bargad*) banyan tree

बरछा (*barchā*) *m.* lance, spear

बरज़ोर (*barzor*) *a.* powerful

बरतन (*bartan*) *m.* utensil, vessel

बरदाश्त (*bardāśt*) *f.* 1. tolerance 2. patience

बरपा (*barpā*) *a.* 1. produced, occasioned 2. raised

बरफ़ीला (*barfīlā*) icy cold

बरबाद (*barbād*) *a.* destroyed

बरमा (*barmā*) *m.* drill, gimlet

बरसना (*barasnā*) *v.i.* to rain

बरसात (*barsāt*) *f.* 1. rain 2. rainy season

बरसाती (*barsātī*) *a.* of or pertaining to the rainy season, rainy

बरसी (*barsī*) *f.* death anniversary

बरात (*barāt*) *f.* marriage party

बराबर (*barābar*) *a.* equal

बराबरी (*barābarī*) *f.* equality

बरामद (*barāmad*) *a.* 1. recovered 2. seized

बरामदा (*barāmadā*) *m.* verandah, balcony, portico with roof

बरी (*barī*) *a.* 1. acquitted 2. set free 3. absolved

बर्ताव (*bartāv*) *m.* behaviour

बर्फ़ (*barf*) *f.* 1. ice 2. snow

बर्फ़ी (*barfī*) *f.* a kind of sweetmeat

बर्फ़ीला (*barfīlā*) *a.* snowy

बर्बर (*barbar*) *a.* barbarian

बर्र (*barr*) *f.* wasp

बल (*bal*) *m.* 1. strength 2. army, force

बलशाली *a.* powerful, strong

बलग़म (*balgam*) *f.* phlegm

बलतोड़ (*baltoṛ*) *m.* a boil resulting from an uprooted hair on the body

बलम (*balam*) *m.* lover, husband

बलवाई (*balvāī*) I. *a.* rebellious, riotous II. *m.* rioter

बलवान् (*balvān*) *a.* strong

बला (*balā*) *f.* 1. a terrible person or thing 2. calamity 3. misfortune

बलाका (*balākā*) *f.* a row of herons

बलात् (*balāt*) *adv.* 1. forcibly 2. suddenly, all of a sudden

बलात्कार (*balātkār*) *m.* rape

बलाय (*balāy*) *f.* 1. calamity 2. misfortune 3. evil spirit

बलि (*bali*) *f.* 1. sacrifice 2. oblation

बलिदान (*balidān*) *m.* 1. sacrifice 2. martyrdom

बलिष्ठ (*baliṣtha*) *a.* very powerful, strongest

बली (*balī*) *a.* strong, vigorous

बलुआ (*baluā*) *a.* sandy

बलैया (*balaiyā*) *f.* 1. calamity 2. misfortune

बल्कि (*balki*) *conj.* yet, rather,

nevertheless, on the other hand

बल्लम (*ballam*) *m.* spear, lance

बल्ला (*ballā*) *m.* 1. cricket bat 2. tennis-racquet

बल्लेबाज़ (*ballebāz*) *m.* batsman

बवंडर (*bavaṇḍar*) *m.* cyclone

बवाल (*bavāl*) *m.* 1. misfortune 2. disaster 3. distress

बवासीर (*bavāsīr*) *f.* piles, haemorrhoids

बस (*bas*) I. *f.* bus II. *adv.* that's all III. *m.* 1. control 2. power

बस अड्डा *m.* bus stand

बसंत (*basant*) *m.* spring (season)

बसंती (*basantī*) *a.* yellow

बसना (*basnā*) *v.i.* 1. to inhabit 2. to live 3. to settle

बसर (*basar*) subsistence, maintenance, living

बसेरा (*baserā*) *m.* abode, dwelling

बस्ता (*bastā*) *m.* satchel, bag

बहकना (*bahaknā*) *v.i.* to be led astray, to be misled

बहकाना (*bahakānā*) *v.t.* 1. to seduce 2. mislead

बहकावा (*bahakāvā*) *m.* allurement, enticement, temptation

बहत्तर (*bahattar*) *a.* seventy-two

बहन (*bahan*) *f.* sister

बहना (*bahanā*) *v.i.* 1. (of water) to flow 2. (of air or wind) to blow

बहनोई (*bahanoī*) *m.* brother-in-law, sister's husband

बहरहाल (*baharhāl*) I. *conj.* anyhow, however, nevertheless II. *adv.* at any rate

बहरा (*bahrā*) *a.* deaf

बहलना (*bahalnā*) *m.* 1. to be diverted 2. to be amused

बहलाना (*bahlānā*) *v.i.* 1. to amuse, to cheer 2. to divert one's mind

बहस (*bahas*) *f.* 1. discussion 2. ar'gumentation 3. debate

बहादुर (*bahādur*) I. *a.* 1. brave 2. fearless II. *m.* hero

बहाना (*bahānā*) *v.t.* pretence, excuse

बहार (*bahār*) *f.* 1. spring season 2. (of flowers) bloom

बहाल (*bahāl*) *f.* 1. restored 2. reinstated 3. refreshed

बहिरंग (*bahiraṅg*) *a.* & m. external, extraneous, separate

बहिर्गमन (*bahirgaman*) *m.* 1. exit 2. outlet 3. egress 4. outflow

बहिर्द्वार (*bahirdvār*) *m.* outer or main gate

बहिर्मुख (*bahirmukh*) *a.* extrovert

बहिष्कार (*bahiṣkār*) *m.* excommunication, boycott

बहिष्कृत (*bahiṣkṛt*) *a.* excommunicated, boycotted

बही (*bahī*) *f.* ledger, account book

बहु (*bahu*) *a.* 1. much 2. multiple

बहुजातीय (*bahujātīy*) *a.* 1. multicaste 2. multiracial

बहुज्ञ (*bahujña*) *m.* master of many arts

बहुत (*bahut*) *a.* much, many

ब

बहुधंधी (*bahudhandhī*) *a.* 1. multi-purpose 2. occupied in multifarious trades

बहुधा (*bahudhā*) *adv.* usually, generally, mostly, often

बहुभाषाभाषी (*bahubhāṣābhāṣī*) *a.* /**बहुभाषाविद्** (*bahubhāṣāvid*) *m.* multilinguist, polyglot

बहुमत (*bahumat*) *m.* majority

बहुमुख (*bahumukh*) *a.* /**बहुमुखी** (*bahumukhī*) *a.* multifarious, versatile

बहुमुखी प्रतिभा *f.* versatility

बहुमूल्य (*bahumūlya*) *a.* precious, costly, invaluable

बहुरिया (*bahuriyā*) *f.* wife, bride

बहुरूपिया (*bahurūpiyā*) *m.* one who assumes various forms or disguises

बहुल (*bahul*) *a.* 1. plentiful, abundant 2. much

बहुश्रुत (*bahuśrut*) *a.* well-informed, experienced

बहुसंख्यक (*bahusaṅkhyak*) *a.* majority

बहू (*bahū*) *f.* bride, daughter-in-law

बहेड़ा (*baheṛā*) *m.* a large gum tree and its fruit

बहेलिया (*baheliyā*) *a.* hunter

बांका (*bāṅkā*) I. *a.* 1. curved 2. cunning, sly II. *m.* fop, dandy

बाँग (*bāṁg*) *f.* 1. call to prayer (by a Muslim priest) 2. crowing of a cock

बाँचना (*bāṁcanā*) *v.i.* to read, to recite

बाँझ (*bāṁjh*) *a.* 1. (of woman) barren 2.sterile

बाँझपन (*bāṁjhpan*) *m.* 1. barrenness 2. unproductiveness

बाँट (*bāṁṭ*) *f.* 1. share 2. division 3. allotment 4. partition

बाँटना (*bāṁṭnā*) *v.i.* to distribute

बाँदी (*bāṁdī*) *f.* 1. slave girl 2. female servant

बाँध (*bāṁdh*) *m.* dam

बाँधना (*bāṁdhnā*) *v.t.* to tie

बांधव (*bāndhav*) *m.* kith and kin, relatives, brethren

बाँब (*bāṁb*) *f.* an eel

बाँबी (*bāṁbī*) *f.* 1. ant-hill 2. snake hole

बाँया (*bāṁyā*) *a.* left

बाँस (*bāṁs*) *m.* 1. bamboo 2. pole

बाँसुरी (*bāṁsurī*) *f.* flute

बाँह (*bāṁh*) *f.* arm

बाअदब (*bāadab*) *a.* respectful

बाइज़्ज़त (*bāizzat*) *adv.* respectfully, honourably

बाइबिल (*bāibil*) *f.* Bible, Christian scripture

बाइस (*bāis*) *m.* 1. cause 2. basis

बाई (*bāī*) *f.* 1. lady 2. female servant 3. prostitute

बाईस (*bāīs*) *a.* twenty-two

बाएँ (*bāeṁ*) *adv.* to the left

बा-औलाद (*ba-aulād*) *a.* having children, with offspring

बाकला (*bāklā*) *f.* 1. a kind of beans 2. bark of a tree

बाक़ायदा (*bāqāydā*) *a.* 1. regular 2. orderly 3. systematic

बाक़ी (*bāqī*) I. *a.* remaining, left-

over II. *f.* balance, arrears
बाग (*bāg*) I. *f.* rein, bridle II. *m.* garden, orchard, grove
बागडोर *f.* (a) rein (b) control
बागान (*bāgān*) *m.* plantation
बाग़ी (*bāgī*) I. *a.* rebellious, revolting II. *m.* 1. rebel 2. traitor
बागीचा (*bāgīcā*) *m.* small grove
बाघ (*bāgh*) *m.* tiger
बाघंबर (*bāghambar*) *m.* tiger-skin (usually used by sadhus)
बाज़ (*bāz*) hawk, falcon
बाजरा (*bājrā*) *m.* millet
बाजा (*bājā*) *m.* 1. musical instrument/organ 2. band
बाज़ार (*bāzār*) *m.* market, bazaar
बाज़ारू (*bāzārū*) *a.* 1. vulgar (language) 2. cheap
बाज़ारू औरत *f.* loose woman
बाज़ी (*bāzī*) *f.* game, play
बाजीगर (*bāzīgar*) *m.* 1. rope-dancer 2. conjurer 3. acrobat
बाजीकरण (*bājīkaraṇ*) *m.* a drug which imparts immense sexual potency
बाजूबंद (*bājūband*) *m.* amulet
बाट (*bāṭ*) *m.* 1. way, path, route 2. weight, measure of weight
बाटी (*bāṭī*) *f.* a small round bread baked on coals
बाड़ (*bāṛ*) *f.* 1. hedge 2. fence
बाढ़ (*bāṛh*) *f.* flood, spate
बाण (*bāṇ*) *m.* an arrow
बात (*bāt*) *f.* 1. word 2. saying
बातचीत (*bātcīt*) *f.* 1. conversation 2. dialogue, talks
बातूनी (*bātūnī*) *a.* & *m.* talkative
बाद (*bād*) *adv.* after, later
बादल (*bādal*) *m.* cloud, clouds
बादशाह (*bādśāh*) *m.* 1. king, sovereign, ruler 2. king in chess
बादशाहत (*bādśāhat*) *f.* kingdom, sovereignty, rule, government
बादाम (*bādām*) *m.* almond
बादामी (*bādāmī*) *a.* of almond colour, light yellow
बादी (*bādī*) I. *a.* flatulent, windy rheumatism
बाधक (*bādhak*) *a.* 1. preventing 2. causing obstruction
बाधा (*bādhā*) *f.* hindrance, obstruction, obstacle
बाधित (*bādhit*) *a.* 1. compelled, forced 2. restricted
बाध्य (*bādhya*) *a.* 1. compelled, forced 2. obligatory
बाध्यता (*bādhyatā*) *f.* 1. compulsion, obligation 2. constraint
बान (*bān*) I. *m.* rope or string II. *f.* 1. habit 2. manners
बानगी (*bāngī*) *f.* 1. model, pattern 2. sample
बाना (*bānā*) *m.* dress, garment
बाप (*bāp*) *m.* father
बापू (*bāpū*) *m.* 1. father 2. an eponym of Mahatma Gandhi
बाबत (*bābat*) I. *f.* 1. account 2. article II. *f.* concerning
बाबा (*bābā*) *m.* 1. an old man 2. grandfather 3. a sadhu
बाबा आदम *m.* Adam, the earliest man
बाबुल (*bābul*) *m.* father

ब

बाबू (*bābū*) *m.* 1. father 2. clerk
बामुरव्वत (*bāmuravvat*) *a.* humane, kind, obliging
बायाँ (*bāyāṁ*) *a.* 1. left 2. adverse
बायें (*bāyeṁ*) *adv.* to the left
बारंबार (*bārambār*) *adv.* again and again
बार (*bār*) turn
बारह (*bārah*) twelve
बारहमासा (*bārahmāsā*) *m.* a poem describing pangs of separation with change in season
बारहसिंगा (*bārahsiṁgā*) *m.* antelope
बारात (*bārāt*) *f.* marriage party
बारिश (*bāriś*) *f.* rain, shower
बारी (*bārī*) *f.* 1. turn 2. time
बारीक (*bārīk*) *a.* 1. fine, thin 2. slender 3. subtle
बारीकी (*bārīkī*) *f.* 1. fineness 2. subtlety
बारूद (*bārūd*) *m.* gunpowder
बाल (*bāl*) *m.* 1. hair 2. an ear of corn 3. child, boy
बाल-गोपाल *m.* children
बालचंद्र (*bālcandra*) *m.* new moon
बालचर (*bālcar*) *m.* boy-scout
बालक (*bālak*) *m.* 1. boy 2. child
बालम (*bālam*) *m.* lover, husband
बाला (*bālā*) I. *f.* girl, young woman II. *m.* an ear-ornament
बालार्क (*bālārk*) *m.* early morning sun
बालिका (*bālikā*) *f.* girl
बालिग़ (*bālig̱*) *a.* adult, major
बालिग़ मताधिकार *m.* adult franchise
बालिश्त (*bāliśt*) *f.* hand-span
बाली (*bālī*) I. *f.* 1. earring 2. ear of corn II. *m.* a character in Ramayan
बालुका (*bālukā*) *f.* sand
बालू (*bālū*) *f.* sand, gravel
बाल्टी (*bālṭī*) *f.* pail, bucket
बावड़ी (*bāvṛi*) *f.* a well with a flight of stairs
बावन (*bāvan*) *a.* fifty-two
बावरची (*bāvarcī*) *m.* cook
बावरा (*bāvrā*)/**बावला** (*bāvlā*) *a.* mad, demented
बाशिंदा (*bāśindā*) *m.* inhabitant, resident, dweller
बास (*bās*) *f.* bad odour
बासठ (*bāsaṭh*) *m.* sixty-two
बासन (*bāsan*) *m.* utensil, vessel
बासमती (*bāsmatī*) *m.* a fine and fragrant variety of rice
बासा (*bāsā*) *m.* abode, habitat
बासी (*bāsī*) *a.* (of food) stale
बाहर (*bāhar*) *adv.* out, outside, outwards
बाहु (*bāhu*) *m.* arm
बाहुपाश *m.* embrace, hug
बाहु-युद्ध *m.* grappling
बाहुल्य (*bāhulya*) *m.* plenty
बिंदी (*bindī*) *f.* 1. do or mark 2. zero
बिंदु (*bindu*) *m.* dot, spot
बिंधना (*bindhnā*) *v.i.* to be bored or pierced
बिंब (*bimb*) *m.* 1. image 2. reflection
बिकना (*biknā*) *v.i.* to be sold off
बिकवाना (*bikvānā*) *v.t.* to cause

to be sold
बिकाऊ (*bikāū*) *a.* for/on sale
बिक्री (*bikrī*) *f.* sale
बिक्री कर sales tax
बिखरना (*bikharnā*) *v.i.* to be scattered
बिखराव (*bikhrāv*) *m.* dispersal
बिखेरना (*bikhernā*) *v.t.* 1. to disperse 2. to spread
बिगड़ना (*bigaṛnā*) *v.t.* 1. to be damaged 2. to lose one's temper
बिगड़ैल (*bigṛail*) *a.* short-tempered, petulant
बिगाड़ (*bigāṛ*) *m.* 1. defect 2. fault
बिगाड़ना (*bigāṛnā*) *v.t.* to spoil
बिगुल (*bigul*) *m.* bugle
बिचकना (*bicaknā*) *v.i.* to startle
बिचकाना (*bickānā*) *v.t.* to startle
बिचौलिया (*bicauliyā*) *m.* mediator
बिच्छू (*bicchū*) *m.* scorpion
बिछड़ना (*bichaṛnā*) *v.i.* to be separated or parted (from)
बिछना (*bichnā*) *v.i.* 1. to be spread 2. to lie flat
बिछलन (*bichalan*) *m.* slipperiness
बिछलना (*bichalnā*) *v.i.* to slip
बिछाना (*bichānā*) *v.t.* to spread
बिछावन (*bichāvan*) *m.* bedding
बिछिया (*bichiyā*) *f.* a toe-ring
बिछोह (*bichoh*) *m.* separation (from the beloved)
बिछौना (*bichaunā*) *m.* bedding
बिजली (*bijlī*) *f.* power, electricity
बिजलीघर *m.* power-station
बिटिया (*biṭiyā*) *f.* daughter
बिठाना (*biṭhānā*) *v.t.* to seat
बिताना (*bitānā*) *v.t.* to spend or pass (time)
बित्ता (*bittā*) *m.* a measure with one's hand with the thumb and little finger stretched
बिदकना (*bidaknā*) *v.i.* to be alarmed or startled
बिनना (*binnā*) *v.t.* 1. to knit 2. to be picked up or selected
बिनवाना (*binvānā*) *v.t.* 1. to get knitted 2. to get picked up
बिना (*binā*) *adv.* without
बिनाई (*bināī*) *f.* knitting
बिनावट (*bināvaṭ*) *f.* type of knitting
बिनौला (*binaulā*) *m.* cottonseed
बिफरना (*bipharnā*) *v.i.* to become irritated or enraged
बियाबान (*biyābān*) *m.* wilderness
बिरंचि (*birañci*) *m.* God Brahma
बिरला (*birlā*) *a.* 1. rare 2. scarce
बिरवा (*birvā*) *m.* small tree
बिरवाई (*birvāī*) *f.* a clump of plants or young trees
बिरहा (*birhā*) *m.* a folk song depicting separation of lovers
बिरही (*birahī*) *m.* a lover separated from his beloved
बिरादर (*birādar*) *m.* brethren
बिरादरी (*birādarī*) *f.* 1. brotherhood 2. small community
बिल (*bil*) *f.* 1. hole 2. burrow
बिलकुल (*bilkul*) *adv.* quite, at all, wholly, absolutely, utterly
बिलखना (*bilakhnā*) *v.i.* to weep bitterly

ब

बिलबिलाना (*bilbilānā*) *v.t.* to sob or cry bitterly
बिलाई (*bilāī*) *f.* a cat
बिलाना (*bilānā*) *v.i.* to disappear
बिलार (*bilār*) *m.* a tom-cat
बिलावल (*bilāval*) *m.* a semi-classical song sung before midnight
बिलोना (*bilonā*) *v.t.* to churn
बिलोनी (*bilonī*) *f.* churning pot
बिल्ला (*billā*) *m.* 1. badge 2. wild tom-cat
बिल्ली (*billī*) *f.* female cat
बिल्लौर (*billaur*) *m.* crystal, quartz
बिल्व (*bilva*) *m.* wood-apple and its tree
बिवाई (*bivāī*) *f.* chilblain, crack on the heel
बिसमिल्ला (*bismillā*) I. *adv.* in the name of God II. *f.* beginning
बिसरना (*bisarnā*) *v.t.* to forget
बिसात (*bisāt*) *f.* 1. chessboard 2. capacity
बिसूरना (*bisūrnā*) *v.i.* 1. to be distressed 2. to sob
बिस्तर (*bistar*) *m.* /बिस्तरा (*bistarā*) *m.* bedding, mattress
बींधना (*bīṁdhnā*) *v.t.* to bore
बीघा (*bīghā*) *m.* a measure of land equal to five-eighths of an acre
बीच (*bīc*) *m.* middle, centre
बीज (*bīj*) *m.* 1. seed 2. germ
बीजक (*bījak*) *m.* invoice, a list of goods with details, bill
बीजारोपण (*bījāropaṇ*) *m.* sowing of seeds
बीट (*bīṭ*) *f.* droppings of birds
बीड़ा (*bīṛā*) *m.* a betel-leaf with spices
बीड़ी (*bīṛī*) *f.* roll of leaf containing tobacco
बीतना (*bītnā*) *v.i.* (of time) to pass, to be spent
बीन (*bīn*) *f.* flute made of dried gourd and used by snake charmers
बीनना (*bīnanā*) *v.t.* to pick, to select
बीबी (*bībī*) *f.* a respectable lady (mother, aunt, etc.)
बीभत्स (*bībhatsa*) *a.* abhorrent, loathsome
बीमार (*bīmār*) I. *a.* sick II. *m.* patient
बीमारी (*bīmārī*) *f.* sickness
बीर (*bīr*) I. *m.* 1. brother 2. hero II. *a.* brave
बीरबहूटी (*bīrbahūṭī*) *f.* lady bug
बीवी (*bīvī*) *f.* wife
बीस (*bīs*) *a.* twenty
बीहड़ (*bīhaṛ*) *a.* 1. dense, thick (forest) 2. rough path
बुंदेला (*bundelā*) *m.* a Rajput caste (of Bundelkhand)
बुआ (*buā*) *f.* father's sister
बुकनी (*buknī*) *f.* powder
बुख़ार (*bukhār*) *m.* fever
बुज़दिल (*buzdil*) *a.* cowardly
बुज़ुर्ग (*buzurg*) *a.* & *m.* venerable and aged man
बुझना (*bujhnā*) *v.i.* to be extinguished, to be quenched

बुझाना (*bujhānā*) *v.t.* to extinguish
बुड्ढा (*buḍḍhā*) *a.* old man, aged
बुढ़ाना (*buṛhānā*) *v.i.* to grow old
बुढ़ापा (*buṛhāpā*) *m.* old age
बुढ़िया (*buṛhiyā*) *f.* an old woman
बुत (*but*) *m.* 1. statue 2. idol
बुद्ध (*buddha*) *a.* 1. wise and learned 2. the founder of Buddhism
बुद्धि (*buddhi*) *f.* intellect, intelligence
बुद्धिजीवी (*buddhijīvī*) *a.* intellectual
बुद्धिमत्ता (*buddhimattā*) *f.* wisdom
बुद्धू (*buddhū*) *m.* fool, stupid
बुद्बुद (*budbud*) *m.* bubble
बुध (*budh*) I. *m.* planet Mercury II. *a.* wise
बुधवार (*budhvār*) *m.* Wednesday
बुनकर (*bunkar*) *m.* weaver
बुनना (*bunanā*) *v.t.* to weave
बुनावट (*bunāvaṭ*) *f.* type of weaving/knitting, texture
बुनियाद (*buniyād*) *f.* foundation, groundwork
बुभुक्षित (*bubhukṣit*) *a.* suffering from hunger
बुरका (*buraqā*) *m.* a long veil covering the whole body worn by Muslim women
बुरा (*burā*) *a.* 1. bad 2. wicked
बुरादा (*burādā*) *m.* sawdust
बुरी (*burī*) *a.* bad
बुर्ज (*burj*) *m.* tower, turret
बुलंद (*buland*) *a.* high, lofty
बुलबुल (*bulbul*) *f.* nightingale
बुलबुला (*bulbulā*) *m.* bubble
बुलवाना (*bulvānā*) *v.t.* 1. to send for 2. to make one speak
बुलाक (*bulāk*) *m.* a nose ornament
बुलावा (*bulāvā*) *m.* invitation
बुवाई (*buvāī*) *f.* act of sowing
बूँद (*būṁd*) *f.* 1. drop 2. rain drop
बूँदाबांदी (*būṁdābāndī*) *f.* slight drizzle
बूँदी (*būṁdī*) *f.* a small, round sweetmeat
बू (*bū*) *f.* bad smell, odour
बूचड़ (*būcaṛ*) *m.* butcher
बूझना (*būjhnā*) *v.t.* to guess
बूट (*būṭ*) *m.* green gram
बूटेदार (*būṭedār*) *a.* embroidered
बूढ़ा (*būṛhā*) *a.* & *m.* old man
बूता (*būtā*) *m.* strength, power
बूरा (*būrā*) *m.* coarse sugar
बृहत् (*bṛhat*) *a.* large, big, huge
बृहत्तम् (*bṛhattam*) *a.* largest
बृहत्तर (*bṛhattar*) *a.* larger
बृहद् (*bṛhad*) *a.* large, big, huge
बृहस्पति (*bṛhaspati*) *m.* Jupiter, the largest planet of the solar system
बृहस्पतिवार (*brhaspativār*) *m.* Thursday
बेंच (*beṁc*) *m.* 1. judge 2. law-court
बेंत (*beṁt*) *m.* a stick
बे (*be*) *pref.* without, devoid of
बेअदब (*beadab*) *a.* disrespectful
बे-इज़्ज़त (*beizzat*) *a.* without respect/honour, disgraceful

ब

बेइन्तहा (*beintahā*) *a.* endless
बेईमान (*beīmān*) *a.* 1. faithless 2. unprincipled 3. dishonest
बेईमानी (*beīmānī*) *f.* dishonesty
बेक़रार (*beqarār*) *a.* restless
बेकसूर (*bekasūr*) *a.* innocent
बेकाम (*bekām*) *a.* 1. unserviceable 2. useless
बेकार (*bekār*) *a.* 1. unemployed, idle 2. useless
बेख़बर (*bekhabar*) *a.* 1. careless 2. uninformed
बेखुद (*bekhud*) *a.* 1. beside oneself 2. enraptured
बेख़ुदी (*bekhudī*) *f.* 1. self-forgetfulness 2. senselessness
बेगम (*begam*) *f.* 1. queen 2. a lady of rank 3. wife
बेगाना (*begānā*) *a.* alien, stranger
बेगार (*begār*) *f.* forced service, unpaid labour
बेगुनाह (*begunāh*) *a.* innocent, guiltless
बेघर (*beghar*) *a.* homeless
बेचना (*becnā*) *v.t.* to sell, to vend
बेचारा (*becārā*) *a.* helpless
बेचैन (*becain*) *a.* restless, uneasy
बेज़बान (*bezabān*) *a.* 1. speechless 2. dumb
बेजोड़ (*bejoṛ*) *a.* matchless
बेटा (*beṭā*) *m.* son
बेटी (*beṭī*) *f.* daughter
बेड़ा (*beṛā*) *m.* 1. fleet 2. raft
बेड़ी (*beṛī*) *f.* fetters, shackles
बेडौल (*beḍaul*) *a.* shapeless
बेढंगा (*beḍhaṅgā*) *a.* 1. unsystematic 2. unsymmetrical
बेढब (*beḍhab*) *a.* unmannerly
बेतकल्लुफ़ (*betakalluf*) *a.* informal
बेतरतीब (*betartīb*) *a.* disorderly
बेतरह (*betarah*) *adv.* very much
बेतहाशा (*betahāśā*) *adv.* rashly
बेताब (*betāb*) *a.* impatient
बेतार (*betār*) *a.* wireless
बेतुका (*betukā*) *a.* ridiculous
बेदख़ल (*bedakhal*) *a.* 1. ejected, evicted 2. dispossessed
बेदम (*bedam*) *a.* 1. breathless 2. weak 3. lifeless
बेदर्द (*bedard*) *a.* pitiless
बेदाग़ (*bedāg*) *a.* spotless
बेधड़क (*bedhaṛak*) *a.* fearless
बेनज़ीर (*benazīr*) *a.* matchless, incomparable, unprecedented
बेनसीब (*benasīb*) *a.* unfortunate
बेना (*benā*) *m.* a fan
बेनामी (*benāmī*) *a.* in another person's name
बेपनाह (*bepanāh*) *a.* shelterless
बेपरवाह (*beparvāh*) *a.* careless
बेपेंदा (*bepeṁdā*) *a.* bottomless
बेबस (*bebas*) *a.* 1. helpless 2. weak
बेबाक (*bebāk*) *a.* fearless
बेबुनियाद (*be-buniyād*) *a.* groundless, without foundation
बेमतलब (*bematlab*) *a.* without any purpose
बेमानी (*bemānī*) *a.* meaningless
बेमियादी (*bemiyādī*) *a.* perpetual
बेमेल (*bemel*) *a.* mismatched
बेरहम (*beraham*) *a.* merciless
बेरुखी (*berukhī*) *f.* disregard

बेरोज़गार (*berozgār*) *a.* unemployed

बेरोज़गारी (*berozgārī*) *f.* unemployment

बेल (*bel*) I. *m.* wood-apple tree and its fruit II. *f.* creeper

बेलदार (*beldār*) *m.* labourer

बेलन (*belan*) *m.* roller

बेलना (*belnā*) I. *m.* a small roller for making bread II. *v.t.* to roll (chapatti)

बेला *(belā) m.* a variety of jasmine

बेलौस (*belaus*) *a.* frank

बेवकूफ़ (*bevakūf*) *a.* foolish

बेवफ़ा (*bevafā*) *a.* unfaithful

बेवा (*bevā*) *f.* widow

बेशक (*beśak*) *adv.* 1. without doubt 2. of course

बेशर्म (*beśarm*) *a.* shameless

बेशुमार *(beśumār) a.* countless

बेसन (*besan*) *m.* gram flour

बेसर (*besar*) *m.* a kind of nose ornament

बेसुर (*besur*) *a.* out of tune

बेस्वाद (*besvād*) *a.* tasteless

बेहतर (*behtar*) *a.* better

बेहया (*behayā*) *a.* shameless

बेहाल (*behāl*) *a.* miserable

बेहूदा (*behūdā*) *a.* indecent, foolish, crass

बेहोश (*behoś*) *a.* unconscious

बैगनी (*baiganī*) *a.* of the colour of brinjal, violet-coloured

बैजंती (*baijantī*) *f.* 1. trophy, shield 2. banner 3. a garland of Lord Vishnu

बैठक (*baiṭhak*) *f.* 1. seat 2. meeting

बैठकख़ाना *m.* sitting room

बैठना (*baiṭhnā*) *v.t.* to sit (down)

बैठाना *(baiṭhānā) v.t.* /**बिठाना** *(biṭhānā) v.t.* to seat

बैताल (*baitāl*) *m.* phantom

बैर (*bair*) *m.* animosity, enmity

बैरी (*bairī*) *m.* enemy, foe

बैल (*bail*) *m* ox, bull, bullock

बैलगाड़ी *f.* bullock-cart

बैसाख (*baisākh*) *m.* the second month of Hindu calendar

बैसाखनंदन *(baisākhnandan) m.* an ass

बैसाखी (*baisākhī*) *f.* a festival mostly celebrated in North India in Baisakh (April)

बोझ (*bojh*) *m.* 1. burden 2. load

बोझिल (*bojhil*) *a.* heavy, weighty

बोटी (*boṭī*) *f.* chop, slice of flesh

बोध (*bodh*) *m.* knowledge

बोधक (*bodhak*) *a.* indicating, imparting information

बोधगम्य (*bodhgamya*) *a.* intelligible, understandable

बोधि (*bodhi*) *f.* knowledge

बोधि वृक्ष *m.* the tree in Gaya under which prince Siddhartha attained enlightenment and became Buddha

बोधिसत्त्व (*bodhisattva*) *m.* one on the way to attain enlightenment

बोना (*bonā*) *v.t.* to sow (seeds)

बोर *(bor) m.* I. *v.t.* bore of a gun II. *v.t.* to weary, to rise

ब

बोरसी (*borsī*) *f.* a pot for holding fire

बोरा (*borā*) *m.* gunny bag, sack

बोरियत (*boriyat*) *f.* boredom

बोल (*bol*) *m.* 1. utterance 2. opening words of a song

बोलचाल (*bolcāl*) *f.* conversation

बोलबाला (*bolbālā*) *m.* clout

बोलती (*boltī*) *f.* speech

बोलना (*bolnā*) *v.i.* to speak

बोली (*bolī*) *f.* 1. dialect 2. bid (in auction) 3. taunt

बोसा (*bosā*) *m.* kiss

बोहनी (*bohanī*) *f.* first sale of the day

बौखलाना (*baukhalānā*) *v.t.* to be perplexed

बौछार (*bauchāṛ*) *f.* heavy shower

बौद्ध (*bauddh*) *a.&m.* of or pertaining to Buddha or Buddhism

बौद्ध विहार *m.* Buddhist monastery

बौद्धिक (*bauddhik*) *a.* intellectual

बौना (*baunā*) *a.& m.* dwarf

ब्याज (*byāj*) *m.* interest

ब्याजख़ोर (*byājkhor*) *m.* a usurer

ब्याना (*byānā*) *v.i.* to give birth to (of animals)

ब्यालू (*byālū*) *f.* dinner, supper (usually taken in the early hours of night)

ब्याह (*byāh*) *m.* marriage

ब्याहता (*byāhtā*) *a. f.* 1. married (woman) 2. wife

ब्योरा (*byorā*) *m.* detail

ब्रज (*braj*) *m.* 1. the region around Mathura 2. Braj dialect

ब्रजभाषा *f.* a literary dialect of Braj

ब्रजभूमि *f.* /**ब्रजमंडल** *m.* the tract of land around Mathura

ब्रजराज *m.* the lord of Braj, Lord Krishna

ब्रह्म (*brahma*) *m.* 1. God 2. Brahma, the eternal spirit 3. Brahma

ब्रह्मघात *m.* killing of a Brahmin

ब्रह्मज्ञान *m.* divine knowledge

ब्रह्मचर्य (*brahmacarya*) *m.* celibacy

ब्रह्मचारिणी (*brahmacāriṇī*) *f.* a woman celibate

ब्रह्मचारी (*brahmacārī*) *m.* celibate

ब्रह्मर्षि (*brahmarṣi*) *m.* a Brahmin who attains sainthood

ब्रह्मांड (*brahmāṇḍ*) *m.* cosmos, the universe

ब्रह्मावर्त (*brahmāvarta*) *m.* the land or tract between the rivers Saraswati and Narmada

ब्रह्मास्त्र (*brahmāstra*) *m.* a missile of Brahma

ब्राह्म मूहूर्त (*brāhm muhūrt*) *m.* early morning

ब्राह्मण (*brāhmaṇ*) *m.* a caste among Hindus

ब्राह्मी (*brāhmī*) *f.* 1. a medicinal plant used for vitality 2. an early form of Devnagari script

भ

भ

भंग (*bhaṅg*) I. *m.* breach, break-down II. *f.* an intoxicating drug made from leaves of hemp
भंगड़ा (*bhaṅgṛā*) *m.* a folk dance of Punjab usually performed by men
भंगिमा (*bhaṅgimā*) *f.* posture
भंगी (*bhaṅgī*) *m.* sweeper
भंगुर (*bhaṅgur*) *a.* momentary
भंगेड़ी (*bhaṅgeṛī*) *m.* one addicted to taking hemp
भंजक (*bhañjak*) *a.* destructive
भंजन (*bhañjan*) *m.* breaking
भंडार (*bhaṇḍār*) *m.* 1. store, store-house 2. storage
भंडारा (*bhaṇḍārā*) *m.* a collective feast
भंडारी (*bhaṇḍārī*) *m.* storeman
भँवर (*bhaṁvar*) *m.* whirlpool
भँवरा (*bhaṁvarā*) *m.* black bee
भइया (*bhaiyā*) *m.* brother
भई (*bhaī*) I. *interj.* a mode of address, well II. *conj.* that, as
भकोसना (*bhakosnā*) *v.t.* to swallow all at once, to stuff in
भक्त (*bhakta*) *m.* devotee
भक्तवत्सल *a.* showing love and affection to the devotees
भक्ति (*bhakti*) *f.* devotion
भक्ति मार्ग *m.* the path of devotion
भक्तिपूर्वक *adv.* devotedly
भक्षक (*bhakṣak*) *m.* /**भक्षी** *m.* (*bhakṣī*) feeding upon
भक्षण (*bhakṣaṇ*) *m.* eating
भक्ष्याभक्ष्य (*bhakṣyābhakṣya*) *a.* edible and inedible
भगंदर (*bhagandar*) *m.* fistula (of the anus)
भग (*bhag*) *f.* vagina
भगदड़ (*bhagdaṛ*) *f.* stampede, sudden movement of people
भगवती (*bhagvatī*) *f.* an eponym of goddess Durga and Lakshmi
भगवद् (*bhagvad*) *m.* God, deity
भगवद्भक्त (*bhagvadbhakta*) *m.* a devotee of God
भगवद्भक्ति (*bhagvadbhakti*) *f.* devotion to God
भगवा (*bhagvā*) I. *a.* saffron-coloured II. *m.* saffron-coloured flag
भगवान् (*bhagvān*) *m.* God
भगाना (*bhagānā*) *v.t.* to cause to run away
भगिनी (*bhaginī*) *f.* sister
भगीरथ (*bhagīrath*) *m.* king Bhagirath who brought the

river Ganga down on the earth
भग्न (*bhagna*) *a.* broken
भग्नावशेष (*bhagnāvaśeṣ*) *m.* ruins
भजन (*bhajan*) *m.* devotional song
भजना (*bhajnā*) *v.t.* to praise God or a deity to remember God
भजनावली (*bhajnāvalī*) *f.* a book of hymns, a collection of devotional songs
भटकना (*bhaṭaknā*) *v.i.* to go astray, to lose one's path
भटकाना (*bhaṭkānā*) *v.t.* to mislead
भटियारा (*bhaṭiyārā*) *m.* innkeeper
भट्ट (*bhaṭṭa*) *m.* 1. bard, minstrel 2. Brahmin scholar
भट्ठा (*bhaṭṭhā*) *m.* kiln
भट्ठी (*bhaṭṭhī*) *f.* fireplace
भड़कदार (*bhaṛakdār*) *a.* splendid
भड़कना (*bhaṛaknā*) *v.i.* to burst forth into flame
भड़काना (*bhaṛkānā*) *v.t.* to kindle, to set ablaze
भड़कीला (*bhaṛkīlā*) *a.* glittering
भड़भूँजा (*bhaṛbhūṁjā*) *m.* grain parcher
भड़ास (*bhaṛās*) *f.* accumulated spite/grudge
भड़ुआ (*bhaṛuā*) *m.* one who lives on the earnings of prostitutes
भतार (*bhatār*) *m.* husband
भतीजा (*bhatījā*) *m.* nephew, brother's son
भतीजी (*bhatījī*) *f.* niece, brother's daughter
भत्ता (*bhattā*) *m.* allowance
भद (*bhad*) *f.* /**भद्द** (*bhadda*) *f.* disgrace, insult
भद्र (*bhadra*) *a.* 1. civil 2. urbane
भद्रा (*bhadrā*) *f.* an inauspicious conjunction of planets
भनक (*bhanak*) *f.* 1. a low distant sound 2. hum
भभकना (*bhabhaknā*) *v.i.* to burst into flames, to blaze
भभूत (*bhabhūt*) *f.* sacred ashes
भयंकर (*bhayaṅkar*) *a.* terrible
भय (*bhaya*) *m.* 1. fear 2. terror
भयग्रस्त (*bhaygrast*) *a.* /**भयभीत** (*bhaybhīt*) *a.* scared, horrified
भयाक्रांत (*bhayākrānt*) *a.* /**भयातुर** (*bhayātur*) *a.* fear-stricken, frightened
भयानक (*bhayānak*) *a.* terrible
भर (*bhar*) I. *adv.* as much as II. *a.* all, whole, full
भरण (*bharaṇ*) *m.* nourishing
भरतखंड (*bharatkhaṇḍ*) *m.*/**भरतभूमि** (*bharatbhūmi*) *f.* Bharat (India)
भरतवाक्य (*bharatvākya*) *m.* concluding benedictory verse
भरती (*bhartī*) *f.* recruitment
भरना (*bharnā*) *v.i.* to be filled
भरपूर (*bharpūr*) *a.* abundant
भरमाना (*bharmānā*) *v.t.* to tempt
भरमार (*bharmār*) *f.* abundance
भरवाना (*bharvānā*) *v.t.* to cause to be filled
भरसक (*bharsak*) *adv.* as far as possible, utmost
भरा (*bharā*) *a.* full
भरोसा (*bharosā*) *m.* 1. reliance,

trust 2. faith, belief

भर्तार (*bhartār*) *m.* husband

भर्त्सना (*bhartsanā*) *f.* rebuke

भलमनसाहत (*bhalmansāhat*) *f.* gentlemanliness

भला (*bhalā*) *a.* 1. good 2. virtuous 3. nice 4. healthy

भलाई (*bhalāī*) *f.* kindness

भव (*bhav*) *m.* world

भवदीय (*bhavdīya*) *a.* /**भवदीया** (*bhavdīyā*) *a.* yours, yours faithfully/sincerely

भवन (*bhavan*) *m.* building

भवान् (*bhavān*) *pron.* your honour

भवानी (*bhavānī*) *f.* an eponym of goddess Durga

भवितव्यता (*bhavitavyatā*) *f.* destiny, fate

भविष्य (*bhaviṣya*) *m.* future

भव्य (*bhavya*) *a.* splendid, grand

भव्यता (*bhavyatā*) *f.* splendour

भस्म (*bhasma*) *m.* ashes, cinders

भस्मसात् (*bhasmasāt*) *a.* reduced to ashes, burnt out

भस्मीभूत (*bhasmībhūt*) *a.* reduced to ashes, completely burnt out

भांग (*bhāṅg*) *f.* hemp, an intoxicating herb

भांजना (*bhāñjnā*) *v.t.* 1. (of paper, cloth, etc.) to fold 2. (of club, mace, etc.) to brandish

भांजा (*bhāñjā*) *m.* nephew, sister's son

भांजी (*bhāñjī*) *f.* niece, sister's daughter

भांड (*bhāṇḍ*) *m.* pot, vessel, wares

भाँड़ (*bhāṁṛ*) *m.* 1. clown 2. jester

भाँति (*bhāṁti*) *f.* 1. kind, 2. manner

भाँपना (*bhāṁpnā*) *v.i.* 1. to see through 2. to guess

भाँवर (*bhāṁvar*) *f.* ceremony of going round the sacrificial fire performed by the bride and bridegroom

भाई (*bhāī*) *m.* brother

भाईचारा (*bhāīcarā*) *m.* brotherhood, fraternity

भाग (*bhāg*) *m.* 1. part, portion, share 2. luck, fate

भागदौड़ (*bhāgdauṛ*) *f.* 1. running and moving about 2. struggle

भागना (*bhāgnā*) *v.i.* to run away

भागवत (*bhāgvat*) *a.* of or relating to God or deity

भागिनेय (*bhāgineya*) *m.* sister's son, nephew

भागीदारी (*bhāgīdārī*) *f.* partnership

भागीरथी (bhāgīrathī) *f.* one of the names of the river Ganga

भाग्य (*bhāgya*) *m.* fate, luck

भाग्य-विधाता *m.* the maker of fortune, providence, God

भाग्यवान् (*bhāgyavān*) *a.* lucky, fortunate

भाग्यशाली (*bhāgyaśālī*) *a.* lucky

भाटा (*bhāṭā*) *m.* 1. current, stream 2. ebbtide, low tide

भाड़ (*bhāṛ*) *m.* a fireplace for parching grains

भात (*bhāt*) *m.* boiled rice

भादों (*bhādoṁ*) *m.* a month in the Hindu calendar

भ

भाना (*bhānā*) *v.t.* to be liked
भानु (*bhānu*) *m.* 1. the sun 2. Yama-the god of death
भानुजा (*bhānujā*) *f.* Yamuna (river)
भाप (*bhāp*) *f.* /**भाफ** (*bhāph*) *f.* 1. steam 2. vapour
भाभी (*bhābhī*) *f.* sister-in-law, (elder) brother's wife
भामिनी (*bhāminī*) *f.* woman, a pretty woman
भार (*bhār*) *m.* 1. load 2. burden 3. duty 4. obligation
भारत (*bhārat*) *m.* India
  भारतवर्ष Indian subcontinent
भारती (*bharatī*) *f.* 1. goddess Saraswati 2. speech
भारतीय (*bhāratīya*) *a.* Indian
भारवाह (*bhārvāh*) *m.* carrier, porter, coolie
भारी (*bhārī*) *a.* heavy, weighty
  भारी-भरकम *a.* very heavy
भार्या (*bhāryā*) *f.* wife
भाल (*bhāl*) *m.* forehead
भाला (*bhālā*) *m.* spear, lance
भालू (*bhālū*) *m.* bear
भाव (*bhāv*) *m.* 1. feeling 2. emotion 3. price 4. rate
भावगम्य (*bhāvgamya*) *a.* mentally conceivable, imaginable
भावज (*bhāvaj*) *f.* sister-in-law, (elder) brother's wife
भावना (*bhāvnā*) *f.* feeling
भावनात्मक (*bhāvnātmak*) *a.* emotional, sentimental
भाववाचक (*bhāvvācak*) *a.* abstract
  भाववाचक क्रिया *f.* neutral verb
भावातिरेक (*bhāvātirek*) *m.* ecstasy, emotional frenzy
भावानुवाद (*bhāvānuvād*) *m.* free translation, paraphrase
भावार्थ (*bhāvārtha*) *m.* gist, substance, purport
भावी (*bhāvī*) I. *a.* future, coming II. *f.* destiny
भावुक (*bhāvuk*) *a.* emotional
भाषण (*bhāṣaṇ*) *m.* speech
भाषांतर (*bhāṣāntar*) *m.* translation, transliteration
भाषा (*bhāṣā*) *f.* language, speech
  भाषाविद् *m.* linguist
भाषायी (*bhāṣāyī*) *a.* linguistic
भाष्य (*bhāṣya*) *m.* commentary (of a text)
भासमान् (*bhāsmān*) *a.* appearing
भासना (*bhāsnā*) *v.t.* 1. to appear 2. to brighten
भास्कर (*bhāskar*) *m.* the sun
भास्वर (*bhāsvar*) *a.* shining, bright
भिंडी (*bhiṇḍī*) *f.* a green vegetable
भिक्षा (*bhikṣā*) *f.* 1. begging 2. alms
भिक्षाटन (*bhikṣāṭan*) *m.* going about begging
भिक्षुक (*bhikṣuk*) *m.* beggar
भिखारी (*bhikhārī*) *m.* / **भिखमंगा** (*bhikhmaṅgā*) *m.* / 1. beggar 2. pauper
भिगोना (*bhigonā*) *v.t.* to wet
भिज्ञ (*bhijña*) *a.* knowing
भिड़ंत (*bhiṛant*) *f.* encounter, clash

भिड़ना (*bhiṛnā*) *v.i.* to collide

भिड़ाना (*bhiṛānā*) *v.t.* to get the door closed

भित्ति (*bhitti*) *f.* 1. wall 2. parietal

भित्ति कला *f.* mural art

भित्ति चित्र *m.* mural painting

भिदना (*bhidnā*) *v.i.* to be penetrated or pierced

भिनभिन (*bhinbhin*) *f.* humming or buzzing sound of swarms of flies or bees

भिनभिनाना (*bhinbhinānā*) *v.i.* to go on humming and buzzing

भिन्न (*bhinna*) *a.* 1. different, separate 2. fraction

भिन्नता (*bhinnatā*) *f.* difference

भिल्ल (*bhill*) *m.* a Scheduled Tribe living in Gujarat

भिश्ती (*bhiśtī*) *m.* water-carrier

भींचना (*bhīñcnā*) *v.t.* to press

भी (*bhī*) *adv.* also, too

भीख (*bhīkh*) *f.* 1. begging 2. alms

भीगना (*bhīgnā*) *v.i.* to get wet

भीड़ (*bhīṛ*) *f.* crowd, multitude

भीतर (*bhītar*) *postp.* in, inside

भीति (*bhīti*) *f.* fright, dread, fear

भीनी (*bhīnī*) *a.* sweet, pleasant

भीम (*bhīm*) I. *m.* the second Pandava brother II. *a.* fearsome

भीमकाय (*bhīmkāya*) *a.* gigantic

भीरु (*bhīru*) *a.* timid, cowardly

भीषण (*bhīṣaṇ*) *a:* awful, gruesome, fearsome

भुक्खड़ (*bhukkhaṛ*) *a.* hungry

भुक्तभोगी (*bhuktbhogī*) *a.* experienced

भुखमरी (*bhukhmarī*) *f.* 1. starvation 2. famine

भुगतना (*bhugatnā*) *v.i.* to suffer

भुगतान (*bhugtān*) *m.* payment

भुजंग (*bhujaṅg*) *m.* /**भुजंगम** (*bhujaṅgam*) *m.* snake

भुजा (*bhujā*) *f.* arm

भुजाली (*bhujālī*) *f.* a small dagger

भुजिया (*bhujiyā*) *f.* a fried vegetable, snacks

भुट्टा (*bhuṭṭā*) *m.* corn, maize

भुनभुनाना (*bhunbhunānā*) *v.i.* to gabble

भुनाना (*bhunānā*) *v.t.* to cause to be parched or roasted

भुलक्कड़ (*bhulakkaṛ*) *a.* 1. very forgetful 2. oblivious

भुलाना (*bhulānā*) *v.t.* 1. to cause to forget 2. to forget

भुलावा (*bhulāvā*) *m.* deception, fraud

भुव (*bhuv*) *f.* /**भुवन** (*bhuvan*) *m.* 1. the earth 2. the world

भुवि (*bhuvi*) *f.* the earth

भू (*bhū*) *f.* 1. land 2. soil 3. field

भूक्षरण (*bhūkṣaraṇ*) *m.* soil erosion

भूधर (*bhūdhar*) *m.* mountain, hill

भूभाग (*bhūbhāg*) *m.* territory, tract of land

भूमंडल (*bhūmaṇḍal*) *m.* globe, the earth

भूकंप (*bhūkamp*) *m.* earthquake

भूख (*bhūkh*) *f.* 1. hunger 2. appetite 3. want

भूख हड़ताल *f.* hunger strike

भूखा (*bhūkhā*) *a.* hungry

भ

भूगोल (*bhūgol*) *m.* geography
भूचाल (*bhūcāl*) *m.* earthquake
भूटानी (*bhūṭānī*) I. *a.* of or pertaining to Bhutan II. *f.* language of Bhutan
भूत (*bhūt*) I. *m.* ghost II. *a.* past
भूतनाथ (*bhūtanāth*) *m.* Shiva, lord of spirits
भूतकाल (*bhūtkāl*) *m.* past tense
भूतपूर्व (*bhūtpūrva*) *a.* formerly
भूतत्त्व (*bhūtatva*) *m.* geology
भूतल (*bhūtal*) *m.* surface of the earth or ground
भूतेश (*bhūteś*) *m.* /**भूतेश्वर** (*bhūteśvar*) *m.* Shiva, lord of spirits
भूदान (*bhūdān*) *m.* gift of land
भूधर (*bhūdhar*) *m.* mountain, hill
भूनना (*bhūnnā*) *v.t.* 1. to roast 2. to parch
भूप (*bhūp*) *m.* /**भूपति** (*bhūpati*) *m.* /**भूपाल** (*bhūpāl*) *m.* /**भूपेन्द्र** (*bhūpendra*) *m.* king, emperor
भूमध्य (*bhūmadhya*) *m.* middle of the earth
  भूमध्य रेखा *f.* equator
  भूमध्य सागर *m.* Mediterranean Sea
भूमा (*bhūmā*) *m.* 1. the Supreme Being 2. beings
भूमि (*bhūmi*) *f.* earth
भूमिका (*bhūmikā*) *f.* 1. introduction, preface 2. role
भूमिगत (*bhūmigat*) *a.* underground, subterranean
भूमिसात् (*bhūmisāt*) *a.* razed to the ground
भूयशः (*bhūyaśaḥ*) *adv.* abundantly, in plenty
भूरा (*bhūrā*) *a.* 1. brown 2. (of hair) auburn
भूरि (*bhūri*) *a.* much, profuse
  भूरि-भूरि *adv.* very much
भूल (*bhūl*) *f.* 1. forgetfulness, negligence 2. mistake
  भूलभुलैया *f.* labyrinth, maze
भूलना (*bhūlnā*) *v.t.* to forget
भूलोक (*bhūlok*) *m.* the earth, this world
भूषण (*bhūṣaṇ*) *m.* ornament
भूषा (*bhūṣā*) *f.* decoration
भूषित (*bhūṣit*) *a.* decorated
भूसा (*bhūsā*) *m.* straw, chaff
भृंग (*bhr̥ṅg*) *m.* beetle, a large species of black bee
भृंगराज (*bhr̥ṅgrāj*) *m.* a medicinal shrub
भृकुटि (*bhr̥kuṭi*) *f.* eyebrow
भृगु (*bhr̥gu*) *m.* name of a sage who was also a renowned astrologer
भृत्य (*bhr̥tya*) *m.* servant
भृत्या (*bhr̥tyā*) *f.* 1. maintenance, hire 2. female servant
भेंट (*bheṁṭ*) *f.* 1. meeting 2. offering, present
भेंटवार्ता (*bheṁṭvārtā*) *f.* interview
भेजना (*bhejnā*) *v.t.* to send
भेजा (*bhejā*) *m.* brain
भेड़ (*bheṛ*) *f.* sheep, ewe
भेड़ा (*bheṛā*) *m.* ram
भेड़िया (*bheṛiyā*) *m.* wolf
भेद (*bhed*) *m.* 1. secret 2. mystery 3. difference

भ

भेदभाव *(bhedbhāv) m.* discrimination

भेदिया *(bhediyā) a.&m.* /**भेदी** *(bhedī) a.&m.* 1. informer 2. confidant 3. spy

भेरी *(bherī) f.* kettledrum

भेली *(bhelī) f.* a small lump

भेष *(bheṣ) m.* 1. appearance 2. form

भेषज *(bheṣaj) m.* medicine, drug

भैंगा *(bhaiṁgā) a.* squint-eyed

भैंस *(bhaiṁs) f.* female buffalo

भैंसा *(bhaiṁsā) m.* male buffalo

भैया *(bhaiyā) m.* brother

भैरव *(bhairav) a.* a manifestation of Lord Shiva

भैरवी *(bhairavī) f.* 1. one of the ragas sung in the morning 2. a goddess

भोंकना *(bhoṁknā) v.t.* 1. to thrust, to pierce through 2. to stab

भोक्ता *(bhoktā) m.* 1. one who experiences 2. consumer

भोग *(bhog) m.* enjoyment

भोग्य *(bhogya) a.* enjoyable

भोग्या *(bhogyā) f.* (sexually) enjoyable woman, concubine

भोज *(bhoj) m.* 1. feast, banquet 2. a kind of tree, birch
भोज पत्र the bark of Bhoj tree

भोजन *(bhojan) m.* meals, food

भोजनालय *(bhojanālaya) m.* restaurant, eating house, mess

भोजपुरी *(bhojpurī) f.* a Hindi dialect

भोर *(bhor) f.* daybreak, dawn

भोला *(bholā) a.* simple, artless, innocent

भोलानाथ *(bholānāth) m.* an eponym of Lord Shiva

भोला-भाला *(bholābhālā) a.* 1. innocent 2. artless

भौंकना *(bhauṁknā) v.i.* to bark

भौंह *(bhauṁh) m.* eyebrows

भौगोलिक *(bhaugolik) a.* geographical

भौंचक *(bhauṁcak) a.* /**भौंचक्का** *(bhauṁcakkā) a.* amazed

भौजाई *(bhaujāī) f.* /**भौजी** *(bhaujī) f.* brother's wife

भौतिक *(bhautik) a.* physical

भौतिकता *(bhautikatā) f.* materialistic outlook, materialism

भौतिकी *(bhautikī) f.* physics

भ्रम *(bhram) m.* 1. illusion 2. misunderstanding

भ्रमण *(bhramaṇ) m.* travel

भ्रमर *(bhramar) m.* a large black bee

भ्रष्ट *(bhraṣṭa) a.* corrupt(ed)

भ्रष्टाचार *(bhraṣṭācār) m.* corruption

भ्रांत *(bhrānt) a.* errant, aberrant

भ्रांति *(bhrānti) f.* delusion

भ्राता *(bhrātā) m.* brother

भ्रातृत्व *(bhrātṛtva) m.* brotherhood, fraternity

भ्रामक *(bhrāmak) a.* confusing

भ्रू *(bhrū) m.* eyebrow
भ्रू-भंग *m.* erotic movement of the eyebrows

भ्रूण *(bhrūṇ) m.* embryo, foetus
भ्रूणहत्या *f.* foeticide

म

म

मँगनी (*maṁgnī*) *f.* engagement
मंगल (*maṅgal*) *m.* 1. the planet Mars 2. Tuesday 3. welfare
मंगल श्लोक *m.* benediction
मंगलसूत्र (*maṅgalsūtra*) *m.* a string of black beads worn by married women
मंगलाचरण (*maṅgalācaraṇ*) *m.* auspicious ceremony
मंगली (*maṅgalī*) *a.* born under the influence of the planet Mars
मँगवाना (*maṁgvānā*) *v.t.* to cause to send for, to cause to bring
मँगेतर (*maṁgetar*) *m.* & *f.* one to whom a boy or a girl is betrothed
मंगोल (*maṅgol*) *m.* a tribe settled in Mongolia (Central Asia)
मंच (*mañc*) *m.* 1. platform 2. forum 3. dais 4. stage
मंचन (*mañcan*) *m.* 1. performing on the stage 2. staging
मंचित (*mañcit*) *a.* staged as a play
मंजन (*mañjan*) *m.* tooth-powder
मँजना (*maṁjanā*) *v.i.* to be cleaned
मंज़र (*mañzar*) *m.* scene
मंजरी (*mañjarī*) *f.* 1. a cluster of flowers 2. blossoms
मंजा (*mañjā*) *m.* string for a kite
मँजाई (*maṁjāi*) *f.* cleansing, polishing
मंज़िल (*mañzil*) *f.* 1. storey 2. destination 3. journey's end 4. goal
मंज़िला (*mañzilā*) *a.* storeyed
मंजीर (*mañjīr*) *m.* anklet
मंजु (*mañju*) *a.* pretty, lovely
मंजुल (*mañjul*) *a.* beautiful, lovely
मंजूर (*mañzūr*) *a.* 1. sanctioned 2. accepted
मंजूषा (*mañjūṣā*) *f.* box, case, a small chest (for jewels)
मँझधार (*maṁjhdhār*) *f.* midstream, mid-current
मँझला (*maṁjhlā*) *a.* middle
मंडप (*maṇḍap*) *m.* canopy, pavilion
मँडराना (*maṁḍrānā*) *v.i.* to hover about, to hang around
मंडल (*maṇḍal*) *m.* division
मंडलाकार (*maṇḍalākār*) *a.* circular, spherical
मंडली (*maṇḍalī*) *f.* 1. group 2. troupe 3. company 4. band
मंडित (*maṇḍit*) *a.* decorated
मंडी (*maṇḍī*) *f.* market, bazaar

मंडूक (*maṇḍūk*) *m.* frog
मंतव्य (*mantavya*) *m.* view, opinion
मंत्र (*mantra*) *m.* a sacred verse or text, spell, charm
मंत्रमुग्ध *a.* spellbound, charmed
मंत्रालय (*mantrālaya*) ministry
मंत्रिपरिषद् (*mantri pariṣad*) *f.* council of ministers
मंत्रिमंडल (*mantrimaṇḍal*) *m.* cabinet, ministry
मंत्री (*mantrī*) *m.* minister
मंथन (*manthan*) *m.* churning
मंथनी (*manthanī*) *f.* churning stick
मंथर (*manthar*) *a.* 1. slow-moving 2. creeping
मंद (*mand*) *a.* slow, tardy
मंदा (*mandā*) I. *m.* depression (in business) II. *a.* slow, tardy
मंदाकिनी (*mandākinī*) *f.* the Milky Way, galaxy of stars
मंदाग्नि (*mandāgni*) *f.* indigestion
मंदार (*mandār*) *m.* coral tree, a celestial tree
मंदिर (*mandir*) *m.* temple
मंदी (*mandī*) *f.* 1. depression (in business) 2. suffix in Urdu words (अक्लमंदी)
मंद्र (*mandra*) *a.* 1. handsome, pretty 2. happy 3. deep sound
मंशा (*manśā*) *f.* intention
मंसूबा (*mansūbā*) *m.* 1. contrivance 2. project
मई (*maī*) *f.* (the month of) May
मई दिवस *m.* May Day, Labour Day (Ist May)
मकई (*makaī*) *f.* maize
मकड़ा (*makṛā*) *m.* /**मकड़ी** (*makṛī*) *f.* spider
मक़ता (*maqtā*) *m.* the last couplet in a poem
मक़बरा (*maqbarā*) *m.* mausoleum
मकरंद (*makarand*) *m.* 1. pollen 2. nectar
मकर (*makar*) *m.* crocodile
मकर संक्रांति (*makar saṅkrānti*) *f.* winter solstice, transition of the sun into the house of Capricorn
मक़सद (*maqsad*) *m.* intention
मकान (*makān*) *m.* house
मक्का (*makkā*) *m.* maize
मक्खन (*makkhan*) *m.* butter
मक्खी (*makkhī*) *f.* fly, housefly
मक्खीचूस (*makhīcūs*) *m.* miser
मक्षिका (*makṣikā*) *f.* fly
मख़मल (*makhmal*) *m.* velvet, plush
मखाना (*makhānā*) *m.* the dried seed of water lily
मख़ौल (*makhaul*) *m.* joke, jest
मग (*mag*) *m.* way, path
मगर (*magar*) *m.* I. *m.* crocodile II. *conj.* but, however
मगरमच्छ (*magarmacch*) *m.* crocodile
मग़रूर (*magrūr*) *a.* proud
मगही (*magahī*) *f.* a Hindi dialect
मग्ज़ (*magz*) *m.* 1. brain 2. intellect
मग्न (*magna*) *a.* immersed, sunk
मघा (*maghā*) *m.* Magha, the tenth constellation in the moon's path

म

मचलना (*macalnā*) *v.i.* to be restless

मचान (*macān*) *m.* 1. platform (as for hunters, watchmen) 2. stage

मचिया (*maciyā*) *f.* a small stool

मच्छड़ (*macchaṛ*) *m.* /**मच्छर** (*macchar*) *m.* mosquito

मच्छरदानी (*macchardānī*) *f.* mosquito net

मच्छी (*macchī*) *f.* fish

मछली (*machalī*) *f.* fish

मछुआ (*machuā*) *m.* fisherman

मज़दूर (*mazdūr*) *m.* labourer

मज़दूरी (*mazdūrī*) *f.* labour charges

मजनूँ (*majnūṁ*) *a.* 1. mad in love 2. insane 3. crazed with love

मज़बूत (*mazbūt*) *a.* 1. strong 2. firm 3. durable

मजबूर (*majbūr*) *a.* compelled

मज़मून (*mazmūn*) *m.* 1. topic, subject 2. text

मजलिस (*majlis*) *f.* 1. assembly 2 company

मज़हब (*mazhab*) *m.* religion, sect

मज़हबी (*mazhabī*) *a.* religious

मज़हबी कट्टरता *f.* bigotry

मज़ा (*mazā*) *m.* pleasure

मज़ाक़ (*mazāq*) *m.* joke, jest

मज़ार (*mazār*) *m.* 1. shrine 2. tomb

मजाल (*majāl*) *f.* 1. authority 2. power 3. capacity

मजीरा (*majīrā*) *m.* /**मँजीरा** (*maṁjīrā*) *m.* cymbals

मज़ेदार (*mazedār*) *a.* tasteful

मज्जा (*majjā*) *f.* (bone) marrow

मटकना (*maṭaknā*) *v.i.* to ogle, to flirt

मटका (*maṭakā*) *m.* a large, round earthen pot used for storing water

मटकाना (*maṭkānā*) *v.t.* 1. to cast amorous glances 2. to ogle

मटमैला (*maṭmailā*) *a.* dust-coloured

मटर (*maṭar*) *m.* pea, peas

मटरगश्त (*maṭargaśt*) *f.* an idle and leisurely walk

मटरगश्ती (*maṭargaśtī*) *f.* vagrancy, wandering leisurely

मटियामेट (*maṭiyāmeṭ*) *a.* 1. ruined, destroyed 2. undone

मट्ठा (*maṭṭhā*) *m.* buttermilk

मठ (*maṭh*) *m.* 1. abode of an ascetic 2. monastery

मड़ई (*maṛaī*) *f.* hut, cottage

मड़वा (*maṛvā*) *m.* /**मड़ुआ** (*maṛuā*) *m.* canopy, pavilion (especially for performing marriage ceremony)

मढ़ना (*maṛhnā*) *v.t.* to cover

मणि (*maṇi*) *f.* jewel, gem

मणिधर (*maṇidhar*) *m.* snake

मतंग (*mataṅg*) *m.* elephant

मत (*mat*) *m.* opinion, view, vote

मतगणना *f.* counting of votes

मतदाता *m.* voter

मतदान *m.* poll, polling, voting

मतभेद *m.* difference of opinion, dissent

मत-संग्रह *m.* (a) poll (b) referendum

मतलब (*matlab*) *m.* purpose

म

मतवाला (*matvālā*) I. *m.* drunkard II. *a.* intoxicated, drunken
मताधिकार (*matādhikār*) *m.* franchise, suffrage
मतावलंबी (*matavlambī*) *m.* follower of some sect/creed
मति (*mati*) *f.* 1. intellect 2. thought
मत्था (*matthā*) *m.* forehead
मत्सर (*matsar*) *m.* jealousy, envy
मत्स्य (*matsya*) *m.* fish
मत्स्यावतार (*matsyāvtār*) *m.* incarnation of God Vishnu in the form of a large fish
मथना (*mathanā*) *v.t.* to churn
मथनी (*mathani*) *f.* /**मथानी** (*mathānī*) *f.* 1. churning stick 2. churning pot
मद (*mad*) I. *f.* 1. item 2. heading 3. category II. *m.* frenzy, any intoxicant
मदद (*madad*) *f.* help, aid
मदन (*madan*) *m.* Cupid, the god of love and sex
  मदन दहन *m.* Lord Shiva who knocked out the pride of Cupid
मदरसा (*madarasā*) *m.* 1. school 2. seminary (for study of Holy Quran)
मदहोश (*madhoś*) *m.* intoxicated
मदारी (*madārī*) *m.* 1. one who trains and shows dances of monkey or bear 2. juggler
मदिरा (*madirā*) *f.* wine, liquor
मदोन्मत्त (*madonmatta*) *a.* drunken
मद्दे (*madde*) *adv.* in, inside
  मद्देनज़र *adv.* in sight, in view
मद्धम (*maddham*) *a.* 1. slow 2. dim
मद्य (*madya*) *m.* alcohol, liquor
  मद्य निषेध *m.* prohibition
मद्यप (*madyap*) *m.* alcoholic
मधु (*madhu*) *m.* 1. honey 2. juice of flowers 3. liquor, wine
  मधु ऋतु *f.* spring season
  मधुमक्खी *f.* bee, honeybee
  मधुयामिनी *f.* first night after wedding, honeymoon
  मधुशाला *f.* liquor shop, bar
मधुकर (*madhukar*) *m.*/**मधुप** (*madhup*) *m.* a large black bee
मधुमती (*madhumatī*) *f.* a creeper known as honeysuckle
मधुमेह (*madhumeh*) *m.* diabetes
मधुर (*madhur*) *a.* melodious
मधूकरी (*madhūkarī*) *f.* alms, distribution of food
मध्य (*madhya*) *a.* mid, middle
  मध्यकालीन *a.* medieval
मध्यम (*madhyam*) *a.* 1. medium 2. middle, intermediate
मध्यस्थ (*madhyastha*) I. *a.* medial II. *m.* mediator
मध्यस्थता (*madhyasthatā*) *f.* mediation
मध्यांतर (*madhyāntar*) *m.* interval, intermission
मध्याह्न (*madhyāhn*) *m.* midday, noon
मनःस्थिति (*manaḥsthiti*) *f.* mood, state of mind
मन (*man*) *m.* 1. mind 2. heart
  मनगढ़ंत *a.* concocted
  मनपसंद *a.* favourite
  मनमाना *a.* self-willed

म

मनमानी *f.* self-will, wilfulness
मनमुटाव *m.* ill-feeling
मनमोहन *m.* fascinating, an eponym of Lord Krishna
मनमौजी *a.* self-willed

मनका (*manakā*) *m.* bead

मनन (*manan*) *m.* deep thinking

मनवांछित (*manvāñchit*) *a.* desired, wished

गनशिचकित्सक (*munaścikitsak*) *m.* psychotherapist

मनश्चिकित्सा (*manaścikitsā*) *f.* psychotherapy, psychiatry

मनसा (*manasā*) I. *adv.* mentally II. *f.* goddess of snakes

मनस्विता (*manasvitā*) *f.* intelligence

मनस्वी (*manasvī*) *a.* thoughtful

मनहूस (*manhūs*) *a.* 1. ill-fated, inauspicious 2. unlucky

मना (*manā*) *a.* disallowed, prohibited

मनाना (*manānā*) I. *v.t.* to appease II. *m.* persuasion

मनिया (*maniyā*) *f.* bead

मनिहार (*manihār*) *m.* /**मनिहारी** (*manihārī*) *m.* 1. bangle dealer 2. bead maker

मनीषा (*manīṣā*) *f.* intellect, wisdom, mental power

मनीषी (*manīṣī*) *a.* & *m.* thinker

मनु (*manu*) *m.* progenitor of the human race

मनुज (*manuj*) *m.* man

मनुष्य (*manuṣya*) *m.* man, human being

मनोकामना (*manokāmnā*) *f.* heart's desire

मनोग्रंथि (*manogranthi*) *f.* 1. complex 2. obsession

मनोज (*manoj*) *m.* Cupid, god of love

मनोदशा (*manodaśā*) *f.* state of mind, mood, temper

मनोनयन (*manoṇayan*) *m.* nomination

मनोनीत (*manonit*) *a.* nominated

मनोबल (*manobal*) *m.* moral strength

मनोरंजक (*manorañjak*) *a.* interesting, entertaining, amusing

मनोरंजन (*manorañjan*) *m.* entertainment, recreation

मनोरथ (*manorath*) *m.* desire

मनोरम (*manoram*) *a.* lovely, charming, pleasing

मनोरोग (*manorog*) *m.* mental disease, psychopathy

मनोवांछित (*manovāñchit*) *a.* desired, wished

मनोविज्ञान (*manovigyān*) *m.* psychology

मनोवृत्ति (*manovṛtti*) *f.* mentality

मनोवैज्ञानिक (*manovaijñānik*) *m.* psychologist

मनौती (*manautī*) *f.* votive offering

मन्नत (*mannat*) *f.* a vow of offering

मन्मथ (*manmath*) *m.* Cupid, the god of love

ममता (*mamtā*) *f.* affection

ममिया (*mamiyā*) *a.* related to the spouse's maternal family

ममिया ससुर *m.* spouse's maternal uncle

ममेरा (*mamerā*) *a.* related to maternal uncle

ममेरा भाई *m.* /**ममेरी बहन** *f.* cousin

मयंक (*mayaṅk*) *m.* the moon

मय (*maya*) *f.* wine, liquor

मयस्सर (*mayassar*) *a.* available

मयूख (*mayūkh*) *m.* ray

मयूर (*mayūr*) *m.* peacock

मरघट (*marghaṭ*) *m.* cremation ground

मरण (*maraṇ*) *m.* death

मरणांतक (*maraṇāntak*) *a.* killing, ending in death

मरणोपरांत (*maraṇoparānt*) *adv.* after death

मरतबान (*maratbān*) *m.* a glazed clay jar for keeping preserves

मरता (*maratā*) *a.* dying

मरदानगी (*mardāngī*) *f.* manliness, bravery

मरदाना (*mardānā*) *a.* masculine

मरदूद (*mardūd*) *a.* 1. rejected 2. damned, good-for-nothing

मरना (*marnā*) *v.i.* to die

मरम्मत (*marammat*) *f.* 1. mending 2. repairs

मरवाना (*marvānā*) *v.t.* to cause to be beaten or killed

मरसिया (*marsiyā*) *m.* 1. an elegy 2. funeral notes

मरहम (*marham*) *f.* ointment, salve

मरहूम (*marhūm*) *a.* dead, deceased

मराठा (*marāṭhā*) *m.* Maratha, Maharashtrian

मराठी (*marāṭhī*) *f.* the language of Maharashtra

मराल (*marāl*) *m.* a bird of the genus *cygnus* (as swan, goose)

मरियम (*mariyam*) *f.* Virgin Mary

मरियल (*mariyal*) *a.* 1. lean 2. weak

मरीचि (*marīci*) *f.* 1. ray 2. splendour

मरीचिका (*marīcikā*) *f.* illusion

मरीज़ (*marīz*) *m.* patient

मरु (*maru*) *m.* a desert

मरुद्यान *m.* oasis

मरुभूमि *f.* desert land

मरुत (*maruṭ*) *m.* 1. air 2. the god of air

मरुत-सुत *m.* son of Marut, god Hanuman

मरुस्थल (*marusthal*) *m.* desert

मरोड़ (*maroṛ*) *f.* 1. twist 2. gripes

मरोड़ना (*maroṛnā*) *v.t.* to twist

मर्कट (*markaṭ*) *m.* monkey

मर्ज़ (*marz*) *f.* sickness, illness

मर्ज़ी (*marzī*) *m.* desire

मर्त्य (*martya*) *a.* mortal

मर्त्यलोक *m.* this world

मर्द (*mard*) *m.* 1. male 2. man 3. husband 4. hero

मर्दानगी (*mardāngī*) *f.* manliness

मर्दुम (*mardum*) *m.* man, person

मर्दुम शुमारी *f.* census (of human beings)

मर्म (*marma*) *m.* 1. vital or vulnerable spot 2. secret

मर्म स्थल *m.* vital part

मर्मज्ञ (*marmajña*) *m.* one who knows the real significance

म

मर्मर (*marmar*) *m.* rustling
मर्मस्पर्शी (*marmasparśī*) *a.* heart-rending, touching or moving
मर्मांतक (*marmāntak*) *a.* mortal
मर्माहत (*marmāhat*) *a.* 1. vitally struck 2. stunned
मर्यादा (*maryādā*) *f.* limit
मल (*mal*) *m.* 1. excrement, faeces, stool 2. rubbish, filth
मलद्वार (*maldvār*) *m.* anus
मलमास (*malmās*) *m.* intercalary month
मलना (*malanā*) *v.t.* to massage
मलबा (*malabā*) *m.* 1. debris 2. rubbish
मलमल (*malmal*) *f.* muslin cloth
मलय (*malay*) *m.* one of the mountains in the series of Western Ghats
मलय गिरि *m.* the Malaya mountain
मलयानिल (*malayānil*) *m.* the fragrant air coming from the Malaya mountain
मलयाली (*malayālī*) *a.* of or pertaining to Kerala
मलाई (*malāī*) *f.* cream
मलाल (*malāl*) *m.* regret
मलिंद (*malind*) *m.* black bee
मलिका (*malikā*) *f.* queen
मलीदा (*malīdā*) *m.* a sweetmeat of mashed bread and sugar
मलीन (*malīn*) *a.* dirty, filthy
मलेरिया (*maleriyā*) *m.* malaria
मलेरिया बुख़ार *m.* malaria fever
मलोत्सर्ग (*malotsarga*) *m.* excretion of faeces
मल्ल (*malla*) *m.* wrestler
मल्ल युद्ध *m.* wrestling bout
मल्लाह (*mallāh*) *m.* boatman
मल्लिका (*mallikā*) *f.* a fragrant flower of jasmine family
मल्हार (*malhār*) *f.* a musical raga sung during the rains
मवाद (*mavād*) *m.* pus, purulent matter
मवेशी (*mavesī*) *m.* cattle
मशक (*maśak*) *f.* a leather bag for carrying water
मशक्क़त (*maśaqqat*) *f.* labour
मशगूल (*maśgūl*) *a.* busy
मशविरा (*maśvirā*) *m.* advice
मशहूर (*maśahūr*) *a.* well-known, famous, reputed
मशाल (*maśāl*) *f.* burning torch
मशालची (*maśālcī*) *m.* torch-bearer
मसख़रा (*maskharā*) I. *a.* clown II. *m.* joker, jester
मसजिद (*masjid*) *f.* mosque
मसनद (*masnad*) *f.* a large round pillow, bolster
मसलन (*maslan*) *adv.* for example
मसलना (*masalnā*) *v.t.* to massage, to mash
मसला (*maslā*) *m.* 1. question, problem 2. issue
मसविदा (*masvidā*) *m.* a sketch or rough draft
मसहरी (*masharī*) *f.* mosquito-net
मसान (*masān*) *m.* crematory, place of burning the dead
मसाला (*masālā*) *m.* spices
मसालेदार (*masāledār*) *a.* seasoned

with spices
मसि (*masi*) *f.* ink
मसि/पात्र ink-pot
मसिजीवी (*masijīvī*) *m.* writer
मसीह (*masīh*) *m.* Christ
मसीहा (*masīhā*) *m.* messiah, liberator, deliverer
मसीही (*masīhī*) *a.* Christian
मसूड़ा (*masūṛā*) *m.* gums
मसूर (*masūr*) *f.* a variety of black pulse
मस्त (*mast*) *a.* 1. intoxicated 2. carefree
मस्तक (*mastak*) *m.* forehead
मस्जिद (*masjid*) *f.* mosque
मस्तिष्क (*mastiṣka*) *m.* brain, mind
महँगा (*mahṁgā*) *a.* expensive
महँगाई (*mahṁgāī*) *f.* 1. inflation, rise in prices 2. dearness 3. a time of scarcity
महँगाई भत्ता *m.* dearness allowance
महंत (*mahant*) *m.* head of a religious order
महक (*mahak*) *f.* 1. perfume 2. odour
महकना (*mahaknā*) *v.i.* to give out a fragrance
महकमा (*mahakmā*) *m.* 1. department 2. office
महज़ (*mahaz*) *a.* absolute
महत् (*mahat*) *a.* great
महताब (*mahtāb*) *m.* the moon
महती (*mahatī*) *f.*& *a.* big, great
महतो (*mahato*) *m.* head of a village
महत्ता (*mahattā*) *f.* greatness
महत्त्व (*mahattva*) *m.* importance
महत्त्वपूर्ण (*mahattvapūrṇa*) *a.* important
महत्त्वाकांक्षा (*mahattvākāṅkṣā*) *f.* ambition
महनीय (*mahnīya*) *a.* honourable, respectable
महफ़िल (*mahfil*) *f.* assembly
महबूब (*mahbūb*) I. *a.* liked, dear, loved II. 1. friend 2. beloved
महबूबा (*mahbūbā*) *f.* sweetheart
महराब (*mahrāb*) *f.* arch
महर्षि (*maharṣi*) *m.* great sage
महल (*mahal*) *m.* palace
महसूस (*mahsūs*) *a.* felt, perceived
महा (*mahā*) *a.* 1. great 2. excessive 3. supreme
महाकवि (*mahākavi*) *m.* great epic poet
महाकाव्य (*mahākāvya*) *m.* epic poetry
महाजन (*mahājan*) *m.* 1. money-lender 2. merchant
महात्मा (*mahātmā*) *a.* & *m.* a holy or pious man
महादेव (*mahādev*) *m.* an eponym of God Shiva
महाद्वीप (*mahādvīp*) *m.* continent
महाधिवक्ता (*mahādhivaktā*) *m.* advocate-general
महान् (*mahān*) *a.* great, big
महानगर (*mahānagar*) *m.* metropolis
महानिदेशक (*mahānideśak*) *m.* director-general
महानुभाव (*mahānubhāv*) *m.* a respectable form of address, sir

म

महापुरुष (*mahāpuruṣ*) *m.* great man
महापौर (*mahāpaur*) *m.* mayor
महाप्रयाण (*mahāprayāṇ*) *m.* the last journey, death
महाभारत (*mahābhārat*) *m.* 1. a great war 2. the epic Mahabharat
महाभियोग (*mahābihyog*) *m.* impeachment, charge of crime against the state
महामना (*mahāmanā*) *a.* noble-hearted, liberal
महामहिम (*mahāmahim*) *a.* His Majesty, Your Majesty
महामारी (*mahāmārī*) *f.* wide-spread disease (epidemic)
महारत (*mahārat*) *m.* a great warrior
महाराज (*mahārāj*) *m.* 1. supreme-lord 2. respectful term for a Brahmin, guru
महाराष्ट्रीय (*mahārāṣtrīya*) *a.* of or belonging to Maharashtra
महालया (*mahālayā*) *f.* the last day of the dark fortnight in September
महावत (*mahāvat*) *m.* elephant driver/ keeper
महावर (*mahāvar*) *m.* a red coloured lac paste (used by women to colour their feet)
महाविद्यालय (*mahāvidyālaya*) *m.* college
महावीर (*mahāvīr*) I. *m.* great warrior II. *m.* an eponym of god Hanuman
महाशय (*mahāśay*) *m.* 1. a form of address 2. noble man
महासंघ (*mahāsaṅgh*) *m.* confederation, federation
महासचिव (*mahāsaciv*) *m.* Secretary-General
महासागर (*mahāsāgar*) *m.* ocean
महिमा (*mahimā*) *m.* 1. dignity 2. glory
महिला (*mahilā*) *f.* lady
महिष (*mahiṣ*) *m.* male buffalo
महिषी (*mahiṣī*) *f.* female buffalo
मही (*mahī*) *f.* 1. the earth 2. soil
महीन (*mahīn*) *a.* 1. fine 2. thin
महीना (*mahīnā*) *m.* month
महीप (*mahīp*) *m.* /**महीपति** (*mahīpati*) *m.* king
महुआ (*mahuā*) *m.* a tree bearing sweet flowers from which liquor is distilled
महेश (*maheś*) *m.* /**महेश्वर** (*maheśvar*) *m.* eponyms of god Shiva
महोदय (*mahodaya*) *a.* sir
महोदया (*mahodayā*) *a.* madam
माँ (*māṁ*) *f.* mother
माँग (*māṁg*) *f.* demand
माँगना (*māṁgnā*) *v.t.* to demand
मांगल्य (*māṅgalya*) *m.* auspicious, propitious
माँजना (*māṁjnā*) *v.t.* to cleanse
माँझी (*maṁjhī*) *m.* boatman
माँड़ (*māṁṛ*) *m.* 1. boiled rice-water 2. rice-starch
माँद (*māṁd*) I. lair, den (of a wild animal) II. *a.* dull, faint
मांस (*māṃs*) *m.* 1. flesh 2. meat

मांसपेशी *(māṃpeśī) m.* muscle
मांसल *(māṃsal) a.* fleshy
मांसाहार *(māṃsāhār) m.* non-vegetarian food or diet
माई *(māī) f.* 1. mother 2. maidservant
माकूल *(māqūl) a.* 1. reasonable 2. just, fair, proper
माखन *(mākhan) m.* butter
माखनचोर *(mākhancor) m.* an eponym of Lord Krishna
मागधी *(māgadhī) f.* a Prakrit dialect of medieval times
माघ *(māgh) m.* the tenth month of the Hindu calendar
माचिस *(mācis) f.* 1. a match stick 2. matchbox
माजरा *(mājarā) m.* matter
माटा *(māṭā) m.* a species of yellow ants generally found on plants
माटी *(māṭī) f.* 1. earth 2. soil
माणिक *(māṇik) m.* /**माणिक्य** *(māṇikya) m.* ruby
मातंग *(mātaṅg) m.* elephant
मात *(māt) f.* defeat, repulse
मातम *(mātam) m.* mourning, grief
मातमपुरसी *(mātampursī) f.* condolence
मातहत *(māthat) a.* subordinate
माता *(mātā) f.* 1. mother 2. smallpox
मातामह *(mātāmah) m.* maternal grandfather, mother's father
मातामही *(mātāmahī) m.* maternal grandmother
मातुल *(mātul) m.* maternal uncle
मातृ *(mātṛ) f.* mother
  मातृसत्तात्मक *a.* matriarchal
मातृत्व *(mātṛtva) m.* motherhood
मात्र *(mātra) adv.* merely, only
मात्रा *(mātrā) f.* quantity
मात्रिक *(mātrik) a.* durative
  मात्रिक छंद *m.* durative metre
माथा *(māthā) m.* head, forehead
माथुर *(māthur) m.* a caste of the Kayasthas
मादक *(mādak) a.* intoxicating
मादा *(mādā) f.* female
माधव *(mādhav) m.* an eponym of Lord Krishna
माधविका *(madhavikā) f.* a creeper which bears fragrant flowers
माधुरी *(mādhurī) f.* /**माधुर्य** *(mādhurya) m.* 1. sweetness 2. pleasantness
माध्यम *(mādhyam) m.* medium
माध्यमिक *(mādhyamik) a.* secondary
  माध्यमिक विद्यालय *m.* secondary school
मान *(mān) m.* 1. respect 2. standard 3. scale 4. measure
मानचित्र *(māncitra) m.* map
मानदंड *(māndaṇḍ) m.* standard, criterion
मानपत्र *(mānpatra) m.* address (of welcome)
मानक *(mānak) m.* standard, norm
मानदेय *(māndeya) m.* honorarium
मानना *(mānnā) v.t.* 1. to agree 2. to accept
माननीय *(mānanīya) a.* honourable

म

मानव (*mānav*) *m.* man
मानवता (*mānavtā*) *f.* 1. humanity 2. humaneness
मानविकी (*mānavikī*) *f.* humanities
मानवीयता (*mānavīyatā*) *f.* 1. humanity 2. humaneness
मानस (*mānas*) I. *m.* 1. mind 2. heart II. *a.* mental
मानसिक (*mānasik*) *m.* mental
मानसिकता (*mānasiktā*) *f.* 1. psyche, mental make-up 2. mentality
मानहानि (*mānahāni*) *f.* contempt, defamation
मानार्थ (*mānārtha*) *a.* as a compliment, as a gift
मानिंद (*mānind*) *a.* like, resembling, similar to
मानिनी (*māninī*) *a.f.* proud / sulky (woman), a woman offended by her lover
मानुष (*mānuṣ*) *m.* man
मानुषिकता (*mānuṣikatā*) *f.* 1. humanity 2. humaneness
मान्य (*mānya*) *a.* respectable
मान्यता (*mānyatā*) *m.* 1. accreditation 2. recognition
माप (*māp*) *m.* 1. measure 2. size
मापक (*māpak*) I. *m.* metre II. *a.* measuring
मापना (*māpnā*) *v.t.* 1. to measure 2. to assess
माफ़ (*māf*) *a.* pardoned, excused
माफ़िक (*māfiq*) *a.* suitable
माफ़ी (*māfī*) *f.* pardon
मामला (*māmlā*) *m.* 1. affair 2. cause or suit in law
मामा (*māmā*) *m.* maternal uncle, mother's brother
मामी (*māmī*) *f.* maternal aunt
मामूँ (*māmūṁ*) *m.* maternal uncle
मामूली (*māmūlī*) *a.* 1. common 2. ordinary
मायका (*māyakā*) *m.* 1. mother's home 2. maternal village / city
माया (*māyā*) *f.* illusion
मायावाद (*māyāvād*) *m.* theory that the world is unreal and illusory
मायावी (*māyāvī*) *a.* & *m.* 1. mystic 2. phantasmal, illusive
मायूस (*māyūs*) *a.* disappointed, frustrated
मार (*mār*) beating, thrashing
मारक (*mārak*) *a.* killing, causing death
मारकीन (*mārkīn*) *f.* a delicately woven cotton fabric
मारण (*māraṇ*) *m.* killing
मारना (*mārnā*) *v.t.* 1. to beat 2. to kill
मारफ़त (*marfat*) *adv.* /**मार्फत** (*mārfat*) *adv.* through, by (the medium of, care of)
मारवाड़ी (*mārvāṛī*) I. *m.* a resident of Marwar (Rajasthan) II. *f.* Marwari language
मारुत (*mārut*) *m.* air, wind
मार्क्सवाद (*mārksvād*) *m.* Marxism (overthrow of capitalism and attainment of classless communist society)
मार्ग (*mārga*) *m.* way, path

म

मार्गदर्शक (*mārgadarśak*) *m.* guide, pioneer
मार्गदर्शी (*mārgadarśī*) *a.* & *m.* watch/patrol (man)
मार्गशिर (*mārgaśir*) *m.* /**मार्गशीर्ष** (*mārgaśīrṣā*) *m.* the eighth month of Vikrami calendar, Aghan
मार्जन (*mārjan*) *m.* wiping
मार्जार (*mārjār*) *m.* tom-cat
मार्जारी (*mārjārī*) *f.* cat
मार्तंड (*mārtaṇḍ*) *m.* the sun
मार्मिक (*mārmik*) *a.* touching
माल (*māl*) *m.* 1. goods 2. riches, wealth
मालगाड़ी *f.* goods train
मालगुज़ारी (*mālguzārī*) *f.* land revenue
मालपुआ (*mālpuā*) *m.* sweetmeat
मालकौंस (*mālkauṁs*) *m.* name of a *raga* (mode of music)
मालटा (*mālṭā*) *m.* a kind of citrus fruit
मालती (*māltī*) *f.* a creeper which yields fragrant flowers
मालदह (*māldah*) *m.* a variety of mango
मालवी (*mālvī*) *f.* a form of Hindi dialect spoken in Malva, near Ujjain
मालवीय (*mālvīya*) a sub caste of Brahmins
माला (*mālā*) *f.* 1. garland 2. rosary
मालामाल (*mālāmāl*) *a.* wealthy
मालिक (*mālik*) *m.* 1. master 2. lord 3. proprietor
मालिकाना (*mālikānā*) *a.* proprietory
मालिन (*mālin*) *f.* 1. gardener's wife 2. a female gardener
मालिन्य (*mālinya*) *m.* dirt
मालिश (*māliś*) *f.* massage
माली (*mālī*) I. *m.* gardener II. *a.* financial, economic
मालूम (*mālūm*) *a.* known
माल्य (*mālya*) *m.* garland, wreath
माल्यार्पण (*mālyārpaṇ*) *m.* offering a garland, garlanding
माशाअल्लाह (*māśāallāh*) *interj.* God willing
माशूक (*māśūk*) *m.* a male beloved, sweetheart
माशूका (*māśūkā*) *f.* 1. a beloved, sweetheart 2. mistress
मास (*mās*) *m.* month
मासिक (*māsik*) *a.* monthly
मासूम (*māsūm*) I. *a.* innocent, guileless, simple II. *m.* infant
मास्टर (*māsṭar*) *m.* teacher
माह (*māh*) *m.* month
माहात्म्य (*māhātmya*) *m.* 1. greatness 2. spiritual nobleness
माहिर (*māhir*) *a.*& *m.* expert
माहुर (*māhur*) *m.* poison
माहेश्वर (*māheśvar*) *a.* of or pertaining to God Shiva
माहौल (*māhaul*) *m.* surroundings, environs
मिग (*mig*) *m.* bomber (aircraft)
मिचलाना (*miclānā*) *v.t.* to feel nausea
मिचली (*miclī*) *f.* feeling of vomiting, nausea
मिज़ाज (*mizāj*) *m.* 1. nature

म

2. habit 3. disposition

मिटना (*miṭnā*) *v.i.* to be erased, to be blotted out

मिटाना (*miṭānā*) *v.t.* 1. to blot out 2. to erase

मिट्टी (*miṭṭī*) *f.* 1. earth 2. soil

मिठाई (*miṭhāī*) *f.* sweetmeat

मिठास (*miṭhās*) *f.* sweetness

मित (*mit*) *a.* limited, restricted

मितभाषी (*milbhāṣī*) *a.* reserved in speech

मिती (*mitī*) *f.* date (according to Hindu calendar)

मित्र (*mitra*) *m.* friend, ally

मित्रता (*mitratā*) *m.* /**मित्रत्व** (*mitratva*) *m.* friendship

मित्रवत् (*mitravat*) *adv.* like a friend, in a friendly manner

मिथुन (*mithun*) *m.* 1. sexual intercourse 2. Gemini, the 6th house in zodiac

मिथ्या (*mithyā*) *a.* false, untrue

मिथ्यावादी (*mithyāvādī*) *a.* mendacious, liar

मिनहा (*minhā*) I. *m.* deduction II. *a.* deducted

मिन्नत (*minnat*) *f.* supplication, humbleness, entreaty

मियाँ (*miyāṁ*) *m.* husband

मियाद (*miyād*) *f.* limit

मियादी (*miyādī*) *a.* periodic

मियादी बुख़ार (*miyādī bukhār*) *m.* relapsing fever

मिरज़ई (*mirzaī*) *f.* a quilted jacket

मिरज़ा (*mirzā*) *m.* 1. prince 2. a Mughal nobleman

मिर्गी (*mirgī*) *f.* epilepsy

मिर्च (*mirc*) *f.* chilli

मिलन (*milan*) *m.* 1. association 2. meeting

मिलनसार (*milansār*) *a.* sociable, friendly, affable

मिलना (*milnā*) *v.t.* to meet

मिला-जुला (*mila-julā*) *a.* 1. mixed 2. combined

मिलान (*milān*) *m.* 1. tallying 2. comparison

मिलाना (*milānā*) *v.t.* to mix

मिलाप (*milāp*) *m.* 1. union 2. concord 3. reconciliation

मिलावट (*milāvaṭ*) *m.* adulteration

मिलिंद (*milind*) *m.* black bee

मिल्कियत (*milkiyat*) *f.* 1. property 2. possession 3. estate

मिश्र (*miśra*) *a.* mixed

मिश्रण (*miśraṇ*) *m.* mixing

मिश्रित (*miśrit*) *a.* mixed

मिश्रित अर्थव्यवस्था *f.* mixed economy

मिष्ट (*miṣṭa*) *a.* sweet

मिष्टान्न (*miṣṭānna*) *m.* sweetmeat, sweets

मिसरा (*misrā*) *m.* a line of verse

मिसाल (*misāl*) *f.* example

मिस्री (*misrī*) I. *f.* sugar-candy II. *a.* Egyptian

मिहिर (*mihir*) *m.* the sun

मींचना (*mīṁcnā*) *v.t.* (eyes) to shut, to close

मींजना (*mīṁjnā*) *v.t.* 1. to rub with hands 2. to squeeze

मीठा (*mīṭhā*) *a.*& *m.* sweet

मीठी (*mīṭhī*) *a. f.* sweet

मीठी गाली *f.* euphemism
मीत (*mīt*) *m.* friend
मीन (*mīn*) *f.* 1. fish 2. Pisces sign of the zodiac
मीना (*mīnā*) *m.* 1. enamel 2. a precious stone of blue colour
मीनार (*mīnār*) *m.* tower, minaret
मीमांसक (*mīmāṃsak*) *m.* exponent, commentator
मीमांसा (*mīmāṃsā*) *f.* critique
मीर (*mīr*) *m.* 1. chief 2. leader
मीरी (*mīrī*) *f.* chiefdom
मीलित (*mīlit*) *a.* closed, shut
मुँगरी (*mumgrī*) *f.* mallet
मुंड (*muṇḍ*) *m.* 1. head 2. skull
मुंडमाला (*muṇḍmālā*) *f.* garland of skulls
मुंडमाली (*muṇḍmālī*) *m.* Lord Shiva who wears a garland of skulls
मुंडन (*muṇḍan*) *m.* the first ceremonial shaving of a child's head
मुंडित (*muṇḍit*) *a* shaven
मुँडेर (*mumḍer*) *f.* parapet
मुँडेरी (*mumḍerī*) *f.* parapet
मुंशी (*muṃśī*) *m.* 1. accountant 2. scribe 3. clerk
मुंसिफ (*muṃsif*) *m.* munsif, judge of a small civil court
मुँह (*mumh*) *m.* 1. mouth 2. face
मुँहबोला (*mumhbolā*) *a.*/मुँहबोली (*mumhbolī*) *a.* adopted
मुँहमाँगा (*mumhmāṁgā*) *a.* /मुँहमाँगी (*mumhmāṁgī*) *a.* as demanded or requested, as prayed for
मुँहासा (*mumhāsā*) *m.* a pimple or acne on the face
मुअत्तल (*muattal*) *a.* suspended (from service)
मुआवज़ा (*muāvzā*) *m.* 1. compensation 2. remuneration
मुक़दमा (*muqadmā*) *m.* a law-suit, case
मुक़द्दर (*muqaddar*) *a.* fate, luck
मुकम्मल (*mukammal*) *a.* 1. perfect 2. complete
मुकरना (*mukarnā*) *v.i.* to deny, to refuse to admit
मुक़र्रर (*muqarrar*) *a.* appointed
मुक़ाबला (*muqāblā*) *m.* 1. competition 2. comparison
मुक़ाम (*muqām*) *m.* 1. abode 2. place 3. halt, goal
मुकुंद (*mukund*) *m.* an eponym of Vishnu and Lord Krishna
मुकुट (*mukuṭ*) *m.* crown
मुकुटमणि (*muukuṭmaṇi*) *f.* 1. a jewel set in a crown 2. a very precious object
मुकुर (*mukur*) *m.* mirror
मुकुल (*mukul*) *m.* bud, blossom
मुक्का (*mukkā*) *m.* a blow with the fist
मुक्केबाज (*mukkebāz*) *m.* boxer
मुक्त (*mukta*) *a.* 1. freed, liberated, released 2. open
मुक्त छंद *m.* free verse
मुक्तहस्त (*muktahast*) *a.* generous
मुक्ता (*muktā*) *m.* pearl
मुक्ति (*mukti*) *f.* liberation
मुख (*mukh*) *m.* 1. mouth 2. face
मुखड़ा (*mukhṛā*) *m.* face
मुखद्वार (*mukhdvār*) *m.* entrance

or exit, gateway

मुखपत्र (*mukhpatra*) *m.* organ (of a party), official journal

मुखपृष्ठ (*mukhpṛṣṭha*) *m.* title page, front page

मुखमंडल (*mukhmaṇḍal*) *m.* countenance

मुखर (*mukhar*) *m.* talkative

मुखशुद्धि (*mukhśuddhi*) *f.* cleansing the mouth after eating

मुख़ातिब (*mukhātib*) *a.* the person addressed

मुखापेक्षी (*mukhāpekṣī*) *a.* dependent on somebody for help

मुखारविंद (*mukhārvind*) *m.* lotus-face, lovely or handsome face

मुखावरण (*mukhāvaraṇ*) *m.* mask

मुखिया (*mukhiyā*) *m.* chief, headman (especially of a village)

मुखौटा (*mukhauṭā*) *m.* mask

मुख़्तसर (*mukhtasar*) *a.* 1. brief 2. short

मुख़्तार (*mukhtār*) *m.* 1. agent 2. attorney

मुख्य (*mukhya*) *a.* 1. main 2. principal, chief

मुख्यमंत्री *m.* Chief Minister

मुख्यालय (*mukhyālaya*) *m.* headquarters

मुगदर (*mugdar*) *m.* 1. club to exercise with 2. mallet

मुग़ल (*mugal*) *m.* Mughal, name of a Muslim tribe

मुग्ध (*mugdha*) *a.* charmed

मुग्धा (*mugdhā*) *f.* a simple, innocent and artless heroine who is infatuating

मुजरा (*mujrā*) *m.* musical performance by a dancing girl

मुजरिम (*mujrim*) *m.* criminal

मुजाहिद (*mujāhid*) *m.* crusader, warrior in defence of his faith

मुझ (*mujh*) *pron.* (from मैं) I, me, **मुझ को** to me

मुटापा (*muṭāpā*) *m.* corpulence

मुट्ठी (*muṭṭhī*) *f.* 1. fist 2. clutch

मुठभेड़ (*muṭhbheṛ*) *f.* encounter

मुड़ना (*muṛnā*) *v.i.* to turn back

मुताबिक (*mutābiq*) *a.* 1. in accordance with 2. identical, like 3. corresponding

मुद (*mud*) *m.* joy, pleasure

मुदा (*mudā*) *adv.* the purpose being, that is

मुदित (*mudit*) *a.* pleased

मुद्दई (*muddaī*) *m.* complainant

मुद्दत (*muddat*) *f.* 1. time 2. duration 3. long time

मुद्दा (*muddā*) *m.* 1. intention, purpose 2. theme

मुद्रक (*mudrak*) *m.* printer

मुद्रण (*mudraṇ*) *m.* printing

मुद्रणालय (*mudraṇālaya*) *m.* printing press

मुद्रांक (*mudrāṅk*) *m.* stamp

मुद्रा (*mudrā*) *f.* 1. money, currency, coin 2. seal 3. stamp

मुद्रा-अवमूल्यन (*mudrā avmūlyan*) *m.* devaluation of currency

मुद्रिका (*mudrikā*) *f.* finger-ring

मुद्रित (*mudrit*) *m.* printed

मुनक़्क़ा (*munaqqā*) *m.* large-size dried grape, raisin

मुनादी (*munādī*) *f.* proclamation

(by beat of drum)
मुनाफ़ा (*munāfā*) *m.* profit
मुनाफ़ाखोर (*munāfākhor*) *m.* profiteer
मुनासिब (*munāsib*) *a.* suitable
मुनि (*muni*) *m.* sage, hermit
मुनिवर (*munivar*) *m.* the foremost sage or hermit
मुनियाँ (*muniyāṁ*) *f.* a small girl
मुनीम (*munīm*) *m.* accountant
मुन्ना (*munnā*) *m.* dear child
मुफ़लिस (*muflis*) *a.* poor
मुफ़लिसी (*muflisī*) *f.* poverty
मुफ़ीद (*mufīd*) *a.* profitable
मुफ़्त (*muft*) *a.* 1. free 2. gratis
मुबारक (*mubārak*) *f.* congratulation, blessing
मुमकिन (*muṁkin*) *a.* possible
मुमताज़ (*mumtāz*) *a.* 1. exalted 2. distinguished
मुमुक्षा (*mumukṣā*) *f.* desire to attain salvation
मुरझाना (*murjhānā*) *v.i.* 1. to wither 2. to fade
मुरदनी (*murdanī*) *f.* 1. gloominess 2. lifelessness
मुरब्बा (*murabbā*) *m.* jam
मुरली (*muralī*) *f.* flute, pipe
मुरलीधर *m.* flute-player, an eponym of Lord Krishna
मुरव्वत (*muravvat*) *f.* kindness
मुराद (*murād*) *f.* will, wish
मुरारि (*murāri*) *m.* enemy of Mura demon, Lord Krishna
मुरीद (*murīd*) *m.* follower
मुरौवत (*murauvat*) *f.* generosity
मुर्ग़ (*murg*) *m.* cock
मुर्ग़ मुसल्लम *m.* whole roasted chicken
मुर्ग़ा (*murgā*) *m.* cock, fowl
मुर्ग़ी (*murgī*) *f.* hen
मुर्दनी (*murdanī*) *f.* 1. gloominess 2. lifelessness
मुर्दा (*murdā*) *a.* dead body, corpse
मुर्दाघर (*murdāghar*) *m.* morgue, mortuary
मुलतवी (*multavī*) *a.* postponed
मुलतानी (*multānī*) *a.* of or belonging to Multan
मुलम्मा (*mulammā*) *m.* coating
मुलाक़ात (*mulāqāt*) *f.* 1. meeting 2. visit
मुलाक़ाती (*mulāqātī*) *m.* visitor
मुलाज़िम (*mulāzim*) *m.* servant
मुलायम (*mulāyam*) *a.* soft
मुलाहिज़ा (*mulāhizā*) *m.* 1. consideration 2. regard
मुल्क (*mulk*) *m.* country
मुल्ज़िम (*mulzim*) *m.* accused
मुल्ला (*mullā*) *m.* Muslim priest
मुवक्किल (*muvakkil*) *m.* client of a lawyer
मुशायरा (*muśāyrā*) *m.* a gathering of poets
मुश्किल (*muśkil*) *a.* 1. difficult 2. hard
मुष्टि (*muṣṭi*) *f.* fist
मुसकराना (*muskarānā*) *v.i.* to smile
मुसकान (*muskān*) *f.* smile
मुसलमान (*musalmān*) *m.* Muslim, follower of Islam
मुसल्लम (*musallam*) *a.* entire, whole
मुसाफ़िर (*musāfir*) *m.* 1. traveller

म

2. passenger
मुसाफिरखाना (*musāfirkhānā*) *m.* 1. inn 2. sarai
मुसीबत (*musībat*) *f.* calamity, disaster
मुस्तैद (*mustaid*) *a.* ready
मुहतरम (*muhtaram*) *a.* honoured
मुहतरमा (*muhtaramā*) *a.& f.* respected, respectable
मुहताज (*muhtāj*) *a.* needy
मुहब्बत (*muhabbat*) *f.* love
मुहम्मद (*muhammad*) *m.* the Prophet Mohammad (founder of Islam)
मुहय्या (*muhyyā*) a. / मुहैया (*muhaiyā*) *a.* available
मुहर (*muhar*) *f.* 1. seal 2. stamp
मुहरबंद (*muharband*) *a.* sealed
मुहर्रम (*muharram*) *m.* the first month of the Hijri year
मुहलत (*muhlat*) *f.* duration
मुहाना (*muhānā*) *m.* mouth (of a river), estuary
मुहाफिज़ (*muhāfiz*) I. *a.* defending, keeping II. *m.* custodian, record-room
मुहाल (*muhāl*) *a.* difficult
मुहावरा (*muhāvrā*) *m.* idiom
मुहिम (*muhim*) *f.* 1. campaign, expedition 2. enterprise
मुहूर्त (*muhūrta*) *m.* auspicious time
मूँग (*mūṁg*) *f.* a variety of pulse
मूँगफली (*mūṁgphalī*) *f.* ground nut, peanut
मूँगा (*mūṁgā*) *m.* coral
मूँछ (*mūṁch*) *f.* moustache
मूँज (*mūṁj*) *f.* a kind of grass used for making rope
मूँदना (*mūṁdnā*) *v.t.* to shut
मूक (*mūk*) *a.* 1. silent 2. dumb
मूठ (*mūṭh*) *f.* 1. handle 2. fist
मूढ़ (*mūṛh*) *a.* foolish, stupid
मूढ़मति (*mūṛhmati*) *a.* foolish
मूतना (*mūtnā*) *v.t.* to urinate
मूत्र (*mūtra*) *m.* urine, piss
मूत्राशय (*mūtrāśay*) *m.* bladder
मूर्ख (*mūrkh*) *a.& m.* foolish
मूर्च्छा (*mūrcchā*) *f.* swoon
मूर्च्छित (*mūrcchit*) *a.* fainted
मूर्त (*mūrt*) *a.* concrete, solid
मूर्ति (*mūrti*) *f.* 1. idol 2. statue
मूर्तिकला (*mūrtikalā*) *f.* sculpture
मूर्तिकार (*mūrtikār*) *m.* sculptor
मूर्तिपूजक (*mūrtipūjak*) *m.* idolater
मूर्तिमान (*mūrtimān*) *a.* incarnate
मूर्धन्य (*mūrdhanya*) *a.* cerebral
मूर्धा (*mūrdhā*) *f.* cerebrum
मूल (*mūl*) I. *m.* 1. origin 2. root II. *a.* original
  मूल ग्रंथ *m.* text, original work
  मूल निवासी *m.* native
  मूलभूत *m.* origin, source
  मूल वेतन *m.* basic scale of pay
मूलतः (*mūltaḥ*) *adv.* basically
मूलाधार (*mūlādhār*) *m.* (in yoga) the lowest ganglion of the human body
मूली (*mūlī*) *f.* radish
मूलोच्छेदन (*mūlocchedan*) *m.* eradication
मूल्य (*mūlya*) *m.* 1. value 2. price
मूल्य-नियंत्रण (*mūlya-niyantraṇ*) *m.*

price control
मूल्यवान् (*mūlyavān*) *a.* valuable, precious, costly
मूल्यहीन (*mūlyahīn*) *a.* worthless, useless
मूल्यांकन (*mūlyānkan*) *m.* valuation, assessment
मूषक (*mūṣak*) *m.* rat
मूषिका (*mūṣikā*) *f.* a rat, a mouse
मूसल (*mūsal*) *m.* wooden pestle
मूसलाधार (*mūslādhār*) *a.* heavy or pelting (rain)
मूसा (*mūsā*) *m.* the prophet Moses (founder of Judaism)
मृग (*mṛg*) *m.* deer
मृगचर्म (*mṛgcarma*) *m.* /मृगछाला (*mṛgchālā*) *m.* deer-skin
मृगछौना (*mṛgchāunā*) *m.* young one of a deer, fawn
मृगतृष्णा (*mṛgtriṣṇā*) *f.* /मृगजल (*mṛgjal*) *m.* mirage
मृगनयनी (*mṛgnayanī*) *f.* a woman having eyes like deer
मृग मरीचिका (*mṛg marīcikā*) *f.* mirage, delusion
मृगया (*mṛgayā*) *f.* hunting
मृगराज (*mṛgrāj*) *m.* lion
मृगशिरा (*mṛġśirā*) *f.* the constellation Orion
मृगी (*mṛgī*) *f.* female deer, doe
मृगेंद्र (*mṛgeṁdra*) *m.* lion
मृणाल (*mṛṇāl*) *m.* stalk of the lotus plant
मृणालिनी (*mṛṇālinī*) *f.* lotus
मृण्मय (*mṛṇmaya*) *a.* earthly
मृत (*mṛt*) *a.* 1. dead 2. extinct
मृतक (*mṛtak*) *m.* dead body
मृतप्राय (*mṛtprāy*) *a.* almost dead
मृतसागर (*mṛtsāgar*) *m.* Dead Sea
मृत्तिका (*mṛttikā*) *f.* clay, earth
मृत्तिका-शिल्प *m.* ceramics
मृत्युंजय (*mṛtyuñjay*) *m.* 1. one who has conquered death 2. an eponym of Lord Shiva
मृत्यु (*mṛtyu*) *f.* death, demise
मृत्यु दिवस (*mṛtyu divas*) *m.* death anniversary
मृत्युलोक (*mṛtyulok*) *m.* mortal world, the earth
मृत्युशय्या (*mṛtyuśayyā*) *f.* death bed
मृदंग (*mṛdaṅg*) *m.* a double drum
मृदा (*mṛdā*) *f.* 1. earth 2. soil
मृदु (*mṛdu*) *a.* 1. soft 2. tender
मृदुभाषी (*mṛdubhāṣī*) *a.* soft-spoken, sweet-tongued
मृदुल (*mṛdul*) *a.* 1. soft 2. tender
में (*meṁ*) *ppn.* in, into, between
मेंड़ (*meṁṛ*) *f.* boundary
मेंढ़क (*meṁḍhak*) *m.* frog, toad
मेंढ़की (*meṁḍhakī*) *f.* female frog
मेंमें (*meṁmeṁ*) *f.* bleating
मेंहदी (*meṁhdī*) *f.* myrtle, henna
मेखला (*mekhlā*) *f.* girdle
मेघ (*megh*) *m.* cloud
मेघनाद (*meghnād*) *m.* 1. thunder 2. the eldest son of Ravana
मेघालय (*meghālay*) *m.* the abode of clouds, name of a state in India
मेज़पोश (*mezpoś*) *m.* table cloth
मेज़बान (*mezbān*) *m.* host
मेढ़ा (*meṛhā*) *m.* ram
मेथी (*methī*) *f.* a green leafy vegetable , fenugreek

म

मेध (*medh*) *m.* sacrifice, yagya
मेधा (*medhā*) *f.* wisdom
मेधावी (*medhāvī*) *m.* intelligent
मेमना (*memnā*) *m.* lamb
मेम-साहब (*mem sāhab*) *f.* lady, Mrs.
मेरा (*merā*) *pron.* my, mine
मेरु (*meru*) *m.* 1. spine 2. a mythical gold mountain
मेरुदंड (*merudaṇḍ*) *m.* backbone
मेल (*mel*) *m.* connection
मेलजोल (*meljol*) *m.* association
मेला (*melā*) *m.* fair, festival
मेवा (*mevā*) *m.* dry fruit (such as almond, cashewnut, raisin etc)
मेष (*meṣ*) *m.* 1. sheep 2. Aries, the first sign of the zodiac
मेष संक्रांति (*meṣ saṅkrānti*) *f.* the day on which the sun crosses the house of Aries
मेहतर (*mehtar*) *m.* sweeper
मेहतरानी (*mehtarānī*) *f.* sweepress, sweeper
मेहनत (*mehnat*) *f.* labour, toil
मेहनताना (*mehantānā*) *m.* 1. wages 2. fees
मेहनती (*mehnatī*) *a.* laborious
मेहमान (*mehmān*) *m.* guest
मेहमानदार (*mehmāndār*) *m.* host
मेहमानदारी (*mehmāndārī*) *f.* /**मेहमानी** (*mehmānī*) *f.* hospitality
मेहमान-नवाज़ (*mehmān-navāz*) *a.* hospitable
मेहर (*mehar*) I. *f.* kindness II. *m.* money secured by a Muslim bridegroom for his bride
मेहरबान (*meharbān*) *a.* kind
मेहराब (*mehrāb*) *f.* arch
मेहरारू (*mehrārū*) *f.* wife, woman
मेहरी (*mehrī*) *f.* a maid-servant
मैं (*maiṁ*) *pron.* I
मै (*mai*) *f.* wine
मैख़ाना (*maikhāna*) *m.* tavern, wine cellar
मैत्री (*maitrī*) *f.* friendship
मैथिली (*maithilī*) *f.* a dialect of Hindi spoken in Mithila, a region of Bihar
मैथुन (*maithun*) *m.* cohabitation, sexual intercourse
मैदा (*maidā*) *m.* refined wheat flour
मैदान (*maidān*) *m.* open field
मैना (*mainā*) *f.* starling (bird)
मैनाक (*maināk*) *m.* name of a mountain
मैयत (*maiyat*) *m.* dead body, corpse
मैया (*maiyā*) *f.* mother
मैल (*mail*) *m.* 1. dirt, filth 2. scum
मैला (*mailā*) /**मैली** (*mailī*) I. *a.* dirty II. *m.* faeces
मोंगरा (*moṁgrā*) *m.* mallet
मोक्ष (*mokṣa*) *f. m.* salvation
मोची (*mocī*) *m.* cobbler
मोज़ा (*mozā*) *m.* sock, stockings
मोटरगाड़ी (*moṭargāṛī*) *f.* motorcar
मोटा (*moṭā*) *a.* /**मोटी** (*moṭī*) *a.* fat
मोटाई (*moṭāī*) *f.* fatness, thickness
मोटाना (*moṭānā*) *v.i.* to grow fat
मोटापा (*moṭāpā*) *m.* fatness
मोड़ (*moṛ*) *m.* 1. bend 2. turn

मोड़ना (*moṛnā*) *v.i.* 1. to turn to another direction 2. to bend

मोतबर (*motabar*) *a.* reliable

मोतिया (*motiyā*) *f.* 1. jasmine 2. a form of smallpox

मोतियाबिंद (*motiyābind*) *m.* cataract (of eyes)

मोती (*motī*) *m.* pearl

मोतीचूर (*motīcūr*) *m.* ball shaped sweetmeat

मोद (*mod*) *m.* happiness

मोदक (*modak*) *m.* sweetmeat ball of gram flour

मोदी (*modī*) *m.* 1. grocer 2. storekeeper

मोना (*monā*) *a.* & *m.* clean-shaven person

मोम (*mom*) *m.* wax

मोमबत्ती (*mombattī*) *f.* 1. wax candle 2. candlestick

मोर (*mor*) *m.* peacock

मोरचा (*morcā*) I. *f.* rust of iron II. *m.* a line of entrenchment

मोरनी (*mornī*) *f.* peahen

मोरपंख (*morpaṅkh*) *m.* peacock-feather

मोलभाव (*molbhāv*) *m.* bargaining

मोह (*moh*) *m.* deep love

मोहक (*mohak*) *a.* charming

मोहताज (*mohtāj*) *a.* needy, poor

मोहन (*mohan*) *a.* fascinating

मोहनभोग (*mohanbhog*) *m.* a kind of sweetmeat

मोहनमाला (*mohanmālā*) *f.* necklace of gold beads and corals

मोहना (*mohnā*) *v.t.* to fascinate, to enchant

मोहनिद्रा (*mohnidrā*) *f.* ignorance (as a form of sleep)

मोहनी (*mohanī*) *f.* a charming lady, beautiful woman

मोहपाश (*mohpāś*) *m.* the snare of worldly affection

मोहब्बत (*mohabbat*) *f.* love

मोहभंग (*mohbhaṅg*) *m.* disillusionment, disenchantment

मोहर (*mohar*) *f.* stamp, seal

मोहरा (*mohrā*) *m.* chessman, pawn

मोहरात्रि (*mohrātri*) *f.* the night when God Vishnu appeared incarnate as Lord Krishna

मोहर्रर (*moharrar*) *m.* clerk

मोहर्ररी (*moharrarī*) *f.* clerkship

मोहलत (*mohlat*) *f.* time, reprieve

मोहल्ला (*mohallā*) *m.* locality, an area or quarter

मोहित (*mohit*) *a.* fascinated

मोहिनी (*mohinī*) *a.* & *f.* (a woman) who charms/attracts

मौका (*mauqā*) *m.* occasion

मौखिक (*maukhik*) *a.* oral
मौखिक परीक्षा *f.* viva voce, oral examination

मौज़ (*mauz*) *m.* 1. whim 2. emotion, delight

मौजूँ (*maujūṁ*) *a.* 1. fit 2. suitable, agreeable

मौजूद (*maujūd*) *a.* present

मौजूदगी (*maujūdgī*) *f.* 1. presence 2. existence

मौत (*maut*) *f.* death, demise

मौन (*maun*) *a.* silent, quiet

मौनी (*maunī*) *m.* one who pledges

म

to observe silence

मौर (*maur*) *m.* 1. blossom (especially of the mango tree) 2. crown of a bridegroom

मौरूसी (*maurūsī*) *a.* hereditary, ancestral

मौलवी (*maulvī*) *m.* a teacher (of Persian or Arabic language)

मौलसिरी (*maulsirī*) *f.* tree with evergreen flowers

मौला (*maulā*) *m.* God

मौलाना (*maulānā*) *m.* a title given to Muslim scholars

मौलिक (*maulik*) *a.* original
  मौलिक अधिकार *m.* fundamental rights

मौलिकता (*mauliktā*) *f.* originality

मौसम (*mausam*) *m.* 1. season 2. weather

मौसम विज्ञान (*mausam vijñān*) *m.* meteorology

मौसमी (*mausmī*) *a.* seasonal

मौसा (*mausā*) *m.* the husband of mother's sister

मौसी (*mausī*) *f.* mother's sister

म्याऊँ (*myāūṁ*) *f.* mewing (of a cat)

म्यान (*myān*) *f.* sheath

म्रियमाण (*mriyamāṇ*) *m.* 1. dying 2. almost dead

म्लान (*mlān*) *a.* faded, gloomy

म्लेच्छ (*mlecch*) I. *a.* 1 dirty, 2. untouchable II. *m.* non-Aryan

य

य

यंत्र (*yantra*) *m.* 1. machine 2. instrument 3. a mystic design

यंत्रणा (*yantraṇā*) *f.* agony, torment, torture

यंत्र-मंत्र (*yantra-mantra*) *m.* black magic, witchcraft

यंत्रमानव (*yantramānav*) *m.* robot

यंत्रवत् (*yantravat*) I. *a,* like a machine II. *adv.* mechanically

यक़ीन (*yaqīn*) *m.* 1. certainty 2. belief 3. confidence

यकृत (*yakr̥t*) *m.* liver

यक्ष (*yakṣā*) *a.*& *m.* a class of demigods

यक्ष्मा (*yakṣmā*) *f.* tuberculosis

यजमान (*yajmān*) *m.* one who requests and pays for the performance of a sacrifice

यजुर्वेद (*yajurved*) *m.* one of the four Vedas

यज्ञ (*yajña*) *m.* sacrifice with a philanthropic motive, a sacrificial act

यज्ञशाला (*yajñaśālā*) *f.* the place where yagya is performed

यज्ञोपवीत (*yajñopavīt*) *m.* the sacred thread (a symbol indicating one's upper caste and eligibility to perform yagya)

यति (*yati*) *m.* ascetic, hermit

यतीम (*yatīm*) *m.* orphan

यतीमख़ाना (*yatīmk͟hānā*) *m.* orphanage

यत्न (*yatna*) *m.* effort

यत्नपूर्वक (*yatnapūrvak*) *adv.* with effort, with due care

यत्र-तत्र (*yatra-tatra*) *adv.* here and there, hither and thither

यत्र-तत्र-सर्वत्र (*yatra-tatra-sarvatra*) *adv.* here, there and everywhere

यथा (*yathā*) *adv.* 1. as per 2. for example, for instance

यथाक्रम (*yathākram*) *adv.* 1. in due order 2. chronologically 3. systematically

यथानियम (*yathāniyam*) *adv.* as per rules

यथापूर्व (*yathāpūrva*) *adv.* as before, status quo

यथायोग्य (*yathāyogya*) *adv.* as one deserves, suitably, properly

यथार्थ (*yathārtha*) *a.* 1. accurate 2. genuine 3. real

यथार्थतः (*yathārthataḥ*) *adv.* 1. really, actually 2. factually

यथार्थवादी (*yathārthavādī*) I. *m.*

य

realist II. *a.* realistic

यथावत् (*yathāvat*) *adv.* intact, as before

यथाविधि (*yathāvidhi*) *adv.* systematically, properly

यथाशक्ति (*yathāśakti*) *adv.* as far as possible

यथाशीघ्र (*yathāśīghra*) *adv.* as early as possible

यथासाध्य (*yathāsādhya*) *adv.* as far as practicable

यथास्थिति (*yathāsthiti*) *adv.* according to the situation

यथेष्ट (*yatheṣṭa*) *a.* adequate

यथोचित (*yathocit*) *a.* 1. proper, appropriate 2. reasonable

यदाकदा (*yadākadā*) *adv.* off and on, sometimes

यदि (*yadi*) *conj.* if, in case

यदुनंदन (*yadunandan*) *m.* /**यदुनाथ** (*yadunāth*) *m.* /**यदुपति** (*yadupati*) /**यदुराज** (*yadurāj*) *m.* the lord among Yaduvanshis, the most eminent person in the Yadu heritage, an eponym of Lord Krishna

यद्यपि (*yadyapi*) *conj.* though, although

यमदूत (*yamdūt*) *m.* a messenger of Yama, the god of death

यमलोक (*yamlok*) *m.* the infernal world where sinners are reminded of their evil deeds and punished, hell

यव (*yav*) *m.* barley

यवन (*yavan*) *m.* a foreigner (by origin)

यवनिका (*yavnikā*) *f.* curtain, stage-curtain

यश (*yaś*) *m.* repute, reputation

यशस्वी (*yaśasvī*) *a.* reputed

यशोगान (*yaśogān*) *m.* eulogy

यह (*yah*) *pron.* this, it, he, she

यहाँ (*yahāṁ*) *adv.* here, at this place

यहीं (*yahīṁ*) *adv.* at this very place

यही (*yahī*) *pron.* this very, the very same

यहूदी (*yahūdī*) *f. a.*& *m.* Jew

याक (*yāk*) *m.* yak, Tibetan ox

याचक. (*yācak*)) *m.* 1. supplicant 2. beggar

याचना (*yācanā*) *f.* 1. entreaty 2. solicitation

यातना (*yātnā*) *f.* torture

यात्रा (*yātrā*) *f.* journey, travel

यात्री (*yātrī*) *m.* traveller

याद (*yād*) *f.* remembrance

यादगार (*yādgār*) *f.* memorial

याददाश्त (*yāddāśt*) *f.* memory

यादव (*yādav*) *m.* descendant of Yadu

यान (*yān*) *m.* a vehicle of any kind

यामिनी (*yāminī*) *f.* night

यायावर (*yāyāvar*) *m.* 1. nomad 2. wanderer

यार (*yār*) *m.* 1. friend, companion 2. lover 3. paramour

युक्त (*yukta*) *a.* combined, joined

युक्ति (*yukti*) *f.* 1. argument 2. plea 3. skill 4. tactics

युग (*yug*) *m.* 1. epoch, age 2. era

3. pair, couple
युगल (*yugal*) *a.* pair, couple
युगलबंदी (*yugalbandī*) *f.* performance (vocal or instrumental) by two persons
युगांतर (*yugāntar*) *m.* 1. change of era 2. new era or age
युद्ध (*yuddha*) *m.* war, warfare
युद्धक्षेत्र (*yuddhakṣetra*) *m.* 1. war zone 2. battlefield
युद्धपोत (*yuddhapot*) *m.* warship
युद्धबंदी (*yuddhbandī*) *m.* prisoner of war
युद्धविराम (*yuddhavirām*) *m.* truce, ceasefire
युधिष्ठिर (*yuddhiṣṭhir*) *m.* the eldest of the Pandavas of Mahabharat
युद्धोत्तर (*yuddhottar*) *a.* post-war
युवक (*yuvak*) *m.* young man
युवती (*yuvatī*) *f.* young woman
युवराज (*yuvrāj*) *m.* prince, eldest son of the ruling king, heir-apparent
युवराज्ञी (*yuvrājñī*) *f.* princess
युवा (*yuvā*) *m.* youth
यूथ (*yūth*) *m.* group, herd, band
यूथप (*yūthap*) *m.* /**यूथपति** (*yūthapati*) *m.* leader of a group or herd
यूनानी (*yūnānī*) *a.* Greek
ये (*ye*) *pron.* these, they
यों (*yoṁ*) *adv.* thus, like this
योग (*yog*) *m.* 1. total, sum total 2. combination 3. yoga
योगदर्शन (*yogdarśan*) *m.* yoga philosophy
योगदान (*yogdān*) *m.* contribution
योगफल (*yogphal*) *m.* sum, sum total
योगमाया (*yogmāyā*) *f.* goddess Durga
योगाभ्यास (*yogābhyās*) *m.* the practice of yoga
योगिराज (*yogirāj*) *m.* a yogi of the highest order
योगी (*yogī*) *m.* yogi, ascetic
योग्य (*yogya*) *a.* 1. able 2. capable 3. worthy
योग्यता (*yogyatā*) *f.* 1. ability 2. qualification
योजन (*yojan*) *m.* a distance of about ten kilometres
योजना (*yojnā*) *f.* 1. plan 2. scheme
योजना आयोग (*yojnāāyog*) *m.* Planning Commission
योजनाकार (*yojnākār*) *m.* planner
योजनाबद्ध (*yojnābaddha*) *a.* 1. planned 2. programmed
योद्धा (*yoddhā*) *m.* warrior, fighter
योनि (*yoni*) *f.* vagina
यौन (*yaun*) I. *m.* sex II. *a.* sexual
यौन रोग (*yaun rog*) *m.* sexual disease, venereal disease
यौनारंभ (*yaunārambh*) *m.* puberty, beginning of youth
यौवन (*yauvan*) *m.* youth, adolescence, youthfulness

र

र

रंक (*raṅk*) *m.* poor, pauper
रंग (*raṅg*) *m.* 1. colour, dye, hue 2. complexion 3. paint
रंगकर्मी (*raṅgkarmī*) *m.* actor, stage performer
रंगत (*raṅgat*) *f.* 1. hue, colour 2. plight, condition
रंगना (*raṅgnā*) *v.t.* to colour, to dye, to paint
रंग-भवन (*raṅg bhavan*) *m.* theatre building
रंग-भूमि (*raṅgbhūmi*) *f.* 1. stage, theatre 2. arena, amphitheatre
रंग-भेद (*raṅg bhed*) *m.* discrimination by colour, apartheid
रंग-मंच (*raṅg mañc*) *m.* stage, theatre
रंगरूट (*raṅgrūṭ*) *m.* 1. recruit 2. novice
रंग-शाला (*raṅgśālā*) *f.* playhouse, theatre, theatre hall
रंगाई (*raṅgāī*) *f.* 1. colour wash 2. painting 3. dyeing
रंगारंग (*raṅgāraṅg*) *a.* 1. colourful 2. full of variety
रंगीन (*raṅgīn*) *a.* coloured
रँगीला (*ram̐gilā*) *a.* bright, showy
रंगोली (*raṅgolī*) *f.* painted decoration on (a house wall or floor)
रंज (*rañj*) *m.* grief, sorrow
रंजन (*rañjan*) *m.* 1. dyeing, colouring 2. recreation
रंजित (*rañjit*) *f.* 1. coloured, dyed 2. delighted 3. entertained
रंजिश (*rañjiś*) *f.* 1. ill-feeling 2. displeasure
रंडी (*raṇḍī*) *f.* prostitute, harlot call girl
रंध्र (*randhra*) *m.* 1. orifice, opening, hole 2. pores (in the body)
रँभाना (*ram̐bhānā*) *v.t.* (of a cow or bullock) to bellow
रईस (*raīs*) *m.* a rich man
रकबा (*raqbā*) *m.* area
रकम (*raqam*) *f.* 1. amount, sum of money 2. capital
रक्त (*rakta*) *m.* blood
रक्त कमल *m.* red lotus
रक्तदान (*raktadān*) *m.* offering one's blood, donation of blood
रक्तपात (*raktpāt*) *m.* 1. blood-letting 2. bloodshed
रक्तपिपासा (*raktapipāsā*) *f.* blood-thirst
रक्तरंजित (*raktarañjit*) *a.* sanguinary, bloody

रक्तवर्ण (*raktavarṇa*) I. *a.* red II. *m.* red colour

रक्तस्राव (*raktasrāv*) *m.* flow of blood, haemorrhage

रक्ताभ (*raktābh*) *a.* having a red tinge, red-tinged

रक्षक (*rakṣak*) *m.* guard

रक्षण (*rakṣaṇ*) *m.* guarding, protection, defence, custody

रक्षा (*rakṣā*) *f.* 1. protection, defence, safe-keeping 2. custody

रक्षाबंधन (*rakṣābandhan*) *m.* a festival in July-August when sisters tie a sacred thread on the wrist of their brothers

रक्षा मंत्री (*rakṣā mantrī*) *m.* Defence Minister

रक्षित (*rakṣita*) *a.* protected

रखना (*rakhnā*) *v.t.* to keep

रखवाला (*rakhvālā*) *m.* 1. caretaker, guard 2. watchman

रखवाली (*rakhvālī*) *f.* caretaking, safe-keeping, safeguarding

रखैल (*rakhail*) *f.* a kept woman, concubine, mistress

रग (*rag*) *f.* 1. vein, nerve 2. fibre

रगड़ (*ragaṛ*) *f.* friction, abrasion

रगड़ना (*ragaṛnā*) *v.t.* to rub

रघुकुल (*raghukul*) *m.* the dynasty of king Raghu of Awadh

रघुतिलक (*raghutilak*) *m.* /**रघुनाथ** (*raghunāth*) *m.* /**रघुपति** (*raghupati*) *m.* /**रघुवीर** (*raghuvīr*) *m.* /**रघुराज** (*raghurāj*) *m.* eponym of Sri Ram Chandra, the most eminent of the Hindu kings of Awadh

रचनाकार (*racnākār*) *m.* 1. composer 2. author

रचनात्मक (*racnātmak*) *a.* 1. constructive 2. positive

रचयिता (*racayitā*) *m.* 1. composer 2. author

रचित (*racit*) *a.* 1. formed 2. created 3. constructed 4. composed 5. made

रज (*raj*) I. *f.* 1. dust 2. passion II. *m.* menstruation

रजत (*rajat*) I. *m.* silver II. *a.* 1. silvery 2. white 3. bright

रजतजयंती (*rajatjayantī*) *f.* silver jubilee

रजतपट (*rajatpaṭ*) *m.* silver screen

रजनी (*rajanī*) *f.* night

रजनी गंधा (*rajnīgandha*) *f.* a fragrant night-flower

रजनीपति (*rajnīpati*) *m.* /**रजनीश** (*rajnīś*) *m.* the moon

रजस्वला (*rajasvalā*) *a.* & *f.* in menstruation

रज़ा (*razā*) *f.* 1. wish 2. consent

रज़ाई (*razāī*) *f.* quilt

रजोगुण (*rajoguṇ*) *m.* element of passion

रजोदर्शन (*rajodarśan*) *m.* /**रजोधर्म** (*rajodharma*) *m.* monthly course, menstruation, menses

रज्जु (*rajju*) *f.* cord, rope

रटंत (*raṭant*) *f.* 1. cramming 2. rote, habitual repetition

रटना (*raṭnā*) *v.t.* to repeat or reiterate continuously

र

रटाना (*raṭānā*) *v.t.* to make somebody learn by heart

रण (*raṇ*) *m.* war, battle, fighting

रतौंधी (*rataundhī*) *f.* moon-blindness, night-blindness

रत्ती (*rattī*) *f.* a weight equal to one-eightieth of a gram

रत्न (*ratna*) *m.* 1. precious stone, gem 2. the most talented and outstanding person of a class

रत्नगर्भा (*ratnagarbhā*) *f.* the earth

रत्नाकर (*ratnākar*) *m.* the sea

रथ (*rath*) *m.* chariot

रथयात्रा (*rathyātrā*) *f.* chariot procession (as of Jagannath Puri in Orissa)

रथवाह (*rathvāh*) *m.* charioteer

रथी (*rathī*) *a.* riding a chariot

रद्द (*radd*) *a.* cancelled

रद्दी (*raddī*) I. *f.* waste paper, spoilage II. *a.* 1. inferior 2. worthless, useless

रद्दोबदल (*raddobadal*) *m.* 1. reshuffling 2. change, alteration

रनिवास (*ranivās*) *m.* female apartments in a palace, harem

रफ़ा (*rafā*) *a.* 1. shunted away 2. gone away 3. settled

रफ़ू (*rafū*) *m.* darning

रफ़ूचक्कर (*rafūcakkar*) *a.* gone away, fled away

रफ़्तार (*raftār*) *f.* speed, pace

रब (*rab*) *m.* God

रबड़ी (*rabṛī*) *f.* a sweetmeat made from condensed milk and sugar

रबर (*rabar*) *f.* eraser

रमज़ान (*ramzān*) *m.* the month of day long fasting (by Muslims)

रमण (*ramaṇ*) *m.* 1. sporting 2. dalliance 3. merriment 4. amorous activity

रमणी (*ramṇī*) *f.* a pretty young girl, a lovely woman

रमणीक (*ramṇīk*) *a.* 1. beautiful, charming 2. pleasing

रमणीय (*ramṇīya*) *a.* 1. beautiful, prettiness 2. pleasing

रमना (*ramnā*) *v.i.* 1. to enjoy, to make merry 2. to get absorbed

रमल (*ramal*) *m.* a mode of fortune telling with dice

रमा (*ramā*) *f.* Lakshmi, the goddess of wealth

रमी (*ramī*) *f.* a game of playing cards, rummy

रमैनी (*ramainī*) *f.* a collection of sermons in dohas and quatrains (as of Kabir)

रम्य (*ramya*) *a.* beautiful, pretty

रव (*rav*) *m.* 1. uproar, noise, tumult 2. sound

रवानगी (*ravāngī*) *f.* 1. going 2. setting out 3. departure

रवाना (*ravānā*) *a.* 1. despatched 2. departed 3. set out 4. started

रवानी (*ravānī*) *f.* 1. flow 2. fluency 3. running

रवि (*ravi*) *m.* the sun

रविकर (*ravikar*) *m.* sunray

रविवार (*ravivār*) *m.* Sunday
रवैया (*ravaiyā*) *m.* 1. attitude 2. behaviour
रश्मि (*raśmi*) *f.* ray, beam
रश्मिमाली (*raśmimālī*) *m.* the sun
रस (*ras*) *m.* 1. juice 2. essence 3. pleasure 4. enjoyment
रसगुल्ला (*rasgullā*) *m.* a traditional Bengali sweetmeat made from soft cottage cheese and sugar
रसज्ञ (*rasajñya*) *a.* & *m.* connoisseur (of taste or sentiment)
रसद (*rasad*) *f.* 1. provisions, rations 2. supplies 3. food
रसदार (*rasdār*) *a.* 1. juicy 2. tasteful, tasty, relishing
रसना (*rasnā*) *f.* 1. tongue 2. taste
रसहीन (*rashīn*) *a.* tasteless
रसातल (*rasātal*) *m.* hell
रसात्मक (*rasātmak*) *a.* full of juice, full of enjoyment
रसायन (*rasāyan*) *m.* chemistry
रसायन शास्त्र (*rasāyanśastra*) *m.* chemistry
रसाल (*rasāl*) I. *a.* juicy, delicious, tasty, relishing II. *m.* mango
रसास्वाद (*rasāsvād*) *m.* relish, aesthetic enjoyment
रसास्वादन (*rasāsvādan*) *m.* aesthetic enjoyment or relish
रसिक (*rasik*) *m.* one who appreciates beauty and beautiful things
रसीद (*rasīd*) *f.* receipt
रसीला (*rasīlā*) *a.* juicy
रसूल (*rasūl*) *m.* messenger, prophet, an eponym of Hazrat Mohammad
रसोइया (*rasoiyā*) *m.* cook
रसोई (*rasoī*) *f.* 1. kitchen 2. food (especially cooked food)
रसोईघर (*rasoīghar*) *m.* kitchen
रस्म (*rasm*) *f.* tradition, custom
रस्सी (*rassī*) *f.* rope, cord, string
रहट (*rahaṭ*) *m.* Persian wheel for drawing water
रहन-सहन (*rahan-sahan*) *m.* mode or style of living
रहना (*rahnā*) *v.i.* 1. to reside 2. to live 3. to stay
रहनुमा (*rahnumā*) *m.* guide
रहबर (*rahbar*) *m.* guide, leader
रहम (*raham*) *m.* mercy, pity
रहमत (*rahmat*) *f.* divine mercy, pity, compassion, kindness
रहमान (*rahmān*) *a.*& *m.* 1. most merciful 2. God
रहस (*rahas*) *m.* 1. private or lonely place 2. merriment, delight
रहस्यपूर्ण (*rahasyapūrṇa*) *a.* mysterious, wrapped in mystery, mystic, secretive
रहस्यवाद (*rahasyavād*) *m.* mysticism, a poetic movement which lays stress on the identity of the universal and the individual
रहस्योद्घाटन (*rahasyodghāṭan*) *m.* divulgence or revelation of a secret
रहित (*rahit*) *a.* without, devoid

र

of, bereft of

राँड़ (*rāṁṛ*) *f.* /**राँड़ा** (*rāṁṛā*) *f.* 1. harlot 2. slut 3. widow

राकापति (*rākāpati*) *m.* the lord of moonlit night, the moon

राकेश (*rākeś*) *m.* moon

राक्षस (*rākṣas*) I. *m.* monster, demon II. *a.* demonic

राख (*rākh*) *f.* ash

राखी (*rākhī*) *f.* a ceremonial thread tied on the wrist of a man by his sister

राग (*rāg*) *m.* 1. a musical mode, melody 2. emotion, love, passion

राग-रागिनी (*rāg-rāginī*) *f.* musical modes and notes

राघव (*rāghav*) *m.* 1. an outstanding scion or descendant of king Raghu's dynasty 2. an eponym of God Ram

राज (*rāj*) *m.* 1. reign, government 2. kingdom, dominion, realm, state 3. mason, builder, bricklayer

राज़ (*rāz*) *a.* secret

राजकवि (*rājkavi*) *m.* court poet, poet laureate

राजकीय (*rājkīya*) *a.* of the state/government

राजकुमार (*rājkumār*) *m.* prince

राजकुमारी (*rājkumārī*) *f.* princess

राजगृह (*rājgṛh*) *m.* palace, royal mansion

राजतंत्र (*rājtantra*) *m.* 1. monarchy 2. state with a monarch as head

राजतिलक (*rājtilak*) *m.* anointing a king at the time of coronation, coronation

राजदरबार (*rājdarbār*) *m.* royal court, royal audience

राजदरबारी (*rājdarbārī*) *m.* courtier

राजदूत (*rājdūt*) *m.* ambassador

राजधानी (*rājdhānī*) *f.* capital, metropolis

राजनय (*rājnaya*) *m.* diplomacy

राजनीति (*rājnīti*) *f.* politics

राजनीतिक (*rājnītik*) *a.* political

राजनेता (*rājnetā*) *m.* statesman

राजपत्र (*rājpatra*) *m.* state or government gazette

राजपत्रित (*rājpatrit*) *a.* gazetted

राजपथ (*rājpath*) *m.* highway

राजपूत (*rājpūt*) *m.* a martial race of Hindus

राज भवन (*rāj bhavan*) *m.* 1. royal residence, royal palace 2. Governor's house

राजभाषा (*rājbhāṣā*) *f.* official or state language

राजमंत्री (*rājmantrī*) *f.* minister of the king, minister of a state

राजमहल (*rājmahal*) *m.* royal palace

राजयक्ष्मा (*rājyakṣmā*) *f.* tuberculosis, T.B.

राजस (*rājas*) *a.* passionate

राजसत्ता (*rājsattā*) *f.* royal authority, status of monarchy

राजसभा (*rājsabhā*) *f.* royal court

राजसी (*rājsī*) *a.* royal, regal, princely, befitting or worthy of a prince or king

राजसूय (*rājsūya*) *m.* a sacrifice performed to celebrate elevation to emperorship
राजस्व (*rājasva*) *m.* revenue
राजहंस (*rājhaṃs*) *m.* swan
राजा (*rājā*) *m.* king, monarch, sovereign
राज़ी (*rāzī*) *a.* 1. willing 2. satisfied 3. contented
राजीव (*rājīv*) *m.* lotus flower
राज्ञी (*rājñī*) *f.* queen
राज्य (*rājya*) *m.* 1. kingdom 2. state 3. reign
राज्यद्रोह (*rājyadroh*) *m.* sedition, treason
राज्यपाल (*rājyapāl*) *m.* governor
राज्यविप्लव (*rājyaviplav*) *m.* 1. anarchy 2. coup d'etat
राज्य-सभा (*rājya sabhā*) *f.* Rajya Sabha, council of states, upper house of parliament (in India)
राज्य सरकार (*rājya sarkār*) *f.* state government
राज्याभिषेक (*rājyābhiṣek*) *m.* installation, accession to the throne, coronation
राणा (*rāṇā*) *m.* Rajput king
रात (*rāt*) *f.* night
रात की रानी (*rāt kī rānī*) *f.* a sweet-smelling flower and its plant that blossoms at night
रात्रि (*rātri*) *f.* night
रात्रिचर (*rātricar*) *m.* demon
रान (*rān*) *f.* thigh
रानी (*rānī*) *f.* queen
राम (*rām*) *m.* 1. God Rama, the son of king Dasrath of Ayodhya
रामधुन (*rāmdhun*) *f.* singing, chanting of Rama-Rama
रामनवमी (*rāmnavmī*) *f.* Rama's birthday celebrated on the ninth day of bright fortnight in Chaitra (March-April)
रामनामी (*rāmnāmī) a.* & *f.* a garment with the name of Rama profusely printed on it
रामलीला (*rāmlīlā) f.* a show reproducing episodes from God Rama's life
रामवाण (*rāmvāṇ) m.* panacea, elixir, any unfailing medicine
रामा (*rāmā*) a beautiful girl
रामायण (*rāmāyaṇ*) *m.* the epic describing the life of Rama
राय (*rāya*) *f.* 1. opinion 2. advice
रार (*rār*) *f.* quarrel, altercation
राल (*rāl*) *f.* 1. resin 2. saliva
राशि (*rāśi*) *f.* 1. amount, sum 2. twelve signs of the zodiac in astrology
राशि-नाम (*rāśi-nām*) *m.* name of a person given on the basis of the position of stars on his birth
राष्ट्र (*rāṣṭra*) *m.* nation
राष्ट्रकवि (*rāṣṭrakavi*) *m.* national poet
राष्ट्रगान (*rāṣṭragān) m.* /**राष्ट्रगीत** (*rāṣṭragīt*) *m.* national anthem
राष्ट्रध्वज (*rāṣṭradhvaj*) *m.* national flag
राष्ट्रपति (*rāṣṭrapati*) *m.* president

र

राष्ट्रपतिभवन *m.* the Indian President's house/residence
राष्ट्रभाषा (*rāṣṭrabhāṣā*) *f.* national language
राष्ट्र संघ (*rāṣtra saṅgh*) *m.* League of Nations
राष्ट्राध्यक्ष (*rāṣṭrādhyakṣa*) *m.* head of the state
राष्ट्रीय (*rāṣṭrīy*) *a.* national
रास (*rās*) *f.* 1. a show of dance of Lord Krishna and his life 2. adaptability 3. suitability
रासलीला (*rāslīlā*) *f.* dramatic representation of episodes from the life of Lord Krishna
रासो (*rāso*) *m.* a class of heroic and erotic poetry in Rajasthani Hindi
रास्ता (*rāstā*) *m.* 1. path, way 2. route
राह (*rāh*) *a.* 1. way 2. path, track
राहगीर (*rāhgīr*) *m.* traveller
राहत (*rāhat*) *f.* 1. repose, respite 2. relief
राही (*rāhī*) *m.* traveller
राहु (*rāhu*) *m.* one of the principal planets studied in astrology
रिआयत (*riāyat*) *f.* concession
रिआया (*riāyā*) *f.* 1. subjects 2. common people
रिकाब (*rikāb*) *f.* stirrup
रिक्त (*rikta*) *a.* 1. empty 2. vacant
रिक्तता (*riktatā*) *f.* 1. void, vacuum 2. vacancy
रिक्ति (*rikti*) *f.* 1. vacuum, void 2. vacancy
रिक्थ (*riktha*) *m.* legacy, inherited property
रिझाना (*rijhānā*) *v.t.* 1. to appease, to please 2. to allure
रिपु (*ripu*) *m.* enemy, foe
रिमझिम (*riṁjhim*) *f.* drizzling
रियाज़ (*riyāz*) *m.* practice, exercise (especially of singing and dancing)
रियायत (*riyāyat*) *f.* concession
रियासत (*riyāsat*) *f.* state, estate
रिवाज (*rivāj*) *m.* 1. custom 2. practice 3. usage
रिश्ता (*riśtā*) *m.* relationship
रिश्तेदार (*riśtedār*) *m.* relatives
रिश्वत (*riśvat*) *f.* bribe, illegal gratification
रिश्वतख़ोर (*riśvatkhor*) *m.* one who takes bribe
रिसना (*risnā*) *v.i.* 1. to drip 2. to leak, to ooze
रिसाला (*risālā*) *m.* troop of horses, cavalry
रिहा (*rihā*) *a.* 1. freed, liberated, released 2. disengaged
रिहाइश (*rihāiś*) *f.* 1. residence 2. abode, lodging
रिहाइशी (*rihāiśī*) *a.* residential
रिहाई (*rihāī*) *f.* release, deliverance, liberation
रीछ (*rīch*) *m.* a bear
रीझना (*rījhnā*) *v.i.* 1. to be charmed or fascinated/enchanted 2. to become delighted
रीठा (*rīṭhā*) *m.* soap-nut
रीढ़ (*rīṛh*) *f.* backbone, spine
रीतना (*rītnā*) *v.t.* to be emptied, to become empty

र

रीति (*rīti*) *f.* 1. custom, practice 2. method, mode, manner
रीति-रिवाज (*rīti-rivāj*) *m.* customs and practices
रुंड (*ruṇḍ*) *m.* headless body
रुंड-मुंड (*ruṇḍ-muṇḍ*) *m.* torso and head
रुकना (*ruknā*) *v.t.* to stop
रुकावट (*rukāvaṭ*) *m.* hurdle, obstacle, barricade
रुक्ष (*rukṣa*) *a.* dry, arid
रुख़ (*rukh*) *m.* face, side
रुखाई (*rukhāī*) *f.* 1. roughness 2. dryness 3. indifference
रुग्ण (*rugṇa*) *a.* ill, sick
रुचि (*ruci*) *f.* 1. interest 2. taste
रुचिकर (*rucikar*) *a.* 1. to one's liking or taste 2. tasteful
रुझान (*rujhān*) *m.* trend, tendency
रुतबा (*rutbā*) *m.* 1. rank 2. honour 3. position
रुदन (*rudan*) *m.* weeping, crying
रुद्ध (*ruddha*) *a.* 1. stagnant 2. choked 3. hindered
रुद्र (*rudra*) *m.* fearsome
रुद्राक्ष (*rudrākṣa*) *m.* the seeds of the tree *Eleocarpus ganitrus* used for making rosaries
रुधिर (*rudhir*) *m.* blood
रुनझुन (*ruṅjhun*) *f.* tinkle, tinkling sound (as of small bells)
रुपया (*rupayā*) *m.* rupee
रुपहला (*rupahlā*) *a.* /**रुपहली** (*rupahlī*) *a.* silvery, silvered
रुबाई (*rubāī*) *f.* a stanza of four lines
रुलाई (*rulāī*) *f.* weeping
रुलाना (*rulānā*) *v.t.* to cause to or make somebody weep/cry or lament
रुष्ट (*ruṣṭa*) *a.* angry, displeased
रुस्तम (*rustam*) *m.* hero, a very brave man, champion
रुई (*rūī*) *f.* cotton, cotton wool
रुक्ष (*rūkṣa*) *a.* rough, rugged
रूखा (*rūkhā*) *a.* 1. dry 2. insipid 3. rough
रूखा-सूखा (*rūkhā-sūkhā*) *a.* plain and simple
रूठना (*rūṭhnā*) *v.i.* to be offended or displeased
रूढ़ि (*rūṛhi*) *f.* 1. convention, tradition, old custom 2. rise, ascent 3. increase
रूप (*rūp*) *m.* 1. form, shape, appearance 2. beauty 3. version
रूपक (*rūpak*) *m.* 1. feature, play 2. metaphor
रूपरेखा (*rūprekhā*) *f.* 1. outline 2. synopsis 3. contour
रूपवान (*rūpvān*) *a.*& *m.* /**रूपवती** (*rūpvatī*) *f.* & *a.* beautiful, pretty, handsome
रूपसी (*rūpsī*) *f.* beautiful girl/woman, a beauty
रूपांतर (*rūpāntar*) *m.* 1. transformation 2. adaptation
रूपांतरण (*rūpāntaraṇ*) *m.* 1. transformation 2. commutation
रूमानी (*rūmānī*) *a.* romantic
रूमाल (*rūmāl*) *m.* handkerchief
रूसी (*rūsī*) I. *a.* native of Russia II. *f.* 1. Russian language 2.

र

dandruff
रूह (*rūh*) *f.* 1. soul 2. spirit 3. life
रेंकना (*reṁknā*) *v.i.* (of a donkey) to bray
रेंगना (*reṁgnā*) *v.i.* to creep
रेंडी (*reṁḍī*) *f.* /रेंड़ी (*reṁṛī*) *f.* castor seed
 रेंडी का तेल *m.* castor oil
रेखांकन (*rekhāṅkan*) *m.* 1. lineation 2. demarcation
रेखांकित (*rekhāṅkit*) *a.* lined, underlined, demarcated
रेखा (*rekhā*) *f.* 1. line 2. lineament
रेखागणित (*rekhāgaṇit*) *m.* geometry
रेखाचित्र (*rekhācitra*) *m.* 1. sketch 2. line drawing
रेगिस्तान (*registān*) *m.* sandy place, desert
रेचक (*recak*) *a.* purgative
रेज़गारी (*rezgārī*) *f.* small coins, change (of currency)
रेणु (*reṇu*) *f.* 1. sand, particle of sand 2. dust
रेत (*ret*) *f.* sand
रेती (*retī*) *f.* 1. sandy ground on a river-bank 2. file (of steel)
रेतीला (*retīlā*) *a* sandy, gritty
रेला (*relā*) *m.* 1. flood 2. rush 3. influx
रेवड़ी (*revṛī*) *f.* a sweetmeat of solidified sugar covered with seeds of sesame
रेशम (*reśam*) *m.* silk
रेशा (*reśā*) *m.* fibre, staple
रेशेदार (*reśedār*) *a.* fibrous
रैन (*raīn*) *f.* night
रैन-बसेरा (*rāīnbaserā*) *m.* night shelter
रैयत (*raiyat*) *f.* 1. subject 2. tenant
रोंगटा (*roṅgṭā*) *m.* /रोआँ (*roāṁ*) *m.* /रोयाँ (*royāṁ*) *m.* soft and small hair on the body
रोक (*rok*) *f.* 1. stop 2. hindrance 3. barrier 4. restriction
रोकड़ (*rokaṛ*) *f.* cash, ready money
रोकना (*roknā*) *v.t.* 1. to check 2. to detain 3. to restrict
रोकथाम (*rokthām*) *f.* 1. prevention, check 2. relief
रोग (*rog*) *m.* 1. disease 2. malady 3. illness
रोगग्रस्त (*roggrasta*) *a.* ill, ailing, diseased
रोग़न (*rogan*) *m.* paint, polish
रोगशय्या (*rogśayyā*) *f.* sick bed
रोगी (*rogī*) *m.* 1. patient 2. sick
रोचक (*rocak*) *a.* interesting, pleasant
रोज़ (*roz*) *m.* 1. daily 2. everyday
रोज़गार (*rozgār*) *m.* employment
रोज़मर्रा (*rozmarrā*) I. *a.* 1. daily routine 2. daily usage (of language) II. *m.* 1. customary, usual 2. daily
रोज़ा (*rozā*) *m.* 1. fast, 2. a month's daily fast observed by Muslims during Ramzan
रोज़ाना (*rozānā*) *a.* & *adv.* daily, everyday
रोज़ी-रोटी (*rozī-roṭī*) *f.* livelihood
रोट (*roṭ*) *m.* large and thick bread

रोटी (*roṭī*) *f.* 1. bread 2. meals
रोड़ा (*roṛā*) *m.* 1. pebble 2. obstruction, obstacle
रोना (*ronā*) *v.i.* to weep, to cry
रोपण (*ropaṇ*) *m.* planting, transplanting
रोपना (*ropnā*) *v.t.* to plant, to implant, to transplant
रोब (*rob*) *m.* 1. awe 2. dignity
रोम (*rom*) *m.* soft and small hair on the body
रोमांच (*romāñc*) *m.* horripilation, thrill, titillation
रोर (*ror*) *m.* hubbub, notoriety
रोली (*rolī*) *f.* a mixture of turmeric and lime used for applying tilak
रोशन (*rośan*) *a.* 1. illuminated 2. lighted
रोशनदान (*rośandān*) *m.* ventilator
रोशनाई (*rośnaī*) *f.* ink
रोशनी (*rośanī*) *f.* light, illumination
रोष (*roṣ*) *m.* resentment, anger
रौंदना (*rauṁdnā*) *v.t.* to crush down under the feet, to trample over, to crush
रौ (*rau*) *m.* 1. flow 2. motion
रौद्र (*raudra*) *a.* dreadful, horrible, fearful
रौनक़ (*raunaq*) *f.* lustre, brightness
रौशन (*rauśan*) *a.* 1. illuminated 2. lighted, lit up

ल

ल

लंका (*Laṅkā*) *f.* Sri Lanka

लंकेश (*laṅkeś*) *m.* /**लंकेश्वर** (*laṅkeśvar*) *m.* Ravana, the king of Sri Lanka

लँगड़ा (*laṁgṛā*) I. *a.* lame, limping II. *m.* lame person

लँगड़ाना (*laṁgṛānā*) *v.i.* to limp, to walk lamely

लंगर (*laṅgar*) *m.* 1. anchor 2. public kitchen 3. alms house

लंगूर (*laṅgūr*) *m.* a long-tailed black-faced monkey

लँगोट (*laṁgoṭ*) *m.* /**लँगोटा** (*laṁgoṭā*) *m.* a loin-cloth

लँगोटी (*laṁgoṭī*) *f.* a small loin-cloth

लंघन (*laṅghan*) *m.* fasting, over-stepping

लंठ (*laṇṭh*) *a.* 1. boorish 2. rude

लंपट (*lampaṭ*) *a.* lewd, profligate, debauch

लंब (*lamb*) I. *a.* long II. *m.* perpendicular

लंबा (*lambā*) *a.* 1. long 2. lengthy

लंबाई (*lambāī*) *f.* length

लंबित (*lambit*) *a.* 1. pending 2. suspended

लंबोदर (*lambodar*) I. *a.* pot-bellied II. *m.* an eponym of Ganesh

लकड़हारा (*lakaṛhārā*) *m.* wood-cutter, one who cuts and sells wood, woodman

लकड़ी (*lakṛī*) *f.* 1. wood 2. timber 3. fuel

लकवा (*lakvā*) *m.* paralysis

लकीर (*lakīr*) *f.* line, lineament

लक्ष (*lakṣa*) *m.* & *a.* one hundred thousand, 1,00,000

लक्षण (*lakṣaṇ*) *m.* symptom

लक्षणा (*lakṣaṇā*) *f.* metaphorical meaning, figurative sense

लक्षपति (*lakṣapati*) *a.* millionaire, a rich person

लक्षित (*lakṣit*) *a.* 1. indicated, hinted 2. implied

लक्ष्मण रेखा (*lakṣman rekhā*) *f.* line drawn by Lakshman (Rama's brother) to safeguard Sita

लक्ष्मी (*lakṣmī*) *f.* goddess of wealth and prosperity and the wife of Lord Vishnu

लक्ष्य (*lakṣya*) *m.* 1. aim, target, mark 2. objective

लखपति (*lakhpati*) *m.* millionaire, rich, wealthy

लखौरी (*lakhaurī*) *f.* small brick

लगन (*lagan*) *m.* auspicious moment

लगनपत्रा (*laganpatrā*) *f.* /**लगनपत्री** (*laganpatrī*) *f.* a chart intimating the position of planets at the time of one's birth

लगना (*lagnā*) *v.i.* 1. to feel 2. to be affixed (as a stamp)

लगभग (*lagbhag*) *adv.* about, nearly, approximately, almost, roughly

लगातार (*lagātār*) *adv.* continuously, incessantly

लगान (*lagān*) *m.* land rent, land revenue

लगाना (*lagānā*) *v.t.* 1. to affix (a stamp) 2. to attach (as an enclosure) 3. to plant (a tree) 4. to impose or levy (tax)

लगाम (*lagām*) *f.* bridle, reins

लग्गी (*laggī*) *f.* 1. a thin and long pole or bamboo 2. a fishing rod

लग्न (*lagna*) *a.* auspicious time

लघिमा (*laghimā*) *f.* 1. smallness, diminutiveness 2. a level of achievement in yoga by which a yogi can assume a small and light form

लघु (laghu) *a.* 1 small, little, short 2. minor

लघु उद्योग *m.* small scale industry

लघुशंका *f.* urination

लघुतम (*laghutam*) *a.* 1. smallest 2. lowest 3. lightest

लचक (*lacak*) *f.* elasticity, flexibility

लचकना (*lacaknā*) *v.i.* to resile, to spring, to bend

लचकाना (*lackānā*) *v.t.* to make a thing bent, to bend

लचीला (*lacīlā*) *a.* flexible, elastic

लच्छेदार (*lacchedār*) *a.* 1. having shreds 2. (of talk) interesting 3. (of style) fascinating

लजाना (*lajānā*) *v.i.* 1. to be abashed, to feel shy 2. to feel ashamed

लज़ीज़ (*lazīz*) *a.* 1. tasteful, tasty 2. delicious

लज़्ज़त (*lazzat*) *f.* taste, flavour

लज्जा (*lajjā*) *f.* 1. modesty 2. shame

लटकना (*laṭaknā*) *v.i.* 1. to hang 2. to hang in the air

लटकाना (*laṭkānā*) *v.t.* 1. to hang 2. to keep waiting

लट्टू (*laṭṭū*) *m.* 1. (spinning) top 2. door-knob 3. bulb

लट्ठ (*laṭṭh*) *m.* long heavy staff, cudgel

लट्ठा (*laṭṭhā*) *m.* 1. a 5½ hand-span long bamboo used for measuring land

लड़का (*laṛkā*) *m.* 1. boy, lad 2. male child, son

लड़की (*laṛkī*) *f.* 1. girl, lass 2. female child, daughter

लड़खड़ाना (*laṛkhaṛānā*) *v.i.* to stumble, to totter, to stagger

लड़ना (*laṛnā*) *v.i.* 1. to fight 2. to struggle 3. to wrangle

लड़ाई (*laṛāī*) *f.* 1. fight 2. battle 3. quarrel 4. hostility

लड़ाका (*laṛākā*) *a.* /**लड़ाकू** (*laṛākū*)

ल

a. militant, quarrelsome, bellicose, pugnacious

लड़ाना (*laṛānā*) *v.t.* 1. to take the army to fight 2. to make somebody fight or quarrel

लड़ी (*laṛī*) *f.* 1. chain 2. string (as of pearls) 3. strand

लड्डू (*laḍḍū*) *m.* a ball-shaped sweetmeat

लतर (*latar*) *f.* /लता (*latā*) *f.* creeper

लतिका (*latikā*) *f.* small creeper

लतीफ़ा (*latīfā*) *m.* joke, jest

लथपथ (*lathpath*) *a.* drenched, soaked

लदना (*ladnā*) *v.i.* to be loaded

लदाई (*ladāī*) *f.* 1. loading 2. the wages for loading

लपक (*lapak*) *f.* 1. spring, bounce 2. flash 3. beat, throb 4. elasticity

लपकना (*lapakanā*) *v.t.* 1. to rush forth 2. to pounce upon

लपट (*lapaṭ*) *f.* 1. flame 2. glow 3. heat wave

लपसी (*lapsī*) *f.* 1. a kind of porridge 2. a sticky or glutinous substance

लपेट (*lapeṭ*) *m.* 1. fold 2. coil 3. twist 4. turn

लपेटना (*lapeṭnā*) *v.t.* 1. to fold 2. to reel 3. to roll up

लप्पड़ (*lappaṛ*) *m.* slap, blow with the palm of a hand

लफ़ंगा (*lafaṅgā*) *m.* 1. loafer 2. vainglorious fellow

लफ़्ज़ (*lafz*) *m.* word, term

लब (*lab*) *m.* 1. lip 2. edge, verge

लबरेज़ (*labrez*) *a.* brimful, overflowing

लबादा (*labādā*) *m.* gown, kirtle, wrapper

लबालब (*labālab*) *a.* full to the brim, brimful

लब्ध (*labdha*) I. *a* obtained, acquired, received, got II. *m.* quotient

लब्धकाम (*labdhakām*) *a.* one whose wish has been fulfilled

लब्धप्रतिष्ठ (*labdhapratiṣṭha*) *a.* renowned

लभ्य (*labhya*) *a.* 1. available 2. obtainable, attainable

लमहा (*lamhā*) *m.* moment, a second

लय (*laya*) *f.* 1. rhythm 2. tune 3. melody 4. merging

लरज़ (*laraz*) *f.* 1. quivering, shivering (in fear) 2. vibrating

लरज़ना (*laraznā*) *v.i.* to tremble, to shiver, to quiver

ललक (*lalak*) *f.* craving, longing

ललकार (*lalkār*) *f.* 1. challenge, 2. calling

ललकारना (*lalkārnā*) *v.t.* 1. to challenge 2. to bawl

ललचना (*lalacnā*) *v.i.* to be tempted, to be allured

ललचाना (*lalcānā*) *v.t.* to tempt, to allure, to entice

ललना (*lalnā*) *f.* woman

ललाई (*lalāī*) *f.* redness

ललाट (*lalāṭ*) *m.* forehead

ललाम (*lalām*) *a.* beautiful, pretty

ललित (*lalit*) *a.* fine, pretty

ल

लवंग (*lavaṅg*) *m.* clove
लवण (*lavaṇ*) *m.* salt
लवलीन (*lavlīn*) *a.* absorbed
लवलेश (*lavleś*) *m.* a whit, a bit, very small quantity, iota
लवा (*lavā*) *m.* 1. a bird resembling a lark 2. parched rice
लश्कर (*laśkar*) *m.* 1. host, army 2. multitude
लसदार (*lasdār*) *a.* sticky, adhesive, viscid, glutinous
लसलसा (*laslasā*) *a.* adhesive
लस्सी (*lassī*) *f.* buttermilk, whey
लहँगा (*lahaṁgā*) *m.* a woman's long loose skirt
लहक (*lahak*) *f.* 1. blaze, glare, glitter 2. flash 3. flame
लहकना (*lahaknā*) *v.i.* to rise up into flames, to blaze
लहकाना (*lahkānā*) *v.t.* 1. to cause to blaze 2. to cause to glitter
लहज़ा (*lahzā*) *m.* 1. tone, accent 2. manner of speech
लहर (*lahar*) *f.* wave
लहरदार (*lahardār*) *a.* wavy, undulatory
लहराना (*lahrānā*) *v.i.* 1. to undulate, to wave 2. to fluctuate
लहलह (*lahlah*) *a.* 1. blooming, flourishing 2. green
लहलहाना (*lahlahānā*) *v.i.* to bloom, to flourish
लहसुन (*lahsun*) *m.* garlic
लहू (*lahū*) *m.* blood
लहूलुहान (*lahūluhān*) *a.* smeared with or drenched in blood
लाँछन (*lāṁchan*) *m.* blame, stigma
लाइलाज (*lāilāj*) *a.* incurable, without any remedy
लाई (*lāī*) *f.* parched rice
लाक्षागृह (*lākṣāgṛh*) *m.* house made of shellac (mentioned in the Mahabharat)
लाख (*lākh*) I. a hundred thousand, one lakh/lac II. *f.* lac, shellac, sealing wax
लागत (*lāgat*) *f.* 1. cost 2. outlay
लाघव (*lāghav*) *m.* 1. economy of effort 2. dexterity 3. minuteness and lightness (in yoga)
लाचार (*lācār*) *a.* helpless
लाचारी (*lācārī*) *f.* helplessness
लाज (*lāj*) *f.* 1. modesty 2. shame
लाज़मी (*lāzmī*) *a.* compulsory
लाजवंती (*lājvantī*) *f.* a sensitive plant known as touch-me-not
लाजवाब (*lājavāb*) *a.* 1. speechless, without an answer, 2. unique, matchless
लाजा (*lājā*) *f.* puffed paddy, parched rice
लाज़िम (*lāzim*) *a.* compulsory, obligatory
लाट (*lāṭ*) *f.* pillar, high minaret
लाट साहब (*lāṭ sāhab*) *m.* 1. lord, Viceroy or Governor-General (during British regime), lordly person 2. a big gun
लाठी (*lāṭhī*) *f.* a long staff, cudgel
लाड़ (*lāṛ*) *m.* fondling, caressing
लात (*lāt*) *f.* 1. leg 2. kick
लादना (*lādnā*) *v.t.* to load
लानत (*lānat*) *f.* curse
लाना (*lānā*) *v.t.* 1. to bring 2. to

ल

fetch

लापता (*lāpatā*) *a.* 1. untraceable 2. missing

लापरवाह (*lāparvāh*) *a.* careless, heedless

लापरवाही (*lāparvāhī*) *f.* carelessness

लाभ (*lābh*) *m.* profit, gain

लाभकर (*lābhkar) a.* /लाभकारी (*lābhkārī*) *a.* profitable, gainful, beneficial

लाभदायक (*lābhdāyak*) *a.* profitable, gainful

लाभांश (*lābhāṃś*) *m.* dividend, bonus

लाभान्वित (*lābhānvit*) *a.* profited

लाभार्थी (*lābhārthī*) *m.* beneficiary

लाम (*lām*) *m.* & *f.* 1. a line of troops, brigade 2. battlefield

लामा (*lāmā*) *m.* lama, Tibetan/ Buddhist monk

लायक़ (*lāyaq*) *a.* 1. able 2. capable 3. worthy, fit

लार (*lār*) *f.* drivel, saliva

लाल (*lāl*) I. *m.* 1. ruby 2. darling, son, infant II. *a.* red, ruddy
लाल मिर्च *f.* chilli

लालच (*lālac*) *m.* 1. greed, greediness 2. temptation

लालची (*lālcī*) *a.* greedy

लालन (*lālan*) *m.* caressing

लालन-पालन (*lālan-pālan*) *m.* rearing, bringing up

लाल बुझक्कड़ (*lāl bujhakkaṛ*) *m.* one having pretensions to knowledge

लालसा (*lālsā*) *f.* yearning, craving

लाला (*lālā*) *m.* a respectful designation for a merchant or banker, a Khatri (in Punjab), a Kayasth (in U.P.), grandee

लालायित (*lālāyit*) *a.* 1. fond 2. eager 3. enamoured

लालित्य (*lālitya*) *m.* grace

लालिमा (*lālimā*) *f.* redness

लावण्य (*lāvaṇya*) *m.* loveliness

लावा (*lāvā*) *m.* lava (from a volcano)

लाश (*lāś*) *f.* corpse, dead body

लासा (*lāsā*) *m.* anything clammy or glutinous

लिंग (*liṅg*) *m.* 1. male genital organ, phallus, penis 2. Shiva's phallus worshipped by Hindus 3. gender

लिंग पूजा (*liṅg pūjā*) *f.* phallus worship, phallicism

लिंगायत (*liṅgāyat*) *m.* a sect of Shaivites

लिए (*lie*) *post p.* for

लिखना (*likhnā*) *v.t.* to write

लिखा (*likhā*) *a.* written

लिखाई (*likhāī*) *f.* 1. writing 2. the art of writing

लिखावट (*likhāvaṭ*) *f.* writing, handwriting

लिखित (*likhit*) *a.* written

लिजलिजा (*lijlijā*) *a.* 1. loathsome, repulsive, abominable 2. lifeless

लिट्टी (*liṭṭī*) *f.* a small bread

लिपटना (*lipaṭnā*) *v.t.* 1. to cling 2. to embrace

लिपटाना (*lipṭānā*) *v.t.* to embrace,

to hug

लिपि (*lipi*) *f.* 1. script, writing 2. copy, facsimile

लिपिक (*lipik*) *m.* clerk, scribe

लिपिबद्ध (*lipibaddha*) *a.* written

लिप्सा (*lipsā*) *f.* covetousness, avarice, greed, ardent desire

लिफ़ाफ़ा (*lifāfā*) *m.* 1. envelope 2. cover 3. wrapper

लिबलिबा (*liblibā*) *a.* 1. gummy, sticky 2. pliable 3. soft to touch

लिबास (*libās*) *m.* dress, attire

लिया (*liyā*) *m. & p.p.* took, taken

लियाक़त (*liyāqat*) *f.* 1. ability 2. qualification

लिहाज़ (*lihāz*) *m.* 1. regard, deference 2. consideration

लिहाज़ा (*lihāzā*) *conj.* thus, accordingly, therefore, on this account

लिहाफ़ (*lihāf*) *m.* quilt

लीक (*līk*) I. *f.* 1. track, trackway 2. rut 3. marks 4. trace II. *m.* leak, leakage

लीख (*līkh*) *f.* egg of a louse, a nit

लीचड़ (*līcaṛ*) *a.* miserly, niggardly, stingy

लीची (*līcī*) *f.* lichi, a kind of small fruit and its tree

लीद (*līd*) *m.* dung

लीन (*līn*) *a.* 1. absorbed 2. engrossed 3. merged

लीपापोती (*līpāpotī*) *f.* covering up, patching

लीलना (*līlanā*) *v.t.* to swallow, to gulp

लीला (*līlā*) *f.* sportive display, fun and frolic

लीलापुरुष (*līlāpuruṣ*) *m.* one who revels in sportive activities, an eponym of Lord Krishna

लुंगी (*luṅgī*) *f.* a rectangular cloth wrapped around the waist and falling to the ankles

लुंठन (*luṇṭhan*) *m.* rolling

लुंठित (*luṇṭhit*) *a.* rolled

लुआठा (*luāṭhā*) *a.* burning wood

लुआठी (*luāṭhī*) *f.* burning stick

लुकाठी (*lukāṭhī*) *f.* burning wood

लुगदी (*lugdī*) *f.* pulp, paper pulp

लुगाई (*lugāī*) *f.* 1. woman 2. wife

लुच्चा (*luccā*) *a.& m.* profligate, depraved, scoundrel, knave

लुटना (*luṭnā*) *v.t.* to be robbed

लुटाना (*luṭānā*) *v.t.* to squander, to spend lavishly

लुटिया (*luṭiyā*) *f.* a kind of round jug

लुटेरा (*luṭerā*) *m.* marauder, plunderer, robber, bandit

लुढ़कना (*luṛhaknā*) *v.i.* 1. to roll down 2. to be toppled

लुढ़काना (*luṛhkānā*) *v.t.* to roll down

लुत्फ़ (*lutf*) *m.* pleasantness

लुप्त (*lupta*) *a.* 1. hidden 2. missing 3. vanished, disappeared

लुप्तप्राय (*luptaprāy*) *a.* obsolescent

लुब्ध (*lubdha*) *a.* allured, charmed

लुब्धक (*lubdhak*) *m.* 1. hunter 2. the star Sirius

लुभाना (*lubhānā*) *v.t.* to allure

ल

लुभावना (*lubhāvnā*) *a.* charming
लुहार (*luhār*) *m.* blacksmith
लू (*lū*) *f.* hot wind, heat wave
लूट (*lūṭ*) *f.* 1. booty, loot 2. plunder
लूटना (*luṭnā*) *v.t.* 1. to loot, to plunder 2. to charge a higher price
लूला (*lūlā*) *a.* with crippled hands, crippled, maimed
लूला-लँगड़ा (*lūlā-laṁgṛā*) *a.* lame and crippled, disabled
लेंड़ (*leṁṛ*) *m.* hard stool, small ball of faeces
लेकिन (*lekin*) *conj.* but, however, yet, still
लेख (*lekh*) *m.* 1. writing, handwriting 2. deed
लेखक (*lekhak*) *m.* writer, author
लेखन (*lekhan*) *m.* writing
लेखन-सामग्री (*lekhan-sāmagrī*) *f.* writing material, stationery
लेखनी (*lekhnī*) *f.* pen
लेखनीय (*lekhnīyā*) *a.* fit to be written
लेखपाल (*lekhpāl*) *m.* a petty official who maintains village land records, patwari, accountant
लेखा-जोखा (*lekhā-jokhā*) *m.* 1. account 2. calculation 3. estimate
लेखानुदान (*lekhānudān*) *m.* vote on account
लेखा परीक्षक (*lekhā parīkṣak*) *m.* auditor
लेखा-बही (*lekhā bahī*) *f.* account book, cash book, ledger
लेखिका (*lekhikā*) *f.* (female) writer
लेख्य (*lekhya*) *a.* worth writing
लेटना (*leṭnā*) *v.i.* to lie
लेनदेन (*lenden*) *m.* exchange
लेना (*lenā*) *v.t.* to take
लेप (*lep*) *m.* 1. paste 2. ointment
लेपन (*lepan*) *m.* 1. plastering, coating 2. anointing
लेश (*leś*) *m.* 1. trace 2. iota
लैंगिक (*laiṁgik*) *a.* of or pertaining to genitals
लैस (*lais*) *a.* equipped
लोंदा (*loṁdā*) *m.* lump, ball of any material (as dough)
लोइया (*loiyā*) *f.* /**लोई** (*loī*) I. *f.* a small ball of dough II. *a.* thin woollen blanket
लोक (*lok*) *m.* 1. people, public 2. world
लोक-कथा (*lok-kathā*) *f.* folk tale
लोक-कल्याण (*lok-kalyāṇ*) *m.* public welfare
लोक-गाथा (*lok-gāthā*) *f.* folk ballad
लोक-गीत (*lok-gīt*) *m.* folk song
लोकतंत्र (*loktantra*) *m.* democracy
लोकतांत्रिक (*loktāntrik*) *a.* democratic
लोकना (*loknā*) *v.t.* 1. to catch something
लोकनिंदा (*lokninda*) *f.* public censure
लोकनृत्य (*loknṛtya*) *m.* folk dance
लोक परंपरा (*lok paramparā*) *f.* folk tradition

लोकप्रिय (*lokpriya*) *a.* popular
लोकमंच (*lokmañc*) *m.* folk theatre
लोकवार्ता (*lokvārtā*) *f.* folklore
लोकवार्ताकार (*lokvārtākār*) *m.* folklorist
लोकविख्यात (*lokvikhyāt*) *a.* world famous
लोक सभा (*lok sabhā*) *f.* Lok Sabha, lower house of Parliament in India
लोक सम्मत (*lok sammat*) *a.* as supported by the people
लोक साहित्य (*lok sāhitya*) *m.* folk literature
लोक सेवा आयोग (*lok sevā āyog*) *m.* public service commission
लोकहित (*lokhit*) *m.* public interest
लोकार्पण (*lokārpaṇ*) *m.* dedication to the public
लोकोक्ति (*lokokti*) *f.* folk-saying, proverb
लोकोत्तर (*lokottar*) *a.* 1. supernatural 2. extra-worldly
लोकोपकार (*lokopkār*) *m.* public good, philanthropy
लोकोपयोगी (*lokopyogī*) *a.* useful for the public
लोग (*log*) *m.* & *pl.* people
लोच (*loc*) *f.* flexibility
लोचदार (*locdār*) *a.* elastic, flexible
लोटपोट (*loṭpoṭ*) *m.* rolling and tossing
लोटन (*loṭan*) *m.* 1. rolling, tumbling 2. a kind of pigeon
लोटना (*loṭnā*) *v.i.* to roll
लोटा (*loṭā*) *m.* a small, round jug
लोढ़ना (*loṛhnā*) *v.t.* to glean
लोप (*lop*) *m.* vanishing, disappearance
लोबान (*lobān*) *m.* a kind of resin gum used as an incense and for making medicines
लोभ (*lobh*) *m.* 1. greed, avarice, covetousness 2. lure
लोभी (*lobhī*) *a.* greedy, avaricious, covetous
लोम (*lom*) *m.* soft hair on the body
लोमड़ी (*lomṛī*) *f.* fox
लोमश (*lomaś*) *a.* full of hair, covered with hair
लोमहर्षक (*lomharṣak*) *m.* thrilling, horrifying
लोलुप (*lolup*) *a.* avaricious, covetous, greedy
लोहा (*lohā*) I. *m.* iron II. *a.* as hard as iron, strong
लोहित (*lohit*) I. *a.* red, reddened, scarlet II. *m.* 1. the planet Mars
लोहू (*lohū*) *m.* blood
लौंग (*lauṁg*) *f.* 1. clove 2. nose or ear ornament
लौंडा (*lauṁḍā*) *m.* a derogatory term used for a boy
लौंडिया (*lauṁḍiyā*) *f.* (derogatory) lass, girl, servant girl
लौंडी (*lauṁḍī*) *f.* a servant girl
लौ (*lau*) *f.* 1. glow, flame 2. attachment 3. devotion
लौकिक (*laukik*) *a.* earthly, worldly, mundane
लौकिकता (*laukikatā*) *f.* worldli-

ल

लौकिकता (*laukikatā*) *f.* worldliness

लौकी (*laukī*) *f.* bottle-gourd (a green vegetable)

लौटना (*lauṭnā*) *v.i.* to come back, to return

लौटाना (*lauṭānā*) *v.t.* to return, to give back, to send back

लौह (*lauh*) I. *m.* iron II. *a.* made of iron

लौहपुरुष (*lauhpuruṣ*) *m.* iron man

लौह युग (*lauh yug*) *m.* Iron Age

व

वंचक (*vañcak*) *a.* & *m.* fraudulent, cheat

वंचना (*vañcanā*) *f.* deceitfulness

वंचित (*vañcit*) *a.* 1. deprived 2. deceived, cheated, tricked

वंजुला (*vañjulā*) *f.* a milch cow

वंदन (*vandan*) *m.* 1. bowing 2. adoration 3. worship, praise

वंदनमाला (*vandanmālā*) *f.* /**वंदनवार** *vandanvār*) *m.* festoon or bunting of fresh leaves suspended across gateways on auspicious occasions

वंदना (*vandanā*) *f.* 1. bowing 2. adoration 3. worship, praise

वंदनीय (*vandanīya*) *a.* praiseworthly, worthy of worship

वंध्या (*vandhyā*) *f.* barren woman

वंश (*vaṃś*) *m.* family, dynasty, family lineage

वंशज (*vaṃśaj*) *m.* descendant, progeny

वंशलोचन (*vaṃślocan*) *m.* a milk-white secretion of bamboo

वंशावली (*vaṃśāvalī*) *f.* genealogical table/tree

वंशी (*vaṃsī*) I. *f.* 1. flute, pipe 2. fishing hook II. *suff.*& *adj.* lineal, of the dynasty of

वंशीधर (*vaṃśīdhar*) *m.* one holding a flute (especially said of Sri Krishna)

वक (*vak*) heron, crane

वकालत (*vakālat*) *f.* 1. profession of a lawyer 2. pleading or arguing (a case)

वकील (*vakīl*) *m.* 1. pleader 2. counsellor, lawyer

वक़्त (*vaqt*) *m.* 1. time 2. term

वक्तव्य (*vaktavya*) *a.* statement, utterance

वक्ता (*vaktā*) *m.* speaker

वक़्फ़ (*vaqf*) *m.* 1. legacy 2. endowment for religious or pious cause

वक्र (*vakra*) *a.* crooked, curved

वक्री (*vakrī*) *a.* 1. crooked 2. (of Mars and other planets) moving in adverse direction

वक्ष (*vakṣa*) *m.* chest, breast

वक्षःस्थल (*vakṣḥasthal*) *m.* the breast, chest

वगैरह (*vagairah*) *adv.* /**वगैरा** (*vagairā*) *adv.* et cetera, so on and so forth

वचन (*vacan*) *m.* 1. utterance, speech 2. word, promise

वचनबद्ध (*vacanbaddha*) *a.* com-

व

mitted

वज़न (*vazan*) *m.* 1. weight 2. metre in Urdu poetry 3. importance

वजह (*vazah*) *f.* cause, reason

वज़ीफ़ा (*vazīfā*) *m.* scholarship

वज़ीर (*vazīr*) *m.* minister

वज़ू (*vazū*) *m.* ritual ablution by Muslims before prayer

वजूद (*vajūd*) *m.* existence

वज्र (*vajrā*) *m.* 1. a thunderbolt 2. weapon of Indra-the Lord of gods

वज्रपाणि (*vajrapāṇi*) *m.* one wielding a thunderbolt, god Indra

वज्रपात (*vajrapāt*) *m.* fall of a thunderbolt

वज्रयान (*vajrayān*) *m.* a sect of Buddhism

वट वृक्ष (*vaṭ vr̥kṣa*) *m.* banyan tree

वडा (*vadā*) *m.* /**वड़ा** (*vaṛā*) *m.* round ball of pulse fried in oil

वणिक (*vaṇik*) *m.* merchant, trader

वणिज (*vaṇij*) *m.* commerce, trade

वतन (*vatan*) *m.* native country, home country

वत्स (*vatsa*) *m.* 1. young of any animal 2. offspring, child, progeny 3. (in endearment) my child, my darling 4. calf

वत्सर (*vatsar*) *m.* 1. a year 2. a period of twelve months

वत्सल (*vatsal*) *a.* 1. child-loving, affectionate 2. tender

वदन (*vadan*) *m.* 1. face 2. features

वध (*vadh*) *m.* 1. killing, murder 2. slaughter

वधिक (*vadhik*) *m.* 1. murderer 2. executioner 3. hunter

वधू (*vadhū*) *f.* 1. bride 2. daughter-in-law

वन (*van*) *m.* forest, jungle, woods

वनचर (*vancar*) *m.* /**वनचारी** (*vancārī*) *m.* roaming or living in a forest, wild animal

वनदेवी (*vandevī*) *f.* dryad

वनराज (*vanrāj*) *m.* the king of forest, lion

वनरोपण (*vanropaṇ*) *m.* afforestation

वनवास (*vanvās*) *m.* dwelling or residence in forest

वनवासी (*vanvāsī*) *m.* forest-dweller

वनस्पति (*vanaspati*) *m.* 1. vegetation 2. plant

वनस्पति घी (*vanasapati ghī*) *m.* vegetable oil

वनस्पति विज्ञान (*vanaspati vijñan*) *m.* /**वनस्पति शास्त्र** (*vanaspati śāstra*) *m.* botany

वनिता (*vanitā*) *f.* woman, lady

वन्य (*vanya*) *a.* 1. wild 2. feral

वपन (*vapan*) *m.* sowing

वपु (*vapu*) *m.* body, physique

वफ़ादार (*vafādār*) *a.* faithful, loyal

वमन (*vaman*) *m.* vomiting

वय (*vaya*) *f.* age

वयःसंधि (*vayaḥsandhi*) *f.* adolescence, puberty

वयस्क (*vayask*) *a.* 1. adult 2. of age, major

वयस्क मताधिकार *m.* adult franchise

वयोवृद्ध (*vayovṛddha*) *a.* 1. elder, old, aged 2. veteran

वर (*var*) *m.* 1. bridegroom 2. boon

वरक़ (*varaq*) *m.* 1. leaf 2. foil 3. silver/gold or tin leaf

वरण (*varaṇ*) *m.* selection, choice

वरद (*varad*) *a.* boon-giving

वरदान (*vardān*) *m.* boon

वरना (*varnā*) *conj.* otherwise, or else, if not

वरमाल (*varmāl*) *f.* ceremony of exchanging auspicious garlands by the bride and the bridegroom

वरांगना (*varāṅgnā*) *f.* beauty, a beautiful woman

वराह (*varāh*) *m.* boar, pig, hog

वराह अवतार (*varāh avtār*) *m.* Lord Vishnu's incarnation in the form of a boar

वरिष्ठ (*variṣtha*) *a.* senior

वरिष्ठता (*variṣthatā*) *f.* seniority

वरीय (*varīya*) *a.* senior

वरीयता (*varīyatā*) *f.* 1. preference 2. seniority

वरुण (*varuṇ*) *m.* 1. Neptune 2. Varuna, one of the oldest Vedic gods 3. originally the god of earth and heaven, later the god of oceans

वरेण्य (*vareṇya*) *a.* preferable

वर्ग (*varga*) *m.* 1. class 2. section

वर्ग पहेली (*varga pahelī*) *f.* crossword puzzle

वर्गमूल (*vargamūl*) *m.* square root

वर्ग संघर्ष (*varga saṅgharṣa*) *m.* class conflict or struggle

वर्गाकार (*vargākār*) *a.* square

वर्गीकरण (*vargīkaraṇ*) *m.* classification

वर्गीकृत (*vargīkṛt*) *a.* classified

वर्चस्व (*varcasva*) *m.* vital power

वर्जन (*varjan*) *m.* inhibition

वर्जना (*varjanā*) *f.* prohibition

वर्जित (*varjit*) *a.* forbidden, tabooed, inhibited

वर्ण (*varṇa*) *m.* 1. colour

वर्णन (*varṇan*) *m.* description

वर्णनकर्ता (*varṇankartā*) *m.* narrator

वर्णनातीत (*varṇanātīt*) *a.* beyond description

वर्णनात्मक (*varṇanātmak*) *a.* descriptive

वर्णनीय (*varṇanīya*) *a.* to be described, to be narrated

वर्णमाला (*varṇamālā*) *f.* alphabet, series of letters arranged in order

वर्ण व्यवस्था (*varṇa vyavasthā*) *f.* caste system

वर्णसंकर (*varṇasaṅkar*) *a.* cross-breed, half-breed, hybrid

वर्णाश्रम (*varṇāśram*) *m.* class and stage (of life) according to Hindu scriptures

वर्णित (*varṇit*) *a.* described

वर्तनी (*vartanī*) *f.* spelling

वर्तमान (*vartmān*) *a.* 1. modern 2. present, existing 3. current

वर्तमान काल (*vartmān kāl*) *m.*

व

present tense
वर्तिका (*vartikā*) *f.* 1. pencil 2. wick
वर्तुल (*vartul*) *a.* round, circular
वर्दी (*vardī*) *f.* uniform, livery
वर्धक (*vardhak*) *m.* enhancer
वर्धन (*vardhan*) *m.* 1. growth 2. blowing up
वर्धित (*vardhit*) *a.* increased
वर्ष (*varṣa*) *m.* a year
वर्षगाँठ (*varṣagāṁṭh*) *f.* anniversary, birthday
वर्षा (*varśā*) *f.* rain, rainfall
वलय (*valay*) *m.* 1. fold 2. circle
वली (*valī*) *m.* 1. guardian 2. successor, heir 3. Muslim saint
वल्कल (*valkal*) *m.* bark of a tree
वल्गा (*valgā*) *f.* bridle, rein
वल्द (*vald*) *m.* son (of), offspring
वल्मीक (*valmīk*) *m.* 1. ant-hill, white ant
वल्लभ (*vallabh*) *m.* 1. dear one 2. beloved 3. lover 4. husband
वल्लभा (*vallabhā*) *f.* 1. beloved 2. wife
वल्लरी (*vallarī*) *f.* any climbing/creeping plant, creeper
वश (*vaś*) *m.* 1. power 2. control
वशीकरण (*vaśīkaraṇ*) *m.* 1. act of overpowering, subjugating 2. bewitching, enchanting
वशीभूत (*vaśībhūt*) *a.* overpowered, brought under control
वसंत (*vasant*) *m.* the spring season
वसंत पंचमी (*vasant pañcamī*) *f.* festival on the advent of spring
वसंतोत्सव (*vasantotsav*) *m.* spring festival
वसन (*vasan*) *m.* clothing
वसा (*vasā*) *f.* fat, serum or marrow (of bone) oils
वसीयत (*vasīyat*) *f.* will, bequest
वसुंधरा (*vasundharā*) *f.* earth that contains a lot of wealth (diamonds, precious stones, oils, minerals, etc.)
वसुधा (*vasudhā*) *f.* I. *a.* producing wealth II. *m.* 1. earth 2. soil
वसूल (*vasūl*) *m.* 1. acquisition 2. recovery of money 3. realisation of loan, revenue, etc.
वस्तु (*vastu*) *f.* thing, object
वस्तुतः (*vastutaḥ*) *adv.* actually, in reality
वस्तुनिष्ठ (*vastuniṣṭh*) *a.* objective
वस्तु-विनिमय (*vastu-vinimay*) *m.* exchange, barter
वस्तुस्थिति (*vastusthiti*) *f.* real position, actual state of things, reality
वस्त्र (*vastra*) *m.* 1. cloth, clothes 2. fabric, textile
वस्त्र-विन्यास (*vastra-vinyās*) *m.* drapery, clothing arranged in folds
वह (*vah*) *pron.* 1. he 2. she 3. it 4. that
वहन (*vahan*) *m.* 1. carrying 2. bearing
वहशी (*vahśī*) *m.* barbarian

वहीं (*vahīṁ*) *adv.* at that very place, at the same place
वही (*vahī*) *adv.* the same, *ibidem*
वह्नि (*vahnī*) *f.* fire, god Agni (Fire)
वांछनीय (*vāñchanīya*) *a.* desirable, worth wishing for
वांछा (*vāñchā*) *f.* 1. desire, wish 2. longing
वाक़ई (*vāqaī*) *adv.* really, in reality, actually, truly, in fact
वाक़िफ़ (*vāqif*) I. *a.* aware of, acquainted II. *m.* acquaintance
वाक् (*vāk*) *f.* speech
वाक्-चातुर्य (*vāk-cāturya*) *m.* wit, the art of conversation
वाक्य (*vākya*) *m.* sentence
वाक्य-विन्यास (*vākya-vinyās*) *m.* orderly arrangement or construction of a sentence
वागर्थ (*vāgartha*) *m.* word and its meaning
वागिन्द्रिय (*vāgindriya*) *f.* speech organ, vocal organ
वागीश (*vāgīś*) *m.* an eloquent speaker, orator, master of speech, poet
वाग्देवी (*vāgdevī*) *f.* the goddess of speech, Saraswati
वाग्मी (*vāgmī*) I. *m.* orator II. *a.* eloquent
वाङ्मय (*vāṅmaya*) *m.* literature (of all kinds)
वाचक (*vācak*) I. *a.* denoting, signifying, expressing II. *m.* a speaker, announcer, reciter
वाचन (*vācan*) *m.* act of reading
वाचस्पति (*vācaspati*) *m.* 1. master of voice or speech 2. preceptor of gods, Brihaspati
वाचा (*vācā*) *f.* speech, word
वाचाल (*vācāl*) *a.* talkative
वाचिक (*vācik*) *a.* verbal
वाजिब (*vājib*) *a.* 1. proper, just 2. obligatory, binding
वाजी (*vājī*) *m.* & *a.* 1. a horse 2. strength
वाजीकरण (*vājīkaraṇ*) *m.* stimulation or excitement of sexual passion by drugs
वाटिका (*vāṭikā*) *f.* a small garden
वाडव (*vāḍav*) *m.* submarine fire
वाण (*vāṇ*) *m.* arrow
वाणिज्य (*vāṇijya*) *m.* commerce, trade
वाणिज्य दूतावास (*vāṇijya dūtāvās*) *m.* trade consulate
वाणी (*vāṇī*) *f.* 1. voice 2. speech
वात (*vāt*) *m.* air, wind (one of the three humours of the body)
वातरोग (*vātrog*) *m.* rheumatic ailment, gout, etc.
वातानुकूलन (*vātānukūlan*) *a.* air-conditioning
वातानुकूलित (*vātānukūlit*) *a.* air-conditioned
वातायन (*vātāyan*) *m.* ventilator
वातावरण (*vātāvaraṇ*) *m.* atmosphere
वातास (*vātās*) *f.* air, breeze
वात्याचक्र (*vātyācakra*) *m.* whirlwind
वात्सल्य (*vātsalya*) *m.* affectionate feeling, sentiment of affection and fondness
वाद (*vād*) *m.* 1. suit, law-suit 2.

व

discussion 3. dispute
वाद विवाद *(vād vivād) m.* discussion, debate, controversy
वादा *(vādā) m.* 1. promise 2. agreement 3. commitment
वादी *(vādī)* I. *f.* valley II. *m.* suitor, plaintiff, complainant
वाद्य *(vādya) m.* instrument, musical instrument
वाद्यवृंद *(vādyavṛnd) m.* orchestra
वानप्रस्थ *(vānprastha) m.* one leading ascetic life (third stage in a life cycle)
वानर *(vānar) m.* monkey, ape
वानिकी *(vānikī) f.* forestry
वापस *(vāpas) a.* 1. returned 2. (given) back 3. refunded
वाम *(vām) a.* 1. left 2. reverse, contrary 3. adverse 4. on the left side
वामन *(vāman) m.* dwarf, pygmy
वामनअवतार *(vāmanavtār) m.* the dwarf incarnation of Vishnu
वामपंथ *(vāmpanth) m.* left wing
वाम मार्ग *(vām mārg) m.* left wing doctrine or practices of the radicals
वामा *(vāmā) f.* a beautiful woman, goddess Durga
वायदा *(vāydā) m.* 1. promise 2. agreement 3. commitment
वायवीय *(vāyavīya) a.* of or related to air or wind
वायु *(vāyu) f.* air, wind
वायु पुराण *(vāyu purāṇ) m.* one of the 18 Puranas
वायुमंडल *(vāyumaṇḍal) m.* atmosphere
वायुयान *(vāyuyān) m.* aeroplane
वायुवेग *(vāyuveg) m.* velocity of the wind
वायु सेना *(vāyu senā) f.* air force
वार *(vār) m.* 1. assault, strike, blow 2. any day of the week
वारांगना *(vārāṅgnā) f.* /**वारवधू** *(vārvadhū) f.* prostitute
वारि *(vāri) m.* water
वारिचर *(vāricar) a.* aquatic
वारिद *(vārid) m.* /**वारिधर** *(vāridhar) m.* cloud
वारिस *(vāris) m.* heir
वारुणी *(vāruṇī) f.* alcoholic drink
वार्ता *(vārtā) f.* talk
वार्तालाप *(vārtālāp) m.* conversation, negotiation
वार्षिक *(vārṣik) a.* yearly, annual, per annum
वाला *(vālā) a. & suff.* /**वाली** *(vālī) a. & suff.* keeper, doer, possessor, owner
वालिद *(vālid) m.* father
वालिदा *(vālidā) f* mother
वालिदैन *(vālidain) m. & pl.* mother and father, parents
वाष्प *(vāṣp) m.* vapour, steam
वासंतिक *(vāsantik) a.* of spring
वास *(vās) m.* residence
वासना *(vāsnā) f.* sexual passion
वासभूमि *(vāsbhūmi) f.* homestead, residential place
वासित *(vāsit) a.* 1. perfumed, scented 2. lodged, caused to stay

वासी (*vāsī*) *m.* resident, dweller
वास्तव (*vāstav*) *a.* actual, real
वास्तविक (*vāstavik*) *a.* actual
वास्तविकता (*vāstavikatā*) *f.* 1. reality 2. genuineness
वास्ता (*vāstā*) *m.* 1. connection, relation 2. cause
वास्तु (*vāstu*) *m.* site or foundation of a house or building
वास्तु कला (*vāstu kalā*) *f.* art or technique of house-building, architecture
वास्तुविद्या (*vāstuvidyā*) *f.* /**वास्तुशास्त्र** (*vāstuśāstra*) *m.* architectural science
वास्ते (*vāste*) *adv.* for, for the sake (of), in the name of
वाह (*vāh*) *interj.* bravo, well done, excellent
वाहक (*vāhak*) *m.* carrier, bearer
वाहन (*vāhan*) *m.* vehicle, conveyance
वाहिनी (*vāhinī*) *f.* army, troops
वाहियात (*vāhiyāt*) I. *f.* absurdities II. *a.* nonsense, ridiculous
विंदु (*vindu*) *m.* 1. dot 2. point
विंध्यवासिनी (*vindhyavāsinī*) *f.* goddess Durga enshrined in Vindhya mountain
विंध्याचल (*vindhyācal*) *m.* the Vindhya mountain in central India dividing northern and southern India
विंश (*viṃś*) *a.* twentieth
विंशति (*viṃśati*) *m.* & *a.* twenty
विकराल (*vikarāl*) *a.* dreadful
विकर्म (*vikarma*) *m.* prohibited act, evil
विकल (*vikal*) *a.* confused
विकलांग (*vikalāṅg*) *a.* handicapped, crippled
विकल्प (*vikalp*) *m.* option, choice, alternative
विकसित (*vikasit*) *a.* 1. bloomed, opened 2. grown, developed
विकार (*vikār*) *m.* deformation
विकारी (*vikārī*) *a.* 1. variable, changeable 2. oblique
विकास (*vikās*) *m.* evolution, development, growth, progress
विकासशील (*vikāsśīl*) *a.* developing, evolving
विकिरण (*vikiraṇ*) *m.* radiation
विकिरणशील (*vikiraṇśīl*) *a.* radiative
विकीर्ण (*vikīrṇa*) *a.* scattered
विकृत (*vikṛt*) *a.* 1. altered, changed 2. deformed 3. ugly
विकृति (*vikṛti*) *f.* 1. change, alteration 2. ugliness
विकेन्द्रण (*vikendraṇ*) *m.* decentralization
विकेन्द्रित (*vikendrit*) *a.* decentralized
विक्रम (*vikram*) *m.* prowess, valour, heroism
विक्रमाब्द (*vikramābd*) *m.* Vikram era, started from coronation of king Vikramaditya of Ujjain
विक्रय (*vikraya*) *m.* sale, selling
विक्रय-कर (*vikray-kar*) *m.* sales tax
विक्रांत (*vikrānt*) *a.* 1. mighty, valiant 2. radiant

व

विक्री (*vikrī*) *f.* sale, selling
विक्रेता (*vikretā*) *m.* seller, vendor, salesman
विक्षिप्त (*vikṣipt*) *a.* 1. frustrated 2. crazy, mad
विक्षुब्ध (*vikṣubdha*) *a.* agitated
विक्षोभ (*vikṣobh*) *m.* mental agitation
विखंडित (*vikhaṇḍit*) *a.* fragmented
विख्यात (*vikhyāt*) *a.* famous, known, renowned
विख्याति (*vikhyāti*) *f.* fame, name
विगठन (*vigaṭhan*) *m.* 1. separation 2. dispersion
विगठित (*vigaṭhit*) *a.* 1. separated 2. dispersed 3. disorganized 4. disintegrated
विगत (*vigat*) *a.* 1. gone away, ceased 2. past
विगलन (*vigalan*) *m.* 1. rot 2. melting away
विगलित (*vigalit*) *a.* rotten
विग्रह (*vigrah*) *m.* 1. statue 2. idol 3. form 4. quarrel
विघटन (*vighaṭan*) *m.* 1. disintegration 2. disorganization
विघटित (*vighaṭit*) *a.* 1. disintegrated 2. severed
विघ्न (*vighn*) *m.* 1. interruption 2. interference
विघ्नविनाशक (*vighnavināśak*) *m.* 1. title of god Ganesh 2. remover of obstacles
विचलित (*vicalit*) *a.* restless, nervous
विचार (*vicār*) *m.* thought, idea
विचार गोष्ठी (*vicār goṣṭhī*) *f.* seminar, symposium
विचारणीय (*vicāraṇīya*) *a.* to be thought or deliberated about
विचारधारा (*vicārdhārā*) *f.* ideology
विचारवान (*vicārvān*) *a.* thoughtful
विचार-विमर्श (*vicār-vimarś*) *m.* exchange of ideas
विचाराधीन (*vicārādhīn*) *a.* under consideration
विचित्र (*vicitr*) *a.* 1. strange 2. variegated
विच्छिन्न (*vicchinna*) *a.* 1. cut or split, cleft asunder 2. disjoined 3. incoherent
विच्छेद (*vicched*) *m.* 1. dissection 2. break, disruption
विछोह (*vichoh*) *m.* separation
विजन (*vijan*) *a.* lonely, solitary
विजय (*vijay*) *f.* conquest, victory
विजय-स्तंभ (*vijaystambh*) *m.* tower built to commemorate a victory in war
विजया (*vijayā*) *f.* an intoxicating hemp
विजयादशमी (*vijayādaśmī*) *f.* the festival of Dusserah (victory of Rama over Ravana)
विजातीय (*vijātīya*) *a.* 1. of different or another caste 2. exotic
विजित (*vijit*) *a.* conquered
विजेता (*vijetā*) *m.* conqueror
विज्ञ (*vijña*) *a.* knowledgeable
विज्ञप्ति (*vijñapti*) *f.* communique
विज्ञान (*vijñān*) *m.* 1. science 2. knowledge of a special

subject
विज्ञानवेत्ता (*vijñanvettā*) *m.* scientist
विज्ञापन (*vijñapan*) *m.* 1. advertisement 2. announcement
विज्ञापित (*vijñāpit*) *a.* advertised, notified
विटप (*viṭap*) *m.* tree
विडंबना (*viḍambanā*) *f.* 1. frustration, distress, 2. ironical, irony
विडाल (*viḍāl*) *m.* male cat
वितरक (*vitarak*) *m.* distributor
वितरण (*vitaraṇ*) *m.* 1. distribution 2. disbursement
वितरित (*vitarit*) *a.* 1. distributed 2. disbursed 3. delivered
वितल (*vital*) I. *m.* abyss, mythologically one of the seven nether worlds II. *a.* abyssal
वितान (*vitān*) *m.* canopy
वितीर्ण (*vitīrṇ*) *a.* 1. remote, distant 2. forgiven
वितृष्णा (*vitṛṣṇā*) *f.* repulsion
वित्त (*vitta*) *m.* finance, wealth
वित्त मंत्री (*vitta mantrī*) *m.* Finance Minister
वित्त विधेयक (*vitta vidheyak*) *m.* finance bill
वित्तैषणा (*vittaiṣaṇā*) *f.* craving for wealth/riches
विद् (*vid*) *a.* & *suff.* knowing, understanding, well informed
विदग्ध (*vidagdha*) I. *m.* astute II. *adj.* 1. witty 2. ingenious, skilful
विदा (*vidā*) *f.* taking leave, farewell, adieu
विदाई (*vidāī*) *f.* farewell
विदारक (*vidārak*) *a.* lacerating, tearing, splitting
विदित (*vidit*) *a.* known
विदीर्ण (*vidīrṇ*) *a.* lacerate, rent asunder, torn, split
विदुषी (*vidūṣī*) *f.* a learned woman, scholar, a wise lady
विदूषक (*vidūṣak*) *m.* jester, joker, buffoon
विदेश (*videś*) *m.* foreign country
विदेश-नीति (*videś nīti*) *f.* foreign policy
विदेश मंत्री (*videś mantrī*) *m.* Minister of External Affairs
विदेशी (*videśī*) *a.* foreign, alien
विदेह (*videh*) *a.* 1. bodiless, incorporeal 2. dead, deceased 3. a name of king Janak
विद्ध (*viddha*) *a.* pierced
विद्यमान (*vidyamān*) *a.* 1. living 2. present
विद्यापीठ (*vidyāpīṭh*) *m.* seat of learning, academy
विद्यार्थी (*vidyārthī*) *m.* student
विद्यालय (*vidyālaya*) *m.* school, educational institution
विद्युत (*vidyut*) I. *m.* lightning, electricity, power II. *a.* electric
विद्युतशक्ति (*vidyutśakti*) *f.* electric power
विद्युतीकरण (*vidyutīkaraṇ*) *m.* electrification
विद्योपार्जन (*vidyopārjan*) *m.* study, acquisition of learning or education
विद्रूप (*vidrūp*) *a.* distorted, ugly
विद्वत्ता (*vidvattā*) *f.* scholarship,

व

learning

विद्वान् (*vidvān*) *m.* scholar, learned man

विद्वेष (*vidveṣ*) *m.* malice

विधर्म (*vidharma*) I. *m.* heresy II. *a.* unjust, inequitable

विधर्मी (*vidharmī*) *a.* & *m.* heretic, heretical

विधवा (*vidhavā*) *f.* widow

विधा (*vidhā*) *f.* division, part

विधाता (*vidhātā*) *m.* Brahma, the creator and lord of destiny

विधान (*vidhān*) *m.* 1. arranging, regulating 2. legislation

विधानपरिषद् (*vidhān pariṣad*) *f.* legislative council

विधानमंडल (*vidhān maṇḍal*) *m.* legislative council, legislature

विधानसभा (*vidhān sabhā*) *f.* legislative assembly

विधायक (*vidhāyak*) *m.* legislator

विधायी (*vidhāyī*) *a.* legislative

विधि (*vidhi*) *f.* 1. destiny 2. Brahma 3 law 4. rule

विधिपूर्वक (*vidhipūrvak*) *adv.* 1. according to rules 2. duly

विधिमंत्री (*vidhimantrī*) *m.* minister of law

विधिवत् (*vidhivat*) *adv.* 1. methodically 2. duly

विधिविरुद्ध (*vidhiviruddha*) *a.* unlawful, illegal

विधिवेत्ता (*vidhivettā*) *m.* jurist

विधु (*vidhu*) *m.* moon

विधुर (*vidhur*) *m.* widower

विधुवदनी (*vidhuvadnī*) *f.* & *a.* having a moon-like pretty face

विधेयक (*vedheyak*) *m.* a bill (for legislation)

विध्वंस (*vidhvaṃs*) *m.* 1. destruction 2. ravage 3. demolition

विनत (*vinat*) *a.* modest, humble

विनती (*vinatī*) *f.* request, prayer

विनम्र (*vinamra*) *m.* 1. submissive, meek 2. respectful

विनय (*vinay*) *m.* request, prayer

विनष्ट (*vinaṣṭa*) *a.* utterly lost or ruined, perished, destroyed

विना (*vinā*) *adv.* without, except

विनायक (*vināyak*) *m.* 1. an eponym of god Ganesh 2. remover of evil 3. leader

विनाश (*vināś*) *m.* 1. utter loss 2. annihilation

विनिमय (*vinimaya*) *m.* exchange

विनियमन (*viniyaman*) *m.* act of regulating, regulation

विनियोग (*viniyog*) *m.* 1. appointment 2. distribution

विनियोजित (*viniyojit*) *a.* 1. appointed 2. directed

विनीत (*vinīt*) *a.* submissive, meek, humble, modest

विनोद (*vinod*) *m.* 1. humour 2. sport 3. amusement

विनोदी (*vinodī*) *a.* humorous

विन्यास (*vinyās*) *m.* 1. placing or laying down 2. deposit 3. order 4.arrangement 5. disposition 6. establishment

विपक्ष (*vipakṣa*) *m.* 1. the opposite party 2. adversary, hostile, rival 3. counter-statement

विपक्षी नेता (*vipakṣī netā*) *m.* opposition leader
विपण (*vipaṇ*) *m.* selling, sale
विपणन (*vipaṇan*) *m.* selling, marketing
विपत्ति (*vipattī*) *f.* disaster, adversity, misfortune
विपथ (*vipath*) *m.* wrong path
विपदा (*vipadā*) *f.* misfortune, calamity, adversity, distress
विपन्न (*vipanna*) *a.* afflicted, distressed, seized by misfortune
विपरीत (*viparīt*) *a.* opposite
विपरीत रति (*viparīt ratī*) *f.* sexual posture in which the woman plays an active role
विपाक (*vipāk*) *m.* result
विपिन (*vipin*) *m.* forest, woods
विपुल (*vipul*) *a.* 1. large, big, extensive 2. great
विप्र (*vipra*) *m.* 1. priest, Brahmin 2. sage, seer
विप्रलंभ (*vipralambh*) *m.* 1. separation (of lovers), disunion 2. disagreement
विप्रलंभश्रृंगार(*vipralambhśṛngār*) *m.* (in poetics) adornment by lovers in separation
विप्लव (*viplav*) *m.* 1. rioting 2. insurgency 3. calamity
विफल (*viphal*) *a.* 1. fruitless, useless 2. unsuccessful
विभंजन (*vibhañjan*) *m.* breaking, splitting, dividing
विभक्त (*vibhakta*) *a.* 1. divided 2. distributed 3. split
विभक्ति (*vibhakti*) *f.* 1. division 2. partition 3. (in *gram.*) inflection of nouns and pronouns
विभव (*vibhav*) *m.* 1. wealth 2. prosperity
विभा (*vibhā*) *f.* lustre, splendour, brilliance
विभाग (*vibhāg*) *m.* 1. department 2. apportionment
विभागाध्यक्ष (*vibhāgādhyakṣa*) *m.* head of the department
विभाजक (*vibhājak*) I. *m.* divider, divisor II. *a.* dividing, apportioning
विभाजन (*vibhājan*) *m.* partition, division
विभाजित (*vibhājit*) *a.* divided, partitioned
विभावरी (*vibhāvarī*) *f.* starry night
विभिन्न (*vibhinna*) *a.* different
विभीषण (*vibhīṣaṇ*) I. *a.* terrifying, fearful II. *m.* name of the younger brother of Ravan and a devotee of God Ram
विभीषिका (*vibhīṣikā*) *f.* dread
विभु (*vibhu*) I. *a.* omnipresent, all pervading II. *m.* God
विभूति (*vibhūti*) *f.* 1. outstanding personality 2. development, evolution 3. abundance
विभूषण (*vibhūṣaṇ*) *m.* decoration, ornamentation
विभूषित (*vibhūṣit*) *a.* decorated
विभेद (*vibhed*) *m.* division
विभोर (*vibhor*) *a.* overwhelmed
विमर्श (*vimarś*) *m.* 1. consultation 2. discussion
विमल (*vimal*) *a.* clean, spotless

व

विमान (*vimān*) *m.* 1. aeroplane 2. chariot of the gods
विमानन (*vimānan*) *m.* aviation
विमानपत्तन (*vimānpattan*) *m.* airport
विमुक्त (*vimukt*) *a.* acquitted
विमुख (*vimukh*) *a.* 1. indifferent 2. averse or opposed to
विमुग्ध (*vimugdha*) *a.* 1. infatuated 2. fallen in love
विमूढ़ (*vimūṛh*) *a.* silly
विमोचन (*vimocan*) *m.* liberation, release, freeing, acquittal
विमोचित (*vomocit*) *a.* freed, acquitted, released
वियोग (*viyog*) *m.* 1. separation 2. bereavement 3. disunion
वियोगिनी (*viyoginī*) *f.* wife or heroine separated from her husband or hero
वियोगी (*viyogī*) *m.* husband/lover separated from his wife/ beloved
विरंचि (*virañci*) *m.* Brahma, the creator of all
विरक्त (*virakt*) *a.* detatched from worldly affairs
विरक्ति (*virakti*) *f.* disaffection, aversion
विरचित (*viracit*) *a.* 1. composed, written 2. made
विरत (*virat*) *a.* 1. disengaged 2. detached
विरद (*virad*) *m.* laudatory sayings or poem, panegyric
विरदावली (*viradāvalī*) *f.* series of laudatory or panegyrical sayings
विरल (*viral*) *a.* rare, scarce
विरह (*virah*) *m.* separation from the loved one, parting
विरहाग्नि (*virahāgni*) *f.* agony or anguish of separation
विरहिणी (*virahiṇī*) *f.* the heroine or the beloved separated from her lover
विरही (*virahī*) *m.* the hero or the lover separated from his beloved
विराग (*virāg*) *m.* detachment
विराजना (*virājnā*) *v.i* to be seated, to take a seat
विराजमान (*virājmān*) *a.* occupying the chair, sitting
विराट् (*virāṭ*) *a.* large scale
विराम (*virām*) *m.* 1. pause (punctuation) 2. full stop 3. break
विरासत (*virāsat*) *f.* heritage
विरुद्ध (*viruddha*) *a.* against, opposed
विरूप (*virūp*) *a.* malformed
विरेचक (*virecak*) *a.* cathartic, purgative
विरोध (*virodh*) *m.* opposition
विरोधाभास (*virodhābhās*) *m.* apparent contradiction
विरोधी (*virodhī*) *a.*& *m.* opponent
विरोधी पक्ष (*virodhī pakṣa*) *m.* opposition
विलंब (*vilamb*) *m.* delay
विलक्षण (*vilakṣaṇ*) *a.* 1. wonderful 2. queer, strange
विलग (*vilag*) *a.* separate
विलय (*vilay*) *m.* dissolution

विलसित (*vilasit*) *a.* looking splendid, making merry
विलाप (*vilāp*) *m.* 1. lamentation 2. weeping sorrowfully
विलायत (*vilāyat*) *m.* 1. England 2. foreign country
विलास (*vilās*) *m.* luxury
विलासिता (*vilāsitā*) *f.* luxuriousness, indulgence in glamorous life
विलीन (*vilīn*) *a.* 1. absorbed 2. engrossed 3. merged
विलुप्त (*vilupt*) *a.* vanished, disappeared
विलोकनीय (*vilokanīya*) *a.* worth seeing or beholding, observable
विलोचन (*vilocan*) *m.* 1. eye 2. vision, sight
विलोप (*vilop*) *m.* disappearance, extinction
विलोम (*vilom*) *a.* 1. reverse, converse 2. without hair on the body
विल्व (*vilva*) *m.* wood-apple tree and its fruit
विल्वपत्र (*vilvapatra*) *m.* holy leaf of wood-apple tree
विवर (*vivar*) *m.* 1. cavity 2. hole
विवरण (*vivaraṇ*) *m.* 1. account, description 2. statement
विवरणात्मक (*vivaraṇātmak*) *a.* narrative, descriptive
विवरणिका (*vivaraṇikā*) *f.* brochure
विवर्ण (*vivarṇa*) *a.* discoloured
विवश (*vivaś*) *a.* helpless
विवसन (*vivasan*) *a.* unclothed, nude, naked
विवाद (*vivād*) *m.* 1. dispute 2. quarrel, altercation
विवादग्रस्त (*vivādgrast*) *a.* disputed
विवादास्पद (*vivādāspad*) *a.* contentious, controversial
विवाह (*vivāh*) *m.* marriage
विवाहित (*vivāhit*) *a.* married
विवाहिता (*vivāhitā*) *a.* & *f.* married woman
विविध (*vividh*) *a.* various
विविधता (*vividhatā*) *f.* variety
विवृत (*vivr̥t*) *a.* open, exposed
विवेक (*vivek*) *m.* discretion, judgement, prudence
विवेकी (*vivekī*) *a.* 1. wise 2. rational 3. prudent, discreet
विवेचन (*vivecan*) *m.* 1. judicious criticism 2. evaluation
विशद (*viśad*) *a.* elaborate, detailed
विशारद (*viśārad*) I. *m.* expert, learned II. *a.* proficient, versed in
विशाल (*viśāl*) *a.* large, big
विशिष्ट (*viśiṣṭa*) *a.* 1. special 2. specific 3. distinct 4. typical
विशिष्टाद्वैत (*viśiṣṭādvait*) *m.* qualified non-duality, a doctrine that human soul has a qualified identity with the Supreme Being
विशुद्ध (*viśuddha*) *a.* pure
विश्रृंखल (*viśr̥ṅkhal*) *a.* 1. disarrayed 2. scattered
विशेष (*veśeṣ*) *a.* special
विशेषज्ञ (*veśeṣajña*) *m.* an expert,

व

a specialist

विशेषण (*viśeṣaṇ*) *m.* adjective

विशेषता (*viśeṣtā*) *f.* speciality

विशेषाधिकार (*viśeṣādhikār*) *m.* privilege, special right

विशेषाधिकारी (*viśeṣādhikārī*) *m.* special officer

विश्रांत (*viśrānt*) *a.* 1. at ease 2. reposed 3. relaxed

विश्राम (*viśrām*) *m.* rest, repose, relaxation

विश्राम-कक्ष (*viśrām-kakṣa*) *m.* a lounge, rest room

विश्रुत (*viśrut*) *a.* famous, renowned, reputed, well-known

विश्लेषक (*viśleṣak*) *m.* analyst

विश्लेषण (*viśleṣaṇ*) *m.* analysis

विश्लेषणात्मक (*viśleṣaṇātmak*) *a.* analytical

विश्वंभर (*viśvambhar*) *m.* all-maintaining or all-supporting God

विश्व (*viśv*) *m.* 1. the world 2. universe

विश्वकर्मा (*viśvakarmā*) *m.* the architect of gods

विश्वनाथ (*viśvanāth*) *m.* the master of the universe, an eponym of God Shiva

विश्व युद्ध (*viśva yuddha*) *m.* world war

विश्वविख्यात (*viśvavikhyāt*) *a.* world famous

विश्वविद्यालय (*viśvavidyālaya*) *m.* university

विश्वव्यापी (*viśvavyāpī*) *a.* worldwide, all-pervading, omnipresent

विश्वसनीय (*viśvasanīya*) *a.* reliable, trustworthy

विश्वस्त (*viśvasta*) *a.* trustworthy, reliable

विश्वात्मा (*viśvātmā*) *m.* the universal spirit, God

विश्वास (*viśvās*) *m.* 1. faith, belief 2. trust

विश्वासघात (*viśvāsghāt*) *m.* 1. treachery, infidelity 2. betrayal

विश्वासपात्र (*viśvāspātra*) *m.* reliable, trustworthy

विष (*viṣ*) *m.* poison, venom

विषकन्या (*viṣkanyā*) *f.* a woman surcharged with poison to kill the person who embraces her or copulates with her

विषधर (*viṣdhar*) *m.* a poisonous snake

विषम (*viṣam*) *a.* 1. odd 2. uneven 3. dissimilar

विषय (*viṣay*) *m.* subject, topic

विषयनिष्ठ (*visaynisṭh*) *a.* subjective

विषयवस्तु (*viṣayvastu*) *f.* subject-matter, text, theme

विषाक्त (*viṣākta*) *a.* poisonous

विषाण (*viṣāṇ*) *m.* 1. horn (of a beast) 2. tusk (of an elephant or boar)

विषाणु (*viṣāṇu*) *m.* virus

विषाद (*viṣād*) *m.* gloom

विषुवद् रेखा (*viṣuvad rekhā*) *f.* equator, terrestrial equator

विषैला (*viṣailā*) *a.* poisonous

विष्ठा (*viṣṭhā*) *m.* faeces, stools

विष्णु (*viṣnu*) *m.* God Vishnu
विसंगत (*visaṅgat*) *a.* irrelevant
विसंगति (*visaṅgati*) *f.* irrelevance
विसर्ग (*visarga*) *m.* a colon-like symbol uttered as vocalic 'h'
विसर्जन (*visarjan*) *m.* 1. abandonment 2. disposal
विसर्जित (*visarjit*) *a.* 1. dispersed 2. disposed
विस्तार (*vistār*) *a.* expansion
विस्तारपूर्वक (*vistārpūrvak*) *adv.* 1. in detail 2. extensively 3. elaborately
विस्तीर्ण (*vistīrṇa*) *a.* /**विस्तृत** (*vistr̥t*) *a.* extended, expanded
विस्थापन (*visthāpan*) *m.* 1. displacement 2. drift 3. shift
विस्थापित (*visthāpit*) *a.* displaced
विस्फारण (*visphāraṇ*) *m.* 1. opening wide 2. spreading out 3. gaping
विस्फारित (*visphārit*) *a.* 1. opened wide 2. spread out
विस्फोट (*visphoṭ*) *m.* 1. blast, explosion, burst 2. shot
विस्फोटक (*visphoṭak*) I. *a.* explosive II. *m.* cracker
विस्मय (*vismaya*) *m.* surprise
विस्मित (*vismit*) *a.* surprised
विस्मृत (*vismr̥t*) *a.* forgotten
विस्मृति (*vismr̥ti*) *f.* forgetfulness
विहंग (*vihaṅg*) *m.* /**विहंगम** (*vihaṅgam*) *m.* bird
विहंगावलोकन (*vihaṅgāvlokan*) *m.* bird's-eye view, overview
विहग (*vihag*) *m.* bird
विहाग (*vihāg*) *m.* one of the classical modes of Indian music
विहार (*vihār*) *m.* 1. roaming or wandering about for pleasure 2. merrymaking 3. sexual enjoyment, 4. monastery
विहारी (*vihārī*) *m.* /**विहारिणी** (*vihāriṇī*) *f.* one who wanders about for pleasure
विहित (*vihit*) *m.* prescribed
विहीन (*vihin*) *suff.* & *a.* deprived of
विह्वल (*vihval*) *a.* agonisingly, perturbed, overwhelmed
वीक्षण (*vīkṣaṇ*) *m.* 1. survey 2. reconnaissance 3. observing
वीचि (*vīci*) *f.* wave, ripple
वीणा (*vīṇā*) *f.* lyre, Indian lute or harp, veena
वीणापाणि (*vīṇāpāṇi*) *m.* one who keeps a lyre in his or her hands, an eponym of goddess Saraswati
वीणावादिनी (*vīṇāvādini*) *f.* a female veena player, an eponym of goddess Saraswati
वीत (*vīt*) *pref.* finished, free
वीतराग (*vītrāg*) *a.* having overcome passion or worldly attachments
वीथि (*vīthi*) *f.* / **वीथी** (*vīthī*) *f.* 1. gallery 2. track
वीथिका (*vīthikā*) *f.* traverse
वीर (*vīr*) *m.* hero, a brave man
वीरकाव्य (*vīrkāvya*) *m.* heroic poetry
वीरगति (*vīrgati*) *f.* heroic end,

व

death in battle

वीरगाथा (*vīrgāthā*) *f.* heroic tale

वीरचक्र (*vīrcakra*) *m.* an award of heroism in war

वीरता (*vīrtā*) *f.* bravery

वीरप्रसू (*vīrprasū*) *f.* mother of a hero or warrior

वीर रस (*vīr ras*) *m.* the heroic sentiment

वीरान (*vīrān*) *a.* desolate, laid waste, ruined

वीरानी (*vīrānī*) *f.* ruin, desolation, destruction

वीरेन्द्र (*vīrendra*) *m.* the bravest of the braves

वीर्य (*vīryā*) *m.* semen

वीर्यपात (*vīryapāt*) *m.* discharge of semen

वृंत (*vr̥nt*) *m.* stalk or stem of a plant

वृंद (*vr̥nd*) *m.* 1. assembly 2. congregation

वृंदगान (*vr̥ndgān*) *m.* chorus

वृक (*vr̥k*) *m.* wolf

वृक्क (*vr̥kka*) *m.* kidney

वृक्ष (*vr̥kṣa*) *m.* tree

वृक्षारोपण (*vr̥kṣāropaṇ*) *m.* planting trees, plantation

वृत्त (*vr̥tta*) *m.* 1. circle 2. ring 3. description

वृत्तचित्र (*vr̥ttacitra*) *m.* documentary film

वृत्तांत (*vr̥ttānt*) *m.* 1. narrative 2. account 3. report 4. news

वृत्ति (*vr̥tti*) *f.* 1. profession, avocation, calling 2. livelihood

वृद्ध (*vr̥ddha*) I. *a.* old, aged, elderly II. *m.* old or aged man

वृद्धा (*vr̥ddhā*) *f.* old woman

वृद्धावस्था (*vr̥ddhāvasthā*) *f.* old age

वृद्धि (*vr̥ddhi*) *f.* 1. increase 2. increment 3. growth

वृद्धिदर (*vr̥ddhidar*) *f.* 1. rate of growth 2. rate of increase

वृश्चिक (*vr̥ścik*) *m.* scorpion

वृश्चिक राशि (*vr̥ścik rāśi*) *f.* Scorpian, the eighth sign of zodiac

वृष (*vr̥ṣ*) *m.* bull, bullock

वृष राशि (*vr̥s rāśi*) *f.* Taurus, the second sign of zodiac

वृषण (*vr̥ṣaṇ*) *m.* testis

वृषभ (*vr̥ṣabh*) *m.* bull, bullock

वृष्टि (*vr̥ṣṭi*) *f.* rain, rains

वृहत् (*vr̥hat*) *a.* /वृहद् (*vr̥had*) *a.* great, large, extensive (a treatise, volume)

वृहस्पति (*vr̥haspati*) *m.* 1. the regent of the planet Jupiter 2. the planet Jupiter

वेंकटेश्वर (*venkaṭeśvar*) *m.* an eponym of Lord Vishnu

वे (*ve*) *pron.* they, those

वेग (*veg*) *m.* 1. momentum 2. velocity

वेगवती (*vegvatī*) *f.*& *a.* /वेगवान् (*vegvān*) *m.*& *a.* 1. swift 2. forceful

वेणी (*veṇī*) *f.* (a woman's) braid of hair, braided hair

वेणु (*veṇu*) *f.* 1. bamboo 2. flute

वेणुवादन (*veṇuvādan*) *m.* flute-playing

वेतन (*vetan*) *m.* wage, salary

वेतनजीवी (*vetanjīvī*) *a.& m.* (one) subsisting on pay or wages

वेताल (*vetāl*) *m.* ghost, evil spirit

वेत्ता (*vettā*) *suff.* & *m.* an expert, one who knows

वेद (*ved*) *m.* the Vedas, religious books of Hindus Rigveda, Samveda, Yajurveda, and Atharva Veda

वेदज्ञ (*vedajña*) *m.* one conversant with the Vedas

वेदना (*vedanā*) *f.* agony, pain

वेदवाक्य (*vedvākya*) *m.* Vedic quotation

वेदविद् (*vedvid*) *m.* conversant with the Vedas

वेदव्यास (*vedvyās*) *m.* an ancient sage of vedic period

वेदांग (*vedāṅg*) *m.* the six branches of the Vedas

वेदांत (*vedānt*) *m.* philosophy of ultimate truth in the Vedas

वेदांती (*vedāntī*) *a.& m.* one well-versed in Vedant

वेदिका (*vedikā*) *f.* 1. altar 2. terrace

वेदी (*vedī*) *f.* altar

वेधन (*vedhan*) *m.* penetration

वेधशाला (*vedhśālā*) *f.* observatory (of planets and stars)

वेला (*velā*) *f.* 1. time 2. hour 3. shore, coast

वेश (*veś*) *m.* 1. dress, costume 2. guise

वेश्या (*veśyā*) *f.* prostitute

वेश्यागमन (*veśyāgaman*) *m.* (act of) prostitution

वेश्यागामी (*veśyāgāmī*) *m.* one who indulges in prostitution

वेश्यागृह (*veśyāgṛh*) *m.* /**वेश्यालय** (*veśyālaya*) *m.* brothel

वैकल्पिक (*vaikalpik*) *a.* 1. optional 2. alternative

वैकुंठ (*vaikuṇṭh*) *m.* heaven, the abode of God Vishnu

वैचारिक (*vaicārik*) *a.* 1. ideological 2. critical

वैजयंती (*vaijayantī*) *f.* 1. trophy, shield 2. banner 3. a garland of God Vishnu

वैज्ञानिक (*vaijñanik*) I. *m.* scientist II. *a.* scientific

वैदग्ध्य (*vaidagdhya*) *m.* 1. sharpness of intelligence 2. scholarship

वैदुष्य (*vaiduṣya*) *m.* scholarship, learning

वैदूर्य (*vaidūrya*) *m.* lapis lazuli, (a semi-precious stone)

वैदेही (*vaidehī*) *f.* daughter of Videh (Janak), an eponym of Sita

वैद्य (*vaidya*) *m.* Ayurvedic physician

वैध (*vaidh*) *a.* 1. legal, rightful, legitimate 2. tenable

वैधता (*vaidhtā*) *f.* validity

वैधव्य (*vaidhavya*) *m.* widowhood

वैधानिक (*vaidhānik*) *a.* constitutional

वैभव (*vaibhav*) *m.* 1. grandeur, magnificence 2. wealth

व

वैभिन्न्य (*vaibhinnya*) *m.* variety
वैयक्तिक (*vaiyaktik*) *a.* 1. personal 2. individual 3. private
वैयाकरण (*vaiyākaraṇ*) *m.* a grammarian
वैर (*vair*) *m.* hostility, animosity, enmity
वैरागी (*vairāgī*) *m.* 1. recluse 2. ascetic
वैराग्य (*vairāgya*) *m.* 1. renouncing the worldly pleasures 2. austerity
वैरी (*vairī*) *m.* enemy, hostile person, enemy
वैरूप्य (*vairūpya*) *m.* malformation, ugliness
वैवाहिक (*vaivāhik*) *a.* matrimonial, nuptial, marital, married
वैविध्य (*vaividhya*) *m.* 1. variety 2. variation
वैशाख (*vaiśākh*) *m.* the first month of Vikrami year-(April-May)
वैशाखनंदन (*vaiśākhnandan*) *m.* ass, donkey
वैशाखी (*vaiśākhī*) *f.* (festival of) new year day of Vikrami era
वैशिष्ट्य (*vaiśiṣṭya*) *m.* 1. speciality 2. distinction
वैश्य (*vaiśya*) *m.* the third main caste (of traders and landlords) in social hierarchy in traditional Hindu society
वैश्वानर (*vaiśvānar*) *m.* fire, fire-god or Agni
वैष्णव (*vaiṣṇav*) *m.* & *a.* 1. a devotee of God Vishnu 2. an orthodox Hindu
वैष्णवी (*vaisṇavī*) *f.* 1. power of Vishnu 2. Durga
वैसा (*vaisā*) *a.* like that
वैसे (*vaise*) *adv.* in that way/ manner
व्यंग्य (*vyaṅgya*) *m.* satire, irony
व्यंग्यकार (*vyaṅgyakār*) *m.* satirist, writer of satires
व्यंग्य चित्र (*vyaṅgya citra*) *m.* cartoon
व्यंग्य-वचन (*vyaṅgya vacan*) *m.* sarcastic/ ironical remarks
व्यंग्यवाण (*vyaṅgyavāṇ*) *m.* piercing, satirical remarks
व्यंग्य साहित्य (*vyaṅgya sāhitya*) *m.* satirical literature, satire
व्यंग्यात्मक (*vyaṅgyātmak*) *a.* satirical, ironical, sarcastic
व्यंग्योक्ति (*vyaṅgyokti*) *f.* ironical expression, sarcasm
व्यंजन (*vyañjan*) *m.* 1. consonant 2. expression 3. food, eatable
व्यंजना (*vyañjanā*) *f.* suggestion, suggestive meaning
व्यक्त (*vyakta*) *a.* 1. expressed, explicit 2. articulate
व्यक्ति (*vyakti*) *m.* person
व्यक्तिगत (*vyaktigat*) *a.* 1. individual 2. personal 3. private
व्यक्तित्व (*vyaktitatva*) *m.* 1. personality 2. individuality
व्यक्तिपरक (*vyaktiparak*) *a.* 1. personal 2. subjective
व्यग्र (*vyagra*) *a.* 1. perturbed, restless, concerned 2. impatient
व्यतिक्रम (*vyatikram*) *m.* 1. viola-

tion of traditional order 2. default, infraction

व्यतीत (*vytīt*) *a.* past

व्यथा (*vyathā*) *f.* agony, pain

व्यथित (*vyathit*) *a.* 1. afflicted, pained 2. aggrieved

व्यभिचार (*vyabhicār*) *m.* 1. adultery 2. fornication, 3. prostitution

व्यभिचारी (*vyabhicārī*) *m.& a.* 1. lewd (man) 2. adulterer

व्यय (*vyay*) *m.* expense, expenditure

व्ययसाध्य (*vyaysādhya*) *a.* expensive, costly

व्यर्थ (*vyartha*) *a.* 1. useless, fruitless 2. superfluous

व्यवधान (*vyavadhān*) *m.* 1. interruption, intervention 2. hindrance

व्यवसाय (*vyavasāya*) *m.* 1. business 2. profession, avocation

व्यवसायी (*vyavasāyī*) *m.* businessman

व्यवस्था (*vyavasthā*) *f.* 1. arrangement 2. set-up 3. management

व्यवस्थापक (*vyavasthāpak*) *m.* 1. manager 2. organizer

व्यवस्थापिका (*vyavasthāpikā*) *f.* legislature

व्यवहार (*vyavhār*) *m.* behaviour

व्यवहारकुशल (*vyavhārkuśal*) *a.* tactful in dealings

व्यवहृत (*vyavhṛt*) *a.* 1. practised 2. used 3. applied

व्यष्टि (*vyaṣṭi*) *m.* 1. individual 2. singular, one

व्यष्टि और समष्टि (*vyaṣṭi aur samaṣṭi*) *m.* one and whole, individual and community

व्यष्टिपरक (*vyaṣṭiparak*) *a.* individualistic

व्यसन (*vyasan*) *m.* 1. vice 2. addiction to vice

व्यसनी (*vyasanī*) *m.* 1. addict 2. addicted

व्यस्त (*vyasta*) *a.* busy, occupied

व्यस्तता (*vyastatā*) *f.* state of being busy

व्याकरण (*vyākaraṇ*) *m.* grammar

व्याकुल (*vyākul*) *m.* perturbed, restless, agitated

व्याख्या (*vyākhyā*) *f.* 1. explanation 2. elaboration

व्याख्याता (*vyākhyātā*) *m.* 1. lecturer 2. interpreter

व्याख्यान (*vyākhyān*) *m.* 1. lecture, speech 2. exposition

व्याख्यान माला (*vyākhyān mālā*) *f.* lecture series

व्याघात (*vyāghāt*) *m.* 1. interruption 2. hindrance

व्याघ्र (*vyāghra*) *m.* tiger

व्याघ्रचर्म (*vyāghracarm*) *m.* tiger skin

व्याज (*vyāj*) *m.* 1. interest (on money) 2. pretence, pretext

व्याधि (*vyādhi*) *f.* disease

व्याधिग्रस्त (*vyādhigrast*) *a.* afflicted by disease

व्यापक (*vyāpak*) *a.* 1. pervading 2. extensive, comprehensive

व्यापार (*vyāpār*) *m.* trade, business

व्यापार-चक्र (*vyāpār-cakra*) *m.* trade cycle

व्यापारिक (*vyāpārik*) *a.* trade, mercantile, business, commercial

व्यापारी (*vyāpārī*) *m.* merchant, trader, dealer

व्यापी (*vyāpī*) *a.& suff.* pervasive, permeating

व्याप्त (*vyāpt*) *a.* 1. pervaded, prevalent 2. permeated

व्याप्ति (*vyāpti*) *f.* 1. coverage 2. distribution 3. permeation

व्यामोह (*vyāmoh*) *m.* mental disorder, delusion, paranoia

व्यायाम (*vyāyām*) *m.* exercise, physical exercise

व्याल (*vyāl*) *m.* snake, serpent

व्यावसायिक (*vyāvasāyik*) *a.* occupational, professional

व्यावहारिक (*vyāvahārik*) *a.* 1. practical 2. customary

व्यास पीठ (*vyās pīṭh*) *m.* holy dais

व्याहत (*vyāhr̥t*) *a.* injured

व्युत्पत्ति (*vyutpatti*) *f.* etymology, derivation

व्यूह (*vyūh*) *m.* 1. maze 2. military array, strategic placement

व्यूह-रचना (*vyūh-racanā*) *f.* array, tactical disposition of troops

व्योम (*vyom*) *m.* sky

व्योम गंगा (*vyom gaṅgā*) *f.* the Milky Way

व्योमचारी (*vyomcārī*) *a.* /**व्योमविहारी** (*vyomvihārī*) *a.* sky-faring

व्रण (*vraṇ*) *m.* 1. wound 2. boil

व्रत (*vrat*) *m.* 1. fast 2. pledge

व्रीड़ा (*vrīṛā*) *f.* bashfulness, shyness, modesty

श

शंकर (*śaṅkar*) *a.* 1. peace-giving 2. an eponym of Lord Shiva
शंका (*śaṅkā*) *f.* doubt, suspicion, misgiving, mistrust
शंकाकुल (*śaṅkākul*) *a.* perturbed by misgivings or mistrust
शंकालु (*śaṅkālu*) *a.* suspicious
शंका समाधान (*śaṅkāsamādhān*) *m.* allaying a doubt or suspicion, removal of mistrust
शंकु (*śaṅku*) *m.* cone
शंख (*śaṅkh*) *m.* 1. conch shell 2. one thousand billion
शंखध्वनि (*śaṅkhdhvani*) *f.*/**शंखनाद** (*śaṅkhnād*) *m.* sound of a conch shell
शंखाकार (*śaṅkhākār*) *a.* conchate, conch-like
शंखिनी (*śaṅkhinī*) *f.* one of the four classes of women in Hindu sexology
शंभु (*śambhu*) I. *m.* an eponym of Lord Shiva II. *a.* peace-giving
शऊर (*śaūr*) *m.* 1. sense 2. etiquette
शक (*śak*) *m.* 1. doubt, suspicion 2. an era introduced by emperor Shalivahan in AD 78.
शकट (*śakaṭ*) *m.* cart
शकरकंद (*śakarkand*) *m.*/**शकरकंदी** (*śakarkandī*) *f.* sweet potato
शकरपारा (*śakarpārā*) *m.* a sweetmeat made from flour, oil and sugar
शकुन (*śakun*) *m.* omen
शकुनी (*śakunī*) *m.* 1. an augur 2. a character in Mahabharat (maternal uncle of Duryodhan)
शक्कर (*śakkar*) *f.* sugar
शक्ति (*śakti*) *f.* power, strength
शक्ति पूजा (*śakti pūjā*) *f.* worship of goddess of power
शक्तिशाली (*śaktiśālī*) *a.* potent, powerful
शक्र (*śakra*) *m.* an eponym of Indra, king of gods
शक्ल (*śakla*) *f.* shape, form
शख़्स (*śakhs*) *m.* person
शख़्सियत (*śakhsiyat*) *f.* 1. personality 2. individuality
शग़ल (*śagal*) *m.* 1. pastime, recreation 2. hobby
शगुन (*śagun*) *m.* augury, omen
शगूफ़ा (*śagūfā*) *m.* 1. bud 2. blossom
शठ (*śaṭh*) *a.* 1. wicked 2. knave
शत (*śat*) *m.* one hundred

श

शतक (*śatak*) *m.* century
शतदल (*śatdal*) *m.* lotus flower having a hundred petals
शत-प्रतिशत (*śat-pratiśat*) *adv.* cent percent
शतरंज (*śatrañj*) *m.* chess
शताधिक (*śatādhik*) *a.* over a hundred
शताब्दी (*śatābdī*) *f.* century
शतायु (*śatāyu*) *a.* of hundred years (of age), centenarian
शत्रु (*śatru*) *m.* enemy, foe
शत्रुघ्न (*śatrughna*) *m.* killer or destroyer of enemies
शनाख़्त (*śanākht*) *f.* recognition
शनि (*śani*) *m.* Saturn, the seventh of the nine planets
शनिवार (*śanivār*) *m.* /**शनिवासर** (*śanivāsar*) *m.* Saturday
शनिश्चर (*śaniścar*) *m.* 1. the planet Saturn 2. Saturday 3. misfortune
शनैः शनैः (*śanaiḥ śanaiḥ*) *adv.* slowly, gradually
शपथ (*śapath*) *f.* oath, swearing
शपथ-ग्रहण (*śapath-grahaṇ*) *m.* oath-taking, swearing in
शब (*śab*) *f.* night
शबनम (*śabnam*) *f.* dew
शबरी (*śabarī*) *f.* a woman of the Shabar tribe who was a devotee of God Ram
शबाब (*śabāb*) *m.* youth
शब्द (*śabd*) *m.* 1. word 2. sound
शब्दकोश (*śabdakoś*) *m.* dictionary, lexicon,
शब्दब्रह्म (*śabdabrahma*) *m.* word as supreme as Brahman/the Supreme Being
शब्दभेदी (*śabdabhedī*) *a.* hitting at the source of sound
शब्दशः (*śabdaśaḥ*) *adv.* word for word, verbatim
शब्दातीत (*śabdātīt*) *a.* beyond words, beyond expression
शब्दानुशासन (*śabdānuśāsan*) *m.* grammatical discipline
शब्दार्थ (*śabdārtha*) *a.* literal meaning
शब्दावली (*śabdāvalī*) *f.* vocabulary, terminology, glossary
शमन (*śaman*) *m.* 1. extinguishing 2. pacifying, pacification
शमशीर (*śamśīr*) *f.* sword
शमा (*śamā*) *f.* 1. candle 2. lamp
शयन (*śayan*) *m.* sleep
शय्या (*śayyā*) *f.* bedstead
शय्याग्रस्त (*śayyāgrast*) *a.* bedridden
शर (*śar*) *m.* arrow, dart
शरण (*śaraṇ*) *f.* shelter, refuge
शरणागत (*śaraṇāgat*) *a.* & *m.* /**शरणार्थी** (*śarṇārthī*) *m.* refugee, one who seeks shelter
शरत् (*śarat*) *f.*/**शरद** (*śarad*) *f.* autumn
शरशैया (*śarśaiyā*) *f.* bed (made) of arrows
शराफ़त (*śarāfat*) *f.* 1. civility 2. gentlemanliness 3. nobility
शराब (*śarāb*) *f.* wine, liquor
शराबख़ाना (*śarābkhānā*) *m.* wine house, bar
शराबी (*śarābī*) *a.*& *m.* 1. intoxi-

cated 2. addicted to wine

शरारत (*śarārat*) *f.* 1. mischief 2. wickedness 3. depravity

शरीक (*śarīk*) I. *a.* 1. united 2. included II. *m.* participant

शरीफ़ (*śarīf*) *m.* gentleman

शरीफ़ज़ादा (*śarīfzādā*) *m.*& *a.* high-born (son), a man of high family, of noble descent

शरीफ़ज़ादी (*śarīfzādī*) *a.*& *f.* a woman of noble family

शरीफ़ा (*śarīfā*) *m.* custard apple

शरीर (*śarīr*) I. *a.* mischievous II. *m.* body, physique

शरीर विज्ञान (*śarīr vijñān*) *m.* physiology

शरीर-व्यापार (*śarīrvyāpār*) *m.* prostitution

शरीर-संबंध (*śarīr-sambandh*) *m.* sexual relationship

शरीरस्थ (*śarīrastha*) *a.* located in the body

शर्करा (*śarkarā*) *f.* sugar

शर्त (*śart*) *f.* 1. condition 2. stipulation 3. term 4. provision

शर्तिया (*śartiyā*) *adv.* surely, certainly, definitely

शर्बत (*śarbat*) *m.* syrup

शर्म (*śarm*) *f.* shame

शर्मनाक (*śarmnāk*) *a.* shameful

शर्माना (*śarmānā*) *v.t.* to feel shame

शर्मीला (*śarmīlā*) *m.* /**शर्मीली** (*śarmīlī*) *f.* bashful, shy

शलगम (*śalgam*) *m.* /**शलजम** (*śaljam*) *m.* turnip

शलभ (*śalabh*) *m.* moth

शलाका (*śalākā*) *f.* 1. a thin strip of bamboo 2. ballot

शलाका-पुरुष (*śalākā-puruṣ*) *m.* divine personage

शल्य (*śalya*) I. *m.* a surgical instrument II. *a.* surgical

शल्यक्रिया (*śalyakriyā*) *f.* surgical operation

शल्य चिकित्सक (*śalya cikitsak*) *m.* surgeon

शल्य विज्ञान (*śalya vijñān*) *m.* surgery

शव (*śav*) *m.* dead body, corpse

शश (*śaś*) *m.* /**शशक** (*śaśak*) /**शशा** (*śaśā*) *m.* rabbit, hare

शशांक (*śaśāṅk*) *m.* the moon

शशिशेखर (*śaśiśekhar*) *m.* /**शशांकशेखर** (*śaśāṅkśekhar*) *m.* one who bears the moon on the crown of his head, Lord Shiva

शशि (*śaśi*) *m.* the moon

शशिकला (*śaśikalā*) *f.* a digit of the moon

शस्त्र (*śastra*) *m.* weapon, arms

शस्त्रधारी (*śastradhārī*) I. *a.* armed, equipped with arms II. *m.* warrior, soldier in active service

शस्त्रास्त्र (*śastrāstra*) *m.* weapons for striking with and throwing, arms

शहंशाह (*śahaṃśāh*) *m.* emperor

शह (*śah*) *f.* 1. encouragement 2. instigation 3. to check (the king in the game of chess)

शहज़ादा (*śahzādā*) *m.* prince

श

शहज़ादी (*śahzādī*) *f.* daughter of a king, princess

शहतीर (*śahtīr*) *m.* 1. beam 2. a big beam supporting the roof

शहतूत (*śahtūt*) *m.* mulberry tree and its fruit

शहद (*śahad*) *m.* honey

शहनाई (*śahnāī*) *f.* a kind of musical pipe, clarion

शहबाला (*śahbālā*) *m.* bridegroom's companion

शहर (*śahar*) *m.* city, town

शहादत (*śahādat*) *f.* 1. martyrdom 2. evidence, testimony

शहीद (*śahīd*) *m.* martyr

शहीद-स्मारक (*śahīd-smārak*) *m.* martyr's memorial

शांत (*śant*) *a.* 1. cool 2. placid 3. quiet, tranquil

शांति (*śānti*) *f.* peace

शांतिदूत (*śāntidūt*) *m.* messenger of peace

शांतिप्रद (*śāntiprad*) *a.* peace-giving, pacifying, tranquilizing

शाकाहार (*śākāhār*) *m.* vegetarian food or diet

शाकाहारी (*śākāhārī*) *m.* vegetarian, herbivorous

शाक्त (*śākta*) I. *a.* concerning power or energy II. *m.* worshipper of the goddess Shakti

शाखा (*śakhā*) *f.* 1. branch 2. sect 3. school of thought

शागिर्द (*śāgird*) *m.* 1. pupil 2. disciple

शागिर्दी (*śāgirdī*) *f.* 1. pupilhood 2. discipleship

शातिर (*śatir*) *a.* 1. clever 2. sly, cunning 3. vicious, vile

शादी (*śādī*) *f.* marriage

शाद्वल (*śādval*) *m.* oasis, a fertile spot in a desert

शान (*śān*) *f.* 1. dignity 2. lustre

शाप (*śāp*) *m.* curse

शापित (*śāpit*) *a.* accursed

शाबाश (*śābāś*) *interj.* well done! bravo! excellent!

शाम (*śām*) *f.* evening

शामत (*śāmat*) *f.* bad luck

शामियाना (*śāmiyānā*) *m.* pavilion, awning, canopy

शामिल (*śāmil*) *a.* including

शायद (*śāyad*) *adv.* perhaps

शायर (*śāyar*) *m.* poet

शायरी (*śāyarī*) *f.* poetic composition

शारदा (*śāradā*) *f.* Saraswati, the goddess of learning

शारदीय (*śāradīya*) *a.* autumnal

शारीरिक (*śārīrik*) *a.* bodily, physical, corporeal, somatic

शार्दूल (*śārdūl*) *m.* tiger

शाल (*śāl*) *m.* sal tree

शालग्राम (*śālgrām*) *a.* a sacred dark stone representing Lord Vishnu

शाला (*śalā*) *f.* 1. house 2. residence 3. hall

शालीन (*śālīn*) *a.* well behaved

शावक (*śāvak*) *m.* young one of a bird or animal

शाश्वत (*śāśvat*) *a.* eternal

शासक (*śasak*) *m.* ruler, king

शासकीय (*śāsakīya*) *a.* official,

governmental

शासन (*śāsan*) *m.* rule

शासन तंत्र (*śāsan tantra*) *m.* governmental machinery

शासन व्यवस्था (*śāsan vyavasthā*) *f.* system of government

शासी (*śāsī*) *a.* governing

शासी निकाय *m.* governing body

शास्ता (*śāstā*) *m.* governor, ruler

शास्त्र (*śāstra*) *m.* 1. code of laws 2. religious treatise

शास्त्रार्थ (*śāstrārtha*) *m.* discussion or debate on the Shastras

शास्त्री (*śāstrī*) *m.* scholar of Shastras, holder of a graduate degree, a learned person, a pandit

शास्त्रीय (*śāstrīya*) *a.* 1. classical 2. academic 3. scriptural

शास्त्रोक्त (*śāstrokta*) *a.* ordained by the Shastras

शाह (*śāh*) *m.* 1. king 2. king (in chess, cards) 3. a Muslim faqir

शाहज़ादा (*śāhzādā*) *m.* prince

शाहज़ादी (*śāhzādī*) *f.* princess

शाही (*śāhī*) *a.* royal, regal

शिंजिनी (*śiñjinī*) *f.* bow-string

शिकंजबी (*śikañjbī*) *f.* a drink made from lemon juice and sugar

शिकंजा (*śikañjā*) *m.* 1. pressing board 2. clamp

शिकन (*śikan*) *f.* 1. crease 2. wrinkle

शिकवा (*śikvā*) *m.* complaint

शिकस्त (*śikast*) *f.* 1. defeat 2. rout

शिकायत (*śikāyat*) *f.* grievance

शिकार (*śikār*) *m.* 1. prey, chase 2. hunting 3. animal food

शिकारा (*śikārā*) *m.* a long partly covered boat, houseboat

शिकारी (*śikārī*) *m.* hunter

शिक्षक (*śikṣak*) *m.* teacher

शिक्षाप्रद (*śikṣāprad*) *a.* 1. imparting morals 2. educative

शिक्षा मंत्री (*śikṣā mantrī*) *m.* Education Minister

शिक्षार्थी (*śikṣārthī*) *m.* 1. pupil, student 2. learner

शिक्षिका (*śikṣikā*) *f.* lady teacher

शिक्षित (*śikṣit*) *a.* educated

शिक्षु (*śikṣu*) *m.* 1. apprentice 2. learner

शिखंडी (*śikhaṇḍī*) *m.* 1. a character in the Mahabharat 2. peacock

शिखर (*śikhar*) *m.* 1. apex 2. crown, pinnacle, crest

शिखर सम्मेलन (*śikhar sammelan*) *m.* summit meeting

शिखा (*śikhā*) *f.* crest

शिगूफ़ा (*śigūfā*) *m.* 1. bud 2. blossom 3. anecdote

शिथिल (*śithil*) *a.* loose, lax

शिद्दत (*śiddat*) *f.* 1. severity 2. intensity 3. difficulty

शिनाख़्त (*śinākhat*) *f.* recognition, identification

शिया (*śiyā*) *m.* a sect of Muslims

शिर (*śir*) *m.* head

शिरकत (*śirkat*) *f.* partnership

शिरस्त्राण (*śirastrāṇ*) *m.* helmet

शिरा (*śirā*) *f.* vein, blood vessel

शिरावरोध (*śirāvarodh*) *m.* thrombosis

शा

शिरीष (*śirīṣ*) *m.* a tree bearing yellow flowers and pods
शिरोधार्य (*śirodhārya*) *a.* 1. reverentially acceptable 2. worthy of great regard and honour
शिरोबिंदु (*śirobindu*) *m.* 1. pinnacle 2. zenith
शिरोमणि (*śiromaṇi*) *m.* a jewel set in a diadem or crown
शिला (*śilā*) *f.* stone, rock
शिलान्यास (*śilānyās*) *m.* laying the foundation stone
शिलालेख (*śilālekh*) *m.* rock inscription, petroglyph
शिल्प (*śilp*) *m.* 1. craft 2. technology
शिल्पकला (*śilpakalā*) *f.* craft
शिल्पी (*śilpī*) *m.* craftsman
शिव (*śiv*) *m.* 1. the good, wellbeing 2. one of the divine trinity (Brahma, Vishnu, Mahesh/Shiva)
शिवरात्रि (*śivrātri*) *f.* a festival observed in the month of Magh for worship of Lord Shiva
शिवलिंग (*śivliṅg*) *m.* Shiva's stone phallus (which represents the God)
शिविका (*śivikā*) *f.* palanquin
शिविर (*śivir*) *m.* 1. camp 2. tent
शिशिर (*śiśir*) *m.* winter
शिशु (*śiśu*) *m.* baby, infant
शिश्न (*śiśna*) *m.* penis
शिष्ट (*śiṣṭa*) *a.* polite, gentle
शिष्टमंडल *m.* delegation
शिष्टाचार (*śistācār*) *m.* courtesy, decency, decent conduct
शिष्य (*śiṣya*) *m.* pupil, disciple
शिष्या (*śiśyā*) *f.* female pupil
शीघ्र (*śighra*) *a.* & *adv.* quickly, soon
शीघ्रता (*śīghratā*) *f.* promptness, quickness, speediness
शीघ्रपात (*śīghrapāt*) *m.* premature ejaculation of semen (in sex)
शीत (*śīt*) I. *a.* cold II. *m.* winter
शीतकाल (*śītkāl*) *m.* winter season
शीत युद्ध (*śīt yuddha*) *m.* cold war
शीतल (*śītal*) *a.* cool, cold, frigid
शीतलता (*śītaltā*) *f.* coolness
शीत लहर (*śīt lahar*) *f.* cold wave
शीतला (*śītlā*) *f.* smallpox
शीतोष्ण (*śītoṣṇa*) *a.* temperate
शीर्ण (*śīrṇa*) *a.* broken
शीर्ष (*śīrṣa*) *m.* 1. the head 2. apex 3. top, summit
शीर्षक (*śīrṣak*) *m.* caption, title, heading
शीर्षस्थ (*śīrṣastha*) I. *a.* top, leading, II. *m.* head, chief
शीर्षासन (*śīrṣāsan*) *m.* yoga exercise of standing upright on one's head
शील (*śıl*) *m.* 1. modesty 2. chastity 3. virtue
शीलभंग (*śīlbhaṅg*) *m.* outrage of modesty
शीश (*śīś*) *m.* 1. head 2. glass
शीशम (*śīśam*) *f.* a tree and its wood
शीशमहल (*śīśmahal*) *m.* a glass

house
शीशा (*śīśā*) *m.* 1. glass 2. looking glass, mirror
शीशी (*śīśī*) *f.* a small bottle
शुंड (*śuṇḍ*) *m.* the trunk of an elephant
शुक (*śuk*) *m.* parrot
शुक्र (*śukra*) *m.* 1. Friday 2. the planet Venus 3. semen
शुक्रतारा (*śukratārā*) *m.* morning star
शुक्रवार (*śukravār*) *m.* Friday
शुक्रवाहिनी (*śukravāhinī*) *f.* sperm duct
शुक्राणु (*śukrāṇu*) *m.* sperm
शुक्रिया (*śukriyā*) *m.* thank you
शुक्ल (*śukla*) *a.* white, clean
शुक्लपक्ष (*śuklapakṣa*) *m.* the light half of the month
शुचि (*śuci*) *a.* 1. pure 2. clean
शुचिता (*śucitā*) *f.* /**शुचित्व** (*śucitva*) *m.* purity
शुतुरमुर्ग (*śuturmurg*) *m.* an ostrich
शुद्ध (*śuddha*) *a.* 1. pure 2. unadulterated 3. uncorrupted
शुद्धता (*śuddhatā*) *f.* 1. cleanliness 2. rectification 3. fine
शुद्धात्मा (*śuddhātmā*) *a.* pure or clean of heart, virtuous, pious
शुद्धाद्वैतवाद (*śuddhādvaitvād*) *m.* the doctrine of non-dualistic Maya founded by Vallabhacharya (a Vaishnav saint)
शुभ (*śubh*) I. *m.* the good II. *a.* auspicious
  शुभचिंतक *m.* well-wisher
शुभाकांक्षा (*śubhākāṅkṣā*) *f.* well-wishing, good wishes
शुभेच्छु (*śubhecchu*) *a.* & *m.* well-wishing, well-wisher
शुभ्र (*śubhra*) *a.* 1. clean, spotless 2. radiant, shining
शुमार (*śumār*) *m.* 1. counting 2. regard, estimation, account
शुमारी (*śumārī*) *f.* counting
शुरुआत (*śuruāt*) *f.* 1. beginning 2. initiation
शुल्क (*śulka*) *m.* 1. fee 2. duty
शुश्रूषा (*śuśrūṣā*) *f.* nursing
शुष्क (*śuṣka*) *a.* 1. dry 2. arid
शुष्कता (*śuṣkatā*) *f.* dryness
शूकर (*śūkar*) *m.* boar, hog, pig
शूद्र (*śūdra*) *m.* Shudra, Dalit, member of the fourth class in Hindu social hierarchy
शून्य (*śūnya*) I. *a.* void, vacant II. *m.* cipher, zero, vacuum
  शून्य काल *m.* zero hour
शूर (*śūr*) *a.* brave, valiant
शूल (*śūl*) *m.* prong, spear
शूलपाणि (*śūlpāṇi*) *m.* one who holds a trident, an epithet of Lord Shiva
शृंखला (*śr̥ṅkhalā*) *f.* 1. chain 2. belt 3. series
शृंग (*śr̥ṅg*) *m.* 1. horn 2. antler
शृंगार (*śr̥ṅgār*) *m.* 1. erotic sentiment 2. adornment especially of a woman
शृगाल (*śr̥gāl*) *m.* jackal
शेख़ी (*śekhī*) *f.* boasting
शेर (*śer*) *m.* 1. tiger, lion 2. an Urdu couplet

शेरवानी (*śervānī*) *f.* a long tight-fitting coat worn over pyjamas
शेष (*śeṣ*) I. *a.* remaining II. *m.* balance
शेषनाग (*śeṣnāg*) *m.* name of a mythological serpent
शेषशायी (*śeṣśāyī*) *m.* an eponym of Lord Vishnu
शैतान (*śaitān*) *m.* Satan, devil
शैतानी (*śaitānī*) *f.* naughtiness
शैथिल्य (*śaithilya*) *m.* 1. relaxation, laxity 2. unsteadiness
शैदा (*śaidā*) *a.* 1. maddened with love 2. love-crazy
शैदाई (*śaidāī*) *m.* lover
शैल (*śail*) *m.* 1. rock 2. hill, mountain
शैलचित्र (*śailcitra*) *m.* rock-painting, petroglyph
शैलराज (*śailrāj*) *m.* the lord of mountains, the Himalayas
शैली (*śailī*) *f.* 1. style 2. diction
शैलेंद्र (*śaileṁdra*) *m.* lord of the mountains, the Himalayas
शैव (*śaiv*) I. *a.* of or related to Shiva or Shaivism II. *m.* a devotee of Lord Shiva
शैवाल (*śaivāl*) *m.* moss, algae
शैशव (*śaiśav*) *m.* babyhood, childhood
शोक (*śok*) *m.* sorrow, grief
शोक सभा (*śok sabhā*) *f.* condolence meeting
शोख़ (*śokh*) *a.* 1. (of colour) bright 2. (of person) shameless
शोच (*śoc*) *m.* anxiety, concern
शोचनीय (*śocanīya*) *a.* causing concern or anxiety
शोणित (*śoṇit*) I. *m.* blood II. *a.* red, bloody
शोध (*śodh*) *f.* 1. research 2. purification
शोध-पत्रिका (*śodh-patrikā*) *f.* research journal
शोध-प्रबंध (*śodh-prabandh*) *m.* a research thesis, dissertation
शोभन (*śobhan*) *a.* graceful
शोभा (*śobhā*) *f.* beauty, grace
शोभायात्रा (*śobhāyātrā*) *f.* pageant, procession
शोभायमान् (*śobhāymān*) *a.* 1. beautiful 2. looking graceful
शोर (*śor*) *m.* noise, outcry
शोरगुल (*śorgul*) *m.* uproar, din
शोरबा (*śorbā*) *m.* 1. soup 2. broth
शोरा (*śorā*) *m.* nitre, saltpetre
शोला (*śolā*) *m.* flame, blaze
शोषक (*śoṣak*) I. *m.* 1. drier 2. exploiter II. *a.* absorbent
शोषण (*śoṣaṇ*) *m.* exploitation
शोषित (*śoṣit*) *a.* exploited
शोहदा (*śohdā*) *m.* 1. debauchee 2. scoundrel
शोहरत (*śohrat*) *f.* repute, reputation, fame, celebrity
शौक़ (*śauq*) *m.* 1. taste 2. interest 3. ardour 4. fondness
शौक़ीन (*śauqīn*) *a.* fond of artistic or fine things
शौच (*śauc*) *m.* 1. purification 2. rituals observed after cremation 3. defecation

शौचालय (*śaucālaya*) *m.* latrine, toilet, lavatory
शौर्य (*śaurya*) *m.* bravery
शौहर (*śauhar*) *m.* husband
श्मशान (*śmaśān*) *m.* cremation ground, burning ghat
श्मश्रु (*śmaśru*) *m.* beard and moustache, (commonly) moustache
श्याम (*śyām*) I. *a.* dark, dark blue, black II. *m.* an eponym of Lord Krishna
  श्यामपट्ट *m.* blackboard
  श्यामसुंदर *m.* an eponym of Lord Krishna
श्रद्धांजलि (*śraddhāñjali*) *f.* tribute, homage
श्रद्धा (*śraddhā*) *f.* devotion
श्रद्धालु (*śraddhālu*) *a.* /**श्रद्धावान्** (*śraddhāvān*) *a.* devoted
श्रम (*śram*) *m.* labour, toil
श्रमण (*śramaṇ*) *m.* & *a.* Buddhist monk
श्रम मंत्री (*śram mantrī*) *m.* Labour Minister
श्रमसाध्य (*śramsādhya*) *a.* arduous, strenuous
श्रवण (*śravaṇ*) *m.* hearing
श्रवणगोचर (*śravaṇgocar*) *a.* audible
श्रवणेंद्रिय (*śravaṇeṁdriya*) *f.* auditory sense/organ, ear
श्रव्य (*śravya*) *a.* audible
श्रांत (*śrānt*) *a.* tired, fatigued
श्रांति (*śrānti*) *f.* tiredness
श्राद्ध (*śrāddha*) *m.* annual offering in the name of deceased relatives made to Brahmins
श्राप (*śrāp*) *m.* curse
श्रावण (*śrāvaṇ*) *m.* the fifth month of Vikrami calendar
श्रावणी (*śrāvaṇī*) *f.* a Hindu festival
श्री (*śrī*) *f.* 1. Lakshmi, the goddess of wealth and prosperity 2. an honorific prefix to a name (of male deity, man, sacred place)
श्रीकांत (*śrīkānt*) *f.* husband of Lakshmi (God Vishnu)
श्रीखंड (*śrīkhaṇḍ*) *m.* a preparation of curd and sugar
श्रीगणेश (*śrīgaṇeś*) *m.* the elephant-faced god, son of Shiva and god of wisdom
श्रीधर (*śrīdhar*) *m.* an eponym of Lord Vishnu
श्रीमती (*śrīmatī*) *f.* prosperous lady, wife, Mrs.
श्रीमान् (*śrīmān*) *a.* prosperous, wealthy, Sir
श्रुत (*śrut*) *a.* heard, gained or received through ears
श्रुति (*śruti*) *f.* 1. revelation 2. the Vedas 3. hearing
श्रेणी (*śreṇī*) *f.* 1. class 2. category 3. grade
श्रेणीबद्ध (*śreṇībaddha*) *a.* categorized
श्रेय (*śreya*) *m.* credit
श्रेयस्कर (*śreyaskar*) *a.* auspicious, meritorious
श्रेष्ठ (*śreṣṭha*) *a.* best, excellent
श्रेष्ठी (*śreṣṭhī*) *m.* a very wealthy

श

man or merchant
श्रोता (*śrotā*) *m.* a listener, audience
श्लथ (*ślath*) *a.* loose, slack
श्लोक (*ślok*) *m.* 1. Sanskrit couplet 2. hymn
श्वसुर (*śvasur*) *m.* father-in-law
श्वान (*śvān*) *m.* dog
श्वास (*śvās*) *m.* breath
श्वेत (*śveṭ*) *a.* white
श्वेतपत्र *m.* white paper, a government report on a particular issue
श्वेतांबर (*śvetāmbar*) *m.* one who dons white, one of the two Jain sects who wear white garments

ष

षट् (*ṣaṭ*) *a.* & *m.* six

षट्क (*ṣaṭak*) *m.* the six parts of the Vedas

षट्चक्र (*ṣaṭcakra*) *m.* six coils of veins or chakras in the human body

षडानन (*ṣaḍānan*) *m.* one having six faces (Kartikeya), the god of war

षड्दर्शन (*ṣaḍdarśan*) *m.* the six schools of Indian philosophy

षड्यंत्र (*ṣaḍyantra*) *m.* intrigue, conspiracy, plot

षष्टि (*ṣaṣṭi*) *a.* & *m.* sixty

षष्टिपूर्ति (*ṣaṣṭipūrti*) *f.* sixtieth birthday

षष्ठ (*ṣaṣṭha*) *a.* sixth

षष्ठी (*ṣaṣṭhī*) *f.* 1. the sixth day of a fortnight 2. the sixth day after a child's birth 3. *(gram.)* the sixth or genitive case

षोडश (*ṣoḍaś*) *a.* & *m.* sixteen

षोडशी (*ṣoḍaśī*) *f.* a girl of sixteen years, a girl in the prime of youth

षोडशोपचार (*ṣoḍaśopcār*) *m.* worship done in sixteen stages

स

स

संकट (*saṅkaṭ*) *m.* 1. crisis, catastrophe 2. emergency
संकटावस्था (*saṅkaṭāvasthā*) *f.* state of emergency
संकर्षण (*saṅkarṣaṇ*) *m.* 1. drawing 2. pulling 3. subrogation
संकलन (*saṅkalan*) *m.* 1. collection 2. compilation
संकलित (*saṅkalit*) *a.* collected
संकल्प (*saṅkalp*) *m.* resolution
संकल्पना (*saṅkalpanā*) *f.* concept, notion
संकल्प शक्ति (*saṅkalp śakti*) *f.* will power
संकाय (*saṅkāya*) *m.* (of a university) faculty
संकीर्ण (*saṅkīrṇa*) *a.* narrow
संकीर्तन (*saṅkīrtan*) *m.* 1. congregational singing 2. devotional songs
संकुचित (*saṅkucit*) *a.* 1. narrow 2. closed 3. limited
संकुल (*saṅkul*) *a.* 1. agglomerate 2. crowded, congested
संकेत (*saṅket*) *m.* signal
संकेतित (*saṅketit*) *a.* hinted
संकोच (*saṅkoc*) *m.* 1. hesitation, hitch 2. shyness
संकोची (*saṅkocī*) *a.* hesitant
संक्रमण (*saṅkramaṇ*) *m.* 1. transition 2. transgression
संक्रमण-काल (*saṅkramaṇ kāl*) *m.* transitional period
संक्रांति (*saṅkrānti*) *f.* 1. crisis 2. transition 3. transition of planets or sun (especially the sun)
संक्रामक (*saṅkrāmak*) *a.* infectious, contagious
संक्षिप्त (*saṅkṣipta*) *a.* 1. concise 2. brief, short
संक्षेप (*saṅkṣep*) *m.* summary
संक्षेपण (*saṅkṣepaṇ*) *m.* precis-writing
संख्या (*saṅkhyā*) *f.* number, digit
संग (*saṅg*) *m.* 1. company 2.with, along with
संगठन (*saṅgaṭhan*) *m.* organization
संगणक (*saṅgaṇak*) *m.*1. calculator 2. computer
संगणना (*saṅgaṇanā*) *f.* numbering, calculation
संगत (*saṅgat*) *f.* company
संगति (*saṅgati*) *f.* 1. company 2 consonance
संगम (*saṅgam*) *m.* 1. confluence 2. sexual intercourse
संगमरमर (*saṅgmarmar*) *m.* marble

(stone)

संगिनी (*saṅginī*) *f.* 1. female companion 2. life companion, wife

संगीत (*saṅgīt*) *m.* music

संगीन (*saṅgīn*) I. *f.* bayonet II. *a.* 1. made of stone, stony 2. critical, serious

संगृहीत (*saṅgr̥hīt*) *a.* collected

संगोष्ठी (*saṅgoṣṭhī*) *f.* seminar

संग्रह (*saṅgrah*) *m.* collection

संग्रहालय (*saṅgrahālaya*) *m.* museum

संग्राम (*saṅgrām*) *m.* battle, war

संघ (*saṅgh*) *m.* 1. association, federation 2. union

संघटन (*saṅghaṭan*) *m.* 1. composition 2. organization

संघटित (*saṅghaṭit*) *a.* 1. well-formed 2. constituted

संघर्ष (*saṅgharṣ*) *m.* conflict

संघर्षरत (*saṅgharśrat*) *a.* engaged in struggles

संघात (*saṅghāt*) *m.* blow, stroke

संघाराम (*saṅghārām*) *m.* Buddhist monastery

संघीय (*saṅghīya*) *a.* federal

संचय (*sañcay*) *m.* accumulation, collection

संचरण (*sañcaraṇ*) *m.* 1. transmission 2. movement

संचार (*sañcār*) *m.* 1. communication 2. movement of a body

संचारमंत्री (*sañcārmantrī*) *m.* minister of communications

संचार-साधन (*sañcār-sādhan*) *m.* means of communication

संचालक (*sañcālak*) *m.* 1. conductor 2. director

संचालन (*sañcālan*) *m.* 1. transaction 2. conduction (as of meeting) 3. direction

संचालन-मंडल (*sañcālan maṇḍal*) *m.* board of control

संचालित (*sañcālit*) *a.* directed

संचित (*sañcit*) *a.* collected

संजीदगी (*sañjīdġī*) *f.* 1. seriousness 2. solemnity

संजीवनी (*sañjīvanī*) I. *a.*& *f.* life-giving II. *f.* elixir

संजीवनी बूटी (*sañjīvanī būṭī*) *f. a* a life-giving herb

संज्ञा (*sañjñā*) *f.* 1. consciousness, senses 2. name, noun *(gram.)*

संज्ञान (*sañjñān*) *m.* cognition, cognizance

संज्ञाशून्य (*sañjñāśūnya*) *a.* unconscious, senseless

संज्ञाहीन (*sañjñāhīn*) *a.* unconscious, senseless

सँड़सी (*saṁṛsī*) *f.* small pincers

संडास (*saṇḍās*) *m.* toilet

संत (*sant*) I. *m.* saint II. *a.* saintly

संतति (*santatī*) *f.* offspring

संतप्त (*santapta*) *a.* grieved

संतरा (*santarā*) *m.* orange (fruit)

संतरी (*santarī*) *m.* watchman

संतान (*santān*) *f.* progeny, offspring, issue, children

संतान-निग्रह (*santān-nigrah*) *m.* /**संतान-निरोध** (*santān-nirodh*) *m.* family planning, birth control

संतुलन (*santulan*) *m.* balance

संतुष्ट (*santuṣṭa*) *a.* satisfied,

स

gratified, content

संतुष्टि (*santuṣṭi*) *f.* /**संतोष** (*santoṣ*) *m.* satisfaction

संतोषी (*santoṣī*) *a.& m.* satisfied or contented

संत्रस्त (*santrast*) *a.* 1. horrified, terrorised 2. tormented

संत्रास (*santrās*) *m.* 1. torture 2. horror, terror

संदर्भ (*sandarbh*) *m.* reference

संदर्भग्रंथ (*sandarbha granth*) *m.* reference book

संदिग्ध (*sandigdh*) *a.* doubtful

संदूक (*sandūk*) *m.* box

संदूक़ची (*sandūqacī*) *f.* /**संदूक़ड़ी** (*sandūqṛī*) *f.* a small box

संदेश (*sandeś*) *m.* message

संदेह (*sandeh*) *m.* doubt

संदेहजनक (*sandehjanak*) *a.* doubtful, arousing suspicion

संदेहास्पद (*sandehāspad*) *a.* doubtful, dubious

संधान (*sandhān*) *m.* 1. aiming (at) 2. searching

संधि (*sandhi*) *f.* 1. treaty (peace), conjunction

संधिवार्ता (*sandhivārtā*) *f.* negotiation for peace

संध्या (*sandhyā*) *f.* 1. evening 2. evening prayer

संध्योपासना (*sandhyopāsnā*) *f.* meditation and prayers

संन्यस्त (*sannyasta*) *a.* renounced

संन्यास (*sannyās*) *m.* renunciation, abandonment of worldly affairs

संन्यासिन (*sannyasin*) *f.* female ascetic

संन्यासी (*sannyāsī*) *m.* ascetic, anchorite, monk

संपत्ति (*sampatti*) *f.* property

संपत्ति-कर (*sampatti-kar*) *m.* property tax

संपदा (*sampadā*) *f.* 1. wealth, riches 2. estate

संपन्न (*sampann*) *a.* rich

संपर्क (*sampark*) *m.* contact

संपादक (*sampādak*) *m.* editor

संपादकीय (*sampādkīy*) *a.& m.* editorial

संपादन (*sampādan*) *m.* editing

संपादित (*sampādit*) *a.* edited

संपुट (*samputṭ*) *m.* 1. hollow of joined palms 2. hollow of a container

संपुष्ट (*sampuṣt*) *a.* confirmed, corroborated

संपुष्टि (*sampuṣti*) *f.* confirmation, corroboration

संपूर्ण (*sampūrṇ*) *a.* 1. whole 2. lump sum

संपृक्त (*saṁpr̥kta*) *a.* 1. linked 2. contacted

सँपेरा (*saṁperā*) *m.* snake-charmer

सँपोला (*saṁpolā*) *m.* 1. young of a snake 2. a water snake

संप्रति (*sampratī*) *adv.* at present, at this time, now

संप्रदाय (*sampradāy*) *m.* 1. community 2. religious sect

संप्रदाय-निरपेक्ष (*sampradāy nirapekṣ*) *a.* non-sectarian, secular

संप्रभु (*samprabhu*) *a.*& *m.* sovereign
संप्रभुता (*samprabhutā*) *f.* sovereignty
संप्रेषण (*sampreṣaṇ*) *m.* communication
संबंध (*sambandh*) *m.* relation
संबंधित (*sambandhit*) *a.* 1. related, connected 2. affiliated
संबंधी (*sambandhī*) *a.*& *suff.* meaning, pertaining to, in connection with, relating to
संबद्ध (*sambaddh*) *a.* affiliated
संबल (*sambal*) *m.* support
संबोधन (*sambodhan*) *m.* 1. calling aloud 2. address, salutation
सँभलना (*saṁbhalnā*) *v.i.* to recover from a fall
संभव (*sambhav*) *a.* possible
संभवतः (*sambhavtaḥ*) *adv.* possibly, perhaps
सँभाल (*saṁbhāl*) *f.* caretaking
सँभालना (*saṁbhālnā*) *v.t.* 1. to hold up 2. to support
संभावना (*sambhāvanā*) *f.* possibility, likelihood, probability
संभावित (*sambhāvit*) *a.* probable
संभोग (*sambhog*) *m.* coitus, sexual enjoyment
संभ्रांत (*sambhrānt*) *a.* 1. confused 2. honoured
संयंत्र (*saṃyantra*) *m.* plant, machinery and fixtures
संयत (*saṃyat*) *a.* 1. controlled, restrained 2. disciplined
संयम (*saṃyam*) *m.* control
संयमित (*saṃyamit*) *a.* disciplined
संयमी (*saṃyamī*) *a.* abstemious, temperate
संयुक्त (*saṃyukta*) *m.* 1. united 2. joint 3. clubbed
संयोग (*saṃyog*) *m.* chance
संयोगवश (*saṃyogvaś*) *adv.* by chance, by coincidence
संरक्षक (*saṃrakṣak*) I. *m.* guardian II. *a.* protective, guarding
संरक्षण (*saṃrakṣaṇ*) *m.* 1. protection 2.guardianship
संरचना (*saṃracnā*) *f.* 1. structure 2. form 3. composition
संलग्न (*saṃlagn*) *a.* attached
संवत् (*saṃvat*) *m.* 1. year 2. era (as Vikrami Samvat)
संवत्सर (*saṃvatsar*) *m.* year
सँवरना (*saṁvarnā*) *v.i.* 1. to beautify, 2. to be improved
सँवरिया (*saṁvariyā*) *m.* lover, husband, an eponym of Lord Krishna
संवर्धन (*saṃvardhan*) *m.* 1. promotion 2. nourishment
संवहन (*saṃvahan*) *m.* 1. carrying 2. bearing
संवातन (*saṃvātan*) *m.* ventilation
संवाद (*saṃvād*) *m.* dialogue
संवाददाता (*saṃvaddātā*) *m.* correspondent, news reporter
संवाहक (*saṃvāhak*) I. *m.* conductor II. *a.* conductive
संविदा (*saṃvidā*) *f.* contract
संविधान (*saṃvidhān*) *m.* constitution
संविधान-सभा (*saṃvidhān-sabhā*) *f.* constituent assembly

स

संवृद्ध (*saṃvr̥ddha*) *a.* 1. enriched 2. grown 3. enlarged
संवृद्धि (*saṃvr̥ddhi*) *f.* 1. growth 2. enrichment 3. development
संवेदन शक्ति (*saṃvedan śakti*) *f.* sensitivity
संवेदनशील (*saṃvedanśīl*) *a.* 1. sensitive 2. sensible
संवेदना (*saṃvedanā*) *f.* 1. sensitivity 2. feeling 3. sympathy
संवैधानिक (*saṃvaidhānik*) *a.* constitutional
संशय (*saṃśay*) *m.* doubt
संशयात्मक (*saṃśayātmak*) *a.* doubtful
संशोधक (*saṃśodhak*) I. *m.* 1. rectifier, purifier 2. corrector, modifier II. *a.* corrective
संशोधन (*saṃśodhan*) *m.* 1. correction, modification 2. amendment 3. purification
संशोधित (*saṃśodhit*) *a.* 1. corrected, modified 2. amended
संसत्सदस्य (*saṃsatsadasya*) *m.* member of parliament (M.P.)
संसद् (*saṃsad*) *f.* parliament
संसदीय (*saṃsadīy*) *a.* parliamentary
संसर्ग (*saṃsarg*) *m.* contact
संसाधन (*saṃsādhan*) *m.* resources
संसार (*saṃsār*) *m.* the world
संस्करण (*saṃskaraṇ*) *m.* edition
संस्कार (*saṃskār*) *m.* 1. ceremony, rite 2. sacrament
संस्कारहीन (*saṃskārhīn*) *a.* uncultured, ill-reared
संस्कारी (*saṃskārī*) *a.* cultured, having good breeding
संस्कृत (*saṃskr̥t*) I. *f.* the Sanskrit language II. *a.* purified
संस्कृति (*saṃskr̥ti*) *f.* culture
संस्तुति (*saṃstuti*) *f.* recommendation
संस्था (*saṃsthā*) *f.* 1. institution 2. concern 3. organization
संस्थागत (*saṃsthāgat*) *a.* 1. institutional 2. organizational
संस्थान (*saṃsthān*) *m.* institute
संस्थापक (*saṃsthāpak*) *m.* founder
संस्पर्श (*saṃspars*) *m.* 1. touch 2. contact
संस्मरण (*saṃsmaraṇ*) *m.* memoirs
संस्मारक (*saṃsmārak*) *m.* memorial
संहार (*saṃhār*) *m.* annihilation
संहिता (*saṃhitā*) *f.* 1. code 2. juncture
सइयाँ (*saiyāṁ*) *m.* lover, husband
सईस (*saīs*) *m.* groom
सकना (*saknā*) *v.i.* 1. to be able 2. to do or deal with
सकर्मक (*sakarmak*) *a.* transitive
सकर्मक क्रिया *f.* transitive verb
सकल (*sakal*) *a.* 1. gross, allround, total 2. all, whole, entire
सकाम (*sakām*) *a.* desirous
सक्रिय (*sakriy*) *a.* 1. active 2. live
सक्षम (*sakṣam*) *a.* capable
सखा (*sakhā*) *m.* intimate friend
सख़ावत (*sak͟hāvat*) *f.* liberality,

generosity

सखी (*sakhī*) *f.* female friend

सख़्त (*sak͟hta*) *a.* 1. hard 2. stiff

सख्य (*sakhya*) *m.* friendship

सगा (*sagā*) *a.* /**सगी** (*sagī*) *a.* born of the same parents, kin

सगुण (*saguṇ*) *a.* possessed of attributes, endowed with qualities

सगोत्र (*sagotra*) *m.* & *a.* of the same caste, relative, kin

सघन (*saghan*) *a.* 1. dense 2. thick

सघनता (*saghantā*) *f.* density

सच (*sac*) I. *m.* truth II. *a.* genuine III. *adv.* really

सचमुच (*sacmuc*) *adv.* true, truly

सचल (*sacal*) *a.* moving

सचित्र (*sacitra*) *a.* 1. pictorial 2. illustrated

सचिव (*saciv*) *m.* secretary

सचिवालय (*sacivālaya*) *m.* secretariat

सचेत (*sacet*) *a.* vigilant, alert

सचेतक (*sacetak*) *m.* whip (in a legislature)

सचेतन (*sacetan*) *a.* conscious, aware

सचेष्ट (*saceṣṭ*) *a.* active, alert

सच्चरित्र (*saccaritra*) *a.* 1. of good moral character 2. chaste

सच्चा (*saccā*) *a.* /**सच्ची** (*sacchī*) *a.* 1. true, truthful 2. genuine 3. sincere 4. faithful

सच्चाई (*saccāī*) *f.* 1. truth 2. reality 3. fact 4. honesty

सच्चिदानंद (*saccidānad*) *m.* personification of truth (सत्), consciousness (चित्) and happiness (आनंद), God

सजग (*sajag*) *a.* 1. vigilant 2. alert

सजना (*sajnā*) *v.i.* to be decorated or adorned

सजनी (*sajnī*) *f.* female friend

सज़ा (*sazā*) *f.* punishment

सजातीय (*sajātīy*) *a.* 1. cogent, harmonious 2. cognate

सजाना (*sajānā*) *v.t.* 1. to decorate 2. to adorn

सजिल्द (*sajild*) *a.* with binding (as of a book)

सजीव (*sajīv*) *a.* 1. living 2. animate 3. vivacious

सज्जन (*sajjan*) *m.* 1. good person 2. gentleman

सटकना (*saṭaknā*) *v.t.* to slip away, to make good one's escape

सटकाना (*saṭkānā*) *v.t.* to beat with a stick

सटना (*saṭnā*) *v.t.* to be close

सटाना (*saṭānā*) *v.t.* to bring closer

सटीक (*saṭīk*) *a.* to the point

सटोरिया (*saṭoriyā*) *m.* speculator

सट्टा (*saṭṭā*) *m.* 1. speculation 2. commercial transaction

सड़क (*saṛak*) *f.* 1. road 2. street

सड़न (*saṛan*) *f.* putrefaction

सड़ना (*saṛnā*) *v.i.* to rot

सतत (*satat*) I. *a.* continual, continuous II. *adv.* always, ever

सतपदी (*satpadī*) *f.* the seven sacred steps in a Hindu marriage ceremony

सतर्क (*satarka*) *a.* cautious, alert

सतर्कता (*satarkatā*) *f.* vigilance, alertness, carefulness

सतवाँसा (*satvāṁsā*) *a.* child born in the seventh month of pregnancy

सतह (*satah*) *f.* surface

सतहत्तर (*sathattar*) *m.* & *a.* seventy-seven

सतही (*satahī*) *a.* 1. superficial 2. flat

सताना (*satānā*) *v.t.* 1. to vex 2. to tease

सती (*satī*) *f.* 1. a faithful and chaste woman 2. a widow who burns herself along with her husband's body

सतुआ (*satuā*) *m.* powder of parched grain

संतोगुण (*satoguṇ*) *m.* quality of purity and austerity

सत् (*sat*) I. *a.* 1. good 2. true II. *m.* good character

सत्कार (*satkār*) *m.* 1. courteous welcome 2. hospitality

सत्तर (*sattar*) *m.* & *a.* seventy

सत्तरह (*sattarah*) *m.* & *a.* seventeen

सत्ता (*sattā*) *f.* 1. power, authority, sway 2. existence

सत्ताईस (*sattāīs*) *m.* & *a.* twenty-seven

सत्ताधारी (*sattādhārī*) *m.* authority, man in power

सत्तानवे (*sattānve*) *m.* & *a.* ninety-seven

सत्ता-पक्ष (*sattā-pakṣa*) *m.* ruling party, party in power

सत्तावन (*sattāvan*) *a.* fifty-seven

सत्तासी (*sattāsī*) *a.* eighty-seven

सत्त्वगुण (*sattvaguṇ*) *m.* quality of purity and austerity

सत्पात्र (*satpātra*) *m.* deserving person, worthy recipient

सत्पुत्र (*satputra*) *m.* good and obedient son

सत्पुरुष (*satpurus*) *m.* 1. good and truthful person 2 God

सत्यता (*satyatā*) *f.* truth reality

सत्यनिष्ठ (*satyanistha*) *a.* dedicated to truth

सत्यनिष्ठा (*satyaniṣṭhā*) *f.* 1. integrity 2. solemnity

सत्ययुग (*satyayug*) *m.* the golden period of Indian culture

सत्यवादिता (*satyavāditā*) *f.* truthfulness in word

सत्यवादी (*satyavādī*) *a.* & *m.* truthful person

सत्याग्रह (*satyāgrah*) *m.* 1. insistence on truthfulness in speech, action and thought 2. movement started by Mahatma Gandhi

सत्यानाश (*satyānāś*) *m.* complete ruin

सत्यापक (*satyāpak*) *m.* verifier

सत्यापन (*satyāpan*) *m.* verification, attestation

सत्यापित (*satyāpit*) *a.* verified

सत्र (*satra*) *m.* session

सत्रन्यायालय (*satranyāyālay*) *m.* sessions court

सत्रह (*satrah*) *m.* & *a.* seventeen

सत्वर (*satvar*) *adv.* quickly, fast

सत्संग (*satsang*) *m.* religious congregation
सदन (*sadan*) *m.* 1. house of legislature 2. house, chamber
सदमा (*sadmā*) *m.* 1. shock 2. blow
सदर (*sadar*) I. *a.* 1. head 2. main II. *m.* president, chairman
सदस्य (*sadasya*) *m.* member
सदस्यता (*sadasyatā*) *m.* membership
सदा (*sadā*) I. *adv.* always, ever II. *f.* 1. voice 2. sound
सदाक़त (*sadāqat*) *f.* 1. truth 2. sincerity
सदाचरण (*sadācaraṇ*) *m.* good moral conduct
सदाचार (*sadācār*) *m.* good conduct, virtuous conduct
सदाचारी (*sadācārī*) *m.* virtuous person
सदाबहार (*sadābahār*) *a.* 1. evergreen 2. perennial
सदाशिव (*sadāśiv*) *m.* one ever doing good, an eponym of God Shiv
सदी (*sadī*) *f.* century
सदुक्ति (*sadukti*) *f.* a good saying
सदुपदेश (*sadupadeś*) *m.* good advice/counsel
सदुपयोग (*sadupayog*) *m.* good or proper use
सदृश (*sadṛś*) *a.* like, alike
सदेह (*sadeh*) *a.* with the body
सदैव (*sadaiv*) *adv.* ever, always
सद्गुण (*sadguṇ*) *m.* good qualities, merits
सद्भावना (*sadbhāvnā*) *f.* kindly feeling
सद्यः (*sadyaḥ*) I. *a.* 1. fresh 2. new II. *adv.* recently, newly
सद्यःप्रसूत (*sadyaḥprasūt*) *a.* 1. just born 2. newborn
सधवा (*sadhvā*) *f.* a woman whose husband is alive
सन (*san*) *f.* a kind of jute, hemp
सनक (*sanak*) *f.* 1. craze 2. fancy
सनकी (*sanakī*) *a.* 1. crazy 2. crank
सनद (*sanad*) *f.* certificate
सनम (*sanam*) *m.* 1. lover 2. idol 3. statue 4. beloved
सनसनी (*sansanī*) *f.* 1. sensation 2. excitement, desolate state
सनातन (*sanātan*) *a.* eternal
  सनातन धर्म *m.* (a) eternal religion (b) (commonly) religion conforming to the teachings of Puranas
सनातनी (*sanātanī*) I. *m.* one who follows the eternal religion II. *a.* eternal, ancient
सनीचर (*sanīcar*) *m.* 1. Saturn 2. Saturday
सन् (*san*) *m.* year, era
  सन् ईस्वी Christian era
सन्न (*sann*) *a.* stunned, stupefied, flabbergasted
सन्नद्ध (*sannaddh*) *a.* ready
सन्नाटा (*sannāṭā*) *m.* silence
सन्निकट (*sannikaṭ*) *a.* nearby
सन्निपात (*sannipāt*) *m.* disorder of the three humours in the body
सन्निहित (*sannihit*) *a.* 1. implied 2.

स

laid within

सन्मार्ग (*sanmārga*) *m.* the right path, path of virtue

सन्मुख (*sanmukh*) *a.* 1. in front of 2. facing

सपत्नी (*sapatni*) *f.* co-wife

सपना (*sapnā*) *m.* dream

सपरिवार (*saparivār*) *a.* with family

सपाट (*sapāṭ*) *a.* 1. flat 2. smooth

सपूत (*sapūt*) *m.* worthy son

सपेरा (*saperā*) *m.* snake-charmer

सप्तक (*saptak*) *m.* octave, the seven notes (in music), gamut

सप्तम (*saptam*) *a.* seventh

सप्तमी (*saptamī*) *f.* the seventh day of lunar fortnight

सप्तर्षि (*saptarṣi*) *m.* the seven stars (supposed to represent seven great sages) of the constellation Great Bear

सप्तशती (*saptaśatī*) *f.* a group or total of seven hundred (especially verses)

सफ़र (*safar*) *m.* journey, travel

सफ़री (*safarī*) I. *m.* traveller II. *a.* a species of fish

सफल (*saphal*) *a.* 1. successful 2. fruit-bearing

सफलीभूत (*saphalībhūt*) *a.* 1. successful 2. fruitful

सफ़ा (*safā*) I. *a.* clean II. *m.* page

सफ़ाई (*safāī*) *f.* cleanliness

सफ़ेद (*safed*) *a.* 1. white 2. clean

सफ़ेदा (*safedā*) *m.* white lead

सफ़ेदी (*safedī*) *f.* 1. whitewashing 2. whiteness

सब (*sab*) *a.&pron.* entire, all, whole, total, undivided

सबक़ (*sabaq*) *m.* 1. lesson 2. moral lesson

सबब (*sabab*) *m.* cause, reason

सबल (*sabal*) *a.* forceful, powerful

सबूत (*sabūt*) *m.* 1. proof 2. evidence

सबेरा (*saberā*) *m.* early morning

सब्ज़ (*sabz*) *a.* 1. green 2. unripe

सब्ज़ी (*sabzī*) *f.* 1. vegetables, pot-herb 2. greenery

सब्र (*sabra*) *m.* patience

सभा (*sabhā*) *f.* 1. meeting 2. assembly

सभागार (*sabhāgār*) *m.* assembly hall

सभापति (*sabhāpati*) *m.* chairman

सभासद (*sabhāsad*) *m.* member of an assembly

सभ्य (*sabhya*) *a.* civilized, cultured, courteous

सभ्यता (*sabhyatā*) *f.* civilisation

सम (*sam*) I. *a.* 1. same 2. level II. *m.* equal

समकक्ष (*samkakṣa*) *a.* of the same level or status

समकालिक (*samkālik*) *a.* synchronizing, synchronic

समकालीन (*samkālīn*) *a.* contemporary

समक्ष (*samakṣa*) *adv.* in front, face to face with

समग्र (*samagra*) *a.* aggregate, whole, total, entire

समग्रता (*samagratā*) *f.* totality

समझ (*samajh*) *f.* 1. understanding, sense 2. intellect

समझदार (*samajhdār*) *a.* 1. intelligent 2. sensible
समझना (*samajhnā*) *v.i.t.* to understand, to comprehend
समझाना (*samjhānā*) *v.t.* to make somebody understand
समझौता (*samjhautā*) *m.* 1. compromise 2. settlement
समतल (*samtal*) *a.* level, plain
समता (*samtā*) *f.* 1. similarity, likeness 2. parity, equality
समतावाद (*samtāvād*) *m.* equalitarianism
समत्व (*samatv*) *m.* equality
समदर्शी (*samdarśī*) *a.* impartial, even-eyed
समदृष्टि (*samdṛṣṭi*) *f.* impartiality
समधिन (*samdhin*) *f.* mother of a son or daughter-in-law
समधी (*samdhī*) *m.* father of a son or daughter-in-law
समन्वय (*samanvaya*) *m.* 1. coordination 2. harmony
समन्वय समिति *f.* coordination committee
समन्वयक (*samanvayak*) *m.* coordinator
समन्वयन (*samanvayan*) *m.* act of coordinating
समन्वित (*samanvit*) *a.* coordinated
समबाहु (*sambāhu*) *a.* equilateral
समबुद्धि (*sambuddhi*) *a.* & *f.* equanimous, equanimity
समय (*samay*) *m.* 1. time 2. period
समयचक्र (*samaycakra*) *m.* cycle of time
समयनिष्ठ (*samayniṣṭh*) *a.* punctual
समयपूर्व (*samaypūrv*) *a.* premature
समयानुसार (*samayānusār*) *adv.* according to the times
समयोचित (*samayocit*) *a.* 1. opportune 2. timely
समर (*samar*) *m.* war, battle
समरभूमि (*samarbhūmi*) *f.* battlefield, battleground
समरस (*samaras*) *a.* equanimous
समरसता (*samarasatā*) *f.* equanimity
समरूप (*samrūp*) *a.* 1. homogenous 2. homomorph
समर्थ (*samarth*) *a.* capable
समर्थक (*samarthak*) *m.* supporter
समर्थन (*samarthan*) *m.* support
समर्थित (*samarthit*) *a.* supported
समर्पण (*samarpaṇ*) *m.* 1. surrender 2. dedication
समलिंगता (*samliṅgtā*) *f.* homosexuality
समवयस्क (*samvayask*) I. *a.* of same age
समवर्ती (*samvartī*) *a.* 1. contiguous, adjacent 2. concurrent
समवेत (*samvet*) *a.* congregate
समशीतोष्ण (*samśītoṣṇa*) *a.* moderate, temperate
समष्टि (*samaṣṭi*) *f.* universe
समसामयिक (*samsāmayik*) *a.* contemporary
समस्त (*samasta*) *a.* whole, all
समस्या (*samasyā*) *f.* problem

स

समस्यापूर्ति (*samasyāpūrti*) *f.* completing the verse beginning with the last syllable

समहित (*samahit*) *m.* entente, friendly understanding between countries

समांतर (*samāntar*) *f.* parallel

समागत (*samāgat*) *a.* duly arrived or returned

समागम (*samāgam*) *m.* 1. coming together 2. association 3. intercourse

समाचारदाता (*samācārdātā*) *m.* news-reporter

समाचारपत्र (*samācārpatra*) *m.* newspaper

समाचार संपादक (*samācār-sampādak*) *m.* news-editor

समाज (*samāj*) *m.* society

समाज-कल्याण (*samāj-kalyāṇ*) *m.* social welfare

समाजदर्शन (*samājdarśan*) *m.* social philosophy

समाज-मनोविज्ञान (*samāj-mano-vijñān*) *m.* social psychology

समाजवाद (*samājvād*) *m.* socialism

समाज सुधारक (*samāj sudhārak*) *m.* social reformer

समाजसेवक (*samājsevak*) *m.* social worker

समाजी (*samājī*) *m.* 1. member of a society 2. accompanying instrumentalist

समादृत (*samādṛt*) *a.* respected, honoured, revered, venerated

समाधान (*samādhān*) *m.* solution

समाधि (*samādhi*) *f.* 1. trance 2. deep meditation 3. a tomb

समाधिस्थ (*samādhistha*) *a.* in a state of trance

समान (*samān*) *a.* 1. common 2. equal, equivalent 3. similar

समानता (*samāntā*) *f.* 1. equality 2. equivalence 3. similarity

समाना (*samānā*) *v.i.* 1. to be contained (in) 2. to fit in

समापन (*samāpan*) *m.* 1. conclusion 2. completion

समापन-भाषण (*samāpan-bhāṣaṇ*) *m.* closing speech

समाप्त (*samāpta*) *a.* finished

समाप्ति (*samāpti*) *f.* 1. end 2. completion 3. abolition

समायोजन (*samāyojan*) *m.* 1. adjustment 2. arrangement

समारंभ (*samārambh*) *m.* inauguration

समारोह (*samāroh*) *m.* function

समालोचक (*samālocak*) *m.* critic

समालोचन (*samālocan*) *m.* 1. criticism 2. reviewing

समालोचना (*samālocanā*) *f.* 1. review 2. criticism

समावर्तन (*samāvartan*) *m.* rebounding

समाविष्ट (*samāviṣṭa*) *a.* included

समावेश (*samāveśa*) *m.* 1. inclusion 2. entry

समास (*samās*) *m.* (*gram.*) compound, compound word

समाहरण (*samāharaṇ*) *m.* collecting, collection

समाहर्ता (*samāhartā*) *m.* 1. collector 2. accumulator
समाहित (*samāhit*) *a.* merged
समिति (*samiti*) *f.* committee
समिधा (*samidhā*) *f.* sacrificial firewood
समीक्षक (*samīkṣak*) *m.* reviewer
समीक्षा (*samīkṣā*) *f.* review
समीचीन (*samīcīn*) *a.* 1. fit, proper 2. expedient
समीचीनता (*samīcīntā*) *f.* propriety
समीप (*samīp*) *m.* near
समीर (*samīr*) *f.* /**समीरण** (*samīraṇ*) *m.* breeze, air
समुंदर (*samundar*) *m.* sea
समुचित (*samucit*) *a.* proper
समुत्कर्ष (*samutkarṣa*) *m.* great eminence
समुदाय (*samudāya*) *m.* 1. community 2. group 3. collection
समुद्र (*samudra*) *m.* sea
समुद्रतट (*samudratat*) *m.* 1. seashore, seacoast 2. beach
समुद्रमंथन (*samudramanthan*) *m.* churning of the ocean (as described in the Puranas)
समुद्रीय (*samudrīy*) *a.* oceanic
समुन्नत (*samunnat*) *a.* 1. elevated 2. well-developed
समुपस्थित (*samupasthit*) *a.* 1. present 2. turned up
समूचा (*samūcā*) *m.* the whole
समूल (*samūl*) *a.* with roots
समूह (*samūh*) *m.* group
समृद्ध (*samṛddh*) *a.* 1. prosperous 2. affluent, rich
समृद्धि (*samṛddhi*) *f.* prosperity
समेकित (*samekit*) *a.* integrated
सम्मत (*sammat*) *a.* agreed
सम्मति (*sammati*) *f.* consent
सम्मान (*sammān*) *m.* honour
सम्मानपूर्वक (*sammānpūrvak*) *adv.* respectfully
सम्मानार्थ (*sammānārtha*) *a.* honorary
सम्मिलित (*sammilit*) *a.* 1. compound 2. mixed 3. included
सम्मिश्रण (*sammiśraṇ*) *m.* 1. blending 2. fusion
सम्मुख (*sammukh*) *a.* in front of
सम्मेलन (*sammelan*) *m.* 1. meeting 2. conference 3. assembly
सम्मोहक (*sammohak*) *a.* hypnotising, hypnotic
सम्यक् (*samyak*) *a.* 1. proper 2. well 3. due
सम्राट् (*samrāṭ*) *m.* emperor
सम्हलना (*samhalnā*) *v.i.* 1. to be supported 2. to recover from a fall
सयाना (*sayānā*) *a.* 1. clever, cunning 2. grown-up
सर (*sar*) *m.* head
सरअंजाम (*sarañjām*) *m.* 1. accomplishment 2. completion
सरकंडा (*sarkaṇḍā*) *m.* a reed
सरकना (*saraknā*) *v.i.* to slip
सरकार (*sarkār*) *f.* 1. government 2. administration
सरकारी (*sarkārī*) *a.* 1. governmental 2. official
सरकारी उपक्रम *m.* public undertaking

स

सरगम (*sargam*) *m.* 1. musical scale 2. gamut
सरगर्मी (*sargarmī*) *f.* zeal
सरणि (*saraṇi*) channel
सरदर्द (*sardard*) *m.* headache
सरदार (*sardār*) *m.* 1. chief, chieftain 2. leader
सरपरस्त (*sarparasta*) *m.* guardian
सरपरस्ती (*sarparastī*) *f.* guardianship
सरफ़रोश (*sarfaroś*) *a.* ready to sacrifice one's life
सरफ़रोशी (*sarfarośī*) *f.* 1. readiness to sacrifice one's life 2. fearlessness 3. intrepidity
सरल (*saral*) *a.* 1. simple 2. easy
  सरल-हृदय *a.* simple-hearted
सरलता (*saraltā*) *f.* simplicity
सरलीकृत (*sarlīkr̥t*) *a.* 1. simplified 2. resolved
सरस (*saras*) *a.* 1. juicy 2. tasty
सरसठ (*sarsaṭh*) *m.* & *a.* sixty-seven
सरसराना (*sarsarānā*) *v.i.* to crawl along (as a snake)
सरसराहट (*sarsarāhaṭ*) *f.* hissing sound
सरसरी (*sarsarī*) *a.* cursory
सरसिज (*sarsij*) *m.* lotus
सरसों (*sarsoṁ*) *f.* mustard seed/plant
  सरसों का तेल *m.* mustard oil
सरस्वती (*sarasvatī*) *f.* goddess of learning, Saraswati
सरस्वती-पूजा (*sarasvatī-pūja*) *f.* worship of goddess Saraswati
सरहज (*sarhaj*) *f.* wife's brother's wife
सरहद (*sarhad*) *f.* 1. border 2. boundary 3. frontier
सराफ़(*sarāf*) *m.* /**सर्राफ़** (*sarrāf*) *m.* a dealer in precious metal
सराफ़ा(*sarāfā*) *m.* /**सर्राफ़ा** (*sarrāfā*) *m.* money-market
सराय (*sarāy*) *f.* inn, hospice
सरासर (*sarāsar*) *adv.* 1. wholly, entirely 2. altogether
सराहना (*sarāhnā*) *v.t.* 1. to praise, to applaud 2. to appreciate
सरिता (*saritā*) *f.* river, stream
सरीसृप (*sarīsr̥p*) *m.* reptile
सरूर (*sarūr*) *m.* pleasure, joy
सरेस (*sares*) *f.* glue
सरोकार (*sarokār*) *m.* 1. concern 2. relation 3. object
सरोज (*saroj*) m. lotus
सरोजिनी (*sarojinī*) *f.* lily
सरोद (*sarod*) *m.* lyre, a stringed musical instrument
सरोरुह (*saroruh*) *m.* lotus flower
सरोवर (*sarovar*) m. lake, pond
सर्ग (*sarg*) *m.* canto (in an epic)
सर्जक (*sarjak*) *m.* creator
सर्जन (*sarjan*) *m.* creation
सर्द (*sard*) *a.* 1. cold 2. damp
सर्दी (*sardī*) *f.* cold, coldness
सर्प (*sarp*) *m.* serpent, snake
सर्पिल (*sarpil*) *a.* 1. spiral 2. zigzag
सर्वकालिक (*sarvakālik*) *a.* for all times, at all times
सर्वकालीन (*sarvakālīn*) *a.* of all

times, perpetual, eternal
सर्वग्रास (*sarvagrās*) *m.* total solar or lunar eclipse
सर्वज्ञ (*sarvajña*) *a.* all-knowing
सर्वतः (*sarvataḥ*) *adv.* all-round
सर्वतोभद्र (*sarvatobhadra*) *a.* auspicious or good for all
सर्वत्र (*sarvatra*) *adv.* everywhere
सर्वथा (*sarvathā*) *adv.* completely
सर्वदा (*sarvadā*) *adv.* at all times
सर्वनाश (*sarvanāś*) *m.* utter destruction, complete ruin
सर्वप्रिय (*sarvapriy*) *a.* loved by all
सर्वमान्य (*sarvamānya*) *a.* accepted by all
सर्वव्यापक (*sarvavyāpak*) *a.* 1. omnipresent 2. universal
सर्वश्री (*sarvaśrī*) *m.* (in addresses, letter-openings) Messrs
सर्वश्रेष्ठ (*sarvaśresṭha*) *a.* best, excellent
सर्वसम्मत (*sarvasammat*) *a.* unanimous
सर्वसुलभ (*sarvasulabh*) *m.* easily available or accessible to all
सर्वांग (*sarvāṅg*) *m.* the whole body
सर्वांगसुंदर *a.* pretty in all respects
सर्वांगीण (*sarvāṅgīṇ*) *a.* general
सर्वांगीण विकास *m.* all-round development
सर्वाधिक (*sarvādhik*) *a.* maximum
सर्वाधिकार (*sarvādhikār*) *m.* 1. full powers 2. full rights
सर्वार्थ (*sarvārtha*) *m.* universal good, good of all
सर्वेक्षक (*sarvekṣak*) *m.* surveyor
सर्वेक्षण (*sarvekṣaṇ*) *m.* survey
सर्वेसर्वा (*sarvesarvā*) *a.* all-in-all
सर्वोत्कृष्ट (*sarvotkṛsṭ*) *a.* best
सर्वोत्तम (*sarvottam*) *a.* best
सर्वोदय (*sarvodaya*) *m.* uplift of all
सर्वोपरि (*sarvopari*) *a.* above all
सलवार (*salvār*) *f.* baggy trousers
सलाम (*salām*) *m.* salutation
सलामत (*salāmat*) *a.* 1. safe 2. well
सलामी (*salāmī*) *f.* salutation
सलाह (*salāh*) *f.* advice
सलाहकार (*salāhkār*) *m.* adviser
सलीक़ा (*salīqā*) *m.* manner
सलीब (*salīb*) *f.* cross, crucifix
सलूक (*salūk*) *m.* conduct, behaviour
सलोना (*salonā*) *a.* 1. charming, winsome 2. saltish
सल्तनत (*saltanat*) *f.* kingdom
सवर्ण (*savarṇa*) *m.* belonging to an upper caste Hindu
सवा (*savā*) *a.* one and a quarter
सवाब (*savāb*) *m.* virtuous action
सवार (*savār*) *m.* rider
सवारी (*savārī*) *f.* 1. riding 2. conveyance
सवाल (*savāl*) *m.* question
सवालिया (*savāliyā*) *a.* interrogatory
सविता (*savitā*) *m.* the sun
सविनय (*savinay*) *adv.* politely
सविनय अवज्ञा आंदोलन *m.* civil disobedience movement (launched by Mahatma

स

Gandhi against the British rule)
सवेरा (*saverā*) *m.* early morning
सशंक (*saśaṅk*) *a.* suspicious
सशक्त (*saśakta*) *a.* forceful
सशरीर (*saśarīr*) *a.* & *adv.* physically, bodily
सशस्त्र (*saśastra*) *a.* armed
सश्रम (*saśram*) *a.* 1. rigorous 2. tired, fatigued
ससम्मान (*sasammān*) *adv.* honourably, respectfully
ससुर (*sasur*) *m.* father-in-law
ससुराल (*sasurāl*) *f.* father-in-law's house or family
सस्ता (*sastā*) *a.* /सस्ती (*sastī*) *a.* 1. cheap 2. inferior
सस्नेह (*sasneh*) *a.* & *adv.* with love
सस्मित (*sasmit*) *a.* smiling
सस्वर (*sasvar*) *a.* & *adv.* with intonation, in a tune
सह (*sah*) *pref.* with, together with
सहकर्मी (*sahkarmī*) *m.* colleague
सहकारिता (*sahkāritā*) *f.* 1. collaboration 2. cooperation
सहकारी (*sahkārī*) I. *a.* cooperative II. *m.* a fellow-worker
सहचर (*sahcar*) *m.* companion
सहज (*sahaj*) *a.* 1. innate, natural 2. easy, simple (as a task)
सहजता (*sahajtā*) *f.* simplicity
सहन (*sahan*) *m.* 1. forbearance 2. tolerance 3. courtyard
सहनशक्ति (*sahanśakti*) *f.* endurance, forbearance
सहना (*sahnā*) *v.i.* to bear
सहपाठी (*sahpāṭhī*) *m.* classmate
सहभागिता (*sahbhāgitā*) *f.* partnership
सहमत (*sahmat*) *a.* agreed
सहमति (*sahmati*) *f.* agreement
सहयोग (*sahyog*) *m.* 1. cooperation 2. collaboration
सहयोगी (*sahyogī*) *m.* colleague
सहवर्ती (*sahvartī*) *a.* 1. concurrent 2. contemporary
सहवास (*sahvās*) *m.* cohabitation
सहशिक्षा (*sahśikṣā*) *f.* co-education
सहसा (*sahsā*) *adv.* suddenly
सहस्र (*sahasra*) *m.*& *a.* one thousand, 1,000
सहस्रपाद (*sahasrapād*) *m.* the sun, an eponym of Lord Vishnu
सहस्राब्द (*sahasrābda*) *m.* a thousand years
सहस्राब्दी (*sahasrābdī*) *f.* millennium
सहानुभूति (*sahānubhūti*) *f.* sympathy
सहायक (*sahāyak*) I. *m.* helper, assistant II. *a.* subsidiary
सहायक नदी *f.* tributary
सहायता (*sahāytā*) *f.* help, aid, assistance
सहारा (*sahārā*) *m.* support
सहित (*sahit*) *a.* along with
सहिष्णु (*sahiṣṇu*) *a.* tolerant
सही (*sahī*) *a.* right, correct
सही-सलामत (*sahī-salāmat*) *a.* safe and sound, hale and hearty
सहृदय (*sahṛday*) *a.* tender-hearted, compassionate
सहेजना (*sahejnā*) *v.t.* 1. to entrust

2. to keep securely
सहेली (*sahelī*) *f.* female friend
सह्य (*sahya*) *a.* tolerable
साँई (*sāṁī*) *m.* 1. lord 2. a title of Muslim medicant
सांकल (*sāṅkal*) *f.* chain
सांकेतिक (*sāṅketik*) *a.* 1. indicative 2. suggestive
सांख्य (*sāṅkhya*) I. *a.* numerical II. *m.* philosophy of sage Kapil
सांख्यिकी (*sāṅkhyikī*) *a.* statistics
सांगोपांग (*sāṅgopāṅg*) *a.* complete, with all parts
साँचा (*sāṁcā*) *m.* mould, modelling tool or model
सांझ (*sāñjh*) *f.* evening, dusk
साँड़ (*sāṁṛ*) *m.* bull
साँड़नी (*sāṁṛnī*) *f.* fast-going she-camel
सांत्वना (*sāntvanā*) *f.* consolation
सांध्य (*sāndhya*) *a.* evening
साँप (*sāṁp*) *m.* snake, serpent
सांप्रतिक (*sāmpratik*) *a.* modern
सांप्रदायिक (*sāmpradāyik*) *a.* communal
सांभर (*sāmbhar*) *m.* 1. a species of antelopes 2. a spicy lentil curry
साँवला (*sāṁvalā*) *a.* of dark or sallow colour
साँवलिया (*sāṁvaliyā*) *m.* 1. lover 2. husband
साँस (*sāṁs*) *f.* 1. breath 2. sigh
साँसत (*sāṁsat*) *f.* trouble
सांसद (*sāṃsad*) member of parliament (M.P.)
सांसारिक (*sāṃsārik*) *a.* worldly, earthly, mundane
सांस्कारिक (*sāṃskārik*) *a.* ritual, of or done as a rite
सांस्कृतिक (*sāṃskṛtik*) *a.* cultural
सांस्कृतिक कार्यक्रम *m.* cultural programme
सांस्थानिक (*sāṃsthānik*) *a.* institutional
सा (*sā*) *m.* the first and basic note of the musical gamut
साईस (*sāis*) *m.* one who grooms and hires out horses
साकार (*sākār*) *a.* having a form or image
साक़ी (*sāqī*) *m.* 1. cup-bearer, a page 2. the beloved one
साक्षर (*sākṣar*) *a.* literate
साक्षरताआंदोलन (*sākṣartāāndolan*) *m.* literacy campaign
साक्षात् (*sākṣāt*) *a.* visible
साक्षात्कर्ता (*sākṣātkartā*) *m.* interviewer
साक्षात्कार (*sākṣātkār*) *m.* interview
साक्षी (*sākṣī*) *m.* witness, eyewitness
साक्ष्य (*sākṣya*) *m.* evidence
साख (*sākh*) *f.* 1. credit 2. reputation 3. trust 4. goodwill
साग (*sāg*) *m.* 1. greens 2. vegetable
सागर (*sāgar*) *m.* 1. sea, ocean 2. peg, cup (of wine)
साज (*sāj*) *m.* 1. embellishment, 2. apparatus 3. equipment 4. musical instrument
साजन (*sājan*) *m.* 1. lover 2. hus-

स

band
साज-सज्जा (*sāj-sajjā*) *f.* 1. decoration 2. equipment
साज़िश (*sāziś*) *f.* intrigue, conspiracy, plot
साझा (*sājhā*) *m.* partnership
साझेदार (*sājhedār*) *m.* partner
साठ (*sāṭh*) *m.* & *a.* sixty
साड़ी (*sāṛī*) *f.* saree, dress worn by Indian women
साढ़ू (*sāṛhū*) *m.* wife's brother-in-law
सात (*sāt*) *m.* & *a.* seven
सातत्य (*sātatya*) *m.* continuity
सात्त्विक (*sāttvik*) *a.* combining purity and simplicity
साथी (*sāthī*) *m.* companion
सादगी (*sādgī*) *f.* simplicity
सादर (*sādar*) *adv.* respectful
सादृश्य (*sādṛśya*) *m.* resemblance, likeness
साध (*sādh*) *f.* earnest desire
साधक (*sādhak*) *m.* one devoted to hard penance
साधन (*sādhan*) *m.* 1. means 2. medium 3. resource
साधन-सम्पन्न (*sādhan-sampann*) *a.* resourceful
साधना (*sādhanā*) *f.* 1. mental training or practice 2. devotion 3. to train 4. to tame
साधार (*sādhār*) *a.* having a base or support, based
साधारण (*sādhāraṇ*) *a.* 1. ordinary 2. common
साधारणतः (*sādhāraṇtaḥ*) *adv.* 1. usually 2. ordinarily
साधिका (*sādhikā*) *f.* a female devotee, votaress
साधिकार (*sādhikār*) *adv.* with authority
साधु (*sādhu*) *m.* saint, hermit
साधु-साधु (*sādhu-sādhu*) *interj.* well done ! excellent
साध्वी (*sādhvī*) *a.* & *f.* saintly woman, virtuous lady
सानंद (*sānand*) *a.* happy
सानी (*sānī*) I. *f.* chaff, straw and oil-cake mixed to make fodder for the cattle, forage II. 1. match 2. equal
सानुकूल (*sānukūl*) *a.* favourably disposed
सान्निध्य (*sānnidhya*) *m.* nearness, proximity, closeness
सापेक्ष (*sāpekṣa*) *a.* relative
साप्ताहिक (*sāptāhik*) *a.* weekly
साफ़ (*sāf*) *a.* 1. clean 2. clear
साफ़ा (*sāfā*) *m.* turban
साफ़ी (*sāfī*) *f.* a cloth for straining liquid
साबित (*sābit*) *a.* proved
साबुत (*sābut*) *a.* unbroken
साबुन (*sābun*) *m.* soap
साबूदाना (*sābūdānā*) *m.* sago
सामंजस्य (*sāmañjasya*) *m.* harmony
सामंत (*sāmant*) *m.* feudal chieftain/lord
सामंतवाद (*sāmantvād*) *m.* feudalism, feudal system
सामग्री (*sāmagrī*) *f.* materials
सामना (*sāmnā*) *m.* 1. front (part) 2. facing

सामने (*sāmne*) *adv.* in front
सामयिक (*sāmayik*) *a.* current
सामरिक (*sāmarik*) *a.* 1. military 2. combatant 3. strategic
सामर्थ्य (*sāmarthya*) *f.* 1. capacity, ability 2. power, strength
सामवेद (*sāmved*) *m.* one of the four Vedas
सामाजिक (*sāmājik*) *a.* having to do with society, social
सामाजिकता (*sāmājikatā*) *f.* conforming to social values
सामान (*sāmān*) *m.* 1. goods, things 2. luggage
सामान्य (*sāmānya*) *a.* general, common, ordinary, usual
सामान्यतः (*sāmānyataḥ*) *adv.* generally, commonly
सामासिक (*sāmāsik*) *a.* composite, collective
सामिष (*sāmiṣ*) *a.* non-vegetarian
सामीप्य (*sāmīpya*) *m.* nearness, proximity, vicinity
सामुदायिक (*sāmudāyik*) *a.* (from community, group) 1. collective 2. communal
सामुद्रिक (*sāmudrik*) I. *a.* of the sea, oceanic II. *m.* palmistry
सामूहिक (*sāmūhik*) *m.* collective
सामूहिक खेती *f.* collective farming
साम्य (*sāmya*) *m.* similarity, resemblance
साम्यवाद (*sāmyavād*) *m.* communism
साम्राज्य (*sāmrājya*) *m.* empire
साम्राज्यवाद (*sāmrājyavād*) *m.* imperialism
सायं (*sāyam*) *a.* & *adv.* evening
सायंकाल (*sāyaṅkāl*) *m.* dusk, evening
साया (*sāyā*) *m.* 1. shadow 2. shade
सायुज्य (*sāyujya*) *m.* communion, complete union, beatitude
सारंग (*sāraṅg*) *m.* 1. a spotted deer 2. elephant 3. lion 4. snake
सारंगी (*sāraṅgī*) *f.* a stringed musical instrument
सार (*sār*) *m.* abstract, essence
सारगर्भित (*sārgarbhit*) *a.* sententious, substantial
सारणी (*sāraṇī*) *f.* timetable, schedule
सारथि (*sārathi*) *m.* charioteer, one who drives a chariot
सारस (*sāras*) *m.* crane
सारांश (*sārāṃś*) *m.* summary
सारा (*sārā*) *a.* all, the whole
सारिका (*sārikā*) *f.* cuckoo
सार्थक (*sārthak*) *a.* meaningful
सार्वकालिक (*sārvkālik*) *a.* 1. belonging to all times 2. eternal
सार्वजनिक (*sārvjanik*) *a.* (pertaining to all people) public
सार्वजनिक जीवन *m.* public life
सार्वजनिक शिक्षा *f.* mass education
सार्वजनिक हित *m.* public interest, public welfare
सार्वजनीन (*sārvjanīn*) *a.* common, universal
सार्वदेशिक (*sārvdeśik*) *a.* pertaining to all lands or countries,

स

universal
सार्वभौम (*sārvbhaum*) *a.* universal
सालंकार (*sālaṅkār*) *a.* decorated
साल (*sāl*) *m.* 1. year 2. sal (a timber tree)
सालगिरह (*sālgirah*) *f.* birthday
सालन (*sālan*) *m.* 1. meat 2. curry
साला (*sālā*) *m.* wife's brother
साली (*sālī*) *f.* wife's sister
सावधान (*sāvdhān*) *a.* careful
सावधानी (*sāvdhānī*) *f.* caution, cautiousness
सावधि (*sāvadhi*) *a.* with a time-limit
सावधि जमा *m.* fixed deposit
सावधिक (*sāvadhik*) *a.* timed, time-limited
सावन (*sāvan*) *m.* the fourth month of Vikrami calendar
सावित्री (*sāvitrī*) *m.* 1. the sun 2. the Gayatri mantra 3. the devoted wife of Satyavan
साष्टांग (*sāṣṭāṅg*) *a.* genuflection
सास (*sās*) *f.* mother-in-law
साहचर्य (*sāhcarya*) *m.* companionship
साहब (*sāhab*) *m.* /**साहिब** (*sāhib*) *m.* 1. sir 2. master, lord, boss
साहस (*sāhas*) *m.* courage
साहसिक (*sāhsik*) *a.* courageous
साहसी (*sāhsī*) *a.* courageous
साहाय्य (*sāhāyya*) *m.* help
साहित्य (*sāhitya*) *m.* literature
साहित्यकार (*sāhityakār*) *m.* litterateur
साहित्यिक (*sāhityik*) *a.* literary
साहिल (*sāhil*) *m.* shore, coast
साही (*sāhī*) *f.* porcupine
साहू (*sāhū*) *m.* a rich man
साहूकार (*sāhūkār*) *m.* 1. money-lender 2. moneyed man
सिंगा (*siṅgā*) *suff.* with or having horns
सिंचन (*siñcan*) *m.* irrigation
सिंचना (*siñcnā*) *v.i.* to be irrigated or watered
सिंचाई (*siñcāī*) *f.* irrigation
सिंदूर (*sindūr*) *m.* vermilion
सिंदूरी (*sindūrī*) *a.* of vermilion colour
सिंधी (*sindhī*) I. *m.* native of Sindh II. *f.* language of Sindh
सिंधु (*sindhu*) *m.* the river Indus
सिंधु घाटी *f.* Indus valley
सिंह (*siṃha*) *m.* lion
सिंहद्वार (*siṃhadvār*) *m.* principal entrance
सिंहनी (*siṃhanī*) *f.* lioness
सिंहराशि (*siṃharāśi*) *f.* Leo, a sign of the zodiac
सिंहवाहिनी (*siṃhavāhinī*) *f.* an eponym of goddess Durga whose vehicle is lion
सिंहावलोकन (*siṃhāvlokan*) *m.* round-up, retrospection
सिंहासन (*siṃhāsan*) *m.* throne
सिकंदर (*sikandar*) *m.* Alexander the Great
सिकड़ी (*sikṛī*) *f.* a. chain (as for a lock, or ornamental)
सिकता (*sikatā*) *f.* 1. sand 2. soil
सिकुड़न (*sikuṛan*) *f.* shrinkage
सिकुड़ना (*sikuṛnā*) *v.i.* to shrink

स

सिकोड़ना (*sikoṛnā*) *v.t.* 1. cause to shrink 2. to contract
सिक्का (*sikkā*) *m.* stamped coin
सिक्त (*sikta*) *a.* drenched, wet
सिखाना (*sikhānā*) *v.t.* to teach
सिजदा (*sijdā*) *m.* 1. bowing in prayer 2. prostration
सिटकिनी (*siṭkinī*) *f.* latch
सिटपिटाना (*siṭpiṭānā*) *v.i.* to be taken aback, disconcerted
सित (*sit*) *a.* white
सितम (*sitam*) *m.* oppression
सितमगर (*sitamgar*) *m.* oppressor
सितार (*sitār*) *m.* an Indian musical instrument with three strings
सितारा (*sitārā*) *m.* 1. star 2. planet 3. fate
सिद्ध (*siddha*) *m.* 1. saint 2. proved
सिद्धांत (*siddhānt*) *m.* 1. theory 2. principle 3. doctrine, tenet
सिद्धांतवाद (*siddhāntvād*) *m.* ideology, doctrinism
सिद्धांती (*siddhāntī*) *m.* a man of principles
सिद्धार्थ (*siddhārth*) I. *a.* one whose desires have been satisfied II. *m.* original name of Lord Buddha
सिद्धि (*siddhi*) *f.* 1. supernatural powers of a yogi 2. fulfilment
सिन (*sin*) *m.* 1. age, period of life 2. year
सिन्नी (*sinnī*) *f.* sweets, sweets offered to a deity
सिपहसालार (*sipahsālār*) *m.* general, commander
सिपाही (*sipāhī*) *m.* 1. soldier, sepoy 2. policeman, constable
सिफ़त (*sifat*) *f.* quality
सिफ़र (*sifar*) *m.* 1. zero 2. cypher
सिफ़ारिश (*sifāriś*) *f.* 1. recommendation 2. intercession
सिफ़ारिशी (*sifāriśī*) *a.* recommendatory
सिमटना (*simaṭnā*) *v.i.* to shrink
सियार (*siyār*) *m.* jackal
सियासत (*siyāsat*) *f.* 1. politics 2. administration
सियासी (*siyāsī*) *a.* political
सियाही (*siyāhī*) *f.* ink
सिर (*sir*) *m.* 1. head 2. skull
सिरका (*sirkā*) *m.* vinegar
सिरजनहार (*sirjanhār*) *m.* maker, creator, God
सिरमौर (*sirmaur*) *m.* 1. chief among men 2. crown
सिरहाना (*sirhānā*) *m.* 1. the upper end of a bedstead 2. pillow
सिरा (*sirā*) *m.* 1. end 2. edge
सिरिस (*siris*) *m.* a common tree bearing thorns and soft flowers
सिरोपाव (*siropāv*) *m.* a long robe given by a high-rank person as token of honour
सिर्फ़ (*sirf*) *adv.* 1. only, mere, sheer 2. exclusively
सिलना (*silnā*) I. *v.i.* to be sewn/stitched II. *v.t.* to sew
सिलवट (*silvaṭ*) *f.* wrinkle, crease
सिलवाई (*silvāī*) *f.* sewing
सिलसिला (*silsilā*) *m.* series
सिला (*silā*) *m.* 1. reward 2. return

स

सिलाई (*silāī*) *f.* sewing
सिलाना (*silānā*) *v.t.* to get sewn
सिलौटा (*silauṭā*) *m.* the slab-stone, the millstone or pestle
सिल्ली (*sillī*) *f.* 1. tablet 2. slab
सिवईं (*sivaīṁ*) *f.* vermicelli
सिवा (*sivā*) *adv.* /सिवाय (*sivāy*) *adv.* except, without, but
सिवार (*sivār*) *f.* 1. a water-plant 2. a green scum forming on stagnant water
सिसकना (*sisakanā*) *v.t.* to sob, cry
सिसकारी (*siskārī*) *f.* sob, hiss
सिसकी (*siskī*) *f.* a sob, sobbing
सिहरन (*siharan*) *f.* shiver
सिहरना (*siharnā*) *v.i.* to shiver
सींक (*sīṁk*) *f.* 1. wicker of straw or broom 2. toothpick
सींकिया (*sīṁkiyā*) *a.* lanky, very thin and tall
सींग (*sīṁg*) *m.* horn(s)
सींगी (*sīṁgī*) *f.* trumpet made of stag horns
सींचना (*sīṁcnā*) *v.t.* to irrigate
सीकर (*sīkar*) *m.* drop of water
सीख (*sīkh*) *f.* 1. advice 2. moral lesson 3. teaching
सीख़चा (*sīkhcā*) *m.* a window bar
सीखना (*sīkhnā*) *v.t.* to learn
सीझना (*sījhnā*) *v.t.* to boil
सीटी (*sīṭī*) *f.* whistle, catcall
सीढ़ी (*sīṛhī*) *f.* 1. stairway, staircase 2. ladder
सीता (*sītā*) *f.* Sita, heroine of the epic Ramayan, daughter of Janak of Mithila and wife of Rama of Ayodhya
सीतापति (*sītāpati*) *m.* husband of Sita, God Ramachandra
सीताफल (*sītāphal*) *m.* 1. sweet pumpkin 2. a vegetable
सीध (*sīdh*) *f.* straightness
सीधा (*sīdhā*) *a.* 1. straight 2. direct
सीधापन (*sīdhāpan*) *m.* 1. simplicity 2. straightforwardness
सीधी (*sīdhī*) *a. f.* 1. straight 2. direct
सीधे (*sīdhe*) *adv.* straight
सीना (*sīnā*) I. *v.t.* to sew, to stitch II. *m.* chest, breast
  सीनाज़ोर *a.* aggressive
  सीनाज़ोरी *f.* aggressiveness
सीमंत (*sīmant*) *m.* parting line of hair made by combing
सीमांकन (*sīmāṅkan*) *m.* demarcation
सीमांत (*sīmānt*) I. *m.* border, frontier II. *a.* marginal
सीमा (*sīmā*) *f.* 1. border, bounds, boundary 2. frontier
सीमाबद्ध (*sīmābaddha*) *a.* bounded
सीमारेखा (*sīmārekhā*) *f.* borderline, line of demarcation
सीमावर्ती (*sīmāvartī*) *a.* bordering, lying on the border
सीमित (*sīmit*) *a.* limited
सील (*sīl*) *f.* damp, moisture
सीस (*sīs*) *m.* head
सीसा (*sīsā*) *m.* lead
सुँघनी (*suṁghnī*) *f.* snuff
सुंदर (*sundar*) *a.* 1. beautiful, handsome, pretty 2. fine 3. good
सुंदरता (*sundartā*) *f.* 1. beauty,

स

handsomeness 2. goodness
सुंदरी (*sundarī*) *f.* nymph, beauty
सु (*su*) *pref.* good, well
सुअर (*suar*) *m.* pig, boar
सुअवसर (*suavasar*) *m.* a good chance
सुआ (*suā*) *m.* awl, big needle
सुई (*suī*) *f.* needle
सुकंठ (*sukaṇṭha*) *a.* having a melodious voice, sweet-voiced
सुकर्म (*sukarma*) *m.* a good deed
सुकीर्ति (*sukīrti*) *f.* good name, reputation, repute, renown
सुकुमार (*sukumār*) *a.* 1. delicate, tender 2. (of a child) pretty
सुकून (*sukūn*) *m.* 1. peace, quietude 2. rest 3. tranquillity
सुकृत (*sukr̥t*) *m.* good deed
सुकेशी (*sukeśī*) *a.* (of a woman) having beautiful hair
सुकोमल (*sukomal*) *a.* very tender and delicate
सुख (*sukh*) *m.* happiness
सुखकर (*sukhkar*) *a.* pleasant
सुखद (*sukhad*) *a.* comfortable
सुख़न (*sukhan*) *m.* 1. word 2. literature prose and verse
सुखप्रद (*sukhprad*) pleasure-giving
सुखांत (*sukhānt*) *a.* ending happily, with a happy ending
सुखाना (*sukhānā*) *v.t.* to dry up, to desiccate
सुखी (*sukhī*) *a.* happy
सुगंध (*sugandh*) *f.* fragrance
सुगंधि (*sugandhi*) *f.* 1. good smell, odour 2. perfume
सुगंधित (*sugandhit*) *a.* perfumed, scented, fragrant, aromatic
सुगठित (*sugaṭhit*) *a.* 1. well organized 2. well-built
सुगति (*sugati*) *f.* happy state
सुगम (*sugam*) *a.* easy, simple
सुगम संगीत *m.* light music
सुगम्य (*sugamya*) *a* easy, simple
सुग्गा (*suggā*) *m.* parrot
सुघड़ (*sughaṛ*) *a.* well-built
सुघड़पन (*sughaṛpan*) *m.* dexterity
सुचारु (*sucāru*) *a.* 1. good, fair 2. charming, pretty, comely
सुचिंतित (*sucintit*) *a.* 1. well-thought of 2. well considered
सुजाता (*sujātā*) *f.* a girl born in a good family
सुझाना (*sujhānā*) *v.t.* 1. to suggest 2. to propose
सुझाव (*sujhāv*) *m.* suggestion
सुडौल (*sudaul*) *a.* well-built
सुत (*sut*) *m.* son
सुतली (*sutlī*) *f.* string, thin rope
सुता (*sutā*) *f.* daughter
सुथरा (*suthrā*) *a.* neat, clean
सुदर्शन (*sudarśan*) *a.* handsome
सुदर्शनचक्र (*sudarśancakra*) *m.* a weapon used by Lord Krishna in Mahabharata
सुदीर्घ (*sudīrgh*) *m.* very long
सुदूर (*sudūr*) *a.* very far, far away
सुदूरवर्ती (*sudūrvartī*) *a.* far-flung
सुदृढ़ (*sudr̥ṛh*) *a.* very strong
सुध (*sudh*) *f.* 1. consciousness 2. senses 3. memory
सुधबुध (*sudhbudh*) *f.* 1. consciousness 2. senses

स

सुधांशु (*sudhāṃśu*) *m.* one having nectareous rays, the moon
सुधा (*sudhā*) *f.* 1. nectar 2. (in mythology) a drink of gods
सुधाकर (*sudhākar*) *m.* the moon, full of nectar
सुधार (*sudhār*) *m.* reform
सुधारक (*sudhārak*) *m.* reformer
सुधि (*sudhi*) *f.* consciousness
सुधी (*sudhī*) I. *a.* 1. wise 2. learned II. *m.* learned person
सुनना (*sunanā*) I. *v.i.* to hear, to listen II. *m.* hearing
सुनयना (*sunayanā*) *a.* & *f.* lady with beautiful eyes
सुनसान (*sunsān*) *a.* 1. desolate 2.dreary
सुनहरा (*sunahrā*) *a.* /**सुनहरी** (*sunahrī*) *a.* 1. golden 2. gilded
सुनाना (*sunānā*) *v.t.* to tell
सुनाम (*sunām*) *m.* 1. good name, fame, renown 2. goodwill
सुनार (*sunār*) *m.* goldsmith
सुनियोजित (*suniyojit*) *a.* 1. well planned 2. well employed
सुनिश्चित (*suniścit*) *a.* 1. definite 2. firmly resolved 3. precise
सुन्नत (*sunnat*) *f.* circumcision
सुपात्र (*supātra*) *m.* well-deserving person
सुपारी (*supārī*) *f.* betel nut, *Areca catechu*
सुपुत्र (*suputra*) *m.* good son, able and obedient son
सुपूत (*supūt*) *m.* good son
सुप्त (*supt*) *a.* asleep
सुप्तावस्था (*suptāvasthā*) *f.* sleepiness, dormancy, slumber
सुप्रतिष्ठित (*supratiṣṭhit*) *a.* well-reputed, renowned
सुप्रभात (*suprabhāt*) *m.* 1. auspicious good morning 2. happy daybreak
सुप्रसिद्ध (*suprasiddha*) *a.* very famous, renowned, reputed
सुफल (*suphal*) I. *m.* good or welcome result II. *a.* 1. bearing good fruit 2. fruitful
सुबह (*subah*) *f.* morning
सुबाहु (*subāhu*) *a.* having strong and shapely arms
सुबुकना (*subuknā*) *v.i.* to sob in fits
सुबुद्धि (*subuddhi*) *f.* intelligence, wisdom
सुबोध (*subodh*) *a.* easily understood, intelligible
सुभान अल्लाह (*subhānallāh*) *phr.* God be praised! good God
सुभाषित (*subhāṣit*) I. *m.* quotable saying II. *a.* well said
सुमन (*suman*) I. *m.* flower II. *a.* open-minded, nicehearted
सुमिरनी (*sumirnī*) *f.* rosary
सुमुखी (*sumukhī*) *f.* & *a.* beautiful or charming woman
सुमेरु (*sumerū*) *m.* (in mythology) a mountain of gold
सुयश (*suyaś*) *m.* fame
सुयोग (*suyog*) *m.* a happy chance
सुयोग्य (*suyogya*) *a.* very able
सुयोजित (*suyojit*) *a.* systematic
सुरंग (*suraṅg*) I. *f.* 1. underpass, tunnel 2. mine II. *m.* good or

pleasant colour

सुर (*sur*) *m.* 1. a god 2. sound

सुरक्षा (*surakṣā*) *f.* safeguard

सुरक्षित (*surakṣit*) *a.* 1. safe, secure 2. protected

सुरखाब (*surkhāb*) *m.* ruddy goose

सुरत (*surat*) I. *f.* memory, recollection II. *m.* sexual enjoyment

सुरती (*suratī*) *f.* tobacco leaves for chewing

सुरधाम (*surdhām*) *m.* abode of gods

सुरभि (*surabhi*) *f.* 1. fragrance, aroma 2. perfume, scent

सुरभी (*surbhī*) *f.* cow, name of a celestial cow

सुरमा (*surmā*) *m.* collyrium

सुरम्य (*suramya*) *m.* extremely charming, beautiful

सुरलोक (*surlok*) *m.* the world of gods, paradise, heaven

सुरसरि (*sursari*) *f.* /सुरसरिता (*sursaritā*) *f.* the celestial river, the Ganga

सुरसा (*sursā*) *f.* (in epic mythology) a monstrous woman said to be the mother of snakes

सुरसुराना (*sursurānā*) *v.t.* 1. to shiver with cold 2. to itch

सुरसुराहट (*sursurāhaṭ*) *f.* 1. hissing sound 2. itching

सुरा (*surā*) *f.* wine, liquor

सुराख़ (*surākh*) *m.* hole

सुराग़ (*surāg*) *m.* 1. clue 2. trace

सुराही (*surāhī*) *f.* flask, flagon

सुरीला (*surīlā*) *a.* sonorous

सुरुचि (*suruci*) *f.* good taste

सुरूर (*surūr*) *m.* pleasure, joy

सुरेंद्र (*sureṁdra*) *m.* the chief of gods, god Indra

सुरेश (*sureś*) *m.* /सुरेश्वर (*sureśvar*) *m.* god Indra, the chief of gods

सुर्ख़ (*surkha*) *a.* red

सुर्ख़रू (*surkharū*) *a.* 1. successful 2. reputed

सुर्ख़ी (*surkhī*) *f.* 1. redness 2. headline 3. rubric 4. brick-dust

सुलक्षणा (*sulakṣaṇa*) *f.* & *a.* /सुलक्षणी (*sulakṣaṇī*) *f.* & *a.* (a lady) gifted with good features or characteristics

सुलगना (*sulagnā*) *v.i.* to burn without flame, to smoulder

सुलगाना (*sulgānā*) *v.t.* to kindle

सुलझाना (*suljhānā*) *v.t.* 1. to disentangle 2. to resolve/solve

सुलतान (*sultān*) *m.* sultan, king

सुलभ (*sulabh*) *a.* easy

सुलभ्य (*sulabhya*) *a.* easily accessible or available

सुलह (*sulah*) *f.* 1. conciliation 2. truce, treaty 3. peace

सुलाना (*sulānā*) *v.t.* 1. to put to sleep 2. to lull to sleep

सुलूक (*sulūk*) *m.* behaviour, treatment

सुलोचना (*sulocanā*) *a.* (woman) pretty-eyed

सुवर्ण (*suvarṇa*) *a.* of good colour, gold

सुवास (*suvās*) I. *m.* good or comfortable abode II. *f.* 1. fragrance 2. perfume, scent

सुवासित (*suvāsit*) *a.* perfumed

स

सुविख्यात (*suvikhyāt*) *a.* very famous, reputed
सुविचार (*suvicār*) *m.* good or excellent idea
सुविचारित (*suvicārit*) *a.* well-thought of, well-considered
सुविधा (*suvidhā*) *f.* convenience
सुविधाजनक (*suvidhājanak*) *a.* convenient
सुविधानुसार (*suvidhānusār*) *adv.* at one's convenience
सुव्यवस्था (*suvyavasthā*) *f.* good organisation
सुशासित (*suśasit*) *a.* well governed
सुशील (*suśīl*) *a.* /**सुशीला** (*suśīlā*) *a.* of good disposition
सुशोभित (*suśobhit*) *a.* adorned
सुश्री (*suśrī*) *f.* way of addressing or mentioning any unmarried woman, Miss
सुश्रूषा (*suśrūṣā*) *f.* 1. nursing 2. attendance 3. care
सुषमा (*suṣmā*) *f.* natural charm
सुषुप्ति (*suṣupti*) *f.* deep sleep
सुषुम्ना (*suṣumnā*) *f.* myelin, one of the three principal nerves exercised in Hathyoga for achieving salvation
सुष्ठु (*suṣṭhu*) *a.* good, fine
सुसज्जित (*susajjit*) *a.* well decorated, well adorned
सुस्त (*susta*) *a.* 1. lazy 2. idle
सुस्ती (*sustī*) *f.* laziness
सुस्पष्ट (*suspaṣṭa*) *a.* very clear
सुस्वादु (*susvādu*) *a.* very tasty
सुहाग (*suhāg*) *m.* state of wifehood
सुहागरात (*suhāgrāt*) *f.* honeymoon
सुहागिन (*suhāgin*) *f.* & *a.* a woman whose husband is alive
सुहाना (*suhānā*) I. *a.* 1. pleasant 2. charming II. *v.t.* to be agreeable
सुहृद (*suhr̥d*) I. *m.* friend II. *a.* 1. friendly 2. loving
सुहृदय (*suhr̥daya*) *a.* kind-hearted
सूँघना (*sūṁghnā*) *v.t.* to smell
सूँड (*sūṁd*) *f.* /**सूँड़** (*sūṁr̥*) *f.* trunk of an elephant
सूअर (*sūar*) *m.* boar, pig, hog, swine (also a word of abuse)
सूआ (*sūā*) *m.* 1. a large needle 2. parrot
सूकर (*sūkar*) *m.* boar, pig, hog
सूकरी (*sūkarī*) *f.* female boar or swine
सूक्त (*sūkta*) *m.* a set of mantras of the Vedas
सूक्ति (*sūkti*) *f.* maxim, epigram, a pithy saying
सूक्ष्म (*sūkṣma*) *a.* 1. minute 2. subtle
सूक्ष्मता (*sūkṣmatā*) *f.* 1. minuteness 2. subtlety 3. fineness
सूखना (*sūkhnā*) *v.i.* to dry up
सूखा (*sūkhā*) I. *a.* dry II. *m.* drought
सूचक (*sūcak*) *m.* indicator
सूचकांक (*sūcakāṅk*) *m.* roster, index
सूचना (*sūcanā*) *f.* information
सूचनाकेंद्र (*sūcnākeṁdra*) *m.* information centre

स

सूचनानुसार (*sūcnānusār*) *adv.* as per advice
सूचना-पट्ट (*sūcnā paṭṭa*) *m.* notice-board
सूचनार्थ (*sūcnārtha*) *adv.* for information
सूचि (*sūci*) *f.* needle
सूची (*sūcī*) *f.* list, catalogue
सूचीभेद्य (*sūcībhedya*) *a.* dense
सूजन (*sūjan*) *f.* swelling
सूजना (*sūjnā*) *v.i.* to swell
सूझ (*sūjh*) *f.* foresight
सूझना (*sūjhnā*) *v.i.* to be seen
सूझ-बूझ (*sūjh-būjh*) *f.* 1. imagination 2. intelligence
सूत (*sūt*) *m.* 1. yarn, thread 2. born 3. a professional charioteer
सूतक (*sūtak*) *m.* segregation observed in a Hindu family on death or birth
सूतिकागृह (*sūitikāgṛh*) *m.* delivery room
सूती (*sūtī*) *a.* (of cloth) cotton
सूत्र (*sūtra*) *m.* 1. thread 2. source
सूत्रधार (*sūtradhār*) *m.* stage manager (of dramatic performances), all in all, in charge
सूत्रपात (*sūtrapāt*) *m.* beginning
सूथन (*sūthan*) *f.* /**सूथनी** (*sūthanī*) *f.* baggy pyjamas
सूद (*sūd*) *f.* 1. profit, gain 2. interest
सूदख़ोर (*sūdkhor*) *m.* usurer
सूना (*sūnā*) /**सूनी** (*sūnī*) *a.* 1. desolate 2. void 3. empty
सूनापन (*sūnāpan*) *m.* emptiness
सूप (*sūp*) *m.* 1. winnowing basket 2. soup 3. broth
सूफ़ियाना (*sūfiyānā*) *a.* 1. befitting 2. a sufi 3. plain and simple
सूफ़ी (*sūfī*) *m.* Muslim ascetic and mystic
सूबा (*sūbā*) *m.* province
सूबेदार (*sūbedār*) *m.* 1. governor 2. (in military) subedar
सूम (*sūm*) *a.*& *m.* a miser
सूर (*sūr*) *m.* hero, warrior
सूरज (*sūraj*) *m.* sun
सूरजमुखी (*sūrajmukhī*) *f.* sunflower
सूरत (*sūrat*) *f.* 1. countenance, appearance 2. means
सूरदास (*sūrdās*) *m.* famous Hindi poet, (euphemistically) a blind person
सूरमा (*sūrmā*) *a.* & *m.* brave/valiant or bold person, hero, warrior
सूराख़ (*sūrakh*) *m.* hole, orifice
सूर्य (*sūrya*) *m.* the sun
सूर्यग्रहण (*sūryagrahaṇ*) *m.* solar eclipse
सूर्यपूजा (*sūryapūjā*) *f.* / **सूर्योपासना** (*sūryopāsnā*) *f.* sun worship, heliolatry
सूर्यप्रभा (*sūryaprabhā*) *f.* sunlight
सूर्यमुखी (*sūryamukhī*) *f.* the sunflower
सूर्यवंशी (*sūryavaṃśī*) *a.* & *m.* belonging to or descending from solar dynasty
सूर्योदय (*sūryoday*) *m.* sunrise
सूर्योपासक (*sūryopāsak*) *m.* sun-

स

worshipper, heliolater
सूली (*sūlī*) *f.* 1. gibbet 2. gallows
सृजन (*sr̥jan*) *m.* creation
सृजन-शक्ति (*sr̥jan-śakti*) *f.* creative power
सृष्ट (*sr̥ṣṭa*) *a.* created
सृष्टि (*sr̥ṣṭi*) *f.* creation
सेंक (*seṁk*) *m.* fomentation
सेंकना (*seṁknā*) *v.t* 1. to bake 2. to roast 3. to foment
सेंध (*seṁdh*) *f.* house breaking, burglary
सेंधा (*seṁdhā*) *m.* rock salt
से (*se*) *prep.* from, with, by, than, since
सेज (*sej*) *f.* bed, a comfortable bed
सेठ (*seṭh*) *m.* rich man
सेतु (*setu*) *m.* bridge, causeway
सेतुबंध (*setubandha*) *a.* 1. bridge 2. dam serving as a bridge
सेना (*senā*)I. *m.* army, military II. *v.t.* to hatch (eggs)
सेनाग्र (*senāgra*) *m.* vanguard
सेनापति (*senāpati*) *m.* commander of an army
सेब (*seb*) *m.* apple
सेम (*sem*) *m.* bean, kidney bean
सेमर (*semar*) *m.*/सेमल (*semal*) *m.* silk-cotton tree
सेर (*ser*) *m.* a measure of weight equal to approximately two pounds
सेवईं (*sevaiṁ*) *f.* vermicelli
सेवक (*sevak*) *m.* servant, worker
सेवन (*sevan*) *m.* use
सेवा (*sevā*) *f.* service
सेवाकाल (*sevākāl*) *m.* period of service
सेवानिवृत्त (*sevānivr̥tt*) *a.* retired
सेवा-सुश्रूषा (*sevā-suśrūṣā*) *f.* attendance and nursing (of a person or animal)
सेविका (*sevikā*) *f.* 1. lady attendant 2. nurse
सेव्य (*sevya*) *a.* fit to be served
सेहत (*sehat*) *f.* health
सेहतमंद (*sehatmand*) *a.* healthy
सेहरा (*sehrā*) *m.* nuptial headwear (worn by the bridegroom)
सैंतालीस (*saiṁtālīs*) *a.* & *m.* forty-seven
सैंतीस (*saiṁtīs*) *a.* & *m.* thirty-seven
सैद्धांतिक (*saiddhāntik*) *a.* theoretical
सैनिक (*sainik*) *m.* soldier, fighter, army man, military person
सैन्य (*sainya*) *a.* military
सैयद (*saiyad*) *m.* a descendant of prophet Hạzrat Mohammad
सैयाद (*saiyād*) *m.* hunter, fowler
सैर (*sair*) *f.* 1. tour 2. walk, walking
सैलानी (*sailānī*) *m.* tourist
सैलाब (*sailāb*) *m.* flood, deluge
सोंटा (*soṁṭā*) *m.* 1. club 2. mace
सोंठ (*soṁṭh*) *f.* dry ginger
सोंधी (*soṁdhī*) *f.* fragrance of new earth or soil
सोखना (*sokhnā*) *v.t.* 1. to dry up 2. to absorb
सोख़्ता (*sokhtā*) *m.* blotting paper
सोच (*soc*) *f.* thought

सोचना (*socnā*) *v.i.* to think
सोता (*sotā*) I. *m.* spring, fountain II. *a.* sleeping
सोदाहरण (*sodāharaṇ*) *a.* & *adv.* with example(s)
सोद्देश्य (*soddeśya*) *a.* purposive
सोनचिरैया (*sonciraiyā*) *f.* a golden bird
सोनजुही (*sonjuhī*) *f.* a variety of jasmine flower
सोनपंखी (*sonpaṅkhī*) *f.* a bird
सोना (*sonā*) I. *m.* gold II. *vi.* to sleep
सोने का पानी *m.* thin gilding
सोने का वरक़ *m.* gold leaf
सोपान (*sopān*) *m.* ladder, stairs
सोम (*som*) *m.* 1. the moon 2. Monday 3. fermented juice made from leaves of 'som' plant
सोमनाथ (*somnāth*) *m.* a place of pilgrimage in Gujarat where the famous Shiva temple exists
सोमपात्र (*sompātra*) *m.* wine glass
सोमरस (*somras*) *m.* extract of 'som' leaves
सोमवार (*somvār*) *m.* Monday
सोया (*soyā*) I. *p.p.* (of सोना) slept, asleep II. *m.* a sweet-smelling plant, the leaves of which are used for cooking
सोरठा (*sorṭhā*) *m.* a popular couplet common in medieval Hindi poetry
सोलह (*solah*) *a.*& *m.* sixteen
सोहनपपड़ी (*sohanpapṛī*) *f.* mixture of sweetmeat
सोहबत (*sohbat*) *f.* company
सौंदर्य (*sauṁdarya*) *m.* beauty
सौंदर्य देवी (*sauṁdarya devī*) *f.* Venus, the goddess of beauty and love
सौंदर्य-बोध (*sauṁdaryabodh*) *m.* aesthetic sense
सौंदर्यशास्त्र (*sauṁdaryaśāstra*) *m* aesthetics
सौंपना (*sauṁpnā*) *v.t.* to hand over, to entrust
सौंफ (*sauṁf*) *m.* anise, aniseed, seed of sweet fennel
सौ (*sau*) *m.* & *a.* hundred
सौख्य (*saukhya*) *m.* comfort, convenience
सौगंध (*saugandha*) *f.* 1. oath, swearing 2. vow
सौग़ात (*saugāt*) *f.* a special gift
सौजन्य (*saujanya*) *m.* 1. goodness 2. nobility 3. courtesy
सौत (*saut*) *f.* /सौतन (*sautan*) *f.* co-wife
सौदा (*saudā*) *m.* deal, bargain
सौदाई (*saudāī*) *a.* 1. melancholic 2. insane, mad
सौदागर (*saudāgar*) *m.* merchant
सौदागरी (*saudāgarī*) *f.* business, trade, commerce
सौदामिनी (*saudāminī*) *f.* lightning
सौध (*saudh*) *m.* palace, mansion, royal building
सौभाग्य (*saubhāgya*) *m.* good luck, fortune
सौभाग्यवती (*saubhāgyavatī*) *f.* one

स

enjoying happy wifehood
सौभाग्यवान् (*saubhāgyavān*) *a.* lucky, fortunate
सौभाग्यशालिनी (*saubhāgyaśālinī*) *f.* a fortunate, lucky woman
सौमित्र (*saumitra*) *m.* Lakshman, son of Sumitra and Dashrath (in Ramayan)
सौम्य (*saumya*) *a.* amiable, benign, gentle, kindly
सौम्यता (*saumyatā*) *f.* /**सौम्यत्व** (*saumytva*) *m.* amiability
सौर (*saur*) *a.* of the sun, solar
सौरभ (*saurabh*) *m.* sweet smell
सौष्ठव (*sauṣṭhava*) *m.* elegance
सौहार्द (*sauhārd*) *m.* friendship
स्कंध (*skandh*) *m.* 1. shoulder 2. trunk (of a tree) 3. branch
स्कूल (*skūl*) *m.* place of learning, school
स्खलन (*skhalan*) *m.* discharge
स्खलित (*skhalit*) *a.* discharged
स्तंभ (*stambh*) *m.* 1. pillar 2. column 3. shaft
स्तंभन (*stambhan*) *m.* retention
स्तंभित (*stambhit*) *a.* stunned
स्तन (*stan*) *m.* female breast
स्तनपान (*stanpān*) *m.* breast-feeding
स्तनपायी (*stanpāyī*) *a.* & *m.* breast-feeding mammal
स्तबक (*stabak*) *m.* bunch of flowers, bouquet
स्तब्ध (*stabdha*) *a.* stunned
स्तर (*star*) *m.* 1. level 2. standard
स्तरीय (*starīya*) *a.* standard
स्तवन (*stavan*) *m.* praise, panegyric, extolment, eulogy
स्तुति (*stuti*) *f.* 1. prayer 2. hymn
स्तुत्य (*stutya*) *a.* praiseworthy
स्तूप (*stūp*) *m.* a (Buddhistic) monument of dome-like form over sacred relics
स्तेन (*sten*) *m.* thief, robber
स्तोत्र (*stotra*) *m.* eulogy of a god or goddess
स्त्री (*strī*) *f.* woman, lady
स्त्रीगमन (*strīgaman*) *m.* intercourse with a woman
स्त्रीधन (*strīdhan*) *m.* a woman's personal wealth (gifted at her wedding), dowry
स्त्रीलिंग (*strīliṅg*) *m.* feminine gender
स्त्रीवश (*strīvaś*) *a.* henpecked, under a woman's (wife's) control/domination
स्त्रीसुख (*strīsukh*) *m.* sexual enjoyment
स्त्रैण (*straiṇ*) *a.* effeminate, womanish, womanly
स्थगन (*sthagan*) *m.* postponement
स्थगन-प्रस्ताव (*sthaganprastāv*) *m.* postponement motion
स्थगित (*sthagit*) *a.* postponed
स्थल (*sthal*) *m.*1. land 2. site
स्थली (*sthalī*) *f.* / **स्थान** (*sthān*) *m.* 1. place 2. spot
स्थानांतर (*sthānāntar*) *m.* 1. transfer 2. translocation
स्थानांतरक (*sthānāntarak*) *m.* migrant
स्थानांतरण (*sthānāntaraṇ*) *m.* 1.

shifting, transference 2. transfer 3. displacement

स्थानापन्न (*sthānāpanna*) *a.* substitute, officiating

स्थानाभाव (*sthānābhāv*) *m.* shortage of space

स्थानीय (*sthānīya*) *a.* local

स्थानीय स्वशासन *m.* local self-government

स्थापक (*sthāpak*) founder

स्थापत्य (*sthāpatya*) *m.* architecture

स्थापत्य कला (*sthāpatya kalā*) *f.* architecture, architectural art

स्थापना (*sthāpanā*) *f.* 1. establishment 2. founding

स्थापित (*sthāpit*) *a.* established

स्थायित्व (*sthāyitva*) *m.* 1. stability 2. permanency

स्थायी (*sthāyī*) *a.* permanent

स्थावर (*sthāvar*) *a.* immovable

स्थावर और जंगम *a.* immovable and movable

स्थित (*sthit*) *a.* situated

स्थितप्रज्ञ *a.* of undisturbed equilibrium of mind, of calm disposition

स्थिति (*sthiti*) *f.* condition, state

स्थिर (*sthir*) *a.* 1. still, unmoved 2. steady, firm 3. stationary

स्थिरता (*sthiratā*) *f.* stability

स्थूल (*sthūl*) *a.* 1. plump, fat 2. bulky

स्नात (*snāt*) *a.* bathed (in)

स्नातक (*snātak*) *m.* graduate

स्नातकोत्तर (*snātakottar*) *a.* post-graduate

स्नान (*snān*) *m.* bathing, ablution

स्नानागार (*snānāgār*) *m.*/**स्नानगृह** (*snāngr̥h*) *m.* bath room, a bath

स्नायु (*snāyu*) *f.* nerve, ligament

स्निग्ध (*snigdha*) *a.* oily, soft

स्नुषा (*snuṣā*) *f.* daughter-in-law

स्नेह (*sneh*) *m.* love, affection

स्नेही (*snehī*) *a.* loving

स्पंद (*spand*) *m.* /**स्पंदन** (*spandan*) *m.* 1. vibration 2. pulsation

स्पंदित (*spandit*) *a.* vibrated

स्पर्धा (*spardhā*) *f.* 1. competition 2. envy 3. rivalry

स्पर्श (*sparś*) *m.* touch, contact

स्पर्शजन्य (*sparśjanya*) *a.* caused by touch or contagion

स्पर्शित (*sparśit*) *a.* touched

स्पष्ट (*spaṣṭa*) *a.* 1. clear 2. explicit

स्पष्टवादिता *f.* plain speaking

स्पष्टवादी *a.* /**स्पष्टभाषी** *a.* frankness in speech, outspoken

स्पष्टतः (*spaṣṭataḥ*) *adv.* /**स्पष्टतया** (*spaṣṭatayā*) *adv.* 1. clearly 2. vividly 3. obviously

स्पष्टीकरण (*spaṣṭīkaraṇ*) *m.* 1. clarification 2. explanation

स्पृहणीय (*spr̥haṇīya*) *a.* worth aspiring for or craving for

स्पृहा (*spr̥hā*) *f.* 1. covetousness 2. craving 3. aspiration

स्फटिक (*sphaṭik*) *m.* quartz

स्फीति (*sphīti*) *f.* inflation

स्फुट (*sphuṭ*) *a.* 1. distinct, manifest 2. miscellaneous

स्फुटन (*sphuṭan*) *m.* sprouting

स

स्फुरण (*sphuraṇ*) *m.* 1. spurt 2. pulsation 3. throbbing
स्फुलिंग (*sphurliṅg*) *m.* spark
स्फूर्ति (*sphūrti*) *f.* 1. agility, smartness 2. liveliness
स्फोट (*sphoṭ*) *m.* 1. burst, explosion 2. eruption
स्मर (*smar*) *m.* Cupid, the god of love
स्मरण (*smaraṇ*) *m.* 1. remembrance 2. recollection
स्मरणीय (*smaraṇīya*) *a.* memorable, worth remembering
स्मारक (*smārak*) *m.* memorial, monument
स्मारिका (*smārikā*) *f.* souvenir
स्मार्त (*smārta*) I. *a.* Hindu law books II. *m.* one who follows the doctrines of Smriti text
स्मित (*smit*) *m.* smile
स्मृतिशेष (*smṛtiśeṣ*) *a.* living in memory (only), late
स्यंदन (*syandan*) *m.* chariot (especially war chariot)
स्याह (*syāh*) *a.* black, dark
स्रष्टा (*sraṣṭā*) *m.* creator, God
स्राव (*srāv*) *m.* 1. flow 2. secretion
स्रोत (*srot*) *m.* source, origin
स्रोतस्विनी (*srotasvinī*) *f.* river
स्व (*sva*) *pref.* 1. self 2. personal
स्वकीया (*svakīyā*) *f.* wedded wife
स्वकेन्द्रित (*svakendrit*) *a.* self-centred
स्वगत (*svagat*) *a.* speaking or addressing to oneself
  स्वगत कथन/भाषण *m.* soliloquy
स्वचालित (*svacālit*) *a.* automatic
स्वच्छंद (*svacchand*) *m.* free, unrestrained
स्वच्छंदतावाद (*svacchandtāvād*) *m.* romanticism
स्वच्छ (*svaccha*) *a.* clean
स्वच्छता (*svacchatā*) *f.* cleanliness
स्वजन (*svajan*) *m.* kith and kin
स्वजाति (*svajāti*) *f.* one's own caste or race
स्वजातीय (*svajātīya*) *a.* belonging to one's own caste or race
स्वतंत्र (*svatantra*) *a.* independent, free, autonomous
  स्वतंत्रता (*svatantratā*) *f.* independence, freedom
स्वतंत्रता सेनानी *f.* freedom-fighter
स्वतः (*svataḥ*) *adv.* per se, on one's own
  स्वतःस्फूर्त *a.* spontaneous
स्वत्व (*svatva*) *m.* 1. ownership, right 2. copyright
स्वत्वाधिकार (*svatvādhikār*) *m.* right, copyright
स्वत्वाधिकारी (*svatvādhikārī*) *m.* owner, proprietor, master, copyright-holder
स्वदेशी (*svadeśī*) *a.* native, indigenous
स्वधा (*svadhā*) *f.* offering (to the fire)
स्वनामधन्य (*svanāmdhanya*) *a.* famous, celebrated
स्वप्न (*svapna*) *m.* dream
स्वप्नदर्शी (*svapnadarśī*) *m.* dreamer

स्वप्नदोष (*svapnadoṣ*) *m.* emission of semen in a dream
स्वप्नलोक (*svapnalok*) *m.* dreamland, dream-world
स्वप्निल (*svapnil*) *a.* dreamlike
स्वभाव (*svabhāv*) *m.* 1. nature, temperament 2. innate disposition
स्वभावतः (*svabhāvataḥ*) *adv.* naturally, by nature
स्वयं (*svayaṁ*) *adv.* 1. self, by oneself 2. personally
स्वयंपाकी (*svayaṁpākī*) *m.* one who cooks his own meals
स्वयंभू (*svayaṃbhū*) *m.* an eponym of god Vishnu or Shiva
स्वयंवर (*svayaṁvar*) *m.* an ancient custom permitting the woman to choose her own husband
स्वयंवरा (*svayaṃvarā*) *f.* a woman who has married a man of her choice
स्वयंसेवक (*svayaṃsevak*) *m.* volunteer
स्वर (*svar*) *m.* 1. tone 2. voice
स्वराज्य (*svarājya*) *m.* self-government
स्वराष्ट्र (*svarāṣṭra*) *m.* 1. one's own country 2. homeland
स्वराष्ट्र-मंत्रालय (*svarāṣṭra-mantrālaya*) *m.* Home Ministry
स्वराष्ट्र मंत्री (*svarāṣṭra mantrī*) *m.* Home Minister
स्वरूप (*svarūp*) *m.* 1. appearance 2. shape, form 3. mask
स्वर्ग (*svarga*) *m.* paradise
स्वर्गगत (*svargagat*) *a.* 1. departed for heaven 2. dead
स्वर्गलाभ (*svargalābh*) *m.*/**स्वर्गवास** (*svargavās*) *m.* worthy place in heaven or paradise, death, demise
स्वर्गवासी (*svargavāsī*) *a.* late, dead
स्वर्ण (*svarṇa*) *m.* gold
स्वर्णकार (*svarṇkār*) *m.* goldsmith
स्वर्ण जयन्ती (*svarṇajayantī*) *f.* golden jubilee
स्वर्णयुग (*svarṇayug*) *m.* golden age
स्वर्णाक्षर (*svarṇākṣar*) *m.* a golden letter
स्वर्णिम (*svarṇim*) *a.* golden
स्वलिखित (*svalikhit*) *a.* autographed, self-written
स्वल्प (*svalpa*) *a.* very little
स्वल्पाहार (*svalpāhār*) *m.* light refreshment
स्वस्ति (*svasti*) I. *f.* 1. happiness 2. well-being II. *interj.* may you be happy and prosperous!
स्वस्ति पाठ *m.* chanting of benedictory mantras
स्वस्तिक (*svastik*) *m.* Swastika, the benefactory and auspicious mark (卐)
स्वस्थ (*svastha*) *a.* healthy, hale
स्वाँग (*svāṁg*) *m.* mime
स्वांतःसुखाय (*svāntaḥsukhāy*) *adv.* for one's own happiness
स्वागत (*svāgat*) *m.* welcome
स्वागत कक्ष (*svāgat kakṣa*) *m.* reception room

स

स्वागत समारोह (*svāgat samāroh*) *m.* reception
स्वागताध्यक्ष (*svāgatādhyakṣa*) *m.* chairman of the reception committee
स्वातंत्र्य (*svātantrya*) *m.* freedom
स्वातंत्र्योत्तर (*svātantryottar*) *a.* post-independence
स्वाति (*svāti*) *f.* one of the twenty-seven constellations
स्वाद (*svād*) *m.* taste, relish
स्वादिष्ट (*svādiṣṭ*) *a.* 1. tasteful, tasty 2. delicious
स्वादु (*svādu*) *a.* tasteful, tasty
स्वाधीन (*svādhīn*) *a.* independent, free
स्वाधीनतासंग्राम (*svādhīntāsaṅgrām*) *m.* war of independence
स्वाध्याय (*svādhyāya*) *m.* self-study
स्वाभाविक (*svābhāvik*) *a.* 1. natural 2. innate, inborn, inherent
स्वाभिमान (*svābhimān*) *m.* self-respect
स्वाभिमानी (*svābhimānī*) *a.* self-respecting
स्वामित्व (*svāmitva*) *m.* 1. ownership 2. proprietorship
स्वामिनी (*svāminī*) *f.* 1. female proprietor 2. mistress
स्वामी (*swāmī*) *m.* 1. master, lord 2. owner
स्वायत्त (*swāyatta*) *a.* autonomous
स्वायत्तता (*swāyattatā*) *f.* autonomy
स्वार्थ (*svārtha*) *m.* selfishness, self-interest
स्वार्थसिद्धि (*svārthasiddhi*) *f.* realization of selfish motive
स्वार्थी (*svārthī*) *a.*& *m.* selfish
स्वावलंबन (*svāvlamban*) *m.* self-dependence, self-support
स्वावलंबी (*svāvlambī*) *a.* self-dependent, self-reliant
स्वास्थ्य (*svāsthya*) *m.* health, fitness
स्वास्थ्य मंत्रालय (*svāsthya-mantrālaya*) *m.* Health Ministry
स्वास्थ्य मंत्री (*svāsthya mantrī*) *m.* Health Minister
स्वाहा (*svāhā*) *m.* & *interj.* let this oblation be for our happiness
स्वीकार (*svīkār*) *m.* 1. acceptance, approval 2. confessing
स्वीकारना (*svīkārnā*) *v.t.* 1. to accept 2. to admit
स्वीकार्य (*svīkārya*) *a.* acceptable, admissible
स्वीकृत (*svīkṛt*) *a.* 1. accepted 2. adopted 3. granted
स्वीकृति (*svīkṛti*) *f.* acceptance, approbation
स्वेच्छा (*svecchā*) *f.* one's own will, free will
स्वेद (*sved*) *m.* sweat
स्वेदकण (*svedkaṇ*) *m.* drops of sweat
स्वेदग्रंथि (*svedgranthi*) *f.* sweat gland
स्वैच्छिक (*svaicchik*) *a.* 1. voluntary 2. optional 3. arbitrary
स्वैच्छिक विषय *m.* optional subject
स्वैर (*svair*) *a.* self-willed
स्वैरचारिणी *f.* licentious woman

ह

हँकवा (*haṁkvā*) *m*. 1. a hunt in which drums are beaten 2. to cause animals to be driven towards the hunters

हँकवाना (*haṁkvānā*) *v.t.* to cause animals to be driven towards the hunters

हंगामा (*haṅgāmā*) *m*. uproar, commotion, disturbance

हंडा (*haṇḍā*) *m*. cauldron, a big metallic container

हंत (*hant*) *interj*. alas!

हंता (*hantā*) *m*. killer, murderer

हंस (*haṃs*) *m*. 1. swan 2. soul

हंसगामिनी (*haṃsgāminī*) *a*. (a woman) gifted with a swan-like graceful gait

हंसमाला (*haṃsmālā*) *f*. a row of flying swans

हँसमुख (*haṁsmukh*) *a*. gay, cheerful, having a smiling face

हंसवाहन (*haṃsvāhan*) *m*. Brahma whose vehicle is swan

हंसवाहिनी (*haṃsvāhinī*) *f*. the goddess Saraswati

हँसाना (*haṁsānā*) *v.t.* to make one laugh

हंसिनी (*haṃsinī*) *f*. a female swan

हँसिया (*haṁsiyā*) *f*. sickle, scythe

हँसी (*haṁsī*) *f*. 1. laughter 2. joke

हँसोड़ (*haṁsoṛ*) *a*. jolly

हक़ (*haq*) *m*. 1. right, claim 2. entitlement

हक़दार (*haqdār*) *a*. entitled, rightful claimant

हकला (*haklā*) *m*. stammerer

हकलाना (*haklānā*) *v.i.* to stammer

हक़ीक़त (*haqīqat*) *f*. truth, reality

हक़ीम (*haqīm*) *m*. physician who practises Unani medicine

हक्का-बक्का (*hakkā-bakkā*) *a*. shocked, confused, stunned

हज (*haj*) *m*. pilgrimage to Mecca

हज़म (*hazam*) *a*. digested

हज़रत (*hazrat*) *m*. 1. a title denoting respect 2. the prophet Mohammad

हजामत (*hajāmat*) *f*. shaving, shave

हज़ार (*hazār*) *m*. & *a*. one thousand

हज़ारा (*hazārā*) *m*. 1. water sprinkler 2. marigold having a thousand petals

हटना (*haṭnā*) *v.i.* to move away, to move aside, to withdraw

हटाना (*haṭānā*) *v.t.* to remove
हठ (*haṭh*) *m.* stubbornness, obstinacy
हठधर्म (*haṭhdharma*) *m.* dogma
हठयोग (*haṭhyog*) *m.* a type of yoga in which severe physical exercises are undertaken
हठात् (*haṭhāt*) *adv.* 1. forcibly 2. all of a sudden
हठी (*haṭhī*) *a.* intransigent, obstinate
हड़कंप (*haṛkamp*) *m.* furore, great commotion
हड़ताल (*haṛtāl*) *f.* strike
हड़प (*haṛap*) *m.* grabbing, act of swallowing
हड़बड़ाना (*haṛbaṛānā*) *v.i.* to act in a hurry, to be confused
हड़बड़ी (*haṛbaṛī*) *f.* haste
हड्डी (*haḍḍī*) *f.* bone
हत् (*hat*) I. *m.* killed, murdered II. *interj.* begone ! be away
हतप्रभ (*hatprabh*) *a.* 1. out of wits 2. nonplussed
हतप्राय (*hatprāya*) *a.* almost finished, nearly killed
हतभाग्य (*hatbhāgya*) *a.* unlucky, ill-fated, luckless
हतवीर्य (*hatvīrya*) *a.* bereft of vitality or gallantry / masculinity
हताश (*hatāś*) *a.* despondent, disappointed
हताशा (*hatāśā*) *f.* despair, despondency
हताहत (*hatāhat*) *m.* the killed and the wounded, casualties
हत्या (*hatyā*) *f.* murder
हत्यारा (*hatyārā*) *m.* murderer
हत्यारिन (*hatyārin*) *f.* female murderer or assassin
हथकड़ी (*hathkaṛī*) *f.* handcuffs
हथकरघा (*hathkarghā*) *m.* handloom
हथगोला (*hathgolā*) *m.* hand grenade
हथफेर (*hathpher*) *m.* fraud
हथिनी (*hathinī*) *f.* female elephant
हथियार (*hathiyār*) *m.* weapon
हथेली (*hathelī*) *f.* palm of the hand
हथौड़ा (*hathauṛā*) *m.* hammer
हथौड़ी (*hathauṛī*) *f.* a small hammer
हद (*had*) *f.* limit, boundary
हदबंदी (*hadbandī*) *f.* fixing the boundaries
हनन (*hanan*) *m.* killing, slaughter, murder, assassination
हनना (*hananā*) *v.t.* to kill, to slay, to murder
हनु (*hanu*) *f.* 1. jaw bone 2. chin
हनुमंत (*hanumant*) *m.* / **हनुमान** (*hanumān*) *m.* Hanuman, one of the mightiest generals of God Rama
हफ़्ता (*haftā*) *m.* week
हबशी (*habśī*) *m.* negro
हम (*ham*) I. *pron.* & *pl.* we II. *adv.* together
हमउम्र (*hamumra*) *a.* of the same age
हमदम (*hamdam*) *m.* bosom friend
हमदर्द (*hamdard*) *m.* sympathiser

ह

हमदर्दी (*hamdardī*) *f.* sympathy
हमल (*hamal*) *m.* foetus
हमला (*hamlā*) *m.* 1. attack 2. assault
हमलावर (*hamlāvar*) *m.* invader
हमशक्ल (*hamśakla*) *a.* of the same appearance
हमाम (*hamām*) *m.* / हम्माम (*hammām*) *m.* Turkish bath, a hot bath
हमायल (*hamāyal*) *f.* a necklace of flowers or rupees
हमारा (*hamārā*) *pron.* /हमारी (*hamārī*) *pron.* our, ours
हमाल (*hamāl*) *m.* a porter
हमें (*hameṁ*) *pron.* 1. us 2. to us
हमेशा (*hameśā*) *adv.* always, ever, constantly
हय (*haya*) *m.* horse
हया (*hayā*) *f.* shame, modesty
हर (*har*) I. *a.* every, each, any, all II. *m.* Lord Shiva
हरकत (*harkat*) *f.* 1. motion 2. act
हरगिज़ (*hargiz*) *adv.* ever, under any circumstances
हरजाई (*harjāī*) *a.* 1. vagabond 2. faithless
हरजाना (*harjānā*) *m.* damages, compensation, indemnity
हरण (*haraṇ*) *m.* kidnapping
हरताल (*hartāl*) *f.* yellow orpiment
हरदम (*hardam*) *adv.* at every moment, always, constantly
हरना (*harnā*) *v.t.* 1. to kidnap, to abduct 2. to seize
हरम (*haram*) *m.* harem, seraglio, female apartments
हरसिंगार (*harsiṅgār*) *m.* a kind of sweet smelling flower and its plant
हरा-भरा (*harā-bharā*) *a.* verdant, prosperous, flourishing
हराम (*harām*) I. *a.* unlawful, forbidden II. *m.* unlawful act
हरामख़ोर (*harāmkhor*) *m.* one who lives on ill-gotten resources
हरामी (*harāmī*) *a.* & *m.* (person) illegitimate, bastard
हरारत (*harārat*) *f.* 1. slight fever, feverishness 2. heat
हरि (*hari*) *m.* Lord Vishnu, God
हरिजन (*harijan*) *m.* a person of the scheduled caste
हरिण (*hariṇ*) *m.* deer
हरिणी (*hariṇī*) *f.* doe, female deer
हरित (*harit*) *a.* green
हरित क्रांति (*harit krānti*) *f.* green revolution
हरितालिका (*haritālikā*) *f.* a festival falling in the Hindu month of Bhadon (August)
हरिद्रा (*haridrā*) *f.* turmeric
हरिप्रिया (*haripriyā*) *f.* spouse of God Vishnu
हरियाली (*hariyālī*) *f.* greenery
हरि-हर (*hari-har*) *m.* God Vishnu and God Shiva
हरीतकी (*harītakī*) *f.* myrobalan
हरीतिमा (*harītimā*) *f.* greenery
हरे (*hare*) *interj.* O Lord ! O God!
हरे कृष्ण O Krishna !
हरे राम O Ram!
हरेक (*harek*) *a.* everyone
हर्म्य (*harmya*) *m.* palatial build-

ह

ing, a palace
हर्र (*harra*) *f.* myrobalan
हर्ष (*harṣa*) *m.* joy, happiness
हलंत (*halant*) *a.* a word ending in a consonant
हल (*hal*) *m.* 1. solution 2. plough
हलका (*halka*) *a.* 1. light 2. cheap 3. thin 4. faint
हलक़ा (*halqā*) *m.* a circle
हलका-फुलका (*halkā-phulkā*) *a.* very light
हलकोरा (*halkorā*) *m.* billow, wave
हलचल (*halcal*) *f.* agitation, commotion, hustle-bustle
हलदी (*haldī*) *f.* turmeric
हलधर (*haldhar*) *m.* 1. ploughman 2. an eponym of Balram, brother of Lord Krishna
हलवा (*halvā*) *m.* a sweet dish made of flour, ghee and sugar
हलवाई (*halvāī*) *m.* sweetmeat-seller, confectioner
हलवाहा (*halvāhā*) *m.* ploughman, farmer, peasant
हलाक (*halāk*) *a.* killed, murdered
हलाल (*halāl*) *a.* 1. legal, lawful 2. legitimate
हल्ला (*hallā*) *m.* noise, uproar
हवन (*havan*) *m.* a Hindu rite in which oblations are made to the god of fire, fire sacrifice
हवलदार (*havaldār*) *m.* a petty military officer
हवस (*havas*) *f.* lust, passion
हवा (*havā*) *f.* air, wind
हवाई जहाज़ (*havāī jahāz*) *m.* aeroplane, aircraft
हवाई मार्ग (*havāī mārg*) *m.* airway, air-passage
हवाला (*havālā*) *m.* 1. charge, care 2. custody 3. reference
हवालात (*havālāt*) *f.* lock-up
हवास (*havās*) *m.* senses
हविष्य (*haviṣya*) *m.* oblations
हवेली (*havelī*) *f.* a large spacious building
हव्य (*havya*) *a.* & *m.* fit to be offered as oblation
हशीश (*haśīś*) *m.* an intoxicating beverage made from hemp leaves
हश्र (*haśra*) *m.* 1. doomsday 2. consequence, result
हसरत (*hasrat*) *f.* desire, longing
हसीन (*hasīn*) *a.* beautiful, comely
हसीना (*hasīnā*) *f.* a pretty or beautiful woman
हस्त (*hasta*) *m.* 1. hand (of a person) 2. trunk (of an elephant)
हस्तकला (*hastakalā*) *f.* handicraft
हस्तक्षेप (*hastakṣep*) *m.* intervention
हस्तगत (*hastagat*) *a.* obtained, possessed, in hand
हस्त मैथुन (*hasta maithun*) *m.* masturbation
हस्तरेखा (*hastarekhā*) *f.* line(s) on the palm of the hand
हस्तांतरण (*hastāntaraṇ*) *m.* transfer, transference
हस्तांरित (*hastāntarit*) *a.* transferred
हस्ताक्षर (*hastākṣar*) *m.* signature

हस्ताक्षरित (*hastākṣarit*) *a.* signed
हस्ती (*hastī*) *f.* existence, status
हाँ (*hāṁ*) *adv.* yes
हाँक (*hāṁk*) *f.* call, calling aloud
हाँका (*hāṁkā*) *m.* loud noises to drive a game to the hunter's site
हाँड़ी (*hāṁṛī*) *f.* an earthen cooking pot
हाँफना (*hāṁphanā*) *v.i.* to breathe with short quick breaths
हाकिम (*hākim*) *m.* officer, ruler
हाज़मा (*hāzmā*) *m.* digestion, digestive system
हाज़िर (*hāzir*) *a.* ready, at hand
हाज़िरी (*hāzirī*) *f.* presence, attendance
हाजी (*hājī*) *m.* one who has been on pilgrimage to Mecca
हाट (*hāṭ*) *f.* a market
हाड़ (*hāṛ*) *m.* bone
हाथ (*hāth*) *m.* 1. hand, handle 2. arm (of a chair) 3. turn in chess
हाथापाई (*hāthāpāī*) *f.* fighting with hands
हाथी (*hāthī*) *m.* elephant, jumbo, castle or rook (in chess)
हाथी-दाँत (*hāthī dāṁt*) *m.* ivory
हाथी-पाँव (*hāthī-pāṁv*) *m.* elephantiasis
हाथीवान (*hāthīvān*) *m.* elephant-driver, mahout
हादसा (*hādsā*) *m.* accident
हानि (*hāni*) *f.* 1. disadvantage 2. loss 3. detriment
हानिकर (*hānikar*) *a.* harmful
हाफ़िज़ (*hāfiz*) *m.* 1. protector 2. a blind man 3. one who knows the Quran by heart
हाय (*hāya*) I. *interj.* oh, ha, ah me alas! II. *f.* curse, sigh
हायतोबा (*hāyatobā*) *f.* loud protestation
हाय-हाय (*hāya-hāya*) *f.* hullabaloo, an uproar, tumult
हार (*hār*) I. *f.* defeat II. *m.* garland, wreath, necklace
हारना (*hārnā*) *v.t.* to be defeated, to lose
हारा (*hārā*) *a.* defeated
हारिल (*hāril*) *m.* a parrot-like bird
हार्दिक (*hārdik*) *a.* hearty, cordial
हाल (*hāl*) *m.* 1. condition, state 2. account 3. news
हालचाल (*hālcāl*) *m.* general welfare (of a person)
हालत (*hālat*) *f.* state, condition
हालांकि (*hālāṅki*) *conj.* though, although
हालात (*hālāt*) *m.* circumstances
हावभाव (*hāvbhāv*) *m.* (of women) coquetry
हावी (*hāvī*) *a.* dominant
हाशिया (*hāśiyā*) *m.* margin, border
हास (*hās*) *m.* /**हास्य** (*hāsya*) *m.* 1. laugh, laughter 2. fun, joke
हास्यजनक (*hāsyajanak*) *a.* burlesque, causing laughter
हास्य रस (*hāsya ras*) *m.* sentiment of humour
हास्य-व्यंग्य (*hāsya-vyaṅgya*) *m.*

ह

humour and satire

हास्यास्पद (*hāsyāspad*) *a.* ridiculous, ludicrous

हाहाकार (*hāhākār*) *m.* cry of distress, distressful lamentation

हिंडोल (*hiṇḍol*) *m.* a mode of Indian raga

हिंडोला (*hiṇḍolā*) *m.* a swing adorned with a seat

हिंद (*hind*) *m.* India, Bharat

हिंदी (*hindī*) *f.* national language of India

हिंदुस्तान (*hindustān*) *m.* a name of India or Bharat

हिंदू (*hindū*) *m.* Hindu

हिंसक (*hiṃsak*) *a.* violent, ferocious

हिंसा (*hiṃsā*) *f.* violence

हिंस्र (*hiṃsra*) *a.* violent, wildly cruel

हिकमत (*hikmat*) *f.* 1. wisdom 2. skill

हिकारत (*hikārat*) *f.* contempt

हिचक (*hicak*) *f.* hesitation

हिचकी (*hickī*) *f.* hiccup

हिजड़ा (*hijṛā*) I. *m.* eunuch II. *a.* impotent

हिज्जे (*hijje*) *m.* & *pl.* spellings

हित (*hit*) *m.* 1. interest 2. well-being, welfare

हितकर (*hitkar*) *a.* beneficial, gainful

हितकारी (*hitkārī*) *m.* benefactor

हितचिंतक (*hitciṅtak*) *m.* well-wisher, benefactor

हितैषी (*hitaiṣī*) *a.* & *m.* well-wisher

हितोपदेश (*hitopadeś*) *m.* beneficial advice, name of a collection of Sanskrit tables

हिदायत (*hidāyat*) *f.* instruction

हिनहिनाना (*hinhinānā*) *v.i.* to neigh, to give a whinny

हिना (*hinā*) *f.* myrtle, paste of myrtle leaves

हिफ़ाज़त (*hifāzat*) *f.* 1. guarding 2. safety, security

हिम (*him*) *m.* snow, ice, frost

हिमकण (*himkaṇ*) *m.* snow particles

हिमकर (*himkar*) *m.* synonym of the moon

हिमगिरि (*himgiri*) *m.* the Himalayas

हिमनद (*himnad*) *m.* glacier

हिमपात (*himpāt*) *m.* snowfall

हिम मानव (*him mānav*) *m.* snowman

हिमयुग (*himyug*) *m.* ice age

हिमशिखर (*himśikhar*) *m.* snow-cap

हिमांशु (*himānśu*) *m.* (an epithet) of the moon

हिमाचल (*himācal*) *m.* the Himalayas

हिमाच्छन्न (*himācchanna*) *a.* snow-clad

हिमाद्रि (*himādri*) *m.* the Himalayas

हिमायत (*himāyat*) *f.* support

हिमालय (*himālaya*) *m.* the Himalayas

हिम्मत (*himmat*) *f.* courage

हिय (*hiya*) *m.* the heart

हिरण (*hiraṇ*) *m.* deer

हिरण्मय (*hiraṇmaya*) *a.* made of

gold, golden

हिरण्य (*hiraṇya*) *m.* gold

हिरण्यगर्भ (*hiraṇyagarbh*) *m.* an incarnation of Brahma , born from a gold egg

हिरासत (*hirāsat*) *f.* 1. custody 2. lock-up

हिलकोर (*hilkor*) *f.* /**हिलकोरा** (*hilkorā*) *m.* wave, surge, billow

हिलना (*hilnā*) *v.i.* to move

हिलमिलकर (*hilmilkar*) *adv.* in co-operation

हिलाना (*hilānā*) *v.t.* to move, to shake, to swing

हिसाब (*hisāb*) *m.* 1. calculation 2. arithmetic

हिसाबी (*hisābī*) *a.* calculating

हिस्सा (*hissā*) *m.* share, part

हिस्सेदार (*hissedār*) *m.* sharer, partner, co-sharer

हींग (*hīṁg*) *f.* gum of a tree

ही (*hī*) *part.* only, solely

हीन (*hīn*) I. *a.* 1. low 2. destitute II. *a.* & *suff.* devoid of

हीन भावना (*hīn bhāvanā*) *f.* inferiority complex

हीनयान (*hīnyān*) *m.* a sect of Buddhism

हीरक (*hīrak*) *m.* diamond

हीरक जयन्ती (*hīrak jayantī*) *f.* diamond jubilee

हीरा (*hīrā*) *m.* diamond

हीला-हवाला (*hīlāhavāla*) *m.* chicanery, pretence

हुँ (*huṁ*) *m.* expression of assent

हुंडी (*huṇḍī*) *f.* a bill of exchange, a promissory note

हुकूमत (*hukūmat*) *f.* 1. jurisdiction, sway 2. government

हुक़्क़ा (*huqqā*) *m.* a hubble-bubble

हुक्म (*hukma*) *m.* 1. order 2. judgment 3. rule

हुजूम (*hujūm*) *m.* crowd

हुजूर (*huzūr*) *m.* your honour

हुजूरी (*huzūrī*) *f.* presence

जी हुजूरी sycophancy

हुज्जत (*hujjat*) *f.* 1. argument 2. discussion

हुड़दंग (*huṛdaṅg*) *m.* commotion, tumult, uproar

हुत (*hut*) *a.* sacrificed, offered as oblation to fire

हुताग्नि (*hutāgni*) *f.* oblation to fire

हुतात्मा (*hutātmā*) *m.* martyr

हुनर (*hunar*) *m.* 1. talent 2. art, craft 3. skill

हुनरमंद (*hunarmand*) I. *a.* skilful II. *m.* artist, artisan

हुलास (*hulās*) *m.* 1. joy 2. hilarity

हुलिया (*huliyā*) *m.* features

हुस्न (*husn*) *m.* beauty, prettiness, comeliness, elegance

हुस्नपरस्त (*husnaparast*) *m.* an admirer

हुस्नपरस्ती (*husnaparastī*) *f.* admiration of beauty

हूबहू (*hūbahū*) *a.* exactly alike

हूर (*hūr*) *f.* a virgin of paradise, nymph, a very beautiful girl

हूल (*hūl*) *f.* piercing thrust

हूलना (*hūlnā*) *v.i.* to thrust

हृत (*hṛt*) *a.* taken away

हृदयंगम (*hṛdayaṅgam*) *a.* taken to

heart, mentally assimilated

हृदय (*hṛdaya*) *m.* heart

हृदयग्राही (*hṛdayagrāhī*) *a.* captivating, fascinating

हृदय परिवर्तन (*hṛdayaparivatan*) *m.* change of heart

हृदयवल्लभ (*hṛdayavallabh*) *m.* darling of the heart

हृदयेश (*hṛdayeś*) *m.*/**हृदयेश्वर** (*hṛdayeśvar*) *m.* lord of one's heart, lover, husband

हृदयेश्वरी (*hṛdayeśvarī*) *f.* mistress of one's heart, beloved

हृद्रोग (*hṛdrog*) *m.* heart disease

हृषीकेश (*hṛśīkeś*) *m.* 1. one who has control over sleep 2. an eponym of Lord Vishnu and Krishna

हृष्ट-पुष्ट (*hṛṣṭa-puṣṭa*) *a.* stout and robust

हेंगा (*heṁgā*) *m.* field-leveller

हेकड़ी (*hekṛī*) *f.* 1. arrogance, insolence 2. stubbornness

हेठा (*heṭhā*) *a.* low, mean, inferior

हेठापन (*heṭhāpan*) *m.* lowness, meanness, inferiority

हेतु (*hetu*) *m.* reason, cause, motive, object

हेमंत (*hemant*) *m.* the winter season

हेम (*hem*) *m.* gold

हेय (*hey*) *a.* petty, trivial, insignificant

हेरफेर (*herpher*) *m.* 1. interchange 2. confusion 3. trickery

हेराफेरी (*herāpherī*) *f.* 1. manipulation 2. interchange of things with evil motive, cheating

हेलमेल (*helmel*) *m.* intimacy, close relationship, hobnobbing

हैं (*haiṁ*) I. *interj.* 1. hey ! stop that! 2. expression of astonishment

हैज़ा (*hāizā*) *m.* cholera

हैरत (*hāirat*) *f.* astonishment, amazement, wonder

हैरान (*hairān*) *a.* astonished, amazed, perplexed, confounded

हैवान (*haivān*) *m.* animal, beast, brute, savage

हैसियत (*haisiyat*) *m.* status, rank

होंठ (*hoṁṭh*) *m.* lip

होड़ (*hoṛ*) *f.* competition, race, bet

होता (*hotā*) *m.* /**होतृ** (*hotṛ*) *m.* one who offers oblations in a sacrificial fire

होनहार (*honhār*) I. *a.* promising, likely to turn out well II. *f.* destiny, predestination, the inevitable

होना (*honā*) *v.i.* to be, to happen, to take place

होनी (*honī*) *f.* destiny, predestination

होम (*hom*) *m.* sacrifice, oblation to fire

होरसा (*horsā*) *m.* a flat piece of stone on which bread is made or sandalwood is ground

होलिका (*holikā*) *f.* name of a demoness worshipped at Holi festival

होली (*holī*) *f.* 1. a Hindu festival of Holikadahan in Falgun (Feb.-March) 2. pile of wood burnt during Holi festival 3. a bonfire

होश (*hoś*) *m.* 1. consciousness 2. sense

होशियार (*hośiyār*) *a.* 1. clever 2. wise 3. alert

हौआ (*hauā*) *m.* /**हौवा** (*hauvā*) *m.* 1. bugbear, bogey 2. scarecrow

हौज़ (*hauz*) *m.* 1. reservoir 2. tank

हौदा (*haudā*) *m.* 1. a seat placed on an elephant 2. a pond

हौले-हौले (*haule-haule*) *adv.* gradually, slowly and gently

हौसला (*hauslā*) *m.* courage, morale, spirit

ह्रस्व (*hrasva*) *a.* short

ह्रस्व स्वर (*hrasva svar*) *m.* short vowel

ह्रास (*hrās*) *m.* 1. decay, fall 2. decrease

ह्रासमान (*hrāsmān*) *a.* decaying, falling

ह्रासित (*hrāsit*) *a.* diminished, reduced

ह्रासोन्मुख (*hrāsonmukh*) *a.* decadent

परिशिष्ट-1

Appendix-1

हिन्दी की गिनती/Hindi Counting

१	एक	1
२	दो	2
३	तीन	3
४	चार	4
५	पांच	5
६	छह	6
७	सात	7
८	आठ	8
९	नौ	9
१०	दस	10
११	ग्यारह	11
१२	बारह	12
१३	तेरह	13
१४	चौदह	14
१५	पन्द्रह	15
१६	सोलह	16
१७	सत्रह	17
१८	अठारह	18
१९	उन्नीस	19
२०	बीस	20
२१	इक्कीस	21
२२	बाईस	22
२३	तेईस	23
२४	चौबीस	24
२५	पच्चीस	25
२६	छब्बीस	26
२७	सत्ताईस	27
२८	अट्ठाईस	28
२९	उनतीस	29
३०	तीस	30
३१	इकतीस	31
३२	बत्तीस	32
३३	तैंतीस	33
३४	चौंतीस	34
३५	पैंतीस	35
३६	छत्तीस	36
३७	सैंतीस	37
३८	अड़तीस	38
३९	उनतालीस	39
४०	चालीस	40
४१	इकतालीस	41
४२	बयालीस	42
४३	तैंतालीस	43
४४	चवालीस	44
४५	पैंतालीस	45
४६	छियालीस	46
४७	सैंतालीस	47
४८	अड़तालीस	48
४९	उनचास	49
५०	पचास	50
५१	इक्यावन	51
५२	बावन	52
५३	तिरपन	53
५४	चौवन	54
५५	पचपन	55
५६	छप्पन	56
५७	सतावन	57
५८	अठावन	58
५९	उनसठ	59
६०	साठ	60
६१	इकसठ	61
६२	बासठ	62
६३	तिरसठ	63
६४	चौंसठ	64
६५	पैंसठ	65
६६	छियासठ	66
६७	सड़सठ	67
६८	अड़सठ	68
६९	उनहत्तर	69
७०	सत्तर	70
७१	इकहत्तर	71
७२	बहत्तर	72
७३	तिहत्तर	73
७४	चौहत्तर	74
७५	पचहत्तर	75
७६	छिहत्तर	76
७७	सतहत्तर	77
७८	अठहत्तर	78
७९	उनासी	79
८०	अस्सी	80
८१	इक्यासी	81
८२	बयासी	82
८३	तिरासी	83
८४	चौरासी	84
८५	पचासी	85
८६	छियासी	86
८७	सतासी	87
८८	अठासी	88
८९	नवासी	89
९०	नब्बे	90
९१	इक्यानवे	91
९२	बानवे	92
९३	तिरानवे	93
९४	चौरानवे	94
९५	पचानवे	95
९६	छियानवे	96
९७	सतानवे	97
९८	अठानवे	98
९९	निन्यानवे	99
१००	सौ	100

परिशिष्ट-2

Appendix-2

व्याकरण की अंग्रेज़ी-हिन्दी शब्दावली

Hindi equivalents of English grammatical terms

Adjective	विशेषण
-adjective of quality	गुणवाचक विशेषण
-adjective of quantity	परिमाणवाचक विशेषण
Adverb	क्रिया विशेषण
Alphabet	वर्ण, अक्षर
Case	कारक
Clause	उपवाक्य
Comma	अल्प-विराम
Compound	समास
Conjunction	समुच्चयबोधक अव्यय
Consonants	व्यंजन
Essay	निबंध
Exclamation mark	विस्मयादिबोधक
Full stop	पूर्ण विराम
Gender	लिंग
-masculine	पुल्लिंग
-feminine	स्त्रीलिंग
Idiom	मुहावरा
Inverted comma	उद्धरण चिह्न
Noun	संज्ञा
-common noun	जातिवाचक संज्ञा
-abstract noun	भाववाचक संज्ञा
-proper noun	व्यक्तिवाचक संज्ञा
-collective noun	समूहवाचक संज्ञा
Number	वचन
-singular	एकवचन
-plural	बहुवचन
Object	कर्म
Opposite	विलोम
First person	उत्तम पुरुष
Second person	मध्यम पुरुष
Third person	अन्य पुरुष
Phrase	वाक्यांश
Predicate	विधेय
Prefix	उपसर्ग
Preposition	संबंधबोधक
Pronoun	सर्वनाम
Proverb	लोकोक्ति
Question mark	प्रश्न चिह्न
Script	लिपि
Semi colon	अर्धविराम
Sentence	वाक्य
Speech	उक्ति
-direct speech	प्रत्यक्ष उक्ति
-indirect speech	परोक्ष उक्ति
Spelling	उद्देश्य
Suffix	प्रत्यय
Synonym	पर्याय
Tense	काल
-past tense	भूत काल
-present tense	वर्तमान काल
-future tense	भविष्य काल
Translation	अनुवाद
Verb	क्रिया
-transitive verb	सकर्मक क्रिया
-intransitive verb	अकर्मक क्रिया
Voice	वाच्य
-active voice	कर्तृवाच्य
-passive voice	कर्मवाच्य
Vowels	स्वर

परिशिष्ट-3

Appendix-3

कुछ सामान्य शब्दों की अंग्रेज़ी-हिन्दी शब्दावली

Hindi equivalents of some common English words

Absent	अनुपस्थित
Accident	दुर्घटना
Adult	वयस्क
Advertisement	विज्ञापन
Aeroplane	वायुयान
Agriculture	कृषि
Air Conditioned	वातानुकूलित
Air force	वायु सेना
Airport	हवाई-अड्डा
Application	प्रार्थना पत्र, अर्ज़ी
Appointment	नियुक्ति
Army	थल सेना
Assistance	सहायता
Assistant	सहायक
Atomic	परमाण्विक
Average	औसत
Ballot	मत-पत्र
Bathroom	स्नान-गृह
Blackboard	श्यामपट
Blood pressure	रक्त दाब
Bomb	बम
Branch	शाखा
Bridge	पुल, सेतु
Broadcast	प्रसारित
Cabinet	मंत्रिमंडल
Calendar	तिथि पत्र, पंचांग
Capital	राजधानी
Capitalist	पूँजीपति
Candidate	उम्मीदवार
Cashier	कोषाध्यक्ष
Census	जनगणना
Certificate	प्रमाण-पत्र
Chairman	सभापति
Class	कक्षा, वर्ग
Clerk	लिपिक
College	महाविद्यालय
Commerce	वाणिज्य
Commercial	वाणिज्यिक
Commission	आयोग
Committee	समिति
Conference	सम्मेलन
Constituency	चुनाव क्षेत्र
Constitution	संविधान
Convention	अधिवेशन
Convocation	दीक्षान्त समारोह
Corporation	निगम, महापालिका
Correction	सुधार
Court	कचहरी, न्यायालय
Criminal	अपराधी, आपराधिक
Currency	मुद्रा
Degree	उपाधि
Democracy	लोकतंत्र, प्रजातंत्र
Department	विभाग
Deputy	सहायक
Development	विकास
Diplomat	राजदूत, कूटनीतिज्ञ
Director	निर्देशक
Directory	निर्देशिका
District	ज़िला
Eclipse	ग्रहण

Economy	अर्थव्यवस्था	Index	अनुक्रमणिका, सूची
Electricity	विद्युत	Income tax	आयकर
Election	चुनाव	Industry	उद्योग
Electoral College	निर्वाचक-मंडल	Industrialist	उद्योगपति
		Inland letter	अंतरदेशीय पत्र
Embassy	दूतावास	Interview	साक्षात्कार
Emergency	आपात	Interval	मध्यावकाश
Energy	शक्ति, ऊर्जा	Inquiry	पूछताछ
Engineer	अभियंता	Invitation	निमंत्रण
Entry	प्रवेश	Irrigation	सिंचाई
Examination	परीक्षा	Invention	आविष्कार
Export	निर्यात	Jail	कारागार, बंदीगृह
Exhibition	प्रदर्शनी	Judge	न्यायाधीश
Environment	वातावरण	Judgement	फैसला, निर्णय
Factory	कारखाना	Justice	न्याय
Fertilizer	उर्वरक	Laboratory	प्रयोगशाला
Finance	वित्त	Law	कानून, विधि
Financial	वित्तीय	Legal	कानूनी, वैधानिक
Fees	शुल्क	Legislative	विधानमंडल
Fire Brigade	दमकल	Library	पुस्तकालय
Fire Station	दमकल केन्द्र	Magazine	पत्रिका
First	प्रथम	Majority	बहुमत
Foreign	विदेशी	Madam	महोदया
Government	सरकार	Marks	अंक
Governor	राज्यपाल	Mark sheet	अंक तालिका
Graduate	स्नातक	Manager	प्रबंधक
Handicapped	विकलांग	Management	प्रबंध
Handicraft	हस्तशिल्प	Maximum	अधिकतम
Headmaster	प्रधानाध्यापक	Mechanic	मिस्त्री
Headmistress	प्रधानाध्यापिका	Medal	पदक
Head of the Department	विभाग अध्यक्ष	Message	सन्देश
		Money	धन, मुद्रा
High Court	उच्च-न्यायालय	Metal	धातु
Home work	गृह कार्य	Million	दस लाख
Identity card	पहचान-पत्र	Military	सेना
Import	आयात	Mineral	खनिज

Minimum	न्यूनतम
Minister	मंत्री
Minority	अल्पसंख्यक
Municipality	नगरपालिका
Member of Parliament (MP)	संसद सदस्य
Member of Legislative Assembly (MLA)	विधायक
Machine	उपकरण, यंत्र
Market	बाज़ार
Navy	नौ-सेना
News	समाचार
Notice	सूचना
Notice board	सूचना-पट्ट
Nuclear	नाभिकीय
Oath	शपथ
Office	कार्यालय
Officer	अधिकारी
Official	शासकीय, राजकीय
Parliament	संसद
Payment	भुगतान
Percentage	प्रतिशत
Period	अवधि
Permission	आज्ञा, अनुमति
Please	कृपया
Politics	राजनीति
Politician	राजनीतिज्ञ
Policy	नीति
Pollution	प्रदूषण
Port	बन्दरगाह
Post office	डाकखाना
Postage	डाक-व्यय
President	राष्ट्रपति
Price	मूल्य
Primary	प्राथमिक
Prime Minister	प्रधान-मंत्री
Principal	प्रधानाचार्य
Private	निजी, व्यक्तिगत
Prize	पुरस्कार
Public	सार्वजनिक
Reception	स्वागत समारोह
Recess	अल्प अवकाश
Receipt	रसीद
Republic	गणतंत्र
Reservation	आरक्षण
Resignation	त्यागपत्र
Respected	आदरणीय
Rule	नियम
Rural	ग्रामीण
Salary	वेतन
Secondary	माध्यमिक
Secretariat	सचिवालय
Secretary	सचिव
Sir	श्रीमान, महोदय
Social	सामाजिक
Society	समाज
Space	अंतरिक्ष
State	प्रदेश
Statistics	आँकड़े, सांख्यिकी
Student	छात्र
Stock market	शेयर बाज़ार
Trade	व्यापार
Transport	यातायात, परिवहन
Terrorism	आतंकवाद
Telegram	तार
Tool	उपकरण
Tourist	पर्यटक
University	विश्वविद्यालय
Urban	शहरी
Village	ग्राम
Vote	मतदान
Warning	चेतावनी
Welfare	कल्याण